어차피 조연인데 나랑 사랑이나 해

II
어차피 조연인데
나랑 사랑이나 해
단디 장편 소설
FEEL PREMIUM EDITION

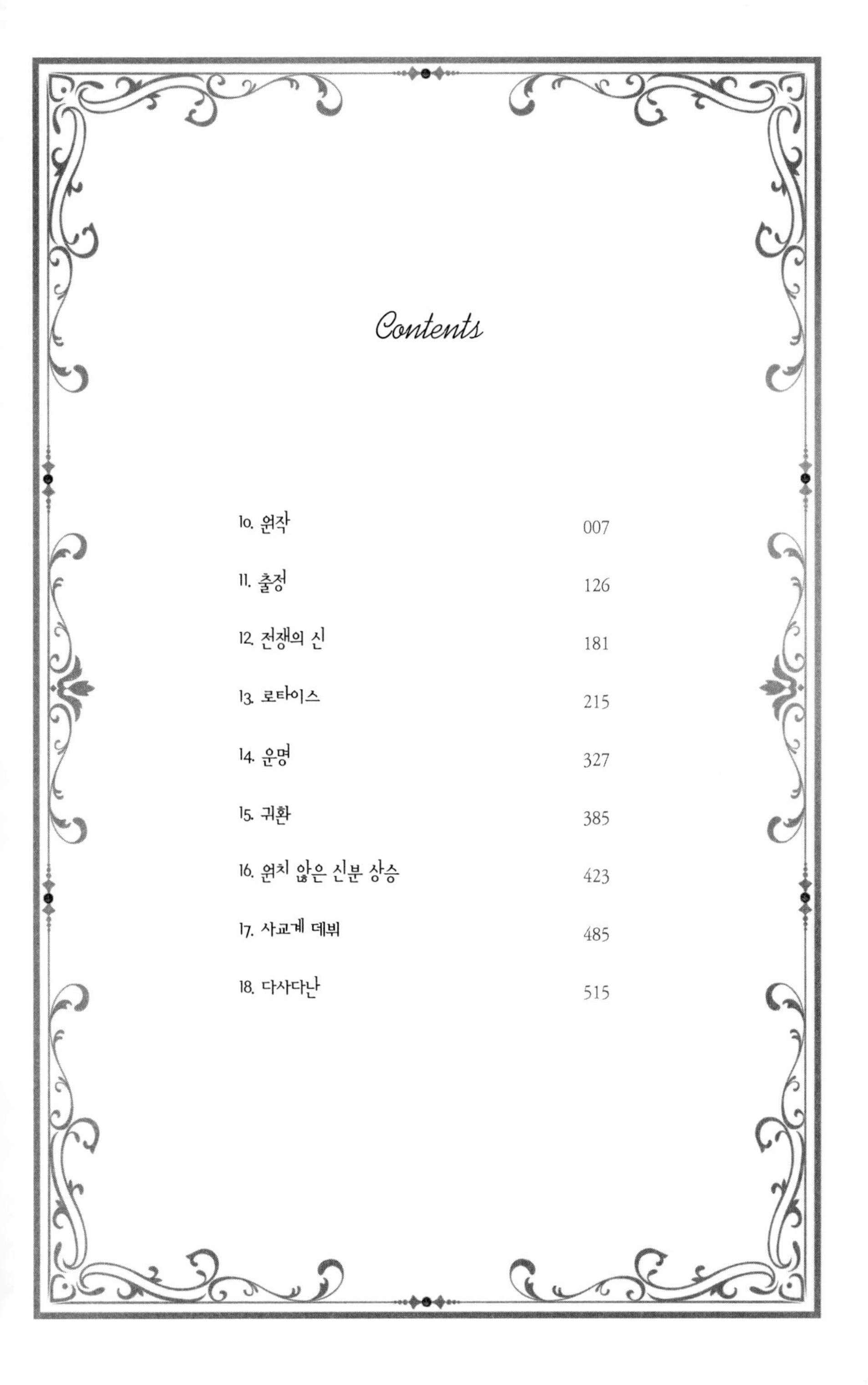

Contents

10. 원작

책에서 봤던 것보다 더 많은 이야기가 숨겨진 탓에 혼란스러웠지만 크게 이야기의 틀을 벗어나진 않았다.

이사크가 황제의 신임을 얻고, 귀족들 사이에서 조금씩 입지를 넓혀 간다는 것. 오르본과의 협약을 통해 국민들이나 기사들에게 호감을 얻은 건 말할 필요도 없었고.

카일의 입장에서 보자면 정말 혜성처럼 등장한 걸림돌이었다.

조바심이 나는 것도 당연하지. 늦게 등장한 황자인데도 온갖 관심 속에서 황자로 확실하게 자리매김했으니까. 이후에 카일이 란티모스 공국의 지원 요청에 자원하여 지휘권을 받아 전쟁에 나가는 것도 시간문제였다.

그 전쟁에 나가면 안 되는데. 참패하고 팔 한쪽도 잃고, 병사들도 모두 잃고 돌아온다고. 거기서 벤지도 죽는다고 돼 있었단 말이야. 희망 한 줄기 없이 빈 손으로 돌아온 카일이 황제의 집무실에서 자살하는 결말은 보고 싶지 않았다. 생각보다 너무 빠른데. 책 속에서도 이렇게 빨랐었나.

'작가님. 여신님. 삼신 언니. 나와 보세요. 거기 계신가요.'

금자야, 나는 언제나 있고, 또 언제나 없단다.

'수수께끼 같은 소리 하지 마시고요, 작가님. 이게 스토리 전개가 너무 빠른 거 아닌가요. 전쟁이 벌써 터지려고 하는 거 같아요.'

아직 멀었어.

'진짜요?'

그래, 대략 두 달 남았던가.

'두 달이요? 저 예쁜 얼굴이 전쟁터로 가는 게 2개월밖에 안 남았다고요? 말도 안 돼!'

전쟁이 터지기까진 두 달이고, 란티모스 공국에서 빌테온에 지원을 요청하는 건 또 보름 정도 걸리겠지. 카일이 준비하는 데엔 또 보름이니, 총 세 달 정도려나.

'그래도 너무 짧아요! 우리 카일은 지금 뭐 하고 있는데요.'

카일은 벨로이스트 공저로 갔단다. 그 자리엔, 어머. 플라반 부인이 있네. 소개를 시켜 주는 모양이로구나.

'플라반? 이사벨라네 엄마요?'

그래. 여태 중립을 지켜 왔던 플라반 가문과 결혼하여 가문끼리 결합하면 카일에게도 좋은 일이지. 사냥 행사 때 마무리 짓지 못한 얘기를 하나 보구나. 헌데 저런…….

'왜요, 왜요.'

카일의 얼굴이 불편해 보이는구나. 누군가를 공적으로 대할 때 저런 낯을 한 적이 없는 아이인데. 쯧쯧. 얼마나 곤하면.

'아니. 그걸 왜 피곤해서 그런다고 단정 지으시는 거예요? 제가 생각나서 미안한 마음에 그런 걸 수도 있잖아요! 저랑 잘돼 가는 중이니까요!'

오두막에서 허공을 향해 꽥 소리를 치며 발을 굴렀지만 여신의 답변 속에는 태연한 웃음기가 서려 있었다.

그 아이는 그럴 애가 아니거든.

'네?'

네가 바꿨다고는 하지만 사사로운 감정에 흔들려 대의를 미룰 아이가 아

니야.

'저기요. 지 배 아파 낳은 자식 속도 모르는 세상인데 그렇게 다 안다는 듯이 말하지 마시죠.'

그야, 그 부모들은 신이 아니잖니. 나는 신이고. 저 아이도, 그의 부모도, 이 세상도 다 내가 만들었으니. 내가 모르는 게 있는 게 더 이상하잖아.

'와. 인간 존나 매력 없다. 다 여신님 손바닥 장사 아니야.'

모른다는 것이 더 불쾌하단다.

'아니거든요, 아니거든요? 앞날은 몰라야 박진감 있고, 스릴 넘치고, 재밌는 거거든요? 여신님은 앞으로도 남은 평생 내내 재미없으실걸요.'

되도 않는 약을 올리며 씩씩거리자 여신의 숨결이 가깝게 다가온 것이 느껴졌다. 여태 머릿속에서 울리는 느낌이었는데 이번엔 정말 바로 옆에 서 있는 것만 같았다.

카일은 오직 황좌를 위해 살아왔어.

그 말은 마치 주문 같았다. 혹은 저주.

그건 아무리 떼어 내고 도망치려 해도 발을 옥죄인 채 벗어날 수 없는 카일의 족쇄였다.

그는 황자였고, 그의 외가는 벨로이스트였다.

내가 아무리 용을 써도 그의 평생의 노력을 모두 저버리고 나와 행복하자고 할 순 없었다.

어차피 너는 황제가 되긴 글렀으니 저랑 행복만 하시죠.

이렇게 프러포즈한들, 정말로 카일이 다 버리고 나와 도망을 칠까. 카일은 자기가 짊어진 의무와 책임을 저버릴 사람은 아니었다. 게다가 주변의 압박에서 자유로울 수도 없을 게 분명했다. 나는 카일을 바꿨을 뿐, 그 곁의 사람들까지 바꾼 건 아니었으니까.

그럼 어떡해야 카일이 살 수 있지.

그날 저녁을 넘기고 늦은 밤이 돼서 말들의 털을 빗기고 밤 동안 말들이 마실 물을 가득 채워 준 뒤에, 오두막으로 돌아가는 길에 카일과 마주쳤다.

언제나처럼 꼿꼿하게 선 채 나를 바라보곤 있었지만 두 눈은 지쳐 보였다.

내 옷가지에 붙은 지푸라기를 떼 주며 카일은 차분한 목소리로 말했다.

"시간이 늦은 건 알지만, 너무 오래 못 봤으니까."

어지간히 피곤했는지 평소보다 까라진 목소리가 낮고 묵직했다.

선생님, 정말 오금이 저릴 정도의 섹시함이십니다. 말이 안 나오네요. 당신 지금 몽키매직 이박사를 불러도 음유 시인이다. 저 지금 완전 힐 받은 기분이네요.

밤바람에 나부끼는 카일의 투명한 금발이 보기 좋게 흩날렸다.

"카일. 많이 피곤한가 봐요. 얼굴이 말이 아니네요."

"……얼굴? 내 얼굴이 말이 아니라고?"

화들짝 놀라며 한 걸음 뒤로 물러서는 카일이 의아했지만 일단 계속 말했다.

"네, 몇 주 내내 계속 밖으로 나가고, 황궁에 있을 때도 공부만 하니까 그렇잖아요. 좀 쉬어도 좋을 텐데."

"그럴 수 없어. 평소에도 그렇지만 요즘은 더더욱. 다들 앞서가는데 나만 제자리니까……."

"그럼 대체 언제 쉬어요."

천천히 숨을 들이켰다가 내쉬던 카일이 내게서 반쯤 몸을 돌렸다. 그러곤 오른손으로 얼굴 하관을 살짝 가리곤 말했다.

"……나 얼굴 그렇게 별로야?"

"네? 갑자기 무슨……."

"밤이라서 그래. 오늘 마차에도 오래 타 있었고, 아까 저녁도 제대로 못 먹었거든."

"밥을 잘 챙겨 먹어야죠! 밥 제대로 못 먹은 걸 자랑이라고 지금! 그래서 얼굴이 반쪽이 됐구만! 이리 봐요, 얼굴 좀 보게!"

"아냐, 아니야. 나 갈게. 너 봤으니까 됐어. 나 갈게!"

"얼굴 좀 보여 달라니까!"

"싫어! 별로라며!"

달려드는 내 머리를 잡고 꾹 밀어 낸 카일 때문에 허공에 발 차기나 하는 꼴이었지만 어쨌든 나는 포기를 모르는 여자.

카일의 팔이 접히는 부분을 있는 힘껏 주먹으로 내려친 뒤, 그의 손아귀에서 머리를 빼내고 카일의 정면으로 다가갔다.

"악! 날 때리면 어떡해!"

"예쁜 얼굴 보여 주고 가든가! 나는 월급보다 당신 얼굴 보려고 여기서 일하는 사람인데!"

"……나 예뻐?"

손이 워낙 커서인지 고작 한 손으로 얼굴을 가리고 있는데도 눈 빼고는 거의 보이지도 않았다.

"당연히 예쁘죠. 갑자기 왜 낯을 가려요."

"……네가 아까 얼굴이 말이 아니라고 해서, 실망할 줄 알았어."

살짝 손을 내리는 카일은 확실히 지쳐 보이긴 했다. 제대로 먹지 못한 건지, 살이 더 빠져 턱선이 날카로워졌고, 계속 여기저기 불려 다니며 잠도 못 잔 탓에 예민해 보였다.

"전 이런 예민한 얼굴도 좋아요."

"그래?"

"그럼요, 섹시하잖아요. 아, 미간 주름에 낑겨 죽고 싶다. 어깨빵당하고 싶다. 짜증과 멸시를 받아 보고 싶다."

"내가 너한테 그런 걸 왜 해."

푸스스 웃은 카일은 그제야 안심한 듯 손을 완전히 내리고 아까처럼 나를 바라봤다. 올라간 입꼬리가 조심스레 열렸다.

"내가 제일 잘생긴 거지?"

"당연하죠. 똥물에 담갔다 와도 이 황궁에서 카일 이길 사람 없어요."

"……그건 좀."

말은 질색하면서도 카일은 웃음기 가득한 눈으로 다정하게 나를 내려다봤다.

"내가 어쩌다 널 만나서."

"제가 전하의 침대로 갔잖아요."

"제발, 누가 들으면 오해할 말 하지 마."

"뭐 어때요, 근처에 아무도 없는데."

밤의 마구간은 간혹 들리는 말들의 투레질 소리와 넓은 초원의 풀들이 바람에 흔들리며 스치는 소리 빼곤 조용했다. 카일은 만면에 미소를 머금은 채 말했다.

"꼭 세상에 우리 둘만 남은 것 같네."

"많이 낭만적으로 바뀌셨네요. 그런 말도 하시고."

"널 닮아 가나 보지."

세상에 우리 둘만 있으면 당신이 이렇게 피곤할 일도 없을 텐데.

하지만 내가 우리 둘만 존재하는 세상으로, 그니까 당신이 평생 살아왔던 이 황궁 밖으로 도망가자고 한들, 당신은 그러지 않겠죠.

내 복잡한 속을 모르고 카일은 뻔히 아는 소리를 했다.

"오늘 벨로이스트 공저에 갔다가 플라반 후작 부인을 만났어."

"그래요? 우연은 아니었겠네요. 뭐라시던가요. 이사벨라 아가씨 얘기를 하면서 슬쩍 떠보던가요. 결혼?"

"어떻게 알았어?"

"척하면 착이죠. 아니, 그걸 눈치 못 챌 황궁 사람이 어디 있어요. 프리실라 황비님도 얼마 전부터 플라반 부인이랑 잘 지내시는 것 같았고, 두 분 나이도 비슷하시고. 무엇보다,"

"무엇보다?"

"벨로이스트한테 플라반이 필요하잖아요."

"……우리 어머니와 똑같은 말을 하는구나, 조."

"그건 부정할 수 없는 사실이니까요. 정치는 땅따먹기랑 비슷한 거라잖아요. 추밀원의 힘 있는 가문들을 누가누가 더 많이 내 편으로 만드나, 그런 거요."

"땅따먹기?"

내 말을 되풀이하며 웃던 카일은 한숨을 푹 내쉬었다.

"그래, 땅따먹기 같은 거지."

그는 힘없이 덧붙였다.

"나는 게임의 말 같은 거고."

"저 말 돌보는 거 진짜 잘하는데 잠깐 오두막 들어왔다 가실래요, 이불 뜨뜻하게 데워 놨습니다."

차갑게 가라앉아 있던 얼굴을 구기며 카일은 질색했다.

"넌 왜 정도를 몰라!"

"너무 우울해 보이니까! 농담한 거죠!"

"진짜 농담이었어?"

"이불은 안 데워 놨어요. 근데 들어왔다가 가셔도 돼요."

"……나 갈게."

"어딜, 내 방으로?"

"아니. 내 방으로. 따라오지 마."

말은 신경질적으로 하면서도 카일은 배식배식 웃었다. 장난치는 게 즐거운 것 같았다.

"카일, 섹시한 것도 좋지만요, 그래도 난 역시 웃는 게 제일 좋아요."

"나도 네가 웃,"

"평소에 완전 금욕적으로 굳어 있던 이목구비가 풀어지면서 웃는 게 사람 심금을 울리네요. 약간 여자의 정복욕을 자극하는 뭔가가 있다."

"나 진짜 가 볼게."

카일은 황급하게 등을 돌려 빠른 걸음으로 사라졌다.

아니, 뭐, 그래. 다 좋은데 저렇게 도망까지 갈 필요가 있는 걸까요. ……내가 중세 시대 사람이랑 연애를 처음 해 봐서 잘 모르겠네. 재만 보수적인 건가.

혹시 나한테 말똥 냄새 나나. 말똥을 치웠는데 말똥 냄새가 좀 날 수도 있지. 내가 목욕탕에 아무도 없을 때 들어가서 후다닥 씻고 나오긴 하지만, 그래도 여기 있는 놈들 중에선 내가 제일 깨끗할 텐데. 위생에 대한 인식도 없는 놈들 사이에선 내가 제일 큐티 프리티 미소년이라고. 카일, 왜 도망가. 아, 미소년이 아니라 미소녀구나, 참. 하도 남자남자 하니까 내 정체성도 헷갈리려고 하네.

나는 카일이 사라진 방향을 보며 아쉬운 듯 픽 한숨 내쉬곤 오두막으로 들어갔다.

"……카일 설마 이불 안 데워 놨다고 간 건 아니겠지."

그럴 리가 있니.

"아. 깜짝이야! 내 사생활이잖아요. 좀 지켜 주세요. 씨씨티비랑 대화하는 기분이라고요."

하지만 말할 사람이 너밖에 없는걸.

"여신님. 그렇게 애처롭게 말씀하셔도 하나도 이입이 안 돼요. 아까 낮에는 완전 무슨 신경전 벌이듯 저보고 카일 포기하라는 것처럼 말했잖아요."

그렇게 말해도 내 말은 귓등으로도 안 듣는 네가 마음에 들어. 널 만든 사람은 누구길래 이런 아이를 만들었을까.

"김병호 씨와 이영숙 씨입니다."

그런 의미가 아니라……,

"저 피곤해요, 여신님. 좀 자고 내일 얘기하시면 안 될까요."

사람 있을 때는 미친 취급 받기 싫다고 대답을 잘 안 하잖니.

"뻔히 다른 사람이랑 말하고 있는 거 아시면서 머릿속으로 자꾸 말을 거시니까 그런 거 아니에요. 저번에 마음으로 하는 말이랑 말 바뀌어서 릭한테 언니라고 불렀잖아요!"

그때 정말 웃겨서 죽을 뻔했어. 릭의 그 당황하던 얼굴이 다시 보고 싶구나.

"……여신님. 제가 앞으로도 심심찮게 웃겨 드릴게요."

바라는 게 있나 보구나. 아가.

"전쟁 좀 자세히 알려 주세요. 책엔 묘사가 자세히 없었잖아요."

전쟁……?

"카일이 황제가 되고 싶다잖아요. 그럼 당연히 황후가 될 내가 도와야죠."

내가 이대로 가만히 넘어갈 수는 없지.

여신이 어이없다는 것처럼 웃었지만 싫은 눈치는 아니었다.

균형을 깨트리는 일은 할 수 없지.

하지만 대답은 매몰찼다. 누워 있던 나는 벌떡 일어나 앉으며 나름 타당하게 말했다.

“전 이미 알 만큼 알고 있잖아요. 제 존재 자체가 불균형의 산물이에요. 균형의 기스 자국이라고요.”

그러니까.

“네?”

그러니까 안 된다는 소리야. 네 존재 자체로도 이미 틀어진 균형인데 명색이 신인 내가 거기에 발맞춰서야 되겠니. 이야기의 관성에도 손대지 않겠다고 네게 약속한 지금 이 상황에서 미래까지 알려 주는 건 말도 안 되지.

“여신님. 사람 인생이라는 게 늘 말이 되게 굴러가면 얼마나 좋겠습니까. 인생이 그리 녹록지 않고 가끔 말도 안 되는 일이 얼마나 많이 일어나게요.”

너는 전쟁에서 죽어도 입이 3년은 썩지 않겠구나.

“당신이 아끼는 제가 전쟁에서 죽어도 아무 상관 없으시다는 거예요, 그럼?”

마음이 아프겠지. 모든 아이들이 별이 되어 갈 때마다 마음이 아프듯 너에게도 똑같이 그럴 거야.

“아. 그냥 두고 보시겠다 그 말씀이시네요.”

나는 균형을 지키는 자. 멍청한 짓을 할 순 없지.

“웃긴 건 웃긴 거고, 재미는 다 보시고 나를 돕지는 않으시겠다? 지금 저를 단물만 쪽 빨아먹고 버리시겠다는 거네요. 심지어 다른 세상에서 버려지듯 이리로 떨어진, 세상의 미아 같은 저를.”

……아가?

“아가라고 하지 마시죠, 누구시죠. 제 어머니는 이영숙 씨뿐입니다.”

화났니? 하지만 나도 입장이란 게 있어.

“찰칵— 고객님의 전화기가 꺼져 있어 음성 사서함으로 연결됩니다. 삐 소리 후엔 통화료가 부과되진 않겠지만 알아서 하십시오. 대답은 안 합니다.”

조? 금자야?

이불을 푹 덮어썼다. 머릿속에서 계속해서 내 이름을 부르는 여신의 목소리가 들리긴 했지만 대답하지 않았다.

치사하게. 전쟁 조금 알려 주면 덧나냐고. 다 사람 먹고살자고 하는 짓인데. 고지식하시긴.

여신의 목소리를 무시한 지 1주일째.

원래는 가끔 찾아와 무어라 말을 걸면 나도 속으로 대답하고 함께 낄낄거리던 사이였는데 이젠 내가 한 마디도 하지 않고 아예 들리지도 않는 것처럼 행동하니 여신으로서도 많이 답답한 모양이었다.

너 하나 돕는다고 그게 끝날 일이 아니야. 전쟁은 특히나 더 그래. 사람 한 명의 목숨을 살리면 뒤가 어떻게 될지 모른다고.

…….

란티모스와 카일의 군대가 이겨서 살아온다고 치자. 그럼 로테나의 병사들은 어떡하니. 거기 사람들은 죽어도 괜찮은 거야?

존나 알 게 뭐람. 실수로라도 마음으로 대답하지 않으려고 나는 필사적으로 다른 생각을 했다. 대화를 할 땐 집중해서 머리로 말을 건다는 느낌이었으니까 조절하는 게 그리 어렵진 않았다.

로테나의 군사들이 죽는 게 괜찮냐니. 당연히 괜찮죠. 아는 사람 아무도 없고, 아쉽게도 제가 먼 나라 이웃 나라 인간의 죽음을 슬퍼할 만큼 박애주의자가 아닙니다.

내가 사랑하는 사람과 아는 사람들이 떼거리로 죽는 것보다는 당연히 일면식도 없는 사람이 죽는 게 낫지 않겠습니까. 굳이 선택을 하자면 말이에요. 사람 목숨 귀한 거야 당연하지만 저는 솔직히 제 주변 인물들이 행복하게 잘 살면 되거든요. 침략도 로테나에서 먼저 했으면서 내가 거기 걱정을 왜 해. 그게 다 업보다, 업보. 뿌린 대로 거두는 거라고.

여신과 기 싸움을 하는 와중, 이사크는 홀로 휴스카만령으로 떠났다. 휴스카만 협정? 잘하고 오겠지. 나도 알아, 책에서 봤다고. 내가 비록 카일 나오는 장면만 열 번 넘게 본 카일 처돌이이긴 하지만 그래도 전체 책 복습도 네다섯 번은 했다고.

델로아 없이 떠난 이사크는 휴스카만 영주민들에게 진심으로 다가가서 호소하고, 휴스카만 후작을 설득하는 데 성공했다. 애초에 휴스카만으로 가게 된 것 역시 황제의 시험에 불과했지만.

길어진 우기에 조세로 올려야 할 과일의 수량을 채우지 못했다며 휴스카만 후작은 제국에 파산을 신청하고 영지로 통하는 모든 문을 닫아 버렸다. 그 때문에 휴스카만을 필히 지나가야 하는 상단들이 영지를 통하지 않고 빙 둘러 가게 되어 많은 시간을 소요하자 제국의 무역 관리부에 불편함을 토로했고, 결국 황제가 이사크 황자를 보내 휴스카만 후작령의 파산에 대한 진위 여부를 파악하라고 보낸 것이다.

겁도 없이 영지의 문을 닫고, 조세를 올리지 않은 것에 대한 죗값을 보여 주라는 그런 의미였댔나. 델로아도 이사크에게 황족으로서의 위엄을 보여야 할 타이밍이라고 조언하긴 했다. 델로아는 상처가 다 낫지 않은 상태라 이사크를 따라가진 못했다.

홀로 휴스카만으로 간 이사크는 의외의 광경과 마주했다.

닫혀 있던 성문 안의 백성들이 생각보다는 안정된 생활을 하고 있었다는 것. 반년 넘게 상단이 드나들지 못했으니 벌써 굶어 죽은 이가 태반이고, 스스로 갇힌 형세나 다름없으니 역병이 돌았어도 몇 번은 돌았을 터인데 그들은 크게 아픈 이 없이 멀쩡하게 살아가고 있었다.

이사크는 생각보다 평온한 마을을 둘러보며 고민에 빠졌다. 휴스카만 후작이 황제를 속인 것이다. '파산의 진위 여부' 를 파악하라는 황제의 명령을 그대로 따르는 것만이라면 이대로 황궁으로 올라가 진실을 고하면 될 일이었다.

하지만 뭔가가 꺼림칙했다. 후작은 왜 파산 신청을 했을까. 고작 한 해 세금을 내지 않겠다는 이유로 파산을 신청하기엔 리스크가 컸을 텐데. 숨겨진 이유가 있을 거라는 확신이 들었다. 황제의 시험이 단순히 '파산의 진위 여부' 를 따지는 게 아닐 거라는 생각에 이사크는 후작의 집무실을 찾았다. 풀리지 않는 매듭의 실마리를 찾기 위해선 그의 속내를 들어야 했다. 하지만 며칠 내내 후작은 몸이 좋지 않다는 핑계로 이사크를 피했다.

어떻게 해야 하지. 막막한 머릿속에서 황제의 말이 계속 웃돌았다.

'너 또한 황족이다.'

그의 말은 휴스카만에게 얕보이지 말라는 뜻이었지만 이렇게 대놓고 만나주지도 않는 상대에겐 어떻게 해야 할지 감이 오지 않았다. 다소 힘을 잃었긴 하나 어쨌든 휴스카만도 몇 대 전부터 꾸준히 추밀원의 자리를 지켜 오던 가문이었는데 제국에 대한 충성이 의심된다는 이유로 다짜고짜 죄를 물을 수도 없었다.

적어도 길바닥에서 자라 겨우 황궁에 입성한 초라한 4황자, 이사크는 그럴 수 없었다.

이사크는 결국 자기가 제일 잘하는 걸 했다.

사람에게 섞여 드는 것. 검은 눈을 가진 사람들은 은근히 흔하니 머리카락만 잘 가리면 될 일이었다. 머리를 꽁꽁 감싸 가린 채 이사크는 삐뚤어진 안경을 쓰고 휴스카만의 시장으로 향했다. 따라오던 기사들도 따돌리니 완벽한 혼자였고, 그는 지난 몇 년간 하지 못했던 뒷골목 골목대장의 걸음걸이로 거리를 걸었다.

"델로아가 봤으면 기함을 했겠네."

영주민들과 함께 식사를 하며 휴스카만 후가 자신의 창고를 개방하여 영주민들을 먹이고, 더 이상 과실을 생산할 수 없게 된 땅을 계속해서 뒤엎으며 어떻게든 땅을 살리려 노력 중이란 것을 알게 되었다. 이사크는 자기가 씹어 먹던 오목한 배를 힐긋 내려다봤다. 그의 시선을 눈치챈 젊은 놈이 말을 덧붙였다.

"이런 건 우리나 먹지, 황제 폐하한테 올리는 건 말이 안 되잖아."

"사정이 이런 걸 어떡하냐. 그냥 적당히 얘기해서 올리면 되지."

"……너 여기 사람 아닌가 보네."

"어?"

"아니면, 뭐. 떠돌이야?"

"……한 1년쯤 전에 여기로 정착해서 오래된 얘기는 모르지, 왜."

"지금 있는 휴스카만 후작이 전대 후작의 동생이잖아."
"그런데?"
"전대 후작 때 가뭄이 들어서 세금을 못 올렸잖아. 그때 황제가 어떻게 했냐. 후작님의 아들들을 모두 죽여 버렸잖아."
"……아들들을 죽였다고?"
"그땐 세금을 못 올린 이유를 차근차근 설명했어. 길어진 가뭄 때문에 과일이 수확도 전에 모두 말라 버렸다고. 그랬더니 황제가 태양의 은혜를 핑계 삼아 의무를 저버리지 말라며 후작 대신 그의 아들 둘의 목을 베었다잖아."
"……전혀 몰랐어. 정말."
"그 일 있고 후작은 충격으로 반년도 채 안 돼서 죽어 버리고, 승계는 동생한테로 내려왔어. 아마 지금 후작 각하는 세금을 깎아 달라 구구절절 얘기하느니 차라리 파산 신청하고 모르쇠로 닫아 버리는 게 낫다고 생각했겠지. 그분에게도 딸이 있으니까."
이사크는 놀란 눈을 어떻게 감춰야 할지 몰라 입만 한참 달싹였다.
"너 근데 어디서 왔댔지."
하고 물으며 이사크 손에 들린 배를 가져가 으적으적 씹는 또래의 질문에 이사크는 짧게 대답했다.
"알베니스."
"아. 거기! 나도 거기 알아. 거기도 철, 뭐 그런 거 유명한 데 아니야? 너도 그럼 땅 좀 팠겠네."
"응, 그랬지."
"살기 힘들어, 그치?"
충격에서 헤어 나오지 못한 이사크가 멍하니 고개를 끄덕이자 친절한 설명맨은 넉살 좋게 친한 척을 해 왔다.
그 길로 이사크는 휴스카만 영애를 찾아갔고, 점심에 그녀와 티타임을 가지고 난 직후 돌아가는 길에 곧장 후작에게 불려 갔다.
"제 딸은 아직 황자님과 독대하기엔 많이 어립니다."
잔뜩 경계하는 목소리에 이사크는 홍차 위로 하얀 우유가 퍼지는 그림자를 물끄러미 내려다보며 말했다.

"어리다는 이유만으로 꽁꽁 숨기신 건 아닐 텐데요."

"……고작 그런 것으로 협박을 한들."

크고 검은 눈으로 후작을 똑바로 응시하며 이사크는 짧고 분명하게 전달했다.

"죄송합니다."

"황자 전하, 지금 그게 무슨……."

후작의 미간이 찌푸려졌다. 언짢은 기색이 분명함에도 이사크는 굴하지 않았다.

"10년도 더 된 옛일에 대해 사과하는 것이 아닙니다."

황제의 처사에 함부로 말을 얹는 것 자체가 해석에 따라 반역의 기미를 띠고 있다고 판단될 수가 있었다. 이사크는 불필요한 말을 잘라 내며 목소리를 가다듬었다.

"휴스카만령의 본질적인 문제를 읽어 내지 않고, 파산의 진위 여부만을 파악하려 한 제 아둔함에 사과합니다."

"그 말씀을 어떤 뜻으로 받아들여야 합니까."

"제 나름대로 알아본바, 파산을 신청하신 것은 진실이라 판단됩니다. 조세의 기준이 높아 현재의 수확 품종으로는 후년에도 조세를 맞추기 힘들겠죠. 그렇다고 내내 파산 상태로 영지의 땅을 내버린 채 후의 창고를 개방하여 영주민들을 먹여 살릴 순 없는 노릇입니다. 후께서도 곧 뭐든 바닥이 나겠죠. 인내심이든, 창고의 보급 식량이든 뭐든요."

"당연한 말씀을 하시려거든 이만 일어나시는 게 어떠실까요. 제가 몸이 영 안 좋아서."

"후의 꾀병이 나으려면 토지 조사부터 다시 해야겠죠."

"예?"

"파산의 진위 여부가 문제가 아니라, 협정 기준을 다시 세우기 위해서 바뀐 기후에 따라 달라진 토지 상태를 재조사하고, 그에 맞춰 농법을 바꾸거나 아예 조세 물품에 변동을 주는 게 낫지 않겠냐 이 말입니다. 이젠 잘 나지도 않고,

달지도 않은 배를 붙잡고 있느니."

"……생각을 안 해 본 것은 아닙니다만, 영지의 토지를 재조사하기 위해선 황궁의 허가가 필요합니다."

이사크는 빙긋이 웃으며 홍차를 잠깐 들이켰다. 그는 잠깐 델로아를 떠올렸다.

상대를 올곧게 바라보고, 존중하되 절대 숙이지는 않는 것 같은 강직한 눈빛.

"그래서 제가 왔지 않습니까. 길바닥에서 자랐지만, 어쨌든 4황자인 제가."

휴스카만 후작은 고개를 숙였다가 들어 올려 먼 곳을 바라봤다. 텅 빈 눈으로 영지의 지평선 너머를 눈에 담았다.

"황자님의 실수는 곧 제 가족의 죽음입니다. 모든 것에 미숙한 황자님께 제 가족의 안위를 걸어야 할 이유가 제게 있습니까."

이사크는 숨을 들이켰다가 내쉬며 단단하게 일렀다.

"그 어떤 황자보다 내가 가장 간절하기 때문입니다."

휴스카만 후작이 의문을 담고 이사크를 바라보았다. 그는 아까 전의 자세에서 전혀 흐트러짐 없이 곧게 앉아 있었다.

"불과 얼마 전까지만 해도 나는 홍차를 마신 적이 없었습니다."

이사크의 긴 손가락이 찻잔 손잡이에서 빠져나왔다.

'머리부터 허리, 엉덩이까지 긴 꼬챙이에 뚫려 하늘로 잡아당겨진 듯 똑바르게 앉으십시오.'

델로아의 음성이 귓가에 간질거렸다. 양손을 허벅지 위에 내려놓은 이사크는 어깨를 흔들지 않은 채 고개만 살짝 돌려 휴스카만 후작을 바라보았다.

'황족은 상대를 흘겨보지 않습니다. 몸 전체를 돌리지 못할 시에는 고개를 돌려 상대의 말을 경청하십시오.'

"후, 나를 보십시오. 내게 붉은 머리카락이나, 붉은 눈동자가 있습니까. 아니면 든든한 뒷배가 되어 줄 전통 있는 외가가 있습니까. 나와 비슷하게 태어난 나의 이복형제들은 지금 모두 어디에 있습니까."

"……제 조카들과 함께 있겠죠. 차가운 땅속에. 왜 죽었는지도 모른 채."

"그처럼 나 또한 목숨을 걸고 그대를 변호합니다. 내 실수는, 곧 나의 죽음을 뜻합니다."

이사크의 낮은 음성이 테라스에 울렸다. 후작이 말없이 그를 바라보다가 조용히 눈을 아래로 내리깔았다. 이사크는 주름진 늙은 후작의 눈꺼풀을 보며 덧붙였다.

"휴스카만령을 반드시 살리겠습니다. 이대로 폐허가 되어 스러지게 두진 않습니다."

"황자 전하가 목숨을 걸고 이 땅을 살리려는 그 이유는 뭡니까."

검은 눈이 적막 속에서 빛났다. 짧은 침묵을 깨트리고 이사크는 솔직하게 답변했다.

"내게 필요하니까."

❖ ❖ ❖

이사크가 토지 조사를 새로 한 뒤, 휴스카만과 새롭게 협정을 맺었다. 그렇게 휴스카만이 이사크의 편으로 돌아섰다. 짧은 연설까지 덧붙인 탓에 영주민들의 마음까지 사로잡았었지. 밉보일까 걱정했던 것과는 달리 황제는 휴스카만을 가지고 돌아온 이사크를 눈여겨본 듯했고. 게다가 이사크의 생일까지 맞물렸으니 조만간 베르디움홀을 열어 이사크의 탄일을 크게 축하할 예정이었다.

괜히 카일만 발등에 불 떨어진 꼴 됐네. 친선 교류는 카일도 열심히 하고 있었는데 말이야. 우리 카일이 운이 없는 편인가. 뭐가 이렇게 안 풀리지.

벨로이스트 가문이 가지고 있는 패도 구린 패는 아니었다.

나는 테오도르가 선물해 줬던 노트 한 귀퉁이에 1황자 카일의 쪽에 서 있는, 벨로이스트 가문과 우호적인 가문들을 쭉 나열하며 적었다.

아가, 뭐 하니?

들려오는 여신의 목소리를 무시하며.

일단 피셔 공작가. 여긴 벤지네 가문이니까. 벤지가 아무리 가족들이랑 사이가 안 좋다고 해도 피셔 공작가 자체가 벨로이스트와 몇 대씩 결혼을 해 가며 이어져 내려온 우호적인 관계였다. 그다음엔 데이든 백작이랑 빌테커만 후작도 있고. 책에는 안 나왔지만 추밀원이라는 게 한두 가문으로 된 곳도 아니니까 더 많이 있겠지.

아무리 생각해도 패인이랄 것이 딱히 없었다. 머리를 마구 헤집다가 나는 고개를 쳐들었다.

이건 못해서 망하는 게 아니었다. 그냥 더 잘한 자에게 더 많은 영광이 돌아가는 것.

어떻게든 이사크를 명석한 천재라고 둔갑시키려 노력하고, 원래 살짝 있던 운동 신경을 갈고닦아 검술과 기마술에 모두 재능을 보이는 준비된 황자처럼 이미지 메이킹 한 델로아가 새삼 놀라웠다. 역시 우리 델로아 아가씨는 겨우 어느 귀족 가문의 가주로 만족하실 분이 아니다. 황후 정도는 돼야지. 맘 같아서는 황제도 하셨으면 좋겠구먼.

아냐, 정신 차리자.

"야, 김금자! 얼굴과 간지에 빠져서 헛소리하지 말자!"

오두막에서 막힌 벽을 보며 외치고는 오른손을 들어 뺨을 내려쳤다. 철썩 소리가 들리고 볼따구가 화끈해지니까 정신이 좀 들었다.

그래. 어쨌든 나는 카일과 행복하자고 여기 온 거다. 카일이 행복할 수 있는 방법으로 가자.

나도 은연중에 알고 있었다. 내가 사랑한다고 말하고, 내 사랑에 대한 확신을 얻는 것만으로는 카일이 '완전히' 행복해질 순 없다는 걸. 그는 황제가 되기 위해 평생을 살아온 사람이었다.

"……그래, 뭐. 그렇게 잘생긴 사람이 어디 중소 기획사 지하 연습실에 갇혀서 몇 년째 데뷔 못 하다가 그냥 다 포기하고 스물아홉 살에 공무원 9급 시험 준비한다고 생각해 봐. 동사무소에 민증 재발급 하러 갔는데 그 사람 얼굴을 발견했다고 상상해 봐! 얼마나 안타깝겠니. 금자야, 정신 똑바로 차리자. 좀, 스케일 크게 데뷔시켜 주는 거야. 카일은 세계적으로 알려야 될 얼굴이야. 그런 갓 비주얼은 독점하기엔 죄송스러우니까. 맞아, 맞아. 금자야! 우리에겐 저 얼굴을 온 제국에 알려야 할 의무가 있다!"

약간 서러워지려는 스스로를 나름 달래 보긴 했지만 마음 한편이 묵직한 건 어쩔 수가 없었다. 카일에게 내 사랑 하나만으론 부족하다는 생각을 떨칠 수가 없었다.

"야!"

"왁! 깜짝이야!"

우울함에 축 처져 있던 와중에 오두막 문이 벌컥 열렸다. 장난스럽게 입꼬리를 잔뜩 올려 웃고 있는 이사크였다.

"아, 뭐야! 왜 남의 집 문짝을 발로 차고 들어와!"

"왜 소리를 지르고 그러냐! 너 말 밥 다 줬어? 물도 다 챙겨 줬어?"

"형이 무슨 고용주야, 뭐야. 내 고용주는 카일 전하거든요. 형. 나 오늘 진짜 우울해. 카일 전하가 이렇게 남의 궁 마구간에 들락거려도 된대?"

"야, 당연하지. 카일 형님이 나 은근히 좋아하시는 것 같아."

"우리 카일 전하가 그냥 잔정이 많아서 그래. 알면 우리 전하한테 좀 잘해."

"……나도 카일 형님 좋아해."

"어이고, 그러셨어요. 잘나셨네요, 휴스카만 협정을 간지나게 뽕 뽑고 돌아오신 이사크 전하 나으리."

"너 비꼴 때 말투 진짜 얄밉다. 나으리는 또 뭐야."

"비꼴 때 얄미우라고 쓰는 말투."

오두막 입구에 서 있던 이사크가 안쪽에 앉아 있는 날 향해 헛발질로 발 차기를 해 댔다. 요령껏 피했으나 오두막이 워낙 좁았던 탓에 운 나쁘게 몇 대는 허벅지에 맞았다. 그렇게 아프지 않은 정도로만 장난치고 있었다.

저 형 진짜 나를 한 치의 의심도 없이 남동생으로 생각하나 봐. 남장여자 로맨스 소설이 다 구라인 줄 알았어요. 근데 그게 제 얘긴 거예요. 눈물이 났죠.

"오늘 컨디션 별로라는 거 진짠가 보네. 너 표정 되게 안 좋아."

"이사크 4황자 전하. 저 오늘 진짜 영 별로예요. 일찍 쉬려고 아까 말들 밥도 물도 다 챙기고 들어왔단 말이에요. 황자 전하 협정 성공하신 것도 축하드리고, 탄일 얼마 안 남은 것도 너무 경하드립니다. 근데 저는 쉬면 안 될까요."

"나 술 가져왔는데."
"형, 내가 테이블을 산다는 게 깜빡했네. 일단 들어와."
"너 내가 그럴 줄 알았다."
킬킬 웃으며 한 손에 술병을 들고 오두막 안으로 들어온 이사크는 침대 위에 커다란 포도주 병을 내려놓고 잔 두 개도 내던진 뒤 호기롭게 등을 쫙 펴고 날 내려 봤다.
"야. 조. 나보고 '형님, 고맙습니다.' 해 봐."
"술을 주면 그냥 주는 거지, 뭘 또 그런 것까지 하래요."
"아니다. 나는 너 반말하는 게 더 좋아. 둘밖에 없으니까 편하게 '형, 고마워. 사랑해.' 해 봐."
"고마워는 그렇다 쳐도 사랑해까지 해야 돼? 형. 우리 서로 좋아하는 사람도 따로 있는 마당에 그런 건 하지 말자."
"……그래. 내가 잘못 생각했다. 그럼 고마워만 해, 빨리."
"거참, 술 한 병에 되게 생색내네. 알았어요. 형. 고마워! 됐지?"
이사크는 내 말이 진심으로 기뻤는지 활짝 웃었다. 약간 불쌍해질 정도였다. 책에서는 휴스카만 협정할 때나 돌아와서나 황자로서의 책임감이 막중해지고, 황제가 되기 위해 노력하는 느낌이었는데. 장난꾸러기였던 과거의 모습이 점점 성숙해지고 성장해 가는 모습이 키포인트였다고. 근데 한편으로는 이렇게 내내 장난스러움을 품고 있었던 건가. 황자로 살아가느라 스트레스 받아서 이렇게 푸는 게 필요했을지도 몰라.
"……형 혹시 황궁 생활 힘들어?"
은근슬쩍 묻는 내 질문에 고개를 도리도리 저은 이사크는 상큼하게 말했다.
"야, 내가 저번에 말했잖아. 너 뒷골목 동생들 생각나서 좋다고. 힘든 게 아니라 그냥 편하고 좋은 거야."
"그니까 그 골목대장 노릇 하던 시절이 그립다 그거 아냐."
"너 꼭 무슨, 나보고 거기로 돌아가라는 듯이 말한다?"
웃음기 섞인 얼굴로 이사크가 내 종아리를 툭 걷어찼다. 장난을 거는 시늉이었기 때문에 나도 받아치며 이사크의 신발 앞코를 툭 찼다.

"형 없어지면 우리 카일 전하가 금방 황제 하지."
"너는 꼭 그런 위험한 발언을 내 앞에서 하더라. 사람 간 떨리게."
"뭐."
"금황이 멀쩡하신데 황위를 논하면 어떡하냐."
"금~황? 황~위? 이야, 어려운 말 쓰는 거 봐라. 1년 전엔 상상도 못 하던 이사크! 거의 뭐 황자 다 됐다. 때깔 나네. 어?"
"우와, 너 방금 나 어릴 때 삥뜯어 가던 형이랑 말투 똑같았어."
"아이씨, 진짜."
베개를 집어 던지며 웃자 이사크도 머리를 감싸 쥐며 피하다가 같이 깔깔 웃었다. 아, 맞다. 하며 잠깐 인상을 퍽 찌푸린 이사크가 오두막 문턱으로 향했다.
"어디 가!"
"나 너한테 줄 거 있어서 들고 왔거든! 그래서 고맙다고 인사시킨 거였는데 장난치느라 까먹고 있었네."
"뭔데. 거창한 거야? 술 먹고 주면 안 돼?"
내 질문에 대답도 않고 밖으로 나간 이사크를 따라 나도 일어섰다. 오두막 문 너머로 고개를 내미려는 순간 코앞으로 다가온 나무 막대에 이마를 박아 버렸다.
"아!"
"야, 들어가 있어! 다쳐!"
"뭔데!"
짜증을 내며 똑바로 앞을 바라보자 이사크가 작은 테이블과 의자 하나를 들고 들어오는 게 눈에 보였다.
"……뭐예요. 이게."
"너 오두막이 좁아서 의자 두 개는 무리일 것 같고 해서 일단 이렇게만 들고 왔어. 손님 오면 손님은 의자에 앉히고, 너는 침상에 앉으면 되겠지. 높이도 딱 맞아."
"아, 형. 이게 뭐야. 사람 감동하게."

"감동한 척하지 마, 인마. 술 마실 때 너랑 침대에 퍼질러 앉아서 먹기 불편해서 들고 온 거니까."

"그런 것치곤 이거 나무 마감 처리가 너무 잘 돼 있는데."

나도 가끔 저녁에 나가서 외식할 때가 있는데 일반 식당에서 쓰는 나무 테이블은 모서리가 거칠어서 운 나쁘면 나무 가시가 살갗으로 파고들 때도 있었다. 근데 이건 그런 게 없잖아. 어느 한 군데 튀어나온 곳 없이 전부 깔끔하게 갈려 있는데. 사포로 때 밀고 나온 거 같아.

감탄하며 테이블과 의자를 구경하는 나를 흐뭇하게 보던 이사크가 침대 위에 널브러져 있는 술병과 술잔을 들어 올렸다. 탁, 하는 소리와 함께 나무 테이블 위에 술병이 올라왔다.

"야, 세상에서 누가 제일 좋아."

"카일."

"아, 아니. 내가 질문 잘못했다, 그게 아니고…… 형들 중에 누가 제일 좋아."

"연장자 얘기하는 거야? 카일."

"……야, 사람 기분 좀 맞춰 주라. 선물까지 가져왔는데."

"그런 게 어딨어! 난 매사에 진중한 스타일인데! 질문을 똑바로 해!"

억울해진 내가 꽥 소리를 지르자 이사크는 눈을 흘기다가 목소리를 가다듬고 테이블을 팡 두드리며 다시 질문했다. 한껏 의기양양한 모습이었다.

"검은 머리인 사람 중에 누가 제일 너한테 잘해?"

"이영숙."

"……그건 누군데."

"우리 엄마."

"……조. 장단 한 번만 맞춰 주라. 술 그냥 들고 가기 전에."

이젠 시무룩해지려는 이사크 때문에 나는 침대에서 배를 잡고 한참 웃었다. '알았어, 알았어.' 하고 웃느라 눈물 빼며 고개를 끄덕이는 나를 보던 이사크가 이번엔 작정한 듯 물었다.

"황자들 중에, 검은 머리인 사람 중에서 누가 제일 너한테 잘해 줘!"

"이사크!"

"네가 형이라고 부르는 사람 중에 너한테 술 제일 자주 갖다주는 사람 누구야!"

"이사크!"

"제일 편하고, 친한 형인 사람? 사랑하는 사람 말고, 친한 형 누구야!"

"……벤지?"

"야……."

이사크가 침울한 얼굴로 입술을 삐죽거렸다.

"아, 장난이야. 이사크!"

우울하던 생각이 다 날아갈 정도로 웃었다.

"이사크 전하는 황자가 된 지 오래됐는데도 한결같으시네요."

나름 애정을 담아 건넨 말이었는데 이사크는 여전히 장난기 가득한 짓궂은 말투로 대답했다.

"너도 궁에서 일한 지 오래된 거치곤 여전히 싹수없어."

"형. 우리 진짜 형제처럼 지내 보면 안 돼?"

"그거 싸우자는 말이지?"

"응."

술병 목을 슬쩍 잡으며 비장하게 고개를 끄덕였다. 물론 장난이었다. 카일이나 벤지였다면 기겁을 하며 도망가거나 정색을 하곤 말렸겠지만 이사크는 이런 장난을 좋아했다. 하여튼 괴상한 취향이라니까.

……내 장난도 이상하긴 한데 아무튼 이 형이랑은 좀 이상한 데서 잘 맞긴 했다.

아 미친, 방금 마음으로도 형이라고 했네. 큰일이야. 이러다가 나중에 화장실 가서도 그냥 가만히 서 있는 거 아니냐.

내 혼란스러운 마음은 쥐뿔도 예상 못 하고 이사크는 내 농담이 웃겼는지 그냥 깔깔 웃기만 했다.

"나 이번 생일에 델로아한테 고백할까?"

"퍽이나 성공하겠수."

"……야. 너는 빈말이라도."

"빈말을 어떻게 해요, 델로아 아가씨 입장을 고려해야지."

"하긴, 그건 그래. 델로아는 아무 관심도 없는데. 나만 그러면 안 되지."

혼자 씁쓸하게 얘기하던 이사크가 제 빈 잔을 채우곤 내게 술병을 내밀었다. 나는 이사크가 주는 술병으로 잔 가득 포도주를 채웠다.

"우리 건배할까요?"

분위기를 바꾸려 일부러 밝은 목소리로 말을 거는 순간, 여신의 목소리가 내레이션처럼 들렸다.

이사크 황자의 탄일, 그는 누군가가 건넨 술잔 속의 독을 마시고 쓰러졌다.

이건 또 무슨 개소리야.

뭐?

포도주가 가득 들어 있는 잔을 들고 멍하니 멈춰 있자 이사크가 내 눈앞에 손을 휘휘 흔들었다.

"조, 괜찮아?"

여신은 내 반응을 살피곤 덧붙였다.

난 거짓말은 안 해, 조.

"형. 나 갑자기 골이 울려서…… 술 못 마실 거 같아."

"뭔 소리야. 방금 전까지 좋다고 술 받아 놓고."

이사크가 혹시 아픈 거냐며 내 이마 위로 손을 올려 열을 쟀지만 열이 나진 않았다. 오히려,

"너 갑자기 왜 이렇게 하얗게 질렸냐. 이마도 엄청 차가워, 식은땀 나잖아. 괜찮은 거야?"

"……아, 어. 아까 밥 먹은 거 체했나 봐."

여신의 목소리는 계속해서 울려 퍼졌다.

이건 네가 막을 수 있는 부분이고, 책에 나오지 않았더라도 내가 이렇게 도와줄 수 있어. 걘 주인공이니까.

주인공.

내 눈앞에서 나를 안쓰럽게 쳐다보고 있는 이 사람은 이 이야기의 주인공이

었다.

여신이 도와주는 사람.

그럼 카일은요. 카일이 참전하는 전쟁의 추이를 못 알려 주는 이유는, 로테나 군사들의 바뀐 운명 때문에 죽을까 봐, 균형이 틀어질까 봐 그딴 게 아니라 정말 그냥 카일이 조연이라서 그런 거예요?

묻고 싶은 말도 많았고 억울함에 목구멍 아래가 울렁거렸지만 티를 낼 순 없었다. 굳어 버린 내 표정을 살피던 이사크가 나와 눈을 맞추며 물었다.

"궁의라도 부를까?"

"……마구간에 무슨 궁의야. 형 마구간지기랑 친한 거 알면 안 좋은 소문 퍼진다. 난 그냥 자고 일어나면 괜찮아."

내가 손사래 치며 자리에서 일어서자 이사크 역시 나를 따라 의자에서 엉거주춤 일어났다. 쫓아내고 싶진 않았지만 이건 여신이랑 대화가 필요할 것 같았다. 그때 삼신 언니의 얄미운 목소리가 재잘거렸다.

거짓말 아니야, 나랑 얘기할 거지? 어떤 술잔이고, 언제 마시는지 다 들을 거지?

아, 잠깐만. 이건 이거대로 약 오르네. 내가 좀 삐쳐서 대화를 안 했기로서니 사람 목숨을 가지고 간을 봐? 뭐 이런 신이 다 있냐.

놀라서 심장이 아래로 쿵 떨어졌던 것도 잠시, 내가 아끼는 사람의 목숨을 핑계로 내 대화를 이끌어 내려고 했다는 게 화가 나기 시작했다.

"너 왜 또 갑자기 얼굴이 빨개져? 열이 많이 나?"

"지금 몸에 열이 돌아서 그래요, 빡치는 일이 생각나서요."

"너는 언행에 문제가 많다, 조."

"형. 오늘 술 먹고 가. 코가 삐뚤어지게 마시고. 어? 왜 한 병만 들고 왔어."

"……한 병이면 됐지, 뭘 얼마나 마시려고, 아프다며."

"됐어. 방금 마음으로 다 가라앉혔어. 다 나았어. 앉아, 앉아."

신경질적으로 팔뚝을 잡아 도로 의자에 앉히자 이사크가 얼떨결에 다시 엉덩이를 쭉 빼고 내 눈치를 보며 앉았다.

"너 몸 안 좋으면 나 그냥 가고……."

"형. 나 진짜 괜찮다니까?"

눈을 희번덕거리며 이사크의 어깨를 잡아 누르자 그는 뾰쭘한 표정으로 자기가 사 온 의자 등받이에 등을 바짝 붙였다.

조, 너는 걱정도 안 되니. 내가 이사크의 미래를 말해 줬잖아. 겨우 1주일 남았다고. 더 자세히 듣고 싶진 않아?

"형. 형은 나중에 기 싸움 같은 거 할 때 상대방 약점 쥐고 치사하게 막 그러지 마라, 어? 높은 자리 있는 사람이 그러는 거 아니야. 짠 하자. 짠."

와다다 말을 쏟아 내고 이사크의 손목을 잡고 술잔을 쥐여 준 뒤, 나도 아까 내려놓았던 잔을 들고 대충 공중에서 맞부딪혔다. 술잔의 짙은 보랏빛 액체가 찰랑이는 걸 잠깐 바라보다 그대로 입으로 가져와 쭉 들이켰다.

"아으으— 술이 달다. 차라리 인생이 더 쓰지."

"저기요, 아저씨. 솔직히 말해 보세요. 몇 살이신데요."

너도 나중에 내가 여잔 거 알면 기함을 하겠구나.

"형 요새 걸핏하면 나보고 아저씨라고 하더라. 나 같은 미소년이 어디 있냐."

"너 말하는 태를 봐라. 아저씨 소리 안 나오나."

킬킬 웃으며 이사크는 다시 내 잔 가득 술을 채워 줬다. 여신은 다시 차분해진 목소리로 나를 달래며 말을 걸어왔다.

조, 정말 나랑 말 안 할 거야? 이사크 얘기 알려 줬잖아.

"이사크 전하."

"형이라고 하라니까 너는 왜 자꾸 전하래. 괜히 섭섭하게."

"형, 술 끊어."

두 번째 잔을 털어 마시고 세 번째 잔을 채우던 이사크가 눈을 휘둥그레 떴다가 단박에 찡그렸다. 그러곤 오른손을 내 시야에서 휘휘 저었다.

"너 진짜 아픈 거 아냐?"

"형. 진짜 생각해서 하는 말이니까 술 끊어. 위험해. 나 약간 신기가 있거든. 이가 놈아. 당분간 물가에 가지 말고 술을 조심하거라."

"뭐, 뭐라고? 뭔 놈?"

"사실 뭐, 형은 어떻게든 잘될 거야. 옛 성현들이 하신 말씀에 그런 말이 있지."

"뭔데."

이사크는 비어 있는 내 잔에도 술을 가득 따라 주었다. 나는 곧장 잔을 들어 다시 이사크와 건배하곤 그의 시커먼 눈을 가만히 들여다보았다.

너는 주인공.

친구라곤 없는 황궁으로 들어와 이복형제의 개인 궁의 마구간지기와 막역하게 지낸다는 비밀 설정을 가진 막장 황자지만, 어찌 되었든 이사크는 주인공이다. 어떻게든 살아남아 이 이야기를 본인만의 해피엔딩으로 이끌어 갈 사람.

홀로 외롭게 남아 텅 빈 전장에서 남은 한쪽 팔로 겨우 검을 들고 있다가 툭, 내려놓는 카일의 힘없는 뒷모습이 그림처럼 떠올랐다. 그게 정말 그의 결말인가. 어떻게 해도 다른 방법은 없어? 정말 야속하네요, 여신님.

작은 조명 아래에서도 너무 검어서 한 치 앞도 보이지 않을 정도로 짙은 이사크의 눈을 보며 말했다.

"될 놈은 된다."

"응?"

고개를 갸웃 꺾는 이사크를 뒤로하고 술을 단번에 들이켰다. 쓰고, 달고, 텁텁한 향이 혀를 가득 채우다가 목구멍 아래로 꼴깍거리며 내려갔다. 가슴팍 한가운데에 불길이 붙은 듯 쓰라렸다. 입을 열자 길고 얇은 한숨이 흘러나왔다.

"오늘 이상하다, 조."

연거푸 세 잔을 마신 탓에 조금 알딸딸했다.

"와. 확실히 옛날 술이가, 도수가, 쪼오끔 있다. 그지?"

"왜 이렇게 일찍 취하는 거야. 오늘 컨디션 별로였으면 말을 하지."

이사크가 내 술잔을 슬쩍 앞으로 빼려고 하기에 냉큼 도로 가져와서 술을 부었다.

"아우, 형, 섭섭하게 왜 그래. 개가 똥을 끊지. 제가 술을 어떻게 끊습니까. 전하, 오늘 진짜 잘 오셨다, 우리 형. 진짜, 하……. 형, 나는 진짜 형밖에 읎따."

"너 주사 화려하다. 전에는 같이 취해서 몰랐네."

"그르네, 형. 이게, 술이라는 게, 어? 같이 마실 때는 같이 취해야 되는 거거든. 한잔해."

나는 이사크의 잔에 포도주를 가득 채우곤 그의 입가로 가져갔다. 여신의 목소리? 조까. 맘대로 하라지, 뭐. 주인공을 죽이진 않을 거 아냐. 그렇게 귀하신 댁네 아드님인데.

"형. 진짜 오늘까지만 마시고 딱 끊는 거다. 내가 다 형 생각해서 하는 말이야."

"읍, 야, 숨 좀, 아, 코로 들어가!"

"마셔, 마셔. 비강으로도 술 마셔. 소독한다 생각하고 쭉 들이켜."

여신의 목소리가 멀어졌다가 다시 가까워지기를 반복했다.

네가 뭐 때문에 서운해하는지 알아. 하지만 조. 세상에는 타당성이 있고, 순리가 있고, 균형이 있어. 응당 그러하게 흘러가야 맞는 일들이 있단다.

"형. 인생은 원래 자기가 하고 싶은 대로 하면서 사는 거다, 알지?"

여신의 말에 제대로 대답은 하지 않고서 나는 열심히 그녀가 건네 오는 말을 비꼬며 이사크에게 말을 걸었다. 내 의도를 모르는 이사크는 혼자 술을 부어 마시며 고개를 주억거렸다.

"알지, 알지. 근데 내 자리가…… 이제 뭐 하고 싶은 거 하기보다는, 지키고, 가지고, 올라서고…… 그래야 되니까아……."

취기가 오르는지 이사크의 혀가 안으로 돌돌 말리기 시작했다. 여신이 한숨을 푹 내쉬는 소리가 들려왔다. 바로 옆자리에 있는 것처럼 선명하게 느껴져 등골이 오싹할 정도였다.

"이건 그냥 귀신 아닌가."

"응. 뭐?"

연거푸 술을 마시던 이사크가 고개를 숙이고 있다가 휙 쳐들었다. 검은 머리카락 아래의 뽀얀 얼굴이 벌겋게 익어 있었다. 우리 카일만 못하지만 그래도 주인공다운 몰입감 넘치는 이목구비네요. ……그놈의 염병할 주인공.

오늘 같은 꿀꿀한 기분에 술을 안 마실 순 없지. 나는 이사크가 마시려던 술잔을 뺏어 와서 마시고 내 잔에도 술을 채워 금세 마셔 버렸다. 속에서 술 냄새가 스멀스멀 올라오고 시야가 핑 돌았다. 한참 신나게 술을 퍼마시며 기억도 안 날 말들을 조잘거렸다.

"아, 진짜 별것도 아닌 걸로 잔소리해 댄다니까!"

"해 댄다니까!"

"그렇게 주인공만 아껴서야 이게 세상이, 어? 돌아가겠냐고! 편파적인 그거는 말이 안 돼요, 옆집 하느님도 우리 모두를 사랑하신다는데! 자기는 왜 그런대!"

"왜 그런대!"

"우리 모두가, 어? 다 자기 인생의 주인공 아니야! 주인공이 요절하는 드라마가 어딨냐고!"

"어딨냐고!"

"형 술 취했으면 정신 차려!"

"너나 차려!"

결국 홍청망청 취한 채 휘청거리며 이사크의 머리채를 잡았고 그는 머리가 한 움큼 뜯겨 나가도 껄껄 웃다가 나를 퍽 쳐 냈다. 침대 위로 데구르르 구르며 이사크에게 소리를 지르고, 남은 술을 나눠 마시며 오두막이 떠나가라 서로 장난을 치다 보니 노을도 어느새 져 버렸다.

이사크 얘 근데 자기 궁으로 안 돌아가도 되나.

머리로는 이사크를 돌려보내고 나도 편하게 자야 된다고 생각하긴 했지만 주둥이는 다른 말을 하고 있었다.

"형, 술 다 떨어졌다. 편의점 가서 사 와. 4캔 만 원, 알지? 안주는 알아서 과자 골라 오고."

"어? 뭐라고?"

"아, 나 미치겠네. 이 중세 시대 사람아. 술 다 떨어졌다니까."

여신이 머릿속에서 정말 다급한 목소리로 말했다.

금자야, 금자야. 일어나. 지금 카일 온다. 얘. 야. 금자야. 너랑 싸워도 할 말은 하고 가야 할 거 같아. 금자야? 카일한테 이 꼴을 보일 순 없잖니.

"아, 언니! 언니는 나한테 전쟁 얘기해 줄 거 아니면 앞으로 말 걸지 말어라, 진짜! 나 완전 단단히 화났으니까!"

술에 취해 제정신이 아니었다. 소리를 꽥 지르고 딸꾹질을 하며 돌아보자 이사크는 곯아떨어져 바닥에 주저앉아 침대에 반쯤 엎드린 채 잠들어 있었다.

"아, 나 머리 너무 아프다. 내일 술병 제대로 나겠네."

결국 나도 침대에 드러누워 버렸다. 다리쯤에 이사크의 머리가 있는 것 같긴 했는데 신경 쓸 정신이 남아 있지 않았다.

누가 보면 초상나겠다. 황족을 바닥에 주저앉혀 놓고 마구간지기가 침대에 누워서 퍼질러 자다니. 히히. 들키기 전에 빨리 이사크 내보내야 하는데. 히히. 아, 머리 아프당. 히히.

나는 오두막의 문이 열리는 소리에도 몸을 움직이지 못하고 깊이 수마로 빠져들었다.

"형 진짜 술 끊어야 돼……."

그러나 잠결에 중얼대는 내 목소리에 답을 해 온 것은 이사크가 아닌 듯했다.

"술은 네가 끊어야겠는데."

❋ ❋ ❋

"전하. 산책을 가신다더니 왜 이……사크 황자님을 업고 들어오십니까."

시종 펠이 당황한 얼굴로 묻자 카일은 으드득 어금니가 물리는 소리를 내며 대답했다.

"그 망할 망아지를 안고 돌아올 순 없어서."

"예?"

온몸에서 살기를 뿜어내며 카일은 펠을 지나쳐 걸었다. 그의 널찍한 등에 업혀 있는 이사크는 얼마 전 휴스카만과의 협정을 성공적으로 개정하고 돌아온 황자라고는 볼 수 없을 만큼 풀어진 낯이었다.

"으응……."

카일의 어깨 위에 머리를 올려놓은 게 편안했는지 이사크는 볼을 부비며 카일의 등짝 위에서 나름대로 자리를 잡았다.

"전하, 제가 이사크 황자님을 모시겠습니다."

"……펠이 옮기다간 둘 다 다칠 것 같으니 내가 하지."

펠은 황자의 다정함에 눈물을 훔쳤다. 역시, 마구간지기 소년에게 냉정하게 굴고, 가문도 모르는 어느 영애를 테라스에서 번쩍 안고 나오긴 하셨지만 그래도 우리 황자님이 최고야.

카일은 궁의 객실 침대 위에 이사크를 던지듯 내려놓았지만 술을 얼마나 마신 건지 이사크는 깨지 않았다. 오두막 바닥에 굴러다니는 술병의 향을 맡으니 꽤 독한 술인 것 같던데 그걸 둘이 나눠 마셨단 말이지.

술에 취해 빨개진 얼굴을 하고 침대에 비스듬히 누워 잠든 조의 입에서 '형.' 이라는 소리가 몇 번이나 튀어나오는 걸 분명히 들었다.

하, 형? 네가 그 형이란 말이지.

카일은 금방이라도 누군가의 목을 썰어 버릴 것 같은 얼굴로 펠에게 명령했다.

"이사크 황자에게 깨면 내 방으로 오라 전해."

⁂ ⁂ ⁂

이사크는 습관처럼 부드러운 침대의 이부자리를 한껏 끌어안았다가 문득 파고드는 위화감에 번쩍 눈을 떴다.

낯선 천장, 낯선 침대. 낯선 벽지.

동물적인 감각으로 벌떡 일어나 앉은 이사크는 자신의 몸부터 살폈다. 하지만 입고 있는 옷은 멀쩡했고, 다친 곳도 하나 없었다. 밤새 헝클어진 머리카락을 양손으로 부여잡고 무슨 일이 생겼던 건지 떠올려 봐도 아무 기억이 나지 않았다.

"아, 뭐지! 여기 어디지! 델로아한테 돌아가야 하는데!"

지끈대는 머리를 주먹으로 콩콩 두드리는 순간 문이 열렸다. 익숙한 얼굴이었다. 카일 형님의 시종인 펠이었다. 그 중늙은이는 세상 인자한 얼굴로 이사크에게 짧게 전했다.

"카일 황자 전하께서 찾으십니다."

카일의 궁은 이사크의 궁보다 컸고, 조금 더 화려했다. 벽지나 커튼에 사용된 색감들이 화려한 데에 비해 내부의 분위기나 인테리어 자체는 단조로운 것이 묘하게 카일과 닮아 있었다.

이사크는 카일 궁의 긴 복도를 걸으며 간밤에 무슨 일이 있었는지 천천히 돌이켰다.

조와 술을 마셨고, 연거푸 마셨고, 코가 삐뚤어질 때까지 마시다가, 술병을 거의 다 비웠을 즈음에 다른 것들보다 도수가 훨씬 높아서 둘 다 평소보다 많이 취했다는 걸 알게 됐고. ……그다음에 어쨌더라. 엎어져서 잤던가. 아니면 내 궁으로 가겠다고 나왔다가 너무 멀어서 카일 형님에게 와서 재워 달라고 했나.

울상을 지었다가 복도 끝에 이르러 겨우 얼굴 주름을 펴 낸 이사크는 조심스럽게 집무실 앞에 섰다. 이사크의 뒤에 있던 펠이 부드러운 걸음걸이로 앞서 나와 집무실의 문을 짧게 두 번 두드리자 안에서 단단한 목소리가 울렸다.

"들어와."

집무실에 앉아 여유로운 얼굴로 홍차를 한 모금 들이켜던 카일은 이사크를 보며 부드럽게 웃어 보였다.

"잘 잤니."

"……아, 카일 형님……. 안녕히 주무셨습니까. 간밤에 실례가 많았습니다."

"기억은 나고?"

이사크를 가만히 응시하던 카일의 푸른 눈이 천천히 아래로 향했다. 조용히 읊조리듯 물은 것인데도 집무실에 한기가 서릴 정도로 차가웠다. 이사크는 저도 모르게 등줄기 사이로 식은땀 한 방울을 흘려보냈다. 어떤 말을 해야 할지 몰라 머뭇대는 사이 대답할 타이밍은 이미 지나가 버렸다. 이사크의 머릿속은 엉망진창이었다.

왜 저렇게 무서운 표정이시지. 웃고 있는데도 살기가 넘치잖아. 그동안 조가 쌍방향 러브러브라고 거드름 피우던 게 거짓말이 아니었던 건가.

"……내 질문이 어려웠나."

만년필로 종이 위를 툭, 하고 두드리다가 내려놓은 카일이 물어보자 이사크가 퍼뜩 고개를 숙이려다가 저도 같은 황자란 것을 생각해 내고 필사적으로 허리를 펴고는 답했다.

"기억이…… 중간까지는 납니다. 조와 술을 마시고, 같이 놀다가……."

"황족으로서의 체통을 잃고 마구간 오두막에서 잠든 건?"

"……아. 그건 제가 죄송합니다, 형님. 궁의 생활에 적응하지 못했다는 핑계는 대지 않겠습니다. 다 제 불찰입니다. 단지 조를 볼 때면 고향의 동생들이 떠올라서, 막역한 사이라."

"……막역?"

뚜두둑.

무언가 부러지는 소리가 들려 이사크는 황급히 눈을 굴려 소리의 근원지를 찾아냈다. 카일이 앉은 의자의 왼쪽 팔걸이가 제자리를 잃고 나무 부스러기가 되어 바닥으로 떨어졌다.

무슨 악력이…….

이사크는 마음속으로 조를 간절하게 불렀다.

'조, 그동안 미안했어. 카일 형님이랑 쌍방으로 마음 통했다는 거 안 믿어서 미안해. 연애 잘하는 거 순 뻥이라고 놀려서 미안해. 살려 줘. 어디야. 이리 와 주면 안 될까. 남자끼리 사귀는 거 내가 그걸로 편협하게 군 적 없잖아. 조. 제발. 살려 줘.'

하지만 이사크의 간절한 내면의 소리에도 불구하고 집무실의 닫힌 문은 고요했다. 이사크는 이마 위에 송골송골 맺히기 시작하는 땀방울을 애써 무시하며 필사적으로 변명했다.

"저, 저는! 진짜! 조는 남동생이잖아요! 친하긴 한데, 그 남자를 어떻게 막, 그런 게 아니고요. 에이. 형님. 조는 남잔데 제가 무슨."

줄줄 말하던 이사크는 황급하게 제 입을 틀어막았다. 남자랑 무슨 사랑이냐고 말을 해 버리면, 지금 그 남자랑 사랑을 하고 있는 형님을 욕보이는 게 아닌가.

"무, 물론 조는 남자지만 굉장히 매력적이죠!"

"……매력?"

카일이 앉은 의자의 오른쪽 팔걸이가 와드득 소리를 내며 부서졌다. 이사크의 발바닥이 흥건하게 땀으로 젖어 들었다. 밖에 누구 없냐고 소리라도 치고 싶은 심정이었다.

황궁에 들어온 후, 죽게 된다면 암살이나 독살일 거라 생각했지 치정극에 휘말려 죽을 거라곤 생각지도 못했다. 차라리 델로아가 옆에서 멱살이나 잡고 짤짤 흔들며 '전하! 황족이면 황족답게 구십시오!' 라고 할 때가 더 속 편했던 것 같다.

눈썹을 아래로 축 늘어뜨린 채 이사크는 웅얼거렸다.

"제가 죄송합니다. 전하. 저는 조에게 어떠한 연애적인 감정을 느낀 적이 없고요……."

형님이라 부르던 친근한 애칭은 어느새 전하로 바뀌어 있었다. 정적이자, 약간은 닮고 싶은 인물이었던 카일이 너무 멀게만 느껴졌다. 단 하룻밤 만에.

하긴, 나라도 델로아가 누구랑 밤새 술 먹고 왔다고 하면 미울 거 같아. 하지만 전 죽이진 않을 거라고요.

이사크는 두 눈을 질끈 감았다. 다음에 부서지는 건 의자가 아니라 내 목일지도 몰라.

그때 펠이 노크한 후 벤지와 함께 들어왔다.

"카일 전하. 명하신 대로 마구간을 살피고 왔습니다. 프리실라 황비마마께서 하사하셨던 검은 말과 그 옆의 갈색 말이 묽은 변을 흘리고 있었고 약간의 탈수 증세를 보이는 듯했습니다. 조가 간밤에 제대로 보살피지 않은 것 같은데 어떤 벌을 내리실 건지요."

"……아니, 내가 마구간을 보고 오라는 것은 그게 아니고……."

카일이 벽안을 빠르게 깜빡이며 말을 덧붙이려 했지만 이번엔 이사크가 빨랐다. 카일과 단둘이 아니라는 사실에 약간의 용기를 얻은 이사크는 살짝 열려 있는 문밖까지 들릴 정도로 호기롭게 외쳤다.

"마구간의 관리 소홀 역시, 다 제가 책임지겠습니다. 제가 대신 벌을 받겠습니다!"

"네가 책임을 진다라?"

잠깐 펠을 향했던 카일의 얼굴이 흥미롭게 빛났지만 눈치 없는 펠이 끼어드는 탓에 산통이 깨져 버렸다.

"에이. 아무리 그래도 황자 전하께서 하인의 잘못까지 책임지시는 경우가 어딨습니까. 조는 모두가 아끼는 성실한 아이지만, 실수는 따끔하게 혼을 내야 하지 않겠습니까. 카일 황자 전하께서도 그건 원치 않으실 겁니다. 그렇죠?"

생글생글 웃는 펠은 황족에게 충성을 맹세한 충직한 신하였고 그의 신념상 감히 황족에게 죗값을 치르게 할 순 없었다. 문제는 그 자리에 있던 카일의 얼굴이 새카맣게 굳어 가고 있었다는 것이다.

⁂

"아…… 엄마. 나 물 좀……."

깨질 것 같은 머리를 감싸 쥐고 침대 위에서 뒹굴며 천천히 잠에서 깼다.

"……엄마!"

베개 아래로 기어 들어가며 크게 외쳤다가 문득 깨달았다. 아, 맞다. 여기 엄마 없지.

"여기서 산 지 1년이 훌쩍 넘었는데 아직도 이러냐. 하……."

한숨을 쉬며 기지개를 켰다.

"이사크 형. 형 이제 형 궁으로 가."

발치에서 엎드려 자고 있던 이사크 쪽을 툭툭 건드렸지만 내 다리엔 거칠한 담요만 닿을 뿐이었다.

"형 갔어?"

눈꺼풀에 말라붙은 눈곱을 떼며 자리에서 일어나 앉자 텅 빈 오두막이 눈에 들어왔다. 다행히 어제 선물받은 테이블과 의자는 그대로였다. 바닥을 뒹구는 병도, 잔도 제자리인데 이사크만 없었다.

아마 새벽에 혼자 술 깨서 궁으로 돌아갔나 보지. 델로아 아가씨한테 들켰으면 엄청 혼났겠다. 황자가 체면도 없이 어디서 만취해 돌아오냐고 했겠지.

하품을 하자 숙취 때문에 머리가 깨질 듯 아파 왔다.

아, 염병할 발효주. 와인은 숙취가 너무 심해.

지끈거리는 관자놀이를 꾹꾹 누르며 나는 잠긴 목소리로 혼잣말을 시작했다.

"언니. 우리 얘기 좀 합시다."

여신님, 여신님, 기세 좋게 부를 때는 언제고 언니라고 하니.

"친근한 의미로 언니라고 하는 거죠. 그리고 어쨌든 언니가 사람 약 올린 건 맞잖아요. 내가 누구 때문에 인생 걸고 있는지 뻔히 알면서."

도와줄 수 없는 부분이야. 내가 할 수 있는 최선으로 널 아끼고 있단다, 금자야.

"이사크를 도와주는 게 왜 나를 아끼는 거예요. 그건 그냥 언니가 하고 싶은 거잖아요. 난 내 황자님을 지키고 싶다고요. 처음부터 내 목적은 카일의 행복이었어요."

카일은 지금도 충분히 행복해. 원래의 이야기에 비하면.

"원래? 지금 원래라고 했어요?"

그래, 그는 지금으로 '충분' 해.

미간이 찌푸려졌다. 숙취 때문에 정신도 없는데 지금 한때까리 해 보자는 건가. 일부러 시비 거는 게 아니고서야 이렇게 빡치는 말만 골라서 할 리가. 속에서 분노가 들끓었다.

"마음 둘 곳 하나 없이 외롭게 있던 것보다야 당연히 지금이 더 낫겠죠! 반대로 생각해 봐요! 얼마나 외로웠으면 어디서 튀어나왔는지도 모르는 여자애한테 좋아한다고 고백하고 정분이 났겠어요! 마음고생을 얼마나 했으면! 당신 신이라며! 신이면 공평해야 되는 거 아니에요! 어떻게 이럴 수가 있어!"

억울한 마음에 눈물이 번져 나왔다. 자리에서 벌떡 일어나 아무것도 없는 공중을 향해 소리를 지르다가 눈가에 맺히는 눈물을 거칠게 닦았다. 씩씩거리는 가슴팍에 무거운 돌덩이를 얹어 놓은 것처럼 갑갑하기만 했다.

"신이잖아요! 적어도 다 굽어살펴야지! 이게 무슨……. 뭐요? 충분히 행복? 그걸 누가 정하는데요! 이게 그 사람의 충분이라는 건 누가 정했냐고요! 더 행복할 수 있는 방법이 있잖아요!"

여신은 한동안 말이 없었다.

"……내가 이사크를 안 돕겠다는 게 아니잖아요. 주인공이 주인공답게 살 수 있도록 나도 도울게요. 근데 우리 카일이 비참하게 혼자서 죽는 걸 볼 수가 없다고요. 그것만 피하게 해 줘요. 다 잃고 홀로 남겨지는 결말은 다신 안 보고 싶어요……."

아무리 참으려고 해도 눈물이 자꾸 줄줄 흘러내렸다. 술이 안 깨서 그런가. 결국은 손바닥에 얼굴을 묻고 한참을 씨근덕대며 울었다. 이질적이게도 오두막 밖에서는 새들이 아침을 맞이하며 짹짹 지저귀고 있었다. 나만 동떨어진 기분에 더 서러워 눈물을 참을 수가 없었다.

미래가 바뀐다는 건, 네 미래도 장담할 수가 없다는 얘기야.

"네?"

한참 동안 말이 없던 여신이 드디어 입을 열었다. 나는 울다가 얼굴을 들었다.

"그게 무슨 말이에요?"

전에 말했듯 너 자체가 불균형의 산물인데 네가 큰 미래까지 바꾸면 앞을 장담할 수가 없게 돼. 나조차.

"그런데요?"

네가 이사크와 함께 얘기를 나누고, 카일에게 고백하는 것쯤이야 큰 맥락을 건들지 않는 것이니까 네 존재는 해가 되지 않아. 하지만 전에 말했듯 세계에는 관성이라는 게 있잖니. 네가 건드린 미래가 크게 바뀌면 그 반동은 반드시 네게 돌아와.

"쉽게 말해 주세요. 저 아직 술 안 깨서 머리 안 돌아가요."

네가 이 세상에서 없어지는 게 낫다고 판별되는 순간, 네 주변의 모든 우연

들이 너를 죽이려 할 거야.

"우연이 나를 죽이다뇨?"

너만 없으면 모든 게 제자리로 돌아갈 테니까. 네가 이야기의 중심으로 들어가면 갈수록 운명이 너를 죽음으로 이끌 거야. 살아 있으면 방해되니까.

"……이야기에 관여할수록 내가 죽을 확률이 올라간다는 거네요."

그렇지.

"하지만 여기는 여신님이 관장하는 세계잖아요. 당신이 나를 죽이는 거예요?"

나는 창조자지만 이후엔 모든 것을 지켜보는 방관자에 불과하지.

"제가 지금, 그러니까, 어……, 까딱하면 죽, 죽는다고요."

운명을 거스르지 마, 조. 엑스트라로 남아 있어. 그편이 오래 살 수 있단다. 이미 정해진 일들을 바꾸려고 하지 마.

갑자기 카일에게 내 목소리가 전해지지 않게 된 이유도 이것과 연관이 있는 것일까. 텔레파시를 통해 테오도르를 살리고, 암살자에게서 카일을 살려 냈으니 더 이상 편법을 쓰지 못하게 하려고?

그렇게 생각하니 아귀가 들어맞았다. 이미 운명은 내게 경고하고 있던 거였어.

이제 그만 얌전히 살라고.

"운명 새끼 건방지기 짝이 없네."

헛웃음이 튀어나왔다.

조!

여신이 나를 혼내듯 목소리를 높였지만 더 이상 내리꽂히듯 들리진 않았다. 씩씩대던 아까와 달리 모든 것이 차갑게 내려앉았다.

"그니까 운명이라는 그 새끼가 지금 나한테 입 닥치고 가만히 있으라는 거잖아요. 언니도 그걸 아니까 적당한 선에서만 도와주는 거고. 이야기 잘 굴러가게끔."

하. 이 새끼가 누굴 빙다리 핫바지로 보나.

"내가 여기 기름칠이나 하러 온 줄 알아!"

의자를 발로 차며 소리를 지르는 순간 문이 벌컥 열렸다. 머릿속을 가득 채우던 여신의 목소리와 기척이 사라졌다. 활짝 열린 문 사이로 테오도르가 놀란 눈으로 나를 바라봤다.

"조, 왜 소리를 지르고 그래……."

겁을 먹었는지 동그래진 눈으로 나를 바라보는 테오도르를 보며 뒷말을 덧붙였다.

"……기, 기름칠이나 하러 온 줄 아나! 나는 말 밥 주려고 왔지! 아, 틸리 님 진짜 너무하시네! 나는 마구간에서 일하는데 마차 바퀴 기름칠은 왜 시키신담!"

"그래도 그렇지……. 혼자 있다고 의자 막 발로 차고 그러면 안 돼, 조……. 틸리 부인이 일을 많이 시키는 게 불만이면 내가 가서 말해 볼게. ……화내지 마."

투명한 분홍색 눈이 초롱초롱하게 빛나며 나를 향했다. 오랜만에 보는 테오도르는 약간 키가 자란 것 같았다.

"이렇게 예쁜 얼굴을 못 볼 뻔했어요, 테오 황자님."

"……응?"

"그때 엄청 아프셨을 때. 위험했잖아요."

"아, 응. 그랬지. 조, 근데 우리 둘만 있으니까 반말해도 돼."

방금 화를 버럭 낸 탓인지 슬쩍 눈치 보며 말하는 테오도르의 옆구리를 잡고 안아 올렸다.

"어우, 무거워. 완전 상꼬맹이인 줄 알았더니 이제 좀 컸나 보다?"

"야. 내려놔. 참수시키기 전에."

애 취급당하는 걸 끔찍하게 싫어하는 테오는 언제 겁먹었냐는 듯 내 머리카락을 한 움큼 잡아 쥐곤 마구 짜증을 부렸다.

"나 좀 있으면 키 엄청 큰다고 했지! 너랑 나이 차이 얼마 나지도 않는데 꼬마 취급하지 말라고!"

"알았어. 어디다 내려 줄까? 눈 맞추고 얘기하게 저기 의자 위로 내려 줘?"

"너 이제 무조건 존댓말 해. 반말하지 마."

"방금은 반말하라며!"

"하지 말라면 하지 마!"

귀에다 대고 소리 지르며 어깨를 주먹으로 내려치는 테오도르 때문에 웃음이 났다. 바닥에 내려놓자 테오는 내 정강이를 향해 힘껏 발을 휘둘렀고, 나는 요령껏 피했다. 분에 찬 얼굴로 씩씩대던 테오도르는 손을 뻗어 내 귀밑머리를 잡아당겼다.

"아! 야!"

"야? 감히 황자한테 야? 너 죽고 싶어!"

소리 지르는 테오와 드잡이를 하고 있자니 아까의 현실성 없는 대화가 더욱 멀게만 느껴졌다.

내가 미래를 바꿀수록 죽음에 가까워진다고? 내가 죽을지도 모르니 조심해야 한다고? 웃기지 말라 그래. 감히 누가 누굴 죽여. 그런 거 겁낼 거였으면 애초에 시작도 안 했어.

"……근데 너 얼굴이 왜 그래? 울었어? 눈이 빨갛잖아. 코도 그렇고."

싸우다 말고 눈썹을 팔자로 휘며 내 안색을 살피는 테오도르를 향해 나는 활짝 웃었다.

"예뻐 죽겠어. 내가 너 없으면 어떻게 사니. 우리 분홍 삐약이."

두 팔로 품 안 가득 끌어안자 테오가 내 뒷머리를 잡아당기며 놓으라고 꽥꽥 소리 쳤다.

"뭐? 분홍 삐약이? 이게 진짜! 그거 나보고 한 소리지! 야!"

테오가 아무리 발버둥을 쳐도 나는 안고 있는 팔을 풀지 않고 미동도 없이 그를 꼭 안고 있었다.

너도, 카일도 다 행복하게 할 거야.

결심을 되새기며 테오의 마른 등을 더 강하게 안자 테오도르의 몸부림이 서서히 멎어 들었다.

"……근데 너 방금 나한테 나 없으면 못 살겠다고 했지. 그, 그거 진짜야……? 너, 너 그러면 우리 형보다 내가 더 좋은 거야?"

귓가에서 웅얼대며 묻는 고백이 너무 사랑스러워 그대로 들고 튀고 싶은 심정이었지만 한 번 더 놀리는 게 더 재밌겠지.

테오는 화나서 시뻘게진 얼굴이 못 견디게 사랑스러우니까. 놀리고 싶은 타입이야.

"아뇨, 황자님. 무슨 소리세요. 전 당연히 카일 황자님뿐이죠."

정색하며 팔을 풀고 테오도르를 보며 말하자 테오가 분홍색 부리 같은 입술을 멍하니 벌렸다가 금세 온몸을 핑크빛으로 물들였다. 눈동자에 물방울이 맺히기 시작했다.

"……조는 거짓말쟁이."

"어? 아니…… 울, 울 필요는……."

테오도르를 향해 손을 뻗자 테오가 맹렬한 기세로 뿌리치고 오두막을 나가버렸다.

"장난친 건데! 테오! 테오 황자님! 전하!"

일어나서 따라 나갔지만 덜 자란 짧은 다리로 어찌나 빠르게 갔는지 벌써 저만큼이나 가 있었다. 쫓아가면 잡을 수 있겠지만 마구간 입구에 서 있던 벤지가 내게 다가오는 탓에 테오를 잡으러 갈 타이밍을 놓쳤다.

"벤지! 안녕하세요! 근데 저 지금 테오 전하 달래러 가야 할 것 같은데 나중에 얘기해도 괜찮을까요!"

달리려고 두 다리에 시동을 거는 중이었지만 내 손목을 잡는 벤지 때문에 달려가지 못했다.

"……조."

"예?"

"슬픈 소식과 기쁜 소식이 있어. 뭐부터 들을래?"

"……제가 뭐 잘못한 일이 있나요?"

"어제 이사크 황자님과 여기서 술판을 벌였다면서. 둘이서. 한 침대에서 함께 잠들었다던데."

"그렇게 말하니까 되게 외설적이네요. 그런 게 아니라 그냥 꽐라 돼서 퍼질러진 거예요. 근데 젊은 남자 둘이 정신없이 술 마시다 보면 그런 날도 있는 거지."

"……넌 여자잖아. 나까지 헷갈리게 하지 마."

"이사크 황자님은 저를 남자로 알고 있으니까 괜찮은 거 아닐까요."

"카일 황자님은 너를 여자로 알고 있으니 전혀 괜찮지 않지."

"헉. 카, 카일 황자님이 알아요?"

"알다마다. 여기서 쓰러져 주무시던 이사크 황자님을 직접 궁으로 데려가셔서 재우기까지 했으니까."

피가 차갑게 식는 기분이었다. 등골을 타고 식은땀이 흘러내렸다.

"아니, 언…… 언제 오셨……."

"어제 늦은 밤에 네 오두막에 들르셨다더군. 안에서 시끄럽게 떠드는 네 목소리와 이사크 황자님의 말소리를 듣다가 차츰 조용해지는 걸 듣고 문을 열어 보셨대."

"그, 그래서요."

"너는 침대 위에서 자고 있고 이사크 황자님은 침대 아래쪽에서, 음……."

"뒤에 뭔데요! 빨리 말해 줘요!"

"오른손엔 술병을 들고, 왼손으로는 네 발목을 쥐고 자고 있었다는데."

"술, 술 취하면, 그, 그럴 수도……."

"여기선 발목을 함부로 남에게 보이지 않아. 만지게 하지도 않고……. 그, 어떤 함축적 의미가 있는 게 아니면."

"함……축적 의미라 하시면?"

내 물음에 곤란한 듯 눈썹 끄트머리를 긁적이던 벤지는 슬쩍 눈을 피했다.

"성적인…… 의미……."

"……세상에. 그걸 카일이 봤다고요?"

고개를 끄덕인 벤지가 나를 안쓰럽다는 듯 내려다보며 한숨을 폭 내쉬었다.

"전하께서 화가 단단히 나셨어."

"……얼마나?"

"음, 너를 감옥에 가둘 정도?"

"잠, 뭐, 뭐라고요? 감옥?"

벤지의 어깨를 붙잡고 짤짤 흔들며 물었지만 돌아오는 대답은 한결같았다.
"그래, 감옥."
감옥이라니. 내가 감옥에 간다니, 그게 무슨 말인지.
나는 이날 이때껏, 아니, 전생까지 포함해도 건실하게 살아온 대한의 밝고 창창한 청춘이었는데. 억울해진 마음에 버벅거리며 나름대로 항변을 했다.
"내, 내가 그래도! 얼마나!"
"얼마나 대차게 술을 마셨길래."
"술 마신 게 왜 죄예요. 남들도 다 마시는ㄷ,"
"황족을 바닥에서 재우고, 옷을 반쯤 까뒤집어 놓고 있어서."
"그래도 나는 카일이랑!"
"좋은 관계인데도 다른 남자랑 둘이서 술 마시고, 발목을 내주고."
"어차피 근무 시간 외에는 자유 시간 아니에요? 무슨 죄명으로 나를 가두겠다는,"
"근무 태만, 황실 모독."
"황실 모독? 제가 언제 황실을 모독했어요! 내가 카일한테 얼마나 사랑과 정성으로 충성하는지 알면서!"
"양심에 손을 얹고 말해 보자, 조. 그동안 황자 전하에게 했던 발언들 중에 하나도 마음에 걸리는 게 없었어?"
텔레파시로 했던 말과 면전에서 대놓고 했던 말들이 머릿속을 빠르게 스쳐 지나갔다.
"확실히 좀 과하다 싶었던 것들이 있긴 한데, 그, 그러면 그때 화내지. 여태 가만히 있다가 왜 갑자기……."
"단둘이 술은 좀 그랬잖아. 아니면 적어도 이사크 황자를 궁으로 돌려보냈어야지. 황족을 바닥에서 재울 게 아니라."
"질투 때문에 나를 감방에 넣는다는 거잖아요! 권력 남용이에요!"
"그것 때문만은 아니야. 아침에 마구간에 있는 말 두 마리가 설사를 했어. 황족이 키우는 말이 상태가 안 좋으면 책임은 누가 진다?"

"……종놈이 진다."

침울하게 대답을 하고 나니 무언가 억울했다.

"근데 잠깐만요. 원래 사람도 그렇고 동물도 그렇고 간간이 설사할 수 있는 거거든요. 술…… 마시고 황족을 바닥에서 재운 건 진짜 죄송하고 잘못한 일이지만 제가 감방까지 가야 할까요."

"아침에 이사크 전하와 카일 전하가 대화하던 중에 이사크가 모두 다 자기 탓이라며 벌을 대신 받겠다 했다더군."

"오, 그 형 의리 있네요."

"문제는 그 말을 시종이 보는 앞에서 했기 때문에 마구간지기인 네 처벌을 피할 수가 없게 된 거야. 황족을 벌할 순 없으니까."

"아악! 그 형 왜 그렇게 눈치가 없냐! 상황 파악이 안 되나 봐!"

머리를 감싸 쥐고 발을 동동 굴렀지만 현실은 바뀌지 않았다. 나는 눈물을 머금고 벤지를 바라보며 물었다.

"……카일 화 많이 났죠?"

벤지는 당연한 걸 물어보냐는 듯 은은하게 웃으며 고개를 끄덕였다. 망연자실한 내 어깨 위로 벤지가 천천히 손을 올리곤 다독였다.

"좋은 소식도 있어. 감옥은 감옥이지만 카일 전하 궁의 지하 감옥에 갇히는 거야. 기간도 1주일밖에 안 돼. 마구간지기가 황궁 소속의 말 관리를 소홀히 한 것치곤 너그러운 처사지."

"그게 좋은 소식이라니. 한순간의 근무 태만으로 내 인생에 빨간 줄 그어지게 생겼네요."

전생에서도 그렇게 성격이 개떡 같았어도 유치장 한 번을 안 가 봤는데. 내가 이래 봬도 법의 바운더리 안에 살던 평화 시민이었다고요.

벤지는 애써 웃으며 말했다.

"황궁 중앙 감옥에 갇혔으면 밥도 제대로 못 먹고, 고문도 당했을 텐데 여긴 일단 카일 전하랑 가깝잖아. 그리고 나 아직 나쁜 소식 다 말 안 했어."

"……뭐가 또 남아 있어요?"

"……음, 플라반 영애가 와."

"으악!"

진심으로 파드득 떨었다. 이사벨라가 여길 왜 와.

"왜요!"

"추밀원 소속인 플라반 후작가에서 이사크 황자의 탄일 기념 연회에 참가하는 건 이상한 일이 아니지. 다만, 1주일이나 빨리 오는 건 조금 이상하지. 손님 신분으로 카일 전하의 궁에서 머문다더군."

그 미친 집착 캐릭터가 다시 나타날 거라곤 생각도 못 했다. 어쩐지! 인사도 없이 헤어졌는데 하나도 아쉬운 거 같지도 않더라니! 이사크의 탄일 기념 연회가 열린다는 거 이미 알고 있었던 거구나.

나는 벤지의 옷깃을 잡고 흔들며 부탁했다.

"1주일? 그럼 당장 오늘 도착한다는 거 아니에요? 나, 나 좀 숨겨 줘요. 아. 그래. 감방. 감옥 갑시다. 빨리. 나 처넣어 줘요."

"당한 게 많았구나, 조. 그렇게 힘들었어?"

"그분은 진짜 위험한 느낌이 있다니까요. 뭔가 모르게 그 등골이 싸해지는 기분이 있어요! 빨리, 감옥이 어디예요. 앞장서요, 내가 내 발로 들어갈게요."

벤지가 당황하며 나를 붙잡았지만 이사벨라가 오고 있다는 소식에 간담이 서늘해진 나는 망설일 틈이 없었다.

"뭐 해요! 나 진짜 급해요!"

"그래도, 플라반 영애와 친한 거 아니었어? 파티에 데려가 줬다며."

"친, 친하죠, 친하긴 한데 약간 그런 사이 있잖아요. 그냥 서로 추억으로 조용히 묻어 두고 두 번 다신 안 만나고 싶은 그런 사람. 빨리 앞장서요, 지하 감옥이 어디예요. 이사벨라한테 잡혀서 인형 놀이 당하느니 차라리 카일한테 감금당할래."

그렇게, 저는 감옥에 수감되었습니다.

낯선 천장이네요. 보통 낯선 천장이라고 하면 로맨스 판타지 소설 클리셰던데, 나는 왜 감방일까요. 헛웃음만 납니다.

1일 차 감옥일기 끗.

※ ※ ※

멍하니 시커먼 철창을 보다가, 돌가루가 우수수 떨어지는 벽을 괜히 발로 한 번 찼다가, 먼지가 부스스 일어나는 침대 위에 누웠다가 도로 앉기를 반복했다.

"아니, 아무리 그래도 애인을 자기 손으로 감옥에 처넣는 사람이 어딨어. 좋아한다더니 순 개뻥이야."

시무룩한 얼굴로 중얼거려도 돌아오는 대답은 없었다.

"저기요!"

철창을 양손으로 잡고 얼굴을 가운데에 끼운 채 밖을 향해 소리를 질렀지만 복도는 조용했다. 으스스할 정도로 적막한 탓에 괜히 소름이 돋아 왔다.

"야! 지키는 사람이 한 명은 있어야 될 거 아냐! 내가, 어? 도망가면 어쩌려고! 야! 나 무서운 사람이야! 나 도망간다!"

심심해서 목소리를 높였지만 여전히 어떤 소리도 들려오지 않았다. 진짜 나밖에 없는 건가.

"아무도 없냐!"

적막.

"야! 나 철창 부순다! 진짜 아무도 없어?!"

적막.

"아무도 없는 거 확실하지? 야! 나 빤스 내린다!"

"깅깅자!"

"아욱! 깜짝이야!"

카일이 철창 앞으로 불쑥 튀어나왔다.

"이 미친 여자야! 대체 무슨 말을 하는 거야!"

"이렇게 말하면 누구 하나쯤은 놀라서 올 줄 알았죠. 만약 진짜 아무도 없으면 그냥 편하게 가슴 끈 풀고 있으려고 했고요……. 근데 언제부터 계셨어요?"

"방금 내려왔어! 넌 좀…… 제발, 아, 머리야……."

머리를 싸매며 오만상을 찌푸리던 카일이 나를 매섭게 노려보았다.

"넌 내가 지난밤에 어떤 심정이었을지 상상이나 해 봤어?"

"아니요. 연인을 감방에 가두는 심정이 뭔지 감히 상상도 못 하겠네요."

"……대체 거기서 왜 이사크랑 같이 드러누워 있는 건데. 그 아는 형이라는 사람이 이사크였어?"

"그건 저도 할 말 있어요! 저도 원래는 이사크 황자님이라고 불렀거든요. 미치지 않고서야 어떻게 다짜고짜 반말을 하겠어요. 근데 그분이 저보고 고향 동생 같다고 형 동생 하자고 했어요."

"끝까지 거절했어야지! 아무리 그래도 황자랑 그게 뭐 하는 짓이야! 어젯밤에도 내가 발견해서 조용히 데리고 나왔길 망정이지, 궁 안의 다른 사람이 봤어 봐! 이사크도 너도 끝인 거야!"

"그니까요! 내가 분명히 그 형한테 술 다 마셨으면 돌아가라고 했는데!"

"또 형이라고 하지!"

"오빠라고 할 순 없잖아요!"

"야!"

"왜!"

쇠창살을 사이에 두고 형형한 눈빛을 나누며 카일과 대치했다. 밤새 제대로 자지도 못했는지 다크서클이 짙게 내려온 카일의 얼굴이 무척이나 피곤해 보였다.

"……넌 나를 뭐라고 생각하는 거야. 대체 왜 그러는 건데."

"아뇨. 그게 아니라……."

침울하게 가라앉은 채 지친 말투로 물어보는 카일에게 무어라 변명을 할 수 없었다.

내가 생각해도 내가 사고를 많이 치긴 했어. 갑자기 없어지질 않나, 이사크랑 한 방에서 잠이 들질 않나. ……아니, 그래도 이건 너무한 거지. 내가 아무리 이사벨라 때문에 제 발로 들어왔다고 해도 감방은 심하잖아.

"전하, 우리 이성적으로 대화로 풀면 안 될까요."

"날 정말로 좋아하는 게 맞아?"

"카일!"

답답한 마음에 쇠창살 바로 앞까지 다가갔지만 그에게 닿지 않았다. 감옥에 갇혔다는 게 그제야 조금 실감이 났다. 카일은 철창 앞에서 어깨를 축 늘어뜨렸다.

"어떻게 매번 이래."

파란 눈동자가 힘없이 아래로 향했다.

"사람을 좋아하는 게 이렇게 사사건건 신경 쓰이고 힘든 일인 줄 몰랐어."

그렇게 말하면……. 사실 나도 억울한 부분은 있었다. 질투야 날 수 있고, 이사크랑 그렇게 술 마시고 퍼질러 잔 건 잘못이지만, 그렇다고 자기 애인을 감옥에 가두는 사람이 어디 있냐고.

"카일. 그래도 말 두 마리가 설사했다는 이유로 저를 가두는 건 좀 아니잖아요. 물론 제가 마음 통한 사이에 못 믿을 짓 하긴 했지만요. 그러면 그냥 싸우면 되는 거지. 누가 자기 애인을 감방에 넣어요."

"……설사는 둘째 치고, 디에프는 어마마마가 내게 사 주신 말이야. 관리 소홀을 그냥 넘어갈 순 없는데 널 해고시킬 수도 없었으니까 일단 여기에 가둔 거로 끝낸 거야. 그러니까 1주일만 얌전히 있어. 알았지."

앞머리를 쓸어 넘긴 후 마른세수를 한 카일은 낮은 목소리로 말했다.

"물도, 밥도 때맞춰서 나올 거고, 너 불편하지 않게 군병들도 다 지하의 입구만 지키라고 했으니까. 제발 며칠만이라도 조용히 있어 줘."

"……알았어요. 감옥에 있는데 사고 칠 일이 뭐가 있겠어요. 아무것도 안 하고 얌전히 있을게요."

카일은 의심스러운지 눈을 게슴츠레 뜨고 나를 보다가 픽 웃었다.

"아까처럼 팬티를 벗겠다느니 그런 말도 하지 마. 알았지?"

"네."

"……혹시나 해서 하는 말인데 1주일 지나면 정말 빼낼 테니까 탈옥도 하지 말고. 이 철창 절대로 안 휘어져."

확인이라도 시켜 주는 것처럼 카일은 손을 뻗어 철창을 마구 흔들었다. 그의 말이 사실이었는지 두꺼운 쇠창살은 꿈쩍도 하지 않았다. 삐그덕거리는 소리조차 없는 창살의 어마어마한 튼튼함을 보여 준 카일은 한 걸음 뒤로 물러섰다. 그래도 안심이 안 됐는지 그는 몇 번이나 내게 확인했다.

"탈옥하면 안 돼, 조."

"알았다니까요. 제가 무슨 고양이도 아니고 이 사이를 어떻게 빠져나가요."

"이 문 못 부수는 거야. 열쇠 없으면 안 열려. 난 말했다."

"아유, 알겠습니다. 황자님! 우리 자기 걱정도 많으셔라!"

"……알면 걱정 좀 시키지 마."

"알았어요! 사랑하는 만큼 가만히 있을게! 여기 꼼짝도 안 하고! 밥 얌전히 먹고, 잠도 조용히 자고!"

뒤로 척척 물러나 침대에 얌전히 앉자 카일이 슬쩍 다가와 방 안을 살폈다.

"침대가 왜 그렇게 낡았지?"

"감옥이 그렇죠, 뭐."

"벽엔 거미줄이 있잖아."

"영 보기 불편하면 나를 카일 방에 감금시켜 줘요. 그거면 아주 타당할 거 같은데."

이맛살을 찌푸리다가 픽 웃은 카일은 미안했는지 주머니 속에서 열쇠를 꺼내 철창을 열고 들어왔다. 방 안을 이리저리 살피며 미간을 찌푸리던 카일은 걱정스러운 얼굴로 나를 돌아봤다.

"……이사크랑 네 사이를 의심하는 건 아니야."

"당연하죠, 나는 카일밖에 없다고 몇 번이나 말했잖아요."

"그걸 떠나서 이사크는 철석같이 네가 남자라 믿고 있더라고. 그러니까 오늘 내 질투는, 그냥…… 내가 유치해서 그런 거야. 널 의심하는 것도 아니고……."

눈치 보며 말하던 카일은 내 손을 살짝 잡으며 덧붙였다.

"힘들긴 한데, 널 안 좋아하겠다는 건 아니야……. 끝내자는 것도 아니고. 그, 무슨 말인지 알지."

방 안을 살피는 것처럼 둘러보던 카일의 푸른 눈동자가 슬쩍 나를 향했다가 얼른 다른 곳으로 돌아갔다. 귓불이 빨갛게 달아올라 있었다.

미친 거 아냐? 왜 이렇게 귀여워. 아까 전까지만 해도 내가 사고 치고 돌아다녀서 힘들다는 얼굴 아니었냐. 세상에, 카일아. 이 예쁜 네가 왜 주인공이 아닌 거니. 여신은 진짜 안목이 없나 보구나.

양손으로 카일의 옷깃을 잡고 아래로 끌어당기자 당황한 카일의 두 눈이 마구 흔들렸다.

"뽀뽀하고 가요, 안 그럼 안 보내 줘. 어차피 여기 감옥 군병들도 밖에만 서 있다면서요."

장난으로 말했는데.

쪽.

카일은 내 볼에 짧게 뽀뽀하곤 씨익 웃었다.

"됐어?"

뭐야, 이 앙큼발칙한 노란 고양이.

당황해 어버버하는 나를 두고 카일은 창살 밖으로 나가 버렸다.

"미안해, 조. 가둬서 미안해. 깅깅자. 불편해도 1주일만 참아. 알았지?"

"……와우, 네……. 예. Yeah……."

넋 나간 나를 두고 열쇠로 문을 잠근 카일은 몇 번이나 뒤돌아보며 계단을 올라갔다.

점심 즈음에 계단에서 소리가 들리기 시작했다.

밥인가?

먼지가 날리는 침대에서 주린 배를 잡고 일어서자 계단에서 등불을 들고 내려오는 벤지가 보였다.

"벤지 님!"

반가움에 손을 흔들었지만 그는 짧게 눈인사를 건넨 뒤 뒤에 줄줄이 서 있는 군병들에게 명령해 감옥 안에 있던 낡은 침대를 들어냈다.

"벤지 님. 제가 침대도 없이 잘 정도로 그렇게 큰 죄를 지었나요."

게다가 텅 비어 있는 오래된 밥그릇까지 들고 가 버렸다.

"앗! 밥그릇까지 들고 가시면 저는 어디다 밥을 먹어요?"

창살 너머로 손을 뻗으며 애처롭게 외쳤지만 아무도 나 따위는 신경 쓰지 않았다. 난처하게 웃던 벤지가 대답하기 전에 계단 위에서 둔중한 발소리가 들려왔다. 커다란 침대를 짊어진 두 사내가 지하 감옥으로 들어오고 있었다.

"……저게 설마 여기로 오는 건 아니겠죠."

내 질문에 벤지는 어깨를 으쓱 올렸다 내리며 씨익 웃을 뿐이었다. 침대가 바로 들어올 줄 알았더니 침대는 가만히 멈춰 있고 다른 사람들이 우르르 철창 안으로 들어왔다.

"저기요, 뭐 하세요."

말없이 먼지 쌓인 벽을 슥슥 문질러 닦은 그들은 바닥에 물을 끼얹어 먼지와 구석의 거미줄까지 모조리 쓸어 냈다.

"……벤지 님?"

의문이 가득한 얼굴로 벤지를 바라보자 그는 내게 손짓하며 잠깐 나와 있으라고 했다.

잠시 후, 깔끔해진 안에 새 침대와 테이블, 의자가 들어갔다. 벤지가 에스코트라도 하듯 나를 다시 감방으로 인도했고 나는 멍청한 얼굴로 복도에 서 있다가 도로 감옥 안으로 들어갔다.

수프와 빵, 샐러드, 익은 감자가 올라간 식사를 조심스럽게 내려놓은 간수가 물러난 뒤 철창을 닫고 문을 잠갔다. 나는 멍하니 서 있다가 그제야 입을 열었다.

"이게 뭔, 뭐죠?"

"……때마침 지하 감옥에 리모델링이 필요하다고 하시더라고."

"누가요?"

"……카일 전하가."

"아?"

이럴 거면 가두지나 말든가. 심지어 원래 지내던 마구간의 오두막보다 훨씬 좋은 방이 되어 버렸잖아. 간수는 날 미심쩍게 바라보다가 벤지의 눈치를 보며 존댓말과 반말을 섞어서 말했다.

"……식사를 다 하면, 치우지 말고 그 자리에 두, 둬요. 다음 식사 때 그릇을 바꿔 갈 테니까……요."

"아……. 예. 잘 부탁드립니다."

서로 어색한 인사였다. 감옥에 갇힌 것치고는 너무 깍듯한 예우였다.

그래도 첫날 이렇게 난리를 쳤으니까 앞으로 6일은 잠잠하겠지. 카일도 이사크 생일 준비 때문에 바쁠 거고.

그러나 그때는 몰랐다.

내 마구간에 찾아오는 손님은 카일과 벤지만 있는 게 아니라는 걸.

"조! 네, 네가 왜 여기 있어!"

분홍색 눈에 투명한 물이 들어차기 시작했다. 쇠창살을 양손에 꼭 쥔 테오도르가 울상을 짓곤 날 향해 손을 뻗었다.

"이게 뭐야! 다 들어써! 내가 술 작작 마시라고 했잖아! 여기 갇히면 어떡해. 우리 형이랑 사이좋은 거 아니었어? 이이잉, 이게 뭐야."

"……테오 전하. 일단 진정하세요. 저 1주일만 있으면 나간다고 했어요. 그리고 자세히 보시면 여기 침대도 엄청 좋고요, 테이블이랑 의자도 있어요."

달래려고 존댓말까지 써 가며 말했지만 울고 있는 테오에겐 들리지 않는 듯했다.

"조, 살아서 돌아와야 돼……."

"저 안 죽어요. 제가 왜 죽어요."

"여긴 왜 지키는 놈이 밖에만 있어? 누가 몰래 들어오면 어떡해."

"누가 몰래 들어와도 이 철창 안까지는 못 들어올걸요. 이거 절대 못 부순대요."

안심시키려고 카일이 했던 것처럼 철창의 튼튼함을 강조했지만 오히려 내너스레에 테오의 눈물 버튼이 눌려 버렸다.

"갇힌 거잖아, 조. 내가 너 양아치인 줄은 알았지만 감옥에 갈 정도는 아닐 거라고 생각했는데에, 흐어엉."

"……테오 전하. 지금 그냥 욕하시는 거 같은데."

테오도르가 엉엉 울며 돌아간 뒤, 몇 시간이 지나 간수가 침대보다 약간 작은 사이즈의 기다란 벨벳 카우치를 들고 끙끙거리며 내려왔다.

"……그건 또 뭔가요."

"……테오도르 황자 전하께서 감옥 안이 불편할 수 있다며 넣으라 하셨습니다."

이젠 완전히 존댓말을 사용하며 간수는 깍듯하게 인사한 뒤 도로 문을 잠그고 계단으로 올라갔다.

테오의 선물까지 더해지니 감옥이 비좁을 지경이었다.

얘네는 마구간지기랑 친한 거 들키면 계승 순위에 불리하다, 뭐 그런 자각이 없나?

그런데 테오도르가 끝이 아니었다. 잔뜩 울상을 하고 찾아온 이사크는 미안하다며 형으로서 못 할 짓을 했다며 피골이 상접한 낯으로 사죄하더니 도톰한 털 슬리퍼와 가운, 그리고 각종 과일과 간식들을 주고 갔다. 황자 세 명이 왔다 간 감옥은 이젠 감옥이 아니라 최고급 호텔에 가까웠다. 저 쇠창살만 빼면.

며칠 뒤, 수감 생활에 완벽 적응한 나는 제철 복숭아를 아작아작 먹고, 끈적거리는 손을 아침에 간수가 수통 가득 채워 준 깨끗한 물로 씻은 뒤 느긋하게 침대에 누웠다.

"……사고 한 번 더 치고 종신형 받고 싶다."

가히 더없이 호화로운 수감 생활이었다.

안 돼!

"아! 깜짝이야! 깜빡이 좀 켜고 들어오시라고요!"

부른 배 통통 두드리며 낮잠이나 늘어지게 자려던 차에 여신의 부름에 확 잠이 깨 버렸다. 저번에 내가 화를 낸 이후론 처음으로 하는 대화였다.

"아, 그냥 한 번 해 본 농담이죠……. 감옥이 아무리 편해도 자유만 하겠습니까. 의외로 도덕적이시네. 사람 몇 명 죽어 나가는 것쯤 주인공 아니면 신경도 안 쓰시더니."

코를 문지르며 태연하게 그녀를 비꼬았다. 공격적으로 여신에게 비아냥거렸지만 사실 수감 생활이 내심 아쉬운 것도 사실이었다. 가만히 앉아 있으면 밥 주고, 간수가 눈치 보면서 청소도 해 주고, 씻을 물도 가득 퍼다 주고, 혼자 있으니까 남 눈치도 안 봐도 되고, 잠잘 때 가슴 끈을 풀어도 되는데. 이렇게 편안할 수가 없다고요.

내 마음을 읽은 건지 여신은 한동안 말이 없었다.

"가셨어요?"

"아니."

"왁! 놀래라!"

테오도르가 선물했던 벨벳 카우치에 낯선 여자가 팔짱을 낀 채 앉아 나를 노려보고 있었다.

"……여신님?"

"그래."

저번에 봤던 여신의 모습과는 달랐다. 그땐 조금 나이가 들어 있었는데 지금은 훨씬 젊어 보였다.

"와, 나이는 숫자에 불과하다는 말이 여신님을 두고 하는 말이구나."

"말이나 못하면."

"어쩐 일이세요."

"신을 보고 그리 태연할 수 있는 것도 너뿐일 거야."

"머릿속에서 허구한 날 낯선 목소리랑 다이렉트 메시지로 지지고 볶아 보세요. 이젠 놀랍지도 않죠."

시큰둥하게 대답하며 나는 침대에 걸터앉았다. 마구간은 누가 문을 열지 모르는 데에 비해 지하 감옥은 간수가 끼니때가 아니면 내려오질 않으니 편하게 얘기할 수 있었다.

"너랑 부드러운 분위기로 대화를 해 보고자 네가 좋아할 만한 얼굴로 내려왔어."

"……어쩐지."

너무 취향이더라.

여신을 매섭게 째려봤지만 실은 꼼꼼히 뜯어보고 있었다.

갓벽이라는 말이 이런 데 쓰는 거군요. 신이 완벽하니까 진짜 갓벽이구나.

마음의 소리를 들은 여신은 픽 웃더니 흘러내린 머리카락을 뒤로 쓸어 넘겼다.

"금자야. 넌 지금 나가야 돼."

"……제가 왜요. 편히 먹고 자고 있는데 그럴 이유가 없잖아요. 아. 혹시 탈옥했다가 다시 잡혀 들어와서 며칠 더 살라고요?"

"아니!"

곤란한지 눈을 이리저리 굴리던 여신은 내 눈치를 살피며 말했다.

"내일이 이사크의 탄일 기념 연회야."

"그런데요. 뭐쩌라고용. 아, 코딱지 개 크당."

왕건이를 빼내고 손수건에 코를 킁 푼 뒤 손을 씻고 도로 침대에 앉았다. 여신은 내 건방진 태도에 많이 화가 난 듯 보였다.

"……금자야, 내 말을 듣지 않으면 널 다신 카일을 볼 수 없는 곳으로 보내버릴 수도 있어. 이런 감옥이 아닌 진짜 감옥으로. 어느 누구도 만날 수 없을 거야."

간담이 서늘해질 정도로 오싹한 말이었지만 나는 최대한 태연한 얼굴로 시큰둥하게 말했다.

"죄송하지만 저는 차별이 심하신 분이랑은 말 섞기가 좀."

"그건 널 살리기 위해서라고 했잖니! 이미 정해진 미래에 왜 그렇게 연연해!"

"아, 죽을 날짜 받아 놓은 놈은 죽어도 된다? 난 그럼 이미 한 번 죽었는데 두 번 못 죽을 이유는 뭐예요, 안 그래요?"

"……아가, 적당히 하거라."

여신의 얇은 눈썹이 치켜 올라가고 그녀의 입꼬리가 파르르 떨렸다.

사실은 나도 무서웠다. 하지만 어쩌면 이게 마지막 기회일지도 몰랐다. 마음을 돌릴 수 있는 마지막 기회. 전에 설설 기어도 보고, 화도 내 봤지만 도통 의견이 좁혀지지 않았으니 오늘은 거래를 해야 했다. 그녀가 이렇게 급하게 모습을 드러내며 내 앞에 나타날 정도의 일이라면, 이사크 황자 탄일 기념 연회에 내가 반드시 필요하다는 반증이었다.

"제가 필요하시죠?"

내 질문에 여신은 파란 눈동자로 나를 꿰뚫을 것처럼 쏘아봤다. 정말로 차가운 얼음 창에 가슴을 찔린 듯 일순간 숨이 턱 막혀 왔다. 위압감과 공포가 목구멍을 틀어막았지만 물러날 순 없었다.

"제가 필요해서 여기에, 그런 모습으로 나타나신 거 아니에요? 얼굴 보고 얘기하려고."

저 마음 나도 안다.

나도 친구랑 카톡으로 얘기하다가 빡치면 전화하고, 전화하다가 또 말 안 통하면 얼굴 보고 싸우려고 가니까. 그게 편하지. 이 아날로그 사람아, 아니 여신님아. 우리 카일만 좀 더 예뻐했어도 잘 맞아서 엄청 친해졌을 텐데.

내 질문에 여신은 한참 입을 꾹 다물고 있다가 느리게 입술을 열었다.

"……이사크가 탄일에 독을 마신다고 말해 줬잖아."

"약 올리려고 그냥 한 말씀 아니었어요?"

"난 거짓말 안 한다고 했잖아!"

여신이 주먹으로 카우치를 쾅 내려치며 소리를 지르자 순간적으로 귀가 먹먹해질 정도로 머리가 핑 돌았다.

아이고, 두야. 신한테 시비 걸지 말아야지.

"……선생님, 일단 진정하시고요. 제가 왜 그렇게 생각했냐면, 책에는 이사크의 생일에 그런 사건이 없었단 말이에요. 아닌가요?"

분명 그랬다. 베르디움홀에서의 생일인지는 정확히 기억나지 않지만, 이사크의 생일 기념으로 열린 파티에서 그다지 큰 사건은 없었다. 굳이 얘기하자면 오르본 백작의 장자인 리엔 오르본 경이 델로아에게 관심을 보이는 바람에 이사크가 리엔 오르본과 사랑의 라이벌이 된 것? 그런 삼각관계는 여타 로맨스 소설에서 흔히 볼 수 있는 사건이었다. 그게 여신이 이렇게 발 벗고 나서서 뛰어 내려올 이슈는 아닐 텐데.

이해할 수가 없어 가만히 보고만 있자 그녀는 고개를 절레절레 흔들며 한숨을 길게 내쉬었다.

"그래, 원래라면 그렇게 흘러갔어야 했어. 그게 다여야만 했는데 누군가가 독을 준비했고, 그걸 이사크가 마시게 된단다. 이건 예상하지 못했던 일이야. 원래는 없었던 일이라고."

머리가 지끈지끈 울리는지 여신이 미간을 찌푸린 채 관자놀이에 손을 올려 지압했다.

이 와중에 이런 말씀 죄송하지만 예민한 얼굴 아름다우십니다. 죄송합니다. 불경죄로 잡아가세요.

얼굴에 잠깐 홀렸다가 겨우 정신을 차린 뒤 나는 여신에게 물었다.

"그럼 그때 한 말이 진짜였단 말이에요? 난 그냥 겁주려고 한 말인가 해서 이사크한테 술 끊으라고 몇 번 말하고 말았는데!"

"그래서 내가 지금 온 거 아니니! 근데 네가 감옥에 갇히면 어떡해!"

다그치는 여신을 따라 덩달아 마음이 급해져 나도 자리에서 일어나 발을 동동거렸다.

"아이고. 우리 형 죽겠네. 빨리 가서 어떻게든 해야 되는데. ……아니, 이럴 게 아니라 여신님이 내 앞에 나타난 것처럼 직접 가서 도우면 되잖아요. 그렇게 아끼시는 주인공님이신데."

이사크를 향한 애정과 신을 향한 짜증이 내 마음속에서 계속해서 부딪혔다. 당장 가서 이사크를 돕고 싶었지만 곱게 여신의 편을 들긴 싫어서 괜히 생떼를 부렸다.

여신은 굳은 얼굴로 말했다.

"내 목소리를 듣는 아가야, 오직 너만이 내가 신인 걸 알고 있잖니. 나는 이 세계에 직접적으로 관여하지 못해. 그러니 네가 나서야지."

"아하. 그러시겠다."

한쪽 입꼬리가 비열하게 올라갔다. 여신의 눈매가 일그러지는 걸 보니 내 입에서 나올 헛소리를 대충 눈치챈 모양이다. 나는 머리 뒤로 손깍지를 끼고 여유롭게 침대에 발라당 누워 버렸다.

"너무— 마음이— 아프다— 우리 이사크— 어쩌면 좋아. 독을 먹는다니. 정↗말↘ 고통스럽겠구나. 꼭— 살아남길! 파이팅!"

어흑흑흑.

정확하게 소리 내어 발음했다. 못 들었을까 봐 한 번 더.

"흑. 흑. 흑."

약 오르라고 한 번 더.

"따흐흐흑. 흑. 흑."

"……지금 뭐 하는 거지?"

서슬 퍼런 목소리가 칼날처럼 날아왔다. 공격적인 말투에 오금이 덜덜 떨려왔지만 어쨌든 나 김금자, 여기서 물러설 위인이 아니라고요. 천연덕스럽게 입술을 삐죽거리며 나는 두 손을 여신을 향해 내밀었다.

"아이고, 여신님. 제가 가진 게 뭐가 있습니까. 빈털터리예요. 보시다시피 가진 것도 없는 엑스트라거든요. 주인공 양반이야 뭘 하든 살아남지 않겠어요?"

그리고 덧붙였다. 며칠 전 그녀가 했던 것처럼.

"이 세계에는 질서를 유지하려는 '관성'이 있는 법이잖아요? 어떻게든 되겠죠."

관성이라는 단어를 일부러 강조해서 뚝뚝 끊어 발음하자 여신의 이마에 핏줄이 곤두서는 게 눈에 들어왔다. 잠깐 현신하신 모습으로 빡친 걸 보여 주시네요, 참 인간적이신 모습입니다. 갓 블레스 미.

사실 무서워서 오장육부가 호달달 떨리고 있었지만 여기서 물러날 순 없었고, 두려워하고 있다는 걸 들킬 수도 없었다.

"주인공이라면서요. 알아서 잘 살겠죠, 뭐. 엑스트라는 그런 데 끼어들 깜냥이 안 돼서요."

AI 로봇처럼 부자연스럽게 광대만 씨익 올려 웃곤 나는 휙 돌아누웠다.

속 타는 거 당해 보라지. 지 최애만 최애냐고. 내 최애는 최애 취급도 안 해 주냐. 취향 존중이라는 사자성어도 모르는 몰상식한 신 같으니라고. 니 새끼 니나 이쁘지.

대놓고는 말도 못 하고 혼자 속으로 궁시렁거리고 있자니 신이 다정하게 내 이름을 부르며 나를 달랬다.

"금자야, 아가. 내 하나뿐인 독자야."

"죄송하지만 저 무교입니다."

까드득.

뒤통수 너머로 어금니가 맞물리는 소리가 들린 것 같은데. 간담이 서늘해지지만 좀 더 모른 척하기로 했다.

"네가 위험해질까 봐 그런 거라니까 왜 내 마음을 모르니."

"아뇨, 너무 잘 알겠어요. 여신님. 그러니까 주인공은 어쨌든 주인공이니까 살아남고 조연은 때 되면 죽어야 된다 그 말씀이잖아요. 그래서 저는 주인공님께서 스스로 고난과 역경을 이겨 내시길 간절히 바라고 있는걸요?"

눈을 반짝반짝 빛내며 대답했지만 여신은 코로 긴 숨을 뱉은 뒤 이마를 짚었다.

"……뭘 하면 감옥에서 나갈래?"

"어머, 무슨 말씀이세요. 전 어차피 며칠 있으면 출소하거든요. 탈옥하면 추가 뜨잖아요. 나는 법 안 지키는 사람 너무 무섭드랑."

"마지막으로 묻는다. 뭘 하면 감옥에서 나가서 이사크를 살릴 거야."

그 아이는 중요해.

덧붙인 마지막 말에 복장이 터졌다. 그 염병할 주인공 타령. 나는 애초에 여기 조연이랑 사랑하려고 왔거든요.

"……카일이 살 수 있는 방법을 알려 주세요."

"전쟁에서 살아난들 덤으로 사는 인생이야, 얼마나 더 살지, 행복은 할지 장담할 수 없어."

"누구나 미래를 장담 못 한 채 살아요. 그건 그때 가서 걱정할게요. 그러니까 내 최애 살릴 수 있는 방법 가르쳐 주세요. 그쪽 최애도 살릴 테니까."

"……최애가 아니라 단지 세상의 균형을 위해."

"새생으 규녕을 위해~"

"죽여 버릴까 보다."

"언제는 저 아끼신다면서요."

"너는 이 이야기가 끝난 후에, 네게 선물 같은 이번 생도 모두 마치고 난 후,

영혼이 되어 내 곁으로 오면 정말 가만 안 둘 줄 알아. 감히 이 내게 거래를 제시해?"

"아이고, 선생님. 세상 물정 모르는 소리 하시네요. 인생이라는 게요. 정으로 살아지는 게 아닙디다. 오는 게 있으면 가는 것도 있어야죠."

너스레를 떨며 말하다가 문득 표정을 굳히고 나는 여신에게 최대한 공손하게 말했다.

"딱 전쟁만 도와주세요. 저도 이사크 이번에 진짜 어떻게든 살려 낼게요. 서로 딱 한 번씩 도와주는 거라고 생각하시면 되잖아요."

인생이 다 그렇잖아요. 기브 앤 테이크 아닙니까.

잠깐 동안 나를 말없이 물끄러미 바라보던 신은 공중에서 하얀 종이와 붉은 깃털이 달린 펜을 꺼냈다. 허공에서 서랍이 열린 것 같았다. 그녀가 내민 종이엔 간만에 보는 한글이 적혀 있었다.

이 언니 한글도 할 줄 아나. 나도 여신 할걸. 그러면 학교 다닐 때 영어랑 제2외국어 공부 안 해도 됐을 텐데. 내 생각을 들었는지 여신의 숨결에서 한기가 느껴졌다. 나는 어색하게 웃으며 다시 고개를 들었다. 하하. 제가 좀 불경하죠.

"이거 한글이네요."

"너의 언어로 보이도록 했어. 잘 읽어 보고 싸인해."

이 세계의 창조자(이하 갑이라 한다)와 이 세계의 불청객 김금자(이하 을이라 한다)는 인물의 운명 변경에 대하여 다음과 같이 계약하기로 한다.

"잠깐만요, 제가 왜 불청객이에요? 이건 좀."

"그것 말고 어떤 단어로 너를 표현할 수 있겠니."

"……네. 계속하시죠."

제1조

1항. 계약상 바꿀 수 있는 운명의 인물은 '이사크'와 '카일' 뿐이다.

"왜 이사크가 앞에 있어요? 우리 카일이 1황자인데. 나이순으로 따져도, 황비마마 순번으로 따져도 이건 아니죠. 우리 시어머님이 1황비고 루이지엔느 황비님은 3황비인데."

"사사건건 시비 좀 걸지 마."

"우리 엄마가 옛날에 계약할 때는 무조건 변태같이 뜯어보라고 했거든요."

"내가 너희 세상으로 가게 되면 너희 어머니 먼저 찾아봬야겠다. 대체 딸을 어떻게 키우셨냐고."

"하, 참 내. 지금 가정 교육 운운하시는 거예요?"

"카일을 앞으로 바꿔 주면 되지?"

"네. 그것도 그건데 찝찝한 게 있어요."

이제 겨우 첫 번째 문항인데도 마음에 걸려서 두 번째로 넘어가지도 못했다.

나는 검지로 한 글자 한 글자 또박또박 읽어 내렸다.

"바꿀 수 있는 운명이 이 두 사람뿐이면 나머지는 절대로 안 바뀐다는 거예요? 그럴 리 없잖아요. 전쟁에서 총지휘권을 가진 카일의 운명이 바뀐다는 건, 빌테온 군사들의 앞날 역시 바뀐다는 거 아니에요?"

내 지적에 여신은 픽 웃으며 내 앞머리를 헝클어뜨렸다.

"금자는 보기보다 머리가 좋구나. 좋은 지적이었다."

"저 그렇게 바보 아니라고요."

여신의 설명에 따르면, 바꾼다는 건 주체자인 여신과 내 손에 의해 직접적으로 바뀌는 운명만을 뜻한다고 했다. 나머지는 그냥 따라오는 곱사리 같은 거라고.

하지만 계약은 정확한 게 좋은 거니까 '직접적으로'라는 단어를 추가하기로 했다. 계약서 위의 글자들이 이리저리 움직이더니 하얀 종이에 물 위에 떠오르듯 새로운 글자들이 새겨졌다. 1항이 수정되었다.

1항. 계약 기간 내 '을'이 직접적으로 바꿀 수 있는 운명의 인물은 '카일'과

'이사크' 뿐이다.

2항. '갑'은 본래 정해진 운명 외의 일이 일어남으로 인해 '이사크'의 목숨이 위협받을 경우 '을'에게 전달해 도움을 요청할 권리가 있다.

3항. '을'은 '이사크'의 목숨이 위협받는다고 판단될 시 최선을 다해 '이사크'의 목숨을 살린다.

계약서를 꼼꼼히 읽어 가던 중 손을 번쩍 들고 여신에게 질문했다.

"만약에 못 살리면요?"

"뭐?"

단박에 여신의 얼굴이 구겨졌다. 첫인상이랑 많이 바뀌셨네. 처음엔 되게 인자하셨으면서. 하긴, 나도 카일이 오늘내일하는데 누가 계약서 쓰기 전엔 안 도와준다고 하면 멱살잡이부터 할 거 같긴 하다.

초조한 마음을 애써 억누르며 다시 물어봤다.

"아뇨, 선생님. 진정하시고요. 사람이 만약이라는 게 있잖아요. 앞일이 어떻게 될지 모르는 거고……."

"내가 그래서 2항에 적었잖니. 정해진 운명이 아닌 일로 이사크의 목숨이 위협받으면 너한테 전달하겠다고. 미래를 알고 있는데 잘못될 일이 뭐가 있어."

"세계의 창조자이신 여신님도 지금 한 치 앞을 못 보셔서 이 급한 와중에 저랑 계약서로 싸우고 계시잖아요. 이런 미래를 미리 보고 오신 건가요."

속에서 열불이 났는지 여신이 옷자락을 마구 펄럭이다가 손가락을 딱, 하고 튕겼다. 약간은 갑갑하던 감옥 안의 공기가 금세 쾌청해졌다.

"대박. 이거 뭐예요? 여기가 지하라서 약간 곰팡이도 있고, 꿉꿉하고, 후덥지근했는데. 뭐 하신 거예요? 에어컨 켜셨어요? 실외기 어디다 연결하신 거지?"

요란 법석을 떠는 나를 불만 가득한 표정으로 노려본 여신은 두 손에 얼굴을 묻었다.

"왜 너 같은 아이가 내 세상으로 온 건지 모르겠구나."

"카일도 그런 말 자주 해요, 왜 너 같은 애를 좋아하게 된 건지 모르겠다고."

"……저런. 카일이 불쌍하기 이를 데 없구나."

"……그런 타이밍에 공감하지 마세요."

길게 한숨을 푹 내쉰 여신은 겨우 속을 가라앉혔는지 말을 이었다.

"그럴 리 없지만, 그래. 네가 노력을 했는데도 이사크가 잘못될 수도 있지. 모든 불행을 다 피할 순 없으니까."

"그러니까요. 그건 제 잘못이 아닌 거니까 그냥 아량으로,"

"그때는 카일의 미래에 불행을 넣겠다."

"아, 치사하게!"

"아니면 네게 연적을 만들어 주지."

"지금 제일 방해되는 연적이라고 해 봐야 이사벨라 아가씨밖에 없어요. 부모님들끼리 결혼시키고 싶어서 혈안이 됐잖아요."

"그 아이는 결혼에 큰 관심이 없으니, 됐고. 피셔 집안에서는 어때."

"……벤지가 카일을 좋아했어요? 이 나라 남자끼리 가능한 거였어요? 어쩐지. 다들 내가 카일 좋아한다고 해도 너그럽더라니."

"아니야! 피셔 가문에도 영애가 있으니 한 말이라고!"

"아, 아아……. 연적, 뭐 그런 건 알아서 하세요. 저랑 카일은 워낙에 굳건하니까."

"너한테 달라붙는 인간들이 많아져도 카일이 내내 편한 마음으로 널 좋아할지는 모르지. 알다시피, 그 아이는 자존감이 약간 낮은 편이잖니."

"본인이 그렇게 만들어 놓고 되게 막, 남의 애 얘기하듯 하시네요."

얄미워 죽겠네. 아는 언니였으면 그냥 냅다 쏘아붙이고 한바탕 싸우는 건데, 그것도 못 하네.

제 안의 파이터가 부글대고 있습니다.

결국 3항에 뒷부분이 추가되었다.

3항. '을'은 '이사크'의 목숨이 위협받는다고 판단될 시 최선을 다해 '이사

크' 의 목숨을 살린다. 다만, 부득이한 사정으로 인해 '이사크' 의 불행을 막지 못해 신변에 위해가 생길 경우, '갑' 은 '을' 과 '카일' 의 관계에 훼방을 놓을 수 있다.

이렇게 보니까 진짜 치사하긴 하다. 투덜거려도 봤지만 이게 가장 무난한 방안이었다. 사랑에 훼방 놓기라니, 내게 가장 데미지가 크면서도 카일의 신변에는 크게 위협이 되지 않았다.

4항. '갑' 은 '을' 에게 '카일' 이 참전할 란티모스 전쟁의 추이에 대해 자세히 알려 준다.

"이건 수정해야겠군."

"왜요! 난 지금 너무 마음에 드는데요!"

별로 이상한 것도 없어 보이는데 굳이 수정하겠다는 여신의 심보가 미심쩍었다. 눈을 게슴츠레하게 뜨고 여신의 동그랗고 광채가 나는 하얀 이마를 열심히 째려보았다.

곧은 이마에서부터 콧대까지 부드럽게 곡선이 이어지고, 길게 이어진 눈썹과 그 아래로 팔락거리는 풍성한 속눈썹…….

철썩.

오른손을 들어서 뺨을 내려치자 계약서를 들고 있던 여신이 퍼뜩 고개를 들고 나를 바라봤다.

"……갑자기 왜 그러니, 금자야."

"……저는 구제 불능입니다. 상황의 심각성을 자각하지 못하는 이 두 눈알이 무슨 소용일까요."

"눈알 빼 줄까. 그건 금방 할 수 있단다."

"아니요, 죄송해요. 계속 말씀해 보세요."

웃으며 베풀려는 여신의 친절을 애써 거절하며 나는 그녀가 하는 말을 귀담아들었다.

"자세히, 라고 하는 건 너무 추상적인 것 같아. 전쟁에서의 모든 순간마다 내가 다 일러 줄 순 없잖니."

"그게 왜 안 돼요, 그럴 수도 있지. 그랬으면 좋겠는데요."

여신이 짜증 난다는 눈으로 날 살짝 흘기더니 또 한숨을 쉬었다.

사람 그렇게 한심하게 쳐다보지 말라고요. 내가 뭐, 어느 세계의 신을 해 봤어야 알지. 안 해 봤는데 운명이고 나발이고 어떻게 알아. 그쪽이 설명을 해 주셔야죠.

나도 한껏 여신을 향해 눈을 부라렸다. 자기 최애 위험하다고 남의 최애는 나 몰라라 하는 몰상식한 신 같으니라고.

"이렇게 불공평한 계약이 어딨어요. 목숨은 살리는데 전쟁은 말도 안 해 주시고."

"들어 보렴, 조. ……운명이란 건 이미 다 짜인 커다란 물레바퀴 같은 거야. 그러니까 실의 색깔을 중간에 바꾼다거나, 굵기를 변경하는 일을 할 수 없는 거지. 그렇게 자세하게 전쟁을 알려 줘 버리면, 전에 말했듯 네가 운명의 관성에 따라 일찍 죽게 될 거야."

"괜찮으니까 알려 달라고 했잖아요."

죽어도 괜찮다는 내 말에 여신의 미간이 찌푸려졌다.

"그러다 전쟁 도중에 네가 죽으면? 카일은? 남은 전쟁은 어떡할 거니. 조, 모든 일엔 적당히라는 게 있는 거야. 조절을 해야지, 네가 견딜 수 있을 정도의 반동만 돌아오도록, 나는 너를 도와주려는 거야."

신의 말처럼 내가 중간에 죽어 버리면 이게 다 무슨 소용인가. 남은 카일은 또 어떡하냐고.

의기소침해진 나는 땅을 바라보며 손끝에 튀어나온 손거스러미들을 툭툭 뜯어냈다.

"……그래도 전쟁은 승리해야 된단 말이에요. 죽……는 건 어디 가서 몰래 죽기만 하면 돼요. 카일 안 보는 데서, 걔가 충격 안 받게. 봤다가 혹시 또 자책할지도 모르잖아요. 전 어차피 한 번 죽었는데…… 걔는 이번 생이 처음이잖아요. 오래도록 행복했으면 좋겠는데……."

꿍얼거리는 내 목소리는 점점 작아졌다. 여신이 대답이 없기에 슬쩍 고개를 들자 그녀가 안쓰럽다는 얼굴로 날 보고 있었다.

"……나는 너도 아끼고, 카일도 아껴. 그러니까 죽는다고 그렇게 쉽게 말하지 말거라. 피치 못할 이유로 네 목숨을 걸고 계약을 하지만, 최대한 모두를 살리고 싶으니까."

나는 두 팔을 뻗어 여신을 마주 안았다. 목소리가 점점 떨려 왔다.

"저 있잖아요……. 사실은 죽음이 무서워요."

목구멍이 울렁거려 말끝이 점점 흐려졌다. 여신은 한참 동안 내 등을 쓸어내리다가 계약서를 들고 말했다.

"그럼 이렇게 하자. 2년간의 전쟁 중에 일어나는 전투의 수와 필승법을 모두 알려 주마."

나는 여신의 어깨 뒤로 음침하게 미소 지었다.

오케이. 걸려들었어. 이 언니 은근히 동정심이 강하더라고.

"좋아요! 근데 그렇게 다 알려 줘도 되는 거예요? 아까는 안 된다고 하셨잖아요."

"대신 딱 한 번만. 출발하기 전에 딱 한 번만."

"예?"

"전쟁이 끝나고 돌아오면, 이미 많은 것들이 바뀌어 있겠지. 실타래가 엉킬 대로 엉킨 후라 나도 그다음의 미래는 장담하지 못한다. 그러면 네게 조언할 수도 없게 되겠지. 그때는 정말로,"

"……정말로?"

"누가 주인공인지 알 수 없게 되는 거야."

"헉."

입을 틀어막았다. 전쟁의 추이에 모든 것이 달려 있었다. 져서 돌아오면 〈킹메이커〉 속 이야기와 똑같이 흘러가는 조연 카일 황자지만, 승리와 함께 전쟁 영웅이 되어 돌아오면 황궁에서의 처지는 물론이거니와 앞으로의 스토리마저 바뀔 수도 있었다.

어쩌면 정말 주인공이 될지도 몰라.

"근데 단 한 번이라뇨. 저 건망증 있는데요. 저 원래 스토리도 열 번 읽었는데 여기 와서 안 읽었다고 자꾸 까먹어서 노트에 다 적어 놨었다고요."

일부러 죽는소리를 하며 시무룩하게 어깨를 아래로 축 늘어뜨렸다. 여신은 내 어깨를 다독이며 나름 열심히 날 달랬다.

"그 정도 핸디캡은 줘야 타당하지. 죽음의 관성도 약간 줄어들지도 모르고. 건투를 비마. 아가."

"알았어요……. 노력해 볼게요. 죽지 않을게요."

신은 따스하게 미소를 띠며 내 머리 위에 짧게 키스했다. 하얀 빛이 잠깐 어른거리다 사라졌다.

"큰 도움이 될진 모르겠지만 신의 가호가 함께할 것이다. 넌 카일과 관련된 일이라면 눈에 불을 켜고 달려드니, 이번에도 잘 해내겠지."

오, 신의 가호까지.

주먹을 불끈 쥐고 다시 차근차근 정리했다.

"그러니까, 전쟁이 끝난 다음에는 여신님의 목소리는 더 이상 들리지 않는다는 거네요? 어차피 미래를 장담할 수 없으니까?"

"그렇지."

"그럼 이사크 구조 활동도 이번이 마지막이고? 이렇게 불쑥 찾아오거나 하진 않으실 거죠?"

"……나를 불청객 대하듯 하는 이는 네가 처음이구나. 내가 세상에 현신하면 대부분은 머리를 조아린단다."

"알겠어요. 국가 기념일, 뭐 그런 날 오시면 모른 척할게요. 서로 약간 민망할 수도 있으니까."

아플 정도로 이마에 콩 딱밤을 때린 여신은 오른손으로 내 볼을 감싸 쥐었다.

"네가 위험할 테니 정말로, 전쟁이 마지막이야. 그때가 지나면 아무것도 알려 주지 않으마."

"……이사크한테 큰일이 생겨도?"

"……누구에게 큰일이 생긴다 한들 그것 또한 운명이니."

이제야 좀 평등한 신 같으시네요. 이죽거리며 덧붙이는 말에 여신은 '맹랑한 녀석 보게.' 라는 말과 함께 내 짧은 머리카락을 마구 만지며 하하 웃었다.

아까까지만 해도 투닥거리면서 싸우고 있었는데 영 나쁘지 않은 결과였다. 아마 죽는 것도 두려워 않고 카일을 살리겠다고 덤빈 내 마음에 나름 감동을 한 것 같았다. 전쟁 과정에 대한 고지와 관련하여 자세한 내용과 주의 사항까지 모두 전해 들었다. 전시 상황이기 때문에 약간의 가변성은 있을 수 있다는 것까지. 그렇게 계약서의 마지막 조항까지 모두 완성되었다.

계약은 '카일' 의 란티모스 전쟁 출정 전까지 유효하다. '갑' 은 '을' 에게 전쟁 이후로는 어떤 미래도 전달하지 않는다. 또한 '갑' 은 '을' 의 선택이 만들어 가는 미래에 관여하지 않는다.

이후에 생기는 어떠한 사건에도 '갑' 과 '을' 은 서로의 탓을 하지 않는다.

꽤 선방한 계약이었다. 어쨌든 전쟁에 대해 1부터 100까지 모조리 알려 준다고 했으니까. 어차피 이사크도 살리러 가려던 참이었고. 손해 볼 게 없었다. 나는 여신이 건네준 펜을 손에 쥐었다. 펜대에 달린 기다란 깃털에서 은은하게 빛이 퍼져 나왔다.

"서명란에 뭐라고 써요? 김금자? 내 원래 싸인 써요?"

잠깐 말을 잇지 못하던 신이 내 오른손을 잡으며 나를 가만히 바라보았다.

"……금자의 물레바퀴는 이미 모두 돌아갔단다. 이젠 남은 실이 없어. 너는……."

차마 말을 끝맺지 못하고 나를 바라보는 신 때문에 분위기가 괜히 삭막해졌다. 나까지 목구멍이 시큰거리려던 찰나에 애써 분위기를 밝게 바꾸려고 일부러 크게 말했다.

"아! 맞죠, 에이. 또 헷갈렸네! 나는 이제 조인데! 하하. 아, 여기선 사인이 없는데."

떨리는 손으로 '조' 라고 적은 후 신을 천천히 올려다봤다.

"한글로는 적어도 되죠? 어차피…… 여기 계약서에도 한글로 적혀 있고, 여신님이랑 저랑만 보는 거고……."

여신은 다시 한 번 나를 폭 끌어안았다.

"그럼, 아가."

나를 안은 그녀의 체온이 그럴 리 없는데도 따듯하다고 느껴졌다. 오랜만에 엄마가 보고 싶어졌다.

내가 사인한 종이를 들고 간 여신은 펜으로 빠르게 무어라 적었다. 여신의 사인을 보려 했지만 내가 읽을 수 없는 글자였다. 아마도 신의 이름은 알 수 없는 말로만 전해지는 모양이었다.

계약서 한 장은 내게 건네고, 다른 한 장은 돌돌 말아서 다시 허공의 틈으로 집어넣은 여신은 내 왼쪽 볼에 짧게 키스하곤 도톰한 입술로 호선을 그리며 빙그레 웃었다.

"세계의 유지를 위해 이기적이었던 나를 용서하렴. 이사크는 내일 파티에서 어느 앳된 영윤이 건넨 포도주를 마시고 쓰러진단다. 누군지는 정확히 보이지 않는구나. ……잘 부탁해."

"네, 여신님."

신의 모습이 천천히 흐려졌다. 머릿속에서 문장이 들려왔다.

죽는다는 말은 이제 하지 말렴. 내 소중한 아가.

여신의 모습이 완전히 사라졌다. 감방은 언제 소란스러웠냐는 듯 적막에 휩싸였다.

이 정도면 나쁘지 않은데? 나름대로 괜찮은 계약이었다. 어찌 되었든 신이라는 존재랑 싸운 상태로 쫑나면 안 되니까.

난 주먹을 꽉 쥔 채 속으로 조용히 쾌재를 불렀다.

사실은 저도 죽을 마음 없거든요. 평생 신의 심부름꾼 할까 봐 마음 졸였네요. 이번 건 끝나면 서로 헤어진다니 참 다행입니다.

주인공? 그깟 거 우리 카일이 하면 될 일이다.

이사크? 어차피 살리려고 했어ㅋ

내가 그래도 여기에 살면서 친해진 정이 있는데 뻔히 죽을 걸 알면서 내버려 두겠습니까.

콧노래를 흥얼거리며 신고 있던 털 슬리퍼를 휙 벗어 던지곤 내가 원래 신고 왔던 신발을 다시 꺼내 신었다.

"이 구린 착화감, 정말 오랜만이네요, 마구간지기의 삶이란……."

호텔 같은 감옥에서의 5박 6일. 이게 바로 호캉스, 아니 감옥캉스인가요.

떠나려니 아쉬운 마음에 눈물이 주륵 흘렀지만 약속한 게 있으니 가야 했다. 방 안을 꼼꼼히 살펴봤다. 만약 1주일 전의 그 거지발싸개 같은 방이었다면 아무것도 도움 될 것이 없었겠지만 지금 이곳은 잡동사니의 천국이었다.

"뭔가 좋은 게 있을 텐데."

간수의 체형은 그리 크지 않아서 기습해서 급소를 노리면 이길 수야 있을 것 같긴 했지만, 그래도 감옥의 입구를 지키는 사람이니까 분명 만만치는 않을 것이다.

하지만 내 예상과 달리 쓸 만한 물건은 없었다. 둔기로 할 만한 것도 없고, 저 커다란 자물쇠 안에 쑤셔 넣을 얇은 쇠붙이도 없었다.

아 씨, 어쩌지.

머리를 마구 헝클어뜨리며 감옥 전체를 빙 둘러보다가 우뚝 멈춰 섰다.

"……아, 저게 있었네."

나는 얌전히 앉아서 곧 밥을 가져다줄 간수를 기다렸다. 잠시 후 밥을 들고 온 간수가 시큰둥한 표정으로 감옥의 문을 열고 들어와 테이블에 음식을 내려놓았다.

"저녁입니다."

"네, 감사해요."

싱긋 웃은 뒤 빈 그릇을 들고 나가려는 간수에게 살짝 발을 걸었다. 그가 휘청거리며 양손에 든 그릇 때문에 땅을 짚지 못하고 잠깐 당황하던 찰나, 빠르게 일어선 나는 남자의 목뒤를 잡고 쇠창살에 그대로 박아 버렸다. 깡, 하는 엄청난 소리가 감옥에 울렸다. 나보다 약간 더 큰 키라고는 하지만 어쨌든 사람이 바닥으로 쓰러지니 꽤나 육중한 소리가 울렸다.

"……죽진 않았겠지."

절대 부러지지 않고, 휘어지지 않는 쇠창살.

절대 나갈 수 없으니 포기하라는 뜻으로 내게 일러 준 카일의 조언을 이렇게 써먹습니다. 이런 무기가 또 어디 있겠어요.

남자의 겉옷을 벗겨 내가 챙겨 입었다. 부드러운 실내 가운을 입고 나갈 수도 없고, 원래 입고 있던 후줄근한 셔츠로 나가는 건 내가 마구간 조라고 광고하는 꼴이니까. 나는 간수의 주머니에 있던 열쇠를 챙긴 후, 그를 끙끙거리며 침대 위에 고이 눕히고 손수건에 찬물을 적셔 부어오르기 시작하는 이마에 올려 준 뒤 마음으로 깊이 사과했다.

'미안해요, 아저씨.'

살금살금 걸어 빠져나와 철컥 문을 잠갔다. 죽은 듯 누워 있는 간수를 보고 있자니 죄책감이 스멀스멀 올라왔다.

'탈옥하면 안 돼, 조.'

애처로울 정도로 간절히 부탁하던 카일의 얼굴이 어른거려 나는 가슴을 부여잡았다.

……정말 잘생겼었지. 아니, 이게 아니고. 어쩔 수 없어, 카일. 이게 다 너 잘되라고 하는 일이란다. 내가 언제 너 망하라고 일 벌이는 거 봤니. 다 너 생각해서 그러는 거야.

자식을 억지로 공부시키는 부모 같은 대사를 중얼거리며 나는 조심스레 계단을 한 칸 한 칸 올라갔다. 계단이 끝나는 곳에는 나무로 만들어진 커다란 문이 굳게 닫혀 있었다. 손잡이를 잡고 밀어젖히자 육중한 문이 끼이익 소리를 내며 열렸다. 상쾌한 바깥의 공기가 폐부에 가득 들어찼다.

달콤한 자유의 향기. 짜릿해. 늘 새로워. 최고야.

콧구멍을 벌름거리며 피톤치드를 가득 밀어 넣은 뒤 주변을 살폈다. 다행히 저 간수 말고는 입구를 지키는 놈이 없었다. 카일 궁 근처를 이리저리 돌아다니는 기사들에게만 안 들키면 될 것 같았다.

그나저나, 마구간으로 돌아갈 수는 없는데 어쩌지.

그때, 하나도 안 반가운 목소리가 들려왔다.

"어머, 내 귀염둥이 꼬마 친구가 여기 있다는 소식에 물어물어 왔더니. 나

마중 나온 거야?"

"……그럴 리가 있겠습니까."

이사벨라 플라반.

또 만났네, 또 만났어. 반갑지도 않은데 또 만났네요, 친구여.

여전히 빛깔 고운 검은 머리카락이 허리 부근에서 찰랑였다. 이사벨라는 손에 들고 있던 양산을 살짝 내게 씌워 주며 미소 지었다.

"네 옷이 아닌가 봐, 조금 큰걸?"

"……원래 이 자리에 있던 사람이 입고 있던 옷이에요."

"그럼 원래 이 자리에 있던 사람은, 지금 네가 있어야 할 그 자리에 있는 거야?"

"이해가 빠르시네요."

"당연하지. 눈치가 빨라야 장녀 노릇을 한단다."

고양이처럼 올라간 눈매를 접으며 야살스레 웃은 이사벨라는 내게 살짝 팔짱을 끼며 양산을 더욱 기울였다.

"일단 마차로 갈까."

"뭐, 뭐 어디로 끌고 가시려고요."

잡힌 팔뚝을 빼내려고 했지만 이사벨라가 덧붙인 말에 그럴 수 없었다.

"지금 마구간으로 가게? 7일이 아니라 7년쯤 더 갇혀 있고 싶은 거라면 그렇게 해도 돼."

"그, 그래도 황궁을 벗어나긴 싫어요. 마차로 간다는 건 아예 밖으로 나간다는 소리잖아요."

"어차피 나는 내일 연회 때문에 돌아와야 하는걸. 그때 같이 들어오면 되잖아."

연회. 아, 맞다.

이사벨라를 너무 갑자기 만나서 잊고 있었다. 양산 안에서 속닥거리던 이사벨라의 팔을 덥석 잡았다.

"저 좀 도와줘요, 아가씨. 우리 친구잖아요."

"……귀여워라, 당연하지. 뭐든 말해. 우린 친구잖아."

"궁 안에 있든, 밖에 있든 간에 상관없는데 내일 있을 연회에 저를 좀 데려가 주세요. 카일한테 들키면 안 되고요."

이사벨라의 얼굴이 한껏 음침해졌다. 한쪽 입꼬리가 비스듬히 올라갔다. 이목구비가 세상을 다 잡아먹을 것처럼 섹시하게 생겼는데 웃는 게 이렇게까지 무서울 일일까요.

이사벨라는 내 손을 마주 잡으며 고개를 끄덕였다.

"나, 이런 장난 너무 좋아해. 연회? 그따위 백 번도 더 가게 해 주지."

하얗고 긴 이사벨라의 손가락이 내 손 전체를 감싸 강하게 쥐었다.

"마차로 갈 필요도 없겠어, 내 방으로 가자. 이틀 동안 내 시녀가 되는 거야. 조."

"……지금 제가 제 무덤을 팠나요?"

질질 끌려가며 묻는 내 자포자기 질문에 이사벨라는 해맑게 답했다.

"아마?"

상큼도 하셔라. 제가 본 것 중 가장 행복해 보이십니다. 그래, 네가 행복하면 됐다……. 이사크 살리려면 뭔들 못 하겠니.

❖ ❖ ❖

내 인생은 언제부터 이렇게 됐을까요. 그래도 명색이 두 번째 인생인데 말입니다. 약간 잘 굴러갈 수도 있지 않았을까요. 내가 너무 자기희생이 강한가.

벌써 4시간째 이사벨라와 아실의 앞에서 옷 입히기 인형마냥 수십 벌의 옷을 입고 벗기를 반복하는 중이었다. 아실은 여전히 변화 없는 무표정한 얼굴로 코멘트를 달았다.

"대공작의 시녀가 아닌 이상에야 저렇게 화려한 옷은 입지 않습니다."

"으응, 그치만 조는 피부가 하얘서 무슨 옷이든 잘 받잖아."

"저 은색 머리카락부터 가려야 하지 않을까요. 탈옥수 신분인데 연회장에 들어가기도 전에 잡혀갈 듯합니다."

"그러네. 옷은 둘째 치고 머리카락이 문제네."

걸치고 있던 옷을 혼자 끙끙거리며 겨우겨우 벗었다. 코발트블루색의 드레스 위에 금사로 꽃잎이 새겨진 화려함의 극에 달한 옷이었다. 옷을 벗는 것만 해도 숨이 차 헉헉거리던 나는 슬쩍 손을 올렸다.

"저기요. 저 저번에 코르셋 입었다가 기절까지 했었는데 내일은 그냥 아무 옷이나 편하게 입으면 안 될까요. 연회장에 넣어만 주시면 찍소리도 안 할게요."

아실과 대화하던 이사벨라가 내게 고개를 돌린 뒤 나를 위아래로 훑었다. 그러곤 아실을 보며 그녀를 오래도록 살펴봤다.

"수상해 보이지 않도록 하는 게 네 목적 아니야? 조. 내가 넓은 아량으로 왜 연회장으로 가냐는 질문은 안 했잖아."

"굳이 말하자면 나쁜 짓 하는 사람을 막으러 가는 거예요."

"나는 조의 그런 대책 없는 허무맹랑함이 좋더라고. 자, 아실. 조를 누가 봐도 시녀처럼 보이게 만들어 줘."

비장한 얼굴로 끄덕인 아실은 천천히 내게 다가오더니 손바닥으로 날개뼈를 아프지 않도록 툭 건드렸다.

"어깨를 조금 더 자연스럽게 아래로 내리십시오."

자세 교정부터 시작이구나.

"가슴을 펴고."

"허리가 휘지 않도록 배는 넣고."

"가슴을 까뒤집으란 말은 아니었습니다."

"아랫배를 넣으세요. 전체를 안으로 집어넣는다는 느낌으로 힘주세요."

무미건조하게 이어지는 아실의 다양한 주문에 나는 어느새 파랗게 질려 가고 있었다.

"저, 배, 배에 힘을 주면…… 숨은 어떻게 쉬나요."

"잘."

"으흐억."

이사크 개새끼야. 알아서 살아남아라. 이제 독 먹어도 해독도 스스로 할 줄 알고 그래야지. 황자라는 새끼가 그것도 못해. 눈물을 머금고 배를 집어넣은 뒤

숨을 쉬려 노력했지만 바다 밖으로 건져 올린 갈치 같은 모양새였다.

힉, 헥, 헉, 흐억, 흡, 헉.

"귀족의 시녀들은 그렇게 경박하게 숨을 쉬지 않습니다."

아실의 지적에 이사벨라는 웃음을 터뜨렸고 나는 눈물을 터뜨렸다.

물론 속으로만. 자존심 상하잖아요. 이런 일로 울면.

하지만 이사크야, 너는 반드시 스스로 살아남는 방법을 깨칠 필요가 있다. 내가 이번 일만 끝나면 너 스스로 재능교육에 처넣어 버릴 거야.

새삼 이번에 이사크를 살리고, 전쟁만 갔다 오면 이 염병할 운명의 장난도 끝이라는 게 달가웠다. 삶은 계속되겠지만 저당 잡힌 미래는 그게 끝이었으니까.

"허리를 펴라고 했습니다."

"으아앙."

일단은 이 사태부터 해결해야 했지만.

❈ ❈ ❈

1시간 동안 이어지는 자세 교정 이후, 아실은 똑바로 걸어 보라 명령했고 금방 풀어지는 자세에 그녀는 나를 다시 바로 세웠다.

"자세를 다시 잡겠습니다. 다리를 곧게 펴시고, 무릎에 힘이 들어가면 안 됩니다. 부드럽게 허벅지부터 목뒤까지 힘이 이어지도록."

"흐어엉. 힘들어요."

결국 울상을 지으며 두 팔을 짤짤 털어 버렸고, 아실은 미동도 없이 건조한 눈으로 날 내려다보는 것 말고는 아무 말도 하지 않았다. 차라리 혼을 내세요.

나는 울며 겨자 먹기로 다시 똑바로 서서 자세를 잡았다. 그 이후로도 아실의 교정 교실은 계속되었다. 살려 줘요, 사람 살리려다가 내가 먼저 죽게 생겼어.

이틀 뒤, 이사크의 탄일 기념 연회가 베르디움홀에서 성대하게 열렸다. 수도의 귀족들이란 귀족들은 모두 모였는지 넓은 홀이 사람으로 가득 찼다. 황제는 특유의 중후한 목소리로 뒤늦게 찾은 황자의 열아홉 번째 생일을 축하했고 사람들은 황제의 말이 끝나기 무섭게 박수를 쳤다.

물론 저도 거기 있었습니다.

검은색 물감으로 머리카락을 칠하고 완벽한 자세로 이사벨라의 뒤에 서 있는 나는 누가 봐도 시녀였다.

"칼리든. 나 물 좀."

"네, 아가씨."

얌전히 대답하며 나는 이사벨라에게 물을 가져다줬다.

아, 칼리든이 접니다. 조요 하테로사는 이미 써먹었던 이름이라서 안 된다고 하며 이사벨라는 혹여 누가 이름을 물으면 벨 칼리든이라 답하라고 강조했다. 칼리든이라는 가문은 실제로 있는 곳이며 이사벨라네 집에서 얼마 전까지 일했던 자의 이름이니 크게 의심하지도 않을 거라고. 쓸데없이 완벽하신 아가씨 같으니.

황제의 훈화 말씀이 끝나기 무섭게 사람들은 곳곳으로 퍼져서 각자 도란도란 얘기를 나누기 시작했다.

"……저, 아가씨."

"응."

"저는 저쪽으로 가 볼게요."

이사벨라가 허리를 꼿꼿이 세우며 머리만 살짝 움직여 내 말을 듣고는 보이지도 않을 정도로 끄덕였다. 그녀가 천천히 이동하자 아실이 이사벨라의 뒤에 바짝 붙어 걸으며 그녀를 보필했다. 나 하나쯤 빠진다고 해도 전혀 의심 가지 않을 완벽한 조합이었다.

머리카락을 검은색으로 칠했고, 크고 동그란 안경으로 황금색 눈 역시 가렸다. 단조로운 남색 드레스를 입은 내 모습은 전혀 남자처럼 보이지 않았다.

나는 사람들 사이를 스쳐 지나다니며 이사크를 찾았다.

시커먼 머리통 어디 갔어. 지가 할 줄 아는 거라곤 '제가 책임지겠습니다.' 밖에 없는 무책임한 주인공 놈. 너 때문에 내가 늙는다, 늙어. 이게 뭐 하는 짓이니. 팔자에도 없는 탈옥을 했다, 내가.

속으로 쌍욕을 하며 파티장을 빠르게 걷다가 문득 건너편에 우뚝 서 있는 아실이 보였다. 키가 어찌나 큰지 옆에 있는 영애들과 머리 하나만큼 차이가 났다. 아실은 나를 뚫어지게 쳐다보다가 검지를 길게 곧추세웠다. 허리를 펴라는 뜻이었다.

"……젠장, 누가 자세 교정을 하룻밤 만에 뚝딱 하냐고요."

투덜거리긴 했지만 바로 허리를 세운 뒤 고개를 쳐들었다.

깔끔한 하얀 옷에 대비되는 결 좋은 검은 머리카락을 뒤로 넘기고 시원스레 웃는 남자가 눈에 들어왔다. 이사크. 저기 있었구나. 그다지 빛나는 외모도 아니면서 왜 주인공을 해 가지고 나를 이 고생을 시키냔 말이다.

하지만 평소보다 멋들어지게 꾸민 탓인지 퍽 깔끔하고 귀티가 나는 인상이었다. 그게 하나도 눈에 안 들어올 정도로 내가 예민한 게 문제였지만. 구두도, 똑바로 세운 허리도, 조심스럽게 쉬어야 하는 숨도, 모든 것이 짜증 났고, 그 와중에 주변에서 그에게 포도주를 가져다주는 어린 영윤을 찾아야 한다는 생각까지. 나는 잔뜩 조바심이 나 있었다.

누구 하나 걸리면 죽여 버린다는 생각으로 눈을 희번덕대며 이사크의 주변을 맴돌았다. 델로아는 마차 습격 때 입었던 상처를 모두 치료했는지 이사크가 선물한 드레스를 입고 다른 사람들과 얘기를 나누고 있었다.

어린 영윤이 혼자 독살을 계획할 리는 없는데. 배후가 누구지?

의심 가는 인물 첫 번째인 시에나 황녀를 슬쩍 바라봤지만 그녀는 지금 자기 보석이 더 잘 보이도록 목을 쭉 빼고, 머리카락을 귀 뒤로 넘기는 것에 더 집중하는 것 같았다. 귀걸이 참도 화려한 거 끼셨수다.

속에서 자꾸 비꼬는 말만 나와서 큰일이네.

프리실라 황비 쪽을 바라봤다. 그녀가 내 시어머니긴 하지만(?) 어쨌든 다른 황자들에게 위해를 가했다는 전적이 있으니까. 하지만 프리실라 황비 역시 고고한 모습으로 의자에 앉아 있을 뿐이었다.

연회장 내부에 부드러운 음악 소리가 가득 들어찼다. 적당히 소란한 분위기 속에서 웃고 떠드는 사람들을 보니 몇 분 뒤 황자 암살 사건이 일어난다는 걸 믿기 힘들었다.

여신님도 진짜 너무하네. 이왕이면 독 들고 오는 놈이 누군지 알려 주고 가면 되잖아.

세상에 대한 불만을 복리 이자만큼 불리고 있을 때쯤 형형하게 빛나는 푸른 눈동자가 시야에 걸렸다.

나는 본능적으로 몸을 뒤로 돌렸다. 카일이었다.

내가 왜 그 생각을 못 했을까. 황자의 탄일 기념행사면 당연히 1황자인 카일이 오는 거잖아. 근데 왜 저렇게 빡돌아 있는 얼굴이지? 저렇게 표정 관리 못 할 사람은 아닌데.

연회의 주인공인 이사크에게 다가간 카일이 그에게 무어라 얘기를 하자 이사크가 눈을 휘둥그레 뜨고 고개를 절레절레 흔들었다. 카일은 이사크에게 심각한 얼굴로 무언가 계속해서 말하는 중이었다. 가끔 귓속말까지 하는 걸로 봐선 꽤 중요한 얘긴 거 같은데.

멀리서 보니 둘이 꽤 친해 보이는 게 계승권 문제로 나중에 싸울 사이처럼 보이진 않았다.

난처한 얼굴로 카일의 말을 귀담아듣던 이사크가 하얗게 질린 얼굴로 고개를 가로저었다. 나중엔 손사래까지 치는 걸 보니 뭔가 강력하게 부인하는 것 같았다. 아니면 거절인가. ……왜 저러지. 카일이 이사크를 죽여 버린다고 한 게 아닌 이상에야 저렇게까지 하얗게 질릴 일이 있나.

델로아라도 옆에 있었으면 카일을 밀어냈겠지만 그녀는 얼마 전 오르브시델 협정을 따낸 오르본 백작의 아들, 리엔 오르본과 대화를 나누는 중이었다.

난 저 대화를 알지. 아마 리엔이 델로아 앞에 서서 깐죽거리며 껄떡대고 있을 터였다.

"알베니스 영애. 제가 준 목걸이는 왜 하지 않으셨습니까."

"이사크 황자님도 아니고 고작 수도 외 지역의 백작가(家) 영애인 제가 엄지만 한 오르브시델을 목에 거는 것이 말이 안 돼서요."

꺼지세요, 라고 이마에 써 붙인 표정으로 기계적으로 웃으며 대답하는 델로아를 재밌다는 듯 보던 리엔 오르본은 그녀의 옆에서 계속 말을 걸어 댔다.

언제까지 황궁에서 머물 거냐,

우리 영지에 한 번 더 놀러 와라,

이사크 황자와는 어떤 계기로 친해진 건지 정말 말을 안 해 줄 거냐,

어쩌구, 저쩌구, 어절씨구, 저절씨구.

카일과 얘기하던 이사크가 델로아를 힐긋거리며 인상을 찌푸렸다. 결국 이사크가 카일에게 양해를 구하고 델로아에게 다가갔다.

"……알베니스 영애."

"예, 황자 전하."

주변이 잠깐 적막에 휩싸였다. 이사크가 주인공이면서도 아직 첫 춤 상대를 고르지 않았기 때문에.

다들 표정이 왜 저따위야. 당연히 우리 델로아를 고를 거라고 예상도 못 한 것처럼?

독자가 된 기분으로 이사크가 내민 손을 살짝 마주 잡는 델로아를 바라봤다. 안 웃으려고 해도 광대가 스멀스멀 올라가는 걸 막을 수가 없었다. 은근히 델로아와 그녀의 알베니스 가문을 무시하던 사람들이 홍해 갈라지듯 옆으로 물러서며 길을 터 주자 홀의 중앙까지 훤하게 길이 열렸다. 내 일도 아닌데 뿌듯하고 통쾌해 콧구멍이 벌렁거렸다.

이사크가 춤을 추는 도중에 누가 포도주를 갖다주진 않겠지.

나는 연회장에 앳된 영윤이 있는지 살폈지만 아무리 봐도 늙은 귀족과 좀 덜 늙은 귀족, 그리고 마이 큐티 프리티 핫 댄저러스 섹시 심벌 카일밖엔 보이지 않았다.

군계일학이라고들 하지. 어중이떠중이들 사이에 있어도 딱 한 사람만 보이는 거. 저기만 형광등 백 개를 켜 놓은 것처럼 반짝반짝 빛나고, 얼어붙은 겨울의 연못처럼 투명하게 빛나는 눈동자가 회장을 훑고 지나가고, 와. 진짜 너무 예쁘다. 걸을 때마다 살짝 찰랑이는 레몬빛의 금발. 투명도를 따지자면 한 70% 되려나. 어쩜 사람이 저렇게 화려하게 아름답지. 포토샵으로 보정해서 나온 사진 같아. 가까이 오니까 눈썹 모 하나하나까지 다 보이네. 짙은 눈썹이 고르게 정리돼 있어서 너무 예쁘고, 티 존이 쭉 뻗어 있는 거 장난 아니야. 너 풀 네임 카일 테스토스테론 드 빌테온이지? 그렇지 않고서야 저럴 리가 있나. 걸음걸이

도 완전 성큼성큼. 손도 크고, 발도 크고…… 손이 크면 뭐가 크게요~? 장갑이 크지요~ 아. 너무 잘생겼다. 한국에서는 복날이 되면 몸보신을 하곤 했는데요. 저는 카일을 보며 눈에 영양을 챙겨 주고 있습니다. 죽은 자도 되살리는 최고의 자양 강장제, 카일 드 빌테온, 당신 너무 사랑해. 인생 걸었어. 이게 바로 행ㅂ……

"조."

"어으와으왁!"

카일이 나를 작게 불렀지만 내가 화들짝 놀라 탭 댄스를 추며 뒤로 물러나는 바람에 주변의 시선이 단박에 이리로 몰렸다. 나는 황급하게 고개를 숙인 뒤 지금 상황에서 시녀가 했어야 할 행동을 했다.

괜찮아. 난 시녀다, 시녀다, 시녀다.

"황자 전하, 죽을죄를 지었습니다! 죄송합니다. 제가 다른 생각을 하다가 그만. 죄송합니다!"

고개를 푹 숙이고 사과를 거듭 내뱉자 카일의 손가락이 눈에 들어왔다. 화를 참고 있는지 주먹을 꾹 말아 쥐었다가 폈다가를 반복하던 그는 금세 차분하게 계란 한 알을 쥔 듯 손을 자연스레 쥐고는 골반 옆으로 얌전히 내려놓았다.

"……괜찮으니 긴장하지 않아도 됩니다."

이쪽을 향해 바짝 몰려 있던 눈길이 다시 주위로 퍼졌는지 주변의 웅성거림이 백색 소음으로 멀어져 갔다. 카일이 아주 작은 목소리로 내게만 들릴 정도로 속삭였다.

"……파티 끝나면 얌전히 따라와."

엄마, 있잖아. 예전에 사주 봤을 때, 그 불광동 호선녀. 그 아줌마가 나보고 단명할 거랬는데 이상하게 남자 복이 미어터진다고 했잖아. 너무 터져서 나도 쥐어 터지게 생겼다고. 그 사람 용하니까 꼭 번호 저장해 둬.

카일한테 또 짤짤짤 털리며 혼나고 변명할 생각을 하니 간이 콩알만 해지는 기분이었다. 그때 누군가가 내 옆으로 다가와 바짝 붙어 섰다.

"……플라반 영애."

"안녕하세요, 카일 황자 전하, 전에 저희 플라반령에서 뵌 지 얼마 되지 않아 이렇게 또 뵙네요."

"또 이렇게……, 그러게 말입니다. 이런 곳에서…… 뵈니 참, 반갑네요."

차마 험한 말을 하지 못하는 카일의 목소리가 부들부들 떨리는 것 같았다.

카일이 싱긋 웃으며 이사벨라에게 물었다.

"……이번에도 그대의 작품입니까?"

이사벨라가 부채로 입을 가리며 눈을 반으로 접어 웃었다.

"저야 언제나 모든 일이 예술 아니겠어요."

그녀의 높은 웃음소리가 울려 퍼졌고 카일이 나를 향해 무심코 손을 뻗으려는 순간 이사벨라가 슬쩍 나를 뒤로 밀었다.

"제 시녀가 무슨 잘못을 했다면 제게 말씀해 주세요, 전하. 심약한 아이랍니다."

"……심약이라?"

"예. 어찌나 여리고 고운지, 이이의 부모가 한 마리의 카나리아처럼 애지중지 키웠지요. 저와도 막역한 사이랍니다."

둘 다 웃고 있긴 한데 눈에서 스파크가 튀는 것 같았다. 카일이 나를 향해 햇살처럼 따스하게 미소를 보냈다.

"시녀께서…… '막역' 하신 친구가 참 많은가 봅니다. 재주도 많으신 듯하고."

"그럼요. 우리 칼리든이 얼마나 재주가 많은데요. 특히나 숨바꼭질에 아주 뛰어나답니다. 이 아이가 숨으면 저택을 아무리 뒤져도 못 찾겠더라고요."

하하하하. 검은 머리가 참 예쁘죠. 이사벨라가 상쾌하게 웃으며 내 어깨에 손을 올렸다.

얘는 카일 약 올리려고 세상에 태어난 사람인가 보다.

그때, 춤이 끝난 이사크의 주위로 젊은 영윤들이 우르르 다가갔다.

"어, 어? 잠깐만요. 비켜 주세요!"

"어딜! ……가……!"

나를 붙잡으려 손을 뻗은 카일이 시선을 의식하며 목소리를 줄였다. 꾹 다문 입술로 나를 바라보는 게 가지 말라는 뜻 같긴 했지만 지금이 아니면 이사크를 살릴 수 없었다.

미꾸라지처럼 빠져나온 뒤 연회장 테두리를 빙 둘러서 이사크의 옆으로 다가갔다. 슬쩍 뒤돌아 살펴보니 카일이 허망한 표정으로 나를 잡으려 뻗었던 손을 거두지도 못하고 있었다. 허공에 내밀어진 손이 허무해 보였다.

미안, 카일. 내가 나중에 얘기해 줄게요.

이사벨라는 한껏 밝은 얼굴로 해맑게 목소리를 높였다.

"춤을 청하신 건가요? 영광입니다, 전하."

상큼하게 웃은 이사벨라가 카일의 손을 맞잡고 중심부로 향했다. 눈꽃처럼 하얗고 빛나는 카일의 얼굴은 여전히 미소를 띠고 있었지만 난 알 수 있었다. 지금 바짝 열받아 있다는 걸.

오늘 카일이 열받아서 뒷골 잡고 넘어가면 7할은 내 탓이겠지만 3할 정도는 이사벨라 때문일 거야. 내가 탈옥한 건 어떻게 알았지. 이틀 동안은 안 오기에 출소하는 날에 오실 줄 알았지.

이사벨라와 함께 홀 중앙으로 간 카일은 부드러운 음악에 맞춰 이사벨라와 춤을 추기 시작했다. 그제야 이사벨라가 그렇게 대응한 이유를 알 수 있었다. 내가 이사크의 독살 문제를 처리하는 동안 카일에게 방해받지 않도록 하는 거겠지. 여기 들어와서 계속 이사크만 봤던 걸 알아챈 걸까. 이사벨라가 안 그래 보여도 눈치가 뒤지게 빨라. 집착만 조금 덜했어도 우리 완전 친해지지 않았을까.

나는 발에 감기는 긴 남색 드레스를 살짝 들고 사람들 사이를 헤치며 빠르게 움직였다. 이사크의 주변을 둘러싸듯 보고 있는 영윤들 몇몇이 손에 와인을 들고 있긴 했지만 이사크에게 내밀진 않았다.

언제 줄지 모르니까 계속 보고 있어야지.

눈알이 튀어나올 정도로 이사크에게 다가가는 영윤들을 째려보고 있자니 관자놀이가 다 저릿해 올 정도였다.

그때, 아실이 내 옆에 다가와 서며 조용히 읊조렸다.

"시녀는 귀족가의 영윤을 그렇게 째려보지 않습니다."

"……아는데, 제가 지금 사정이 있다니까요."

“그러면 조금 멀리 떨어져서 보세요.”

아실이 내 뒷덜미를 잡아 약간 왼쪽으로 당겼다. 여기서도 이사크가 보이지만 포도주를 마실 때 바로 막는 건 불가능할 것 같았다. 독이 든 잔을 어떻게 알아챌 수 있을까.

‘여신님. 제 목소리 들리시나요.’

그럼, 조. 다 보고 있단다.

‘독잔을 갖다주는 게 어느 놈인지 말해 주시면 안 돼요? 이렇게 찾아서는 절대 못 찾겠다고요. 지금 저기 쟤네들 하나하나 붙잡아서 목에 칼 들이대고 사실대로 불라고 할 수도 없잖아요.’

그러면 안 되지. 이들은 길거리 싸움꾼이 아니라 모두 기사 훈련을 받은 귀족가의 영윤이란다.

‘아니, 제가 싸워서 지는 게 문제가 아니잖아요. 하, 언니.’

이젠 아예 맞먹는구나. 한숨도 쉬고.

‘언니. 다 잘해 보자고 하는 건데 협조 좀 합시다, 예?’

무엇을?

‘그니까. 저 중에 누구냐고요.’

이사크는 얼핏 잡아도 예닐곱은 되는 영윤들에게 둘러싸여 있었다. 이사크가 저렇게 인기가 좋았던가. 내가 헛생각을 하는 동안에 여신은 내내 침묵하다가 입을 열었다.

모르겠어.

“예?”

무심코 입 밖으로 소리 내 버려서 황급히 입을 닫았다. 아실이 내 정수리를 째려보고 있을 게 뻔했다. 아니나 다를까.

“목소리를 낮추세요. 시녀는 교양 없이 행동하지 않습니다.”

“아, 알았어요. 조교야 뭐야……. 좀 있으면 얼차려도 시키시겠어요. 제가 하는 거에 따라 천사도 될 수 있고, 악마도 될 수 있으신가요?”

깐죽대는 나를 무심히 노려보던 아실이 턱짓으로 이사크 쪽을 가리켰다. 몇 명이 더 늘어나 있었다. 여신은 난처한 듯 말했다.

정해지지 않은 미래라 그런지 정확히 알 수가 없구나. 그저 흘러가는 대로 두어야 하는 걸까.

'아, 무슨 소리 하시는 거예요. 이사크가 죽어도 좋다는 말이에요? 나약한 소리 하지 맙시다. 언니. 우리 잘해 봐요.'

……응.

게처럼 옆으로 걸으며 이사크의 근처로 다가갔다. 이사크는 어느새 손에 술잔을 들고 있었다.

제기랄. 저걸 언제 받은 거야.

나는 지나다니며 술잔을 서빙하는 궁 전속 시녀에게서 트레이를 뺏어 들었다.

"아! 지금 뭐 하시는,"

"제가 할게요, 교대해요."

"예? 그게 무슨……."

뒤에 서 있는 아실을 보며 눈짓하자 그녀가 얼빠진 시녀의 옆으로 다가가 말을 걸며 시선을 뺏었다. 나는 안심하고 트레이를 들고 이사크 황자의 뒤쪽으로 다가갔다.

이사벨라 이 천재 같은 여자가 일부러 그랬는지는 모르겠지만 궁 시녀들의 드레스와 내 드레스를 비슷하게 입혀 놓아 언뜻 보면 분간이 가지 않았다.

좋았어, 이제 나만 잘하면 된다. 경박스럽지 않게. 차분하게. 내 원래 목소리 톤보다는 한 톤 높게. 하지만 단정하게.

타이밍 좋게 오르본 경이 내게 말을 걸었다.

"왜 트레이를 들고 이사크 전하의 뒤에 가만히 서 있는 거지?"

당신 역시 서브 남주의 최고 미덕이라는 굿 타이밍 능력을 갖추셨군요. 〈킹메이커〉 원작의 서브 남주 인정합니다.

"잠시 실례하겠습니다. 이사크 황자님의 잔에 무언가 묻은 게 보여 괜찮으시다면 다른 잔으로 교체해 드리는 것이 가능할까요."

"내 잔에?"

이사크가 꼼꼼히 살펴봤지만 잔에는 손자국 말고는 다른 건 아무것도 보이지 않았다.

없겠지, 등신아. 내 눈에도 안 보인다. 그냥 얌전히 바꾸기나 해.

이사크가 고개를 갸웃거리다 내 쟁반 위에 잔을 내려놓고 새 잔을 골라 갔다.

"내 눈엔 안 보이지만, 네 눈에 그렇다면 그런 거겠지. 고마워."

"……영광입니다, 전하."

무릎을 살짝 굽혀 인사한 뒤 뒷걸음질을 치려는 순간, 리엔 오르본이 말을 걸었다.

"잠깐만."

왜 인마.

"……네?"

"내 눈에도 얼룩이 보이지 않는데 왜 굳이 잔을 바꾸려는 거지. 황자 전하. 혹시 그 잔에 독이라도 든 것 아닐까요."

번지수 잘못 짚었다, 새끼야. 독은 방금 바꾼 이 잔에 있다고.

리엔은 이사크가 들고 있던 새 술잔을 받아 들고 내 앞으로 다가와 나를 매섭게 노려보며 명령했다.

"네가 마셔 보도록."

"예?"

차갑게 가라앉은 주변의 분위기를 풀려는지 이사크가 오르본의 어깨를 붙잡았다.

"오르본 경. 어린 시녀가 그럴 리 없잖습니까."

"황자 전하의 탄일 기념 연회만큼 많은 사람이 모이는 날이면 이런 시도가 있을 법합니다. 손해 보는 일은 아니니 한 번 시켜 보시죠."

나는 살짝 숙이고 있던 고개를 조금 더 숙이며 최대한 당황스럽다는 듯 목소리에 물기를 머금고 항변했다.

"저, 저는 단지…… 이사크 황자님의 탄일에 완벽을 기하고 싶었습니다. 얼룩을 잘못 보고 무턱대고 가까이 온 것은 제 잘못이지만…… 정말, 억울합니다."

"그러니까 마셔 봐."

점점 사람들이 모여들고 있었다. 아, 너무 집중 받으면 안 되는데.

나는 쟁반을 옆의 빈 탁자에 내려놓고 이사크를 살짝 바라보며 양해를 구했다.

"손님들을 위해 준비한 술을 감히 제가 마셔도 될까요."

리엔이 이사크를 보며 눈짓하자 그 역시 고개를 끄덕였다.

술 그까짓 거 나 한창때는 궤짝으로 퍼마셨어, 인마. 어차피 여기엔 독이 있을 리도 없으니까 아주 콧대를 짓밟아 주지.

이사크가 가져갔던 새 잔을 받아 들고는 단번에 입으로 털어 넣었다. 원래 이사크가 들고 있던 잔에 독이 들어 있을 테니 그건 제하고 쟁반 위에 있던 술잔 중 무작위로 네다섯을 들어다 한 모금씩—한 모금치곤 많았지만—마신 뒤 리엔과 이사크 쪽을 향해 머리를 숙였다.

"이만하면 제 결백이 증명됐을까요."

잠깐 말이 없던 이사크는 고개를 끄덕이며 웃었다.

"……응. 괜찮으니 가 봐."

"하, 술을 모두 동내라는 뜻은 아니었는데 궁에 저런 시녀가 있는 줄은 몰랐네. 어지간히 자존심이 센가 봐."

어쩐지 또 오바해서 과한 오해를 산 것 같긴 하지만 이젠 빨리 물러나야 했다. 이사크가 신경질적으로 말하는 리엔에게 한 소리 던졌다.

"오르본 경이 의심한 탓이니 너무 나무라지 않는 게 좋을 것 같네요. 너는 이만 가도 좋아."

황자답게 나름 근엄하게 말하는 이사크를 향해 꾸벅 인사하고 황급히 트레이를 챙겨 연회장 밖으로 향했다. 밖에 서 있던 시녀에게 트레이를 건네주고 그녀가 무어라 짜증 내려는 걸 모른 척한 채 빠르게 걸었다.

들켰나, 들켰으려나. 아니겠지. 이대로 도망쳐서 다시 남장하면 아무도 모를 텐데 망나니 시녀로 소문이 난들 알 게 뭐람.

홀 밖으로 나오자 어느새 등을 흥건하게 적신 땀 때문에 꼴이 말이 아니었다. 늦여름이라 그런지 아직 날이 꽤 더웠다.

땀? 아, 안 돼.

슬쩍 목을 닦아 보니 시커먼 물이 가득했다. 오늘 아침에 이사벨라가 했던 말이 생각났다.

'검은 물감으로 머리카락을 덮어씌운 거니까 땀을 많이 흘리면 안 돼. 분명히 줄줄 흘러내릴 거라고.'

……망했다, 어떡해. 다시 감옥으로 가든지 마구간으로 가서 숨어 있어야 하는데.

홀에선 나왔지만 여전히 넓은 본궁 건물 안이었다. 중앙 문까지는 한참 남았고, 뛸 수도 없었다. 긴박한 상황이라고 생각을 하자 땀이 더 줄줄 흘러내렸다. 차분하게 생각을 하려고 해도 심장이 거세게 쿵쿵 뛰는 바람에 땀이 흘러나오는 걸 막을 순 없었다. 옷이 어두운 남색이라 그나마 다행이었다. 소매로 이마와 얼굴, 목 근처를 닦아 내며 빠른 걸음으로 걷던 도중 누군가 내 앞을 가로막았다.

"……시녀?"

"예?"

빤들거리는 누군가가 창틀에 비스듬히 선 채 왼팔로 내 길을 막고 말을 걸었다.

"조금, 쉬고 싶은데 길 좀 안내해 주겠어? 귀여운…… 안경 소녀?"

말투 봐. 우웩. 구역질이 올라오려는 걸 꾹 참고 대충 말했다.

"저는 원래 본궁 소속이 아니라서 길을 잘 모릅니다. 다른 시녀에게 물어봐 주세요."

고개를 꾸벅 숙이고 가려는데 놈이 내 손목을 덥석 잡았다.

이 싹수없는 새끼가 어디 허락도 없이 내 몸에 손을 대?

당장이라도 뒤통수를 후려갈기고 싶었지만 그런 소란을 피웠다간 끝이었다. 손을 빼려 해도 놈은 막무가내였다.

"쉴 만한 곳 같이 찾아 줘도 되잖아. 응?"

그래. 어딜 가나 이런 놈이 있지. 아랫도리 간수 제대로 못 하고 사타구니의 숙주가 되어 버린 세상의 해충 같은 새끼. 누가 보기라도 했으면 말릴 텐데 모든 인력이 베르디움홀에만 집중되어 있는지 이쪽엔 사람이 나다니지도 않았다. 마침 복도도 한적한데 그냥 두들겨 패고 도망갈까 고민하던 중, 놈이 갑자기 흠칫 떨며 얼굴을 구겼다.

지금 기분 나쁜 게 누군데 지가 왜 인상을 찌푸려. 안 그래도 박복하게 생긴 놈이 얼굴까지 구겨지니 없는 우환도 끌어안게 생겼네. 화가 나서 체온이 더 올라간 탓인지 더 많은 땀이 흘렀다.

"뭐야, 이…… 검은 물……?"

내 손목을 잡은 놈의 손이 벌벌 떨렸다. 관자놀이 밑으로 시커먼 물이 주르륵 흘러 턱선을 따라 물방울을 만들며 굴러갔다. 안경 너머로 보이는 내 눈을 차마 마주치지도 못하는 주제에 몸이 굳었는지 놈은 붙잡은 팔을 빼지도 않았다. 아까는 날 향해 끈적한 시선을 보내던 이름 모를 귀족 놈이 온몸을 사시나무 떨듯 떨어 대며 더듬거리기 시작했다.

"……너 모, 몸에…… 무슨 일이…… 일어나고 있는 거야……."

아하. 그거구나.

나는 경련이 온 것처럼 입꼬리를 바르작대며 떨다가 천천히 입을 열었다.

"나, 으윽, 나가…… 내 몸에서 나가……. 흐, 흐으…… 살려, 주세요."

일부러 숨을 강하게 들이켠 뒤 숨을 쉬지 않고 참았다. 얼굴이 금세 터질 것처럼 빨개졌다. 내 앞에 선 어린 귀족의 가슴팍이 마구 들썩거렸다.

"악, 악마라도 들린…… 거야?"

남자의 무릎이 진동이라도 온 것처럼 양옆으로 달달 떨렸다. 내가 두 손으로 남자의 손을 움켜쥐자 펄쩍 뛰어오른 남자가 엉덩이를 뒤로 쭉 빼며 울먹거렸다.

"으, 놔……. 잡지 마……."

검은 물로 얼룩진 내 손에 손을 잡힌 채 덜덜 떠는 남자의 목소리에 물기가 섞였다.

나는 눈을 뒤로 까뒤집었다가 빠르게 깜빡였다. 그것만으로도 부족할까 봐 목을 삐걱삐걱 고장 난 인형처럼 이리저리 돌렸다. 새벽의 저주, 엑소시스트, 컨저링을 네가 알긴 하겠냐. 미개한 중세 시대 놈아.

나는 목에 힘을 주고 쇳소리가 날 정도로 긁으며 말했다.

"이 여자…… 몸은…… 내 거야……."

"놔! 이거 놔!"

얼마나 공포에 질렸는지 어린 귀족의 눈에서 눈물이 줄줄 흘러나왔다. 팔을 뿌리치고는 싶어 하는데 나를 밀어 내지도 못하니 내 몸에 손을 대지도 못하고서 남자는 오들오들 떨다가 두려움에 얼룩진 얼굴로 빌었다.

"죄, 죄송…… 흐어엉, 놔, 놔주세요. 으어엉……."

이거 재밌네. 나는 손톱으로 강하게 남자의 살갗을 짓누르며 내가 할 수 있는 한 가장 낮은 목소리로 목청을 바짝 긁었다. 녹슨 쇠스랑 같은 걸걸한 목소리가 내 입 밖으로 퍼져 나왔다.

"……멍……청한…… 놈. 소리 지르면 네 부모까지 모조리…… 산 채로 찢어발겨 내일 아침 식사로…… 먹어 주지……."

"흡……!"

눈물로 얼굴이 엉망이 된 남자가 내게 잡히지 않은 손으로 제 입을 틀어막았다. 눈물, 콧물, 침까지 줄줄 흘리던 놈은 결국 다리 힘이 풀렸는지 바닥에 주저앉았다. 남자의 팔을 계속 잡고 있기 버거워 놓아주자 놈은 엉덩이걸음으로 물러나다가 '죄송합니다, 잘못했어요.'를 연발하더니 벌떡 일어나 미친 듯이 달려갔다. 꽁지 빠지게 도망가는 어린 귀족 놈을 보며 나는 입맛만 다셨다.

내가 전생에 연기자를 했어야 했는데, 아깝다.

한 걸음 앞으로 나가려던 찰나 목에 서늘한 감각이 느껴졌다.

"서라."

뒤돌려는 순간 남자가 낮은 목소리로 위협했다.

"그대로 대답만 해. 넌 누구지."

들킨 건가. 이 사람 누구야. 얼굴을 확인하지도 못한 채 말을 할 순 없었다.

마구간지기 조라고 해도 안 되고, '이세계로 넘어온 타 세계 사람입니다, 안녕하세요.'라고 인사할 수도 없는데. 마른침을 꿀꺽 삼켰다. 어떡하지.

뭐라 말을 못 하고 덜덜 떨던 중에 내 머릿속에 여신의 목소리가 들렸다.

아까처럼 겁줘서 쫓아 버려.

'아니, 언니는 신이면서 뭐 그렇게 악마 같은 제안을 하세요.'

효과 좋더라. 너 연기하지 그랬니.

'저 원래 연극 동아리 했었어요. 그런데 여기도 극단 같은 거 있어요?'

글쎄. 카일이랑 결혼 못 하면 극단 배우나 해. 내가 알아봐 줄게.

"픕!"

여신의 농담에 나도 모르게 그만 웃음이 터져 버렸다.

"투, 투르가…… 여신님이…… 나와 함께하신다!"

목에 댄 검이 덜덜 떨리기 시작했다. 이 미친 새끼가 내 목 살점으로 포를 뜰 작정인가.

'언니 이름이 투르가예요?'

그렇게도 불리지.

'내 뒤에 선 사람 누구예요?'

어린 기사구나, 저런. 불쌍해라. 잔뜩 겁을 먹었네.

'이름이 뭔데요.'

톰 블레인. 너도 아는 사람인데.

톰? 톰이라면 얼굴을 보일 수도 없잖아. 나를 알고 있으니 혹시라도 알아볼 가능성이 있었다. 나는 조금 옆으로 피하며 보일 듯 말 듯 머리를 옆으로 돌렸다. 아마 얼굴의 옆 선만 살짝 보일 정도로.

"톰."

"내, 내 이름은…… 어떻게 알았, 알았…… 알, 알았지. 세, 세상에 악마는 없, 없어."

시간이 많이 지체됐다. 땀이 더 나면 안 되는데. 지금이야 검은 머리에 드레스, 안경까지 더해 완전 다른 사람처럼 보이지만 은발은 아무래도 리스크가 컸다. 머리카락 한 오라기라도 들키는 순간 바로 의심받을 텐데.

"너, 어린 기사구나."

아까는 낮은 목소리였다면 지금은 최대한 높은 목소리로 음산하게 말했다. 어차피 평소의 허스키한 목소리만 들어왔을 테니까 이 정도는 모르겠지. 투르가 여신은 이게 재밌는지 묻지도 않은 개인 정보를 줄줄 털어놨다.

재 위로 누나가 한 명, 아래로 남동생이 둘 있어.

'……여신님한테 기도하는 사람들 다 너무 불쌍하네요. 자기 신도들한테 장난이나 치는데 말이에요.'

하지만 위기에서 벗어나기 위해 얼른 집중했다.

"네겐 누나와 남동생이 있지."

남동생들 이름은 엔도와 라슨.

"남동생 이름은 엔도와…… 라슨……,"

"입, 입…… 입 닥, 닥쳐……. 난 두렵지 않아. 투르가 여신님이…… 나와 함께하신다……."

뭐래, 등신아. 그분 지금 내 머릿속에 함께하신다.

"가서 너의 황자나 지켜, 장미 기사단 애송이."

최대한 악마처럼 웃으며 검의 끄트머리를 살짝 잡고 밀어 내자 톰은 힘없이 밀려났다. 풀썩 소리가 들려서 뒤를 돌아보자 톰이 그대로 기절해 있었다.

"톰?"

도망쳐, 조. 또 사람들이 몰려와.

기절한 사람을 두고 가자니 양심에 찔렸지만 이대로 계속 악마 들린 인간 행세를 할 수도 없었다. 중앙 문까지 뛰어가려니 이미 머리카락의 칠이 대부분 벗겨져 있었다. 결국 옆의 창문을 열고 창틀에 매달렸다. 1층이긴 하지만 궁 자체가 땅에서 층을 만들어 지어진 탓에 높이가 만만치 않아 그대로 뛰어내리긴 부담스러웠다.

"아, 젠장. 1층에 주차장이 있는 것도 아니면서 왜 2층 같은 1층이야. 색목인 새끼들아."

창문 안쪽에서 비명 소리가 들렸다.

"까아악! 여기 기사님이 쓰러져 있어요!"

"누가 이분을 좀!"

아, 더는 못 견뎌. 손가락에 힘이 빠져 그대로 아래로 추락했다.

……하, 두 번째 인생은 추락사인가요. 오장육부가 공중으로 떠오르는 아찔

한 느낌도 잠시, 나는 누군가 모아 놓은 풀 더미 위로 쓰러졌다.

아자! 난 역시 재수가 좋아.

곧바로 몸을 굴려 풀 더미에서 빠져나오자 정문 앞에 아실이 서 있다가 내게 손짓했다.

"아실 님. 어떻게 아셨어요."

"뭐 하다가 이제 나오는지. 가시죠. 둘이면 의심도 덜합니다."

아실이 건넨 손수건으로 얼굴과 목으로 흘러내린 검은 물을 닦아 내고 최대한 조용하고 평범하게 카일의 궁으로 가 다시 이사벨라가 머무는 객실까지 들어갔다. 방문을 닫으니 그제야 온몸의 긴장이 풀렸다.

"흐아아— 아실 님, 감사합니다. 저 진짜 큰일 날 뻔했어요. 카일이 중간에 알아보는 바람에 완전 식은땀 흘렸어요. 대체 어떻게 아신 거지. 감쪽같았는데."

아침에 미리 준비해 뒀던 물에 머리를 씻어 내고 거울을 보며 깨끗한 흰 천에 머리를 닦았다. 아실은 묵묵히 나를 보다가 어제 낮에 입고 있던 옷을 내밀었다.

"좋아하는 사람이라면 무슨 변장을 해도 알아보는 법이죠."

"아우, 아실 님도 참. 부끄럽게."

헤실헤실 웃으며 아실의 어깨를 쿡쿡 찔렀지만 아실은 여전히 냉랭한 반응이었다.

"이사벨라 아가씨의 친구라 돕긴 하지만 사실 조 네가 무슨 일을 하는지 전혀 감을 잡을 수 없어."

아실의 입에서 처음으로 나온 반말이었다. 의심될 만도 했다. 카일을 세상에서 가장 사랑한다고 말을 하면서 정작 여장까지 하면서 도운 건 이사크였으니까. 들고 있는 포도주 잔을 뺏어 드는 모습은 충분히 이상했겠지.

"아실 님, 그게요. 정말 나쁜 의도는 없고 다 내가 좋아하던 인물이었,"

"됐어. 아가씨도 모르는 비밀을 내가 먼저 나눌 생각은 없으니. 돌아가."

옷을 갈아입고 시무룩한 기분이 되어 자리에서 일어서자 아실이 내 뒤통수에 대고 말했다.

"이사벨라 아가씨에게 손톱만 한 피해라도 끼치면 널 가만두지 않겠다."

오금이 저릴 정도로 무서운 협박이었는데 너무 믿음직한 사람이라 그런지 어쩐지 두렵지 않았다. 나는 천천히 뒤돌며 살짝 미소 지었다.

"전에도 한 번 말했는데, 아실 님 같은 완벽한 시녀를 두고 이사벨라 아가씨가 왜 저랑 친해지려는지 모르겠어요. 이사벨라 아가씨는 좋겠어요. 이렇게 아껴 주는 분도 있고."

말없이 나를 바라보는 아실의 눈엔 협박도 뭣도 없었다. 정말로 그저 이사벨라에게 큰일이 나면 가만두지 않겠다는 의미 전달. 그게 다인 듯했다. 진짜 재미없고 정직한 사람이라니까.

"처음엔 좀 그랬는데 지금은 솔직히 이사벨라 아가씨도, 아실 님도 좋아하거든요. 절대 피해 안 가게 할게요. 오늘은 도와줘서 고마워요. 아가씨께도 전해 주세요."

"……그래."

객실을 빠져나와 카일 궁의 복도를 걸으며 이제야 막혔던 숨을 몰아쉬었다. 이틀 내내 이사크의 독살을 막는다고 신경 쓰느라 온몸을 졸라맨 기분이었다. 이제야 겨우 실감이 나네. 감옥에서 탈옥했고, 이사벨라의 도움을 또 받았고, 이사크를 위험에서 구해 냈다.

근데 그 주변을 둘러싼 놈들 중에 누가 독이 든 술잔을 준 거지.

이것저것 살피며 옮겨 다니는 통에 그걸 확인하지 못했다. 그러면 배후조차 밝힐 수 없는데.

시에나구나.

'예?'

화들짝 놀라 대답하자 여신이 시큰둥한 목소리로 답했다.

그럴 줄 알았지. 시에나가 길길이 날뛰고 있어.

'누가 원작 소설 속 악녀 아니랄까 봐 참 부지런도 하네요.'

그나저나 조, 조심하렴. 리엔이 네가 들고 온 술을 독이라고 의심했기에 망정이지. 그 독잔을 마시라고 했으면 어쩔 뻔했니. 너란 아이는 정말이지 대책이 없구나.

'그래도 어쨌든 약속은 지켰어요. 이제 카일의 목숨을 투르가 님이 지켜 주실 차례.'

"조!"

"아욱, 깜짝이야."

오늘 왜 이렇게 내 이름을 부르는 놈들이 많지. 심장 떨어져 나갈 뻔했네. 벤지가 멀리서 나를 향해 걸어왔다.

"찾았네. 널 찾으면 침실에 꽁꽁 묶어 던져두라는 전하의 명이 있었어. 가자."

"……침실에? 꽁꽁? 아. 나 그런 플레이는 별로 취향 아닌데요."

"무슨 생각을 하는 거야!"

손날로 내 정수리를 약하게 내려친 벤지는 고개를 절레절레 흔들었다.

"탈옥했잖아, 너. 집무실은 오가는 사람이 많으니 일단 침실에 잡아 두라고 하신 거야."

"아하."

벤지는 나를 걱정스레 내려다봤다.

"넌 대체 어쩌려고 자꾸 그러는 거야. 탈옥한 주제에 전하의 궁에서 돌아다니는 이유는 또 뭔데."

"……다 사정이 있어요."

한숨을 쉰 벤지는 내 손목을 앞으로 해 긴 천으로 꽁꽁 묶기 시작했다. 꼼꼼하게 묶긴 했지만 피가 통할 정도의 여유는 있었다.

"카일은 어땠는데요?"

침실로 향하는 벤지를 따라 걸으며 묻자 벤지는 원망스레 나를 돌아보다가 헛웃음을 지었다.

"한 번도 본 적 없는……,"

"소중한 걸 잃은 얼굴?"

"……사냥꾼의 얼굴?"

사냥꾼이라니. 이 사람아. 그건 장르가 달라지잖아요.

"그럴 리가 없잖아요. 카일이 나보고 좋아한다고도 했는데! 소중한 걸 잃은,

애절하고, 어? 아련하고 처절한? 그런 거 아니에요? 잘못 본 거죠?"

하지만 벤지는 단호했다.

"아니."

침실 문이 끼이익 소리를 내며 열렸다. 첫날에 와 보고 처음인데 오늘따라 유난히 음산해 보였다. 아직 카일은 보이지 않았다.

"조, 상식적으로 생각해 봐."

"……예."

"전하와 너는 쌍방이지. 분명 쌍방인데."

"네."

"마음을 놓을 수가 없어. 어디로 튈지도 알 수 없고, 자꾸 사고를 치고 다녀서 매번 조마조마해. 게다가 항상 주변에 여자건 남자건 할 거 없이 사람이 득시글득시글하지. 눈만 돌리면 또 사고를 치고 있고. 너라면 안심이 되겠니."

"……사실 그게 제 잘못은 아니에요. 제가 원체 매력 있는 인간인 걸 어쩌겠어요."

벤지는 소리 내어 웃다가 또 머리를 좌우로 흔들었다. 포기했다는 표정이었다.

"누가 널 감당하겠니, 전하 아니고서야."

"그럼요. 저는 카일 전하의 천생연분, 삼신할머니가 오버로크 이중으로 박아 주고 간 운명의 붉은 실 단짝이라고요."

그때 문이 벌컥 열리며 카일이 싸늘하게 굳은 표정으로 방으로 들어섰다.

"삼신할머니? 그 사람도 너와 '막역'한 할머니인가 보지."

"오셨어요, 전하. 하하하하."

최대한 반갑게 맞이했지만 간이 쪼그라드는 건 어쩔 수 없었다. 내가 사람을 살리고 와서도 이렇게 심문을 받아야 한다니.

벤지가 옆으로 비켜서며 카일에게 말을 걸었다.

"생각보다 늦으셨네요. 일찍 오실 줄 알았습니다."

카일이 꽃처럼 웃으며 답했다.

"하하, 누구 덕분에 플라반 영애와 춤을 췄거든. 어마마마가 아주 좋아하시겠어."

여신님. 이런 부작용은 어떻게 해결 못 하시나요. 좀 무서운데요. 하지만 여신은 답이 없었다. 언니는 꼭 자기 불리할 때 대답 안 하더라.

카일이 내 앞으로 천천히 다가오며 머리를 거칠게 쓸어 올렸다.

"너는 왜 한 자리에 가만히 있질 못해. 일부러 그러는 거야? 내가 화라도 냈으면 좋겠어?"

"……화……내면 섹시하기야 하겠지만……. 찡그린 미간에 끼어 죽으면 미련이야 없겠지만……."

"……그런 의미가 아니잖아."

눈살을 찌푸린 카일이 머리를 마구 헝클어뜨렸다. 어우, 섹시하다.

침대에 힘없이 걸터앉으며 두 손에 얼굴을 묻은 카일은 축 늘어진 상태로 말했다.

"대체 간수를 어떻게 기절시켰어? 그것도 플라반 영애가 도와줬어?"

"아뇨! 플라반 아가씨는 나갔다가 마주쳤고요, 간수는 저 혼자 했어요. 대박이죠? 들으면 완전 깜짝 놀라실 건데."

감옥 탈출 활약썰을 풀고 싶어 타이밍만 보고 있던 나는 이때다 싶어 묶인 두 손을 이리저리 흔들어 가며 신나게 말했다.

"첨에 나가려고 딱 마음을 먹고 보니까 방 안에 무기로 쓸 만한 게 아무것도 없더라고요!"

"응, 그래서?"

미소 짓고는 있지만 눈은 웃고 있지 않았다. 이때는 눈치채지 못했지만.

"근데 그때 카일이 창살 보면서 말한 게 딱 생각나는 거예요! '이거 절대 안 부러지고 안 휘어져.' 와, 그 순간 그게 완전 팍! 떠오르는데, 대박! 그래 가지고 간수가 밥 주러 들어왔을 때 발 걸어서 넘어뜨리고 그대로 목덜미를 잡아 쇠창살에 머리를 콱! 하니까 데엥—"

"……그랬구나."

카일은 자애로운 얼굴로 나를 따스하게 바라봤다.

"네. 그러고 열쇠를 빼서 문단속도 싸악 하고 나왔는데 그때 딱 이사벨라

아가씨랑 만났거든요. 아, 맞다. 그 간수는 괜찮은가요? 엄청 세게 부딪혔는데."

"주먹만 한 혹이 생기고, 약간 찢어졌지. 일상생활에 무리는 없다지만 적잖이 충격을 받은 것 같아서 며칠 일을 쉬어도 좋다고 했지."

"아. 죄송하다고 꼭 말해야겠어요."

"내 개인 감옥을 여태 쓸 일이 없었는데 첫 죄수에게 그렇게 당했으니 아마 정신적으로도 충격이 클 거야."

"캬, 역시 임직원 일동 하나하나 놓치지 않고 챙기시는 오너의 깊은 배려에 또 눈물을 쏟고,"

"뭐?"

"……긴장하면 말이 많아지는 버릇이 있어서 그래요, 제가."

허리를 둥그렇게 굽힌 채 앉아 있던 카일이 나를 지그시 바라봤다. 파란 눈이 서늘하게 식어 있었다.

"나한테 할 말 없어?"

"……죄송합니다."

"……조."

"네?"

대답을 했지만 카일은 한참 말이 없었다. 잠시 후에 카일의 입에서 전혀 예상도 못 했던 말이 흘러나왔다.

"내가 싫으면, 그래서 나한테서 도망가고 싶으면 그냥 말로 해. 사람 피 말리지 말고."

"전하."

방문 앞에 서 있던 벤지가 목소리를 높이며 카일의 말을 끊었다. 카일의 발언에 놀랐는지 벤지의 두 눈이 빠르게 흔들리고 있었다. 하지만 카일은 냉랭한 눈으로 벤지에게 차갑게 말했다.

"벤지."

"……예, 전하."

"잠깐 나가 있어."

"하지만,"

"명령이다. 벤지."

고개를 숙인 벤지가 문을 닫고 나가자 방 안에는 카일과 나만 남았다. 카일의 도톰한 입술이 잘게 떨렸다.

"솔직하게 말해."

"뭘요."

"……너한테 진심이 있긴 해?"

"카일!"

"처음엔 웬 미친 사람인가 했어. 그러다 쉴 새 없이 네 헛소리가 들리길래 네가 아니라 내가 미쳤나 보다 생각했지. 근데 점점 너랑 같이 있는 게 즐겁고, 보기만 해도 웃음이 나고, 자꾸 네가 뭘 하고 있을지 생각을 하게 돼. 네가 웃고, 날 보면서 그 변태 같은 말을 하는 것도 이젠 다 좋아. 그런데."

"……그런데요."

"나를 위해 왔다며. 날 행복하게 해 준다고 했잖아. 나만 봐 줄 순 없는 거야?"

자리에서 일어난 카일이 천천히 내게 걸어왔다. 날카로운 눈으로 나만을 겨냥한 채.

"왜 항상 다른 사람과 같이 있는 걸 봐야 돼? 어느 순간은 벤지, 또 정신 차려 보니 이사크. 이름 모를 시종들, 내 기사들까지……."

"무슨 말인지는 알겠지만 인간관계를 끊어 내라 하시면 좀 곤란해요. 나도 내 인프라라는 게 있는 사람인데."

나는 불만스러운 얼굴로 카일을 똑바로 보며 말했다. 카일을 좋아하는 것도 맞고, 이번 생은 카일한테 꼴아박은 것도 맞긴 한데 그렇다고 내 관계들까지 다 끊을 필요는 없잖아.

일자로 꾹 다물었던 카일의 입매가 다시 열렸다.

"매번 없어지고, 옆에 있는가 하면 또 사라지고! 다른 놈이랑 다시 나타나고!"

"다들 그냥 친구잖아요! 나는 카일밖에 없는데!"

"그럼 확신을 줘! 자꾸 네 진심을 의심하게 하지 말고!"
일렁이는 깊은 파도 같은 목소리가 귓가에서 울렸다.
"내게 확신을 달란 말이야."
아직도 부족했나. 줄 만큼 다 줬다고 생각했는데. 좋지. 눈물 젖은 애원과 사랑 너무 아름답죠. 근데 있잖아.
"저기요. 너무 아련하게 말하니까 내가 타이밍을 못 잡겠는데, 나는 항상 카일밖에 없었어요. 처음부터 지금까지 쭉이요."
"불안해. 부족해."
그럴 분위기도 아닌데 눈치 없이 코피 터지려고 하네. 어디서 이런 귀여운 멘트를.
카일의 눈동자 안에 내가 비쳤다.
"내가 너한테 첫 번째가 맞는지 모르겠어. 오늘은 왜 이사크 옆에 있었던 거야. 신의 심부름, 그거 계속 할 거야? 날 행복하게 해 준다며. 나만 행복하게 해 주면 안 돼?"
어딜 어리광이야. 누굴 죽일라고. 정말 귀여워 죽겠어.
입꼬리가 씰룩거리는 걸 필사적으로 입 안쪽 여린 살을 씹어 대며 참았다. 카일이 사랑스러운 한편, 내 안에서 꺼내지 못한 말이 또 묵직하게 울렁거렸다.
'카일이 중요하게 생각하는 걸 나도 지켜 주려는 거예요. 당신이 평생을 걸고 견고히 쌓아 왔던 황자로서의 지위요.'
하지만 꾹 눌러 참았다. 알고도 시작한 거였으니까. 카일은 내 손목을 묶어 놓았던 끈을 잡고서 휙 잡아당겼다. 카일의 품으로 넘어지듯 안기자 아직 냉랭한 한기가 서린 목소리로 으르렁대는 카일의 목소리가 들렸다.
"미치겠어. 진짜 미치겠다고. 너 때문에 돌아 버릴 지경이야. 그러니 제발 사고 치지 말고 내 옆에 붙어 있어."
물론 카일의 심정이 이해가 가지 않는 건 아니었다. 내 맹목적인 사랑에 확신이 들기 어렵겠지. 부모에게도 제대로 된 사랑을 받지 못한 채 껍데기만 완벽하게 자랐을 테니까. 문제는 그 껍데기가 너무 완벽하다는 거다.

"가끔 넌 내 껍데기만 좋아하는 거 같아."

"아, 깜짝이야. 생각 읽은 줄 알았네."

방금 껍데기 어쩌고 생각한 거 어떻게 알았지. 신기해서 감탄사만 연발하고 있자니 카일의 입이 벌어진 게 눈에 들어왔다.

혀도 예뻐. 이런 데까지 예쁠 거 있냐고.

광대를 올리고 카일을 보는데 그가 내게서 한 발자국 뒤로 물러섰다.

"……진짜였군."

"예?"

"……생각이 들리지 않게 된 것도, 내가 너한테 진심이 됐으니까 눈치챌까 봐 그런 거였지?"

"그게 갑자기 무슨,"

방금 내가 뭐라고 했기에 카일이 저렇게 세상 상처받은 표정으로 서 있는 거지.

"제가 방금 뭐라고, 아니 그 전에 카일 뭐라고 했어요?"

내 질문에 대답하지 않고 가만히 선 채로 카일은 다른 소리를 했다.

"전에 운 것도 집으로 돌아가고 싶어서 울었던 거야?"

"……돌아가고 싶어서 운 건 아니었지만……."

집이 생각나서 운 건 맞았다. 하지만 그 얘기가 지금 왜 나와?

"카일. 나 좀 봐요."

"이렇게까지 누굴 좋아해 본 적이 없어서 모르겠어. 정말, 이런 적이 한 번도 없었는데."

"저 보라고요."

묶인 손을 앞으로 뻗어 돌아간 카일의 얼굴을 잡아서 내 쪽으로 돌려 마주했다.

하. 진짜 소름 돋게 잘생겼네. 아래로 내리깐 눈이 커다란 물방울처럼 반짝였다. 꾹 다문 단단한 입술부터 콧대까지 모조리 훑어보고 있었는데 카일이 갑자기 내 손을 잡은 채 떨리는 목소리로 말했다.

"껍데기……."

"예? 껍데기 뭐요."

"그래. 그거라도 된다면……."

"네?"

뭔가 결심한 듯 결연한 얼굴로 주먹을 꾹 말아 쥐었다 편 카일이 내 손을 고쳐 잡았다.

"그게 좋은 거면 너 가져도 돼."

엥, 그게 무슨 말이야. 이거 설마 드라마에 나오는 그런 건가. 내 껍데기를 아무리 가져도 내 마음만은 가질 수 없을걸! 그런 대사를 치려는 건가.

놀라서 흠칫 떨었지만 잡힌 손을 빼낼 수 없었다. 하지만 카일의 입에서 나온 말은 내 예상과는 전혀 달랐다.

"그거로 되는 거라면 다 줄 수 있어."

예?

"네가 정말 원하는 게 그거면 다 줄게. 네 거라고 해도 돼. 그러면 돼? 그러면 내 옆에 계속 있을 거야?"

원하는 거긴 한데, 정말로 너무 바라는 거였지만 이건 좀 아니지 않나.

"이 얼굴, 너 줄게."

카일이 내 손바닥에 뺨을 부비며 살짝 눈을 감았다.

음. 이것도 맞는 것 같아. 준다는 걸 거절할 수도 없잖아요. 사람 성의가 있는데.

나는 홀린 듯 고개를 끄덕이며 멍청한 얼굴로 읊조렸다.

"……이 귀한 걸."

풉.

웃음소리가 들렸고 분명 내 눈앞에서 카일이 웃고 있었는데도 멀리 있는 그림을 감상하듯 멀게만 느껴졌다.

"진작 이 방법을 쓸 걸 그랬군."

카일과 나란히 카우치에 앉았다. 묶여 있던 내 손을 풀어 준 카일은 몇 번이나 당부했다.

"이 얼굴은 이제 네 거니까 앞으로는 네가 책임져야 돼."

"네네네네."
"어디 다른 곳으로 가지 마. 멀어지면 안 돼, 다른 사람한테도 가면 안 돼."
"네네. 너무 잘 알겠어요. 세상에. 이 귀한 걸."
"네가 사라지면 나는 이제 울 거야. 엄청 울 거야. 이 얼굴로 엉엉 눈물 흘릴 거야. 알았어?"
"무슨 그런 아까운 일을. 음? 잠깐만. 눈물……."
나쁘지 않은데.
잠깐 고민에 빠지자 당황한 카일은 다시 내 손을 두 뺨에 대더니 손바닥에 살짝 입 맞췄다.
"내가 우는 게 보고 싶으면 네 앞에서 울어 줄게. 너 없을 때 내가 혼자 울면 네가 못 보잖아. 응?"
"아, 맞아. 네네. 맞아요. 아, 우리 카일 가방끈 길다. 네네네네."
"네 앞에서 울고 웃고 다 할게. 그러니까 자꾸 다른 사람들이랑 막역해지지 마."
"그건 내 사회생활인데."
"……그럼 내가 네 첫 번째라고 해 줘."
"착각하시나 본데 카일은 언제나 내 첫 번째였어요. 와, 너무 예뻐."
멍하니 넋을 놓고 보고 있자 카일은 뭔가 결심한 듯 숨을 길게 들이마셨다가 내쉬곤 말했다.
"카나리아……라고 불러도 돼."
"꺄악!"
이 잘생긴 놈이 지금 어딜 자꾸 끝 간 데 모르고 계속 귀염을 떨지.
"아무도 없을 때만이야……."
"네네네네. 너무 네. 예쓰. 콜."
"오늘 왜…… 이사크 옆에 있었어? 탈옥하면서까지 연회에 참가한 이유가 있을 거 아냐. 이사크랑 형 동생 하게 된 것도 혹시…… 이사크가 마음에 들어서 그런 거야?"
"하늘에 맹세코, 투르가 여신을 걸고 말하는데 나는 이사크를 형 그 이상으로 생각해 본 적이 없, 너무 예쁘다. 눈이 어쩜 이렇게 파란색이에요? 바다야?"

"투르가 여신에게 그렇게 함부로 맹세하면 안 돼."

엄하게 눈을 뜨며 날 혼내던 카일이 손으로 내 눈을 가렸다. 그리고 잠깐 입맞췄다가 천천히 떨어졌다.

"네가 바다라고 하면 바다가 될게."

마음속으로 투르가 여신을 간절히 불렀다.

'언니, 그쪽이 그렇게 찾아 헤매는 이사크보다 우리 카일이 좀 더 로맨스 소설 주인공 쪽에 가깝지 않을까요. 바다가 될게? 공책에 적어 놔야겠어. 기억해. 차이베른 드 빌테온 34년 늦여름 어느 날. 바다가 될게. 내가 카일에게 백삼십 번째로 반한 시각. 오늘 기념일이야.'

손을 떼고서 빤히 나를 바라보고 있는 카일의 미모에 참지 못한 나는 달려들어 그에게 입을 쪽 맞췄다.

"투르가 여신님 지금 말 걸어도 대답 없는 거 보니까 그 언니 잠깐 마실 나가셨나 본데, 이참에 말할게요."

"……투르가 여신이 왜."

"전에 제가 신의 심부름꾼이라고 했잖아요."

"그랬지."

"그 언니가 시켜서 한 일이에요. 사장님 같은 거죠. 내가 뭔 힘이 있나. 사장이 시키면 해야지. 나는 정말 이사크한테 아무런 감정도 없어요. 걔는 눈이 음침하잖아. 우리 카일은 이렇게 투명하고 반짝반짝 빛나는데. 이거 봐. 그늘진 곳에 있어도 온몸이 스포트라이트야."

슬슬 카일의 몸 위로 올라타며 뒤로 눕히자 카일이 자연스럽게 내 옆구리에 손을 댔다.

뭐지, 오늘 진짜 진도 나가는 건가.

카일은 가볍게 나를 들어서 도로 소파 위에 앉혔다.

"그거 언제까지 해야 되는데? 나만 봐 줄 순 없어? 날 행복하게 해 준다고 했잖아. 난 얼굴도 다 너 줬는데."

"곧 퇴사해요."

빠르게 대답하며 다시 카일의 뺨과 목덜미에 쪽쪽 뽀뽀했다. 이 얼굴이 내 거라니. 열심히 일한 자여, 웃어라.

비처럼 내리는 키스를 가만히 받고 있던 카일이 내 어깨를 뒤로 밀어 냈다.

"……왜요."

"그거 그만두기 전엔 내 몸에 손대지 마."

"아, 잠, 잠깐만. 내 거잖아! 내 거라며! 이거 다 내 건데 왜 손을 못 대!"

"이제 그만 마구간으로 돌아가."

"줬다 뺏는 게 어디 있어! 아, 내놔요! 일이잖아, 일!"

억울해진 마음에 꽥 소리를 질러도 카일은 단호하게 고개를 내저을 뿐이었다.

제기랄. 진짜로 이 빌어먹을 심부름 끝나기 전까지는 손도 못 댄다고?

"그런 게 어디 있어요! 나, 나! 아직 못 해 본 거 많은데!"

"안 돼. 싫어."

"야!"

분에 차서 카우치를 거세게 주먹으로 내려쳐도 카일은 꼼짝도 안 하고 앉아선 눈을 깜빡였다.

"신의 사자라서 미래를 알 수 있고, 날 도와주고…… 그래, 좋아. 다 믿어. 하지만 그것 때문에 네가 날 안 봐 주면 싫어. 그러니까 그런 것 따위 그만두고 이제 그냥 나한테 와."

"간 지가 언젠데 자꾸 오래. 뭘 얼마나 더 가야 돼."

열심히 불만을 토로해 봤지만 카일에겐 통하지 않았다. 정도를 모르고 아름다운 얼굴을 들이밀며,

'나만 봐, 조.'

……라고 말하는데 거기다 대고 거절을 할 수도 없었다.

'이미 내 온몸과 마음이 너만 보고 있잖아요. 이 눈치 없는 애정 결핍 집착남아.' 라고 말하기엔 모든 걸 상쇄시키는 애교였다.

❈ ❈ ❈

카일에게 접근 금지 명령을 당한 지 2주가 지났고, 그동안 카일은 매일 마구간으로 찾아왔다.

"그만뒀어?"

"……아직요."

"그래. 그럼 저리 가."

"이 치사하고 옹졸한."

"싫어. 뽀뽀하지 마. 손도 잡지 마."

"야!"

"반말해도 안 돼."

"……이,"

"욕해도 안 돼."

어쩌란 말이야. 네가 전쟁에만 안 나가도 나도 이 개고생 안 할 건데 네가 전쟁을 나가기 때문에 그런 거잖아. 야, 나도 할 말 많아. 내가 인마. 여기서 말 똥구멍 닦아 주고 밥 주고, 말 털 빗겨 주고, 매일 지푸라기를 수레짝으로 몇 번씩 옮기고, 어? 물론 난 동물 좋아하니까 괜찮지만 돌보는 애가 다섯이라고. 짐승이라도 거의 애 키운다는 마음가짐으로 이렇게 튼튼하게 성장시키는 게 쉬운 줄 알아?

내가 이 외딴 세상까지 와 가지고 너 하나 보고 이렇게 뼈 빠지게 일하고 생판 본 적도 없는 이사크도 살려 내고, 델로아도 도와주고, 아. 물론 이젠 둘 다 내 친구긴 하지만 그래도 내 1빠따는 언제나 너였다고, 이 멍청아.

내가 남장도 하고, 새벽에 목욕탕 아무도 없을 때 가서 씻고, 내 노고를 치하해 줄 때가 됐단 말이야. 근데 얼굴 줘 놓고 만지지도 못하게 하는 그런 게 어디 있냐고. 이 배은망덕한 꽃미남.

이글거리는 눈으로 말을 타는 카일을 바라봤지만 그는 여유로운 표정으로 부지를 돌다가 황궁으로 돌아갈 뿐이었다.

저 치사하고 아름다운 자식.

"……조. 요새 얼굴이 왜 그래. 사람을 죽인 거야? 아니면 죽이러 갈 거야?"

간만에 찾아온 테오도르가 걱정하며 물었지만 농담이 나오지 않았다.

"이러다 정말 누구 하나 모가지 썰게 생겼어."

"……진짜야?"

"그래."

오두막 앞 의자에 앉아 깍지를 끼고 한숨을 길게 쉬었다. 자꾸 사람이 험악해지잖아.

"……그래도 사람은 죽이면 안 돼."

"알아, 나 법 없이도 살 사람이야. 그냥 한번 해 본 말이야."

"법이 없으면 네가 제일 위험할 거 같은데."

"테오."

"응?"

그사이 꽤 키가 큰 테오는 이제 내 턱까지 왔다. 그래도 앉아 있으면 정수리가 훤히 보여서 여전히 귀여웠지만.

"만약에 네가 엄청, 정말 엄청 아끼던 게 있었고 그걸 갖게 됐다고 치자."

"응."

"근데 그게 눈앞에 있는데도 네 손에 안 들어와. 그럼 사람이 기분이 어떻겠니."

"카일 형이랑 다시 사귀게 된 거야? 근데 형이 너한테 손대지 말래?"

"뭐야, 어떻게 알았어?"

테오는 발 아래 있는 작은 조약돌을 발로 톡톡 차며 동그랗고 도톰한 입술을 오물거렸다.

"그거 아니면 네가 이렇게 화낼 일이 없잖아."

"그치. 너도 아는 걸 왜 니네 형은 모르냐, 왜 그렇게 의심이 많은지 난 이해가 안 가. 어느 날 카일이 사라지면 나 때문인 줄 알아."

"……우리 형을 죽일 거야?"

"설마! 왜 자꾸 죽인대. 내가 살인마로 보여? 그냥 보쌈만 할 거야."

"……보쌈? 진짜로?"

눈을 커다랗게 뜨고 묻는 테오의 머리를 마구 헝클어뜨렸다.

"하……. 아니. 카일이랑 싸우면 지잖아. 그리고 그건 범죄니까 못 하지."

"너 방금 표정은 벌써 해치우고 와서 고백하는 것 같았어."

"해치우다니. 말을 왜 그렇게 험악하게 하니."

테오의 어깨를 툭 치며 웃자 테오 역시 기분 좋게 웃었다. 들판에서 혼자 풀을 뜯어 먹고 있는 카일의 검은 말 디에프가 눈에 들어왔다. 카일은 오늘도 적당히 말을 타다가 궁으로 돌아간 후였다.

"이 봐, 이거 보라고. 매일 말만 타고 간다니까."

불만에 가득 차서인지 자꾸 입에서 짜증 섞인 말만 튀어나왔다.

"조가 좀 봐줘. 요새 형 어마마마 때문에 정신없거든."

"왜?"

망설이던 테오도르가 내 눈치를 보며 말했다.

"이사크 황자 때문인 것 같아. 원래는 헤론 황자 쪽만 신경 쓰면 됐는데 요샌 이사크 황자 쪽으로 사람이 한둘 모이기 시작해서……."

"……카일은 어때?"

"어?"

"프리실라 황비님 초조한 거야 뭐. 원래 그러신 분이니까 별생각도 없는데 카일은 괜찮아? 전처럼 조바심 내고 그래?"

"글쎄. 평소랑 비슷한 거 같은데. 만나러 가면 항상 뭔가 수업을 듣고 있거나 해서."

"그래?"

테오 네가 그렇다면 그런 거겠지, 난 자유롭게 찾아가진 못하니까.

안일하게 생각하며 테오도르랑 장난을 치며 그날 하루를 보냈다. 다시 감방에 갇히는 일이 없도록 말들도 살뜰히 돌봤고.

하지만 테오도르가 했던 말과는 달리 란티모스에서 군사 지원 요청이 왔을 때, 카일은 단박에 총사령권을 제게 달라 황제에게 찾아가 요구했다.

'황족이 전쟁에 직접 참전하면 후에 란티모스에도 요구할 게 많아지겠지.'
라는 속 편한 소리를 하며 황제는 대충 그의 출전을 허락했다. 프리실라 황비가 쌍수를 들며 환영한 것은 두말할 가치도 없고.

그렇게 카일은 누구 하나 반대하는 이 없이 한창 전쟁이 벌어지고 있는 란티모스의 국경 지역으로 출전하게 되었다.

나는 그걸 생활관에서 저녁 먹다가 시종들에게서 들었고.

"조 너는 어느 궁으로 갈 거야?"

"뭔 소리야."

으깬 감자를 양 볼이 미어터지게 입으로 밀어 넣던 나는 릭을 바라봤고 릭 역시 영문을 모른다는 표정으로 인상을 찌푸렸다.

"나야 정원을 계속 돌볼 테지만 넌 말들이 없잖아. 그만둘 거야? 이참에 고향으로 가는 것도 좋겠네. 여자 친구가 기다린다며."

"무슨 소리냐고요."

숟가락을 내려놓고 릭을 향해 돌아앉자 릭이 곤란한 듯 머리를 긁적였다.

"……못 들었어?"

불안이 온몸을 휘감았다. 나는 떨리는 손으로 릭의 옷깃을 부여잡았다.

"알아듣게 얘길 해요. 그게 무슨 소리예요. 내가 왜 일을 그만두냐고."

릭이 눈동자를 이리저리 굴리다가 조심스럽게 입을 열었다.

"……카일 전하 곧 출정하시잖아."

"뭐라고요?"

생활관 의자를 박차고 뛰어나왔다. 머릿속에서 릭의 목소리가 고장 난 테이프처럼 반복해서 울렸다.

'몰랐던 거야? 카일 전하가 매일 찾아왔으니까 말했을 줄 알았지. 하긴, 마구간지기한텐 말할 필요 없었는지도. 란티모스 공국에서 지원 요청이 들어왔대. 카일 전하가 지휘권을 갖고 총사령관으로 나가신다는데.'

.

.

.

'몰랐던 거야? ……란티모스 공국, 총사령관으로…… 하긴, 마구간지기한텐 말할 필요 없었는지도.'

'내일이랬는데.'

"쌍!"

마구간의 울타리를 박차며 열고 들어왔다.

이렇게 빨리? 적어도 두 달은 걸린다고 했지 않나. 오두막으로 들어가 공책을 펼치고 마음속으로 간절히 투르가를 불렀다.

'여신님. 투르가 님. 언니. 삼신 언니. 작가님. 빨리 나와요.'

테오도르가 주고 간 펜을 부서져라 힘주어 쥐고 투르가를 불렀지만 어쩐 일인지 그녀는 답이 없었다.

먹튀? 지금 나를 빨아먹을 대로 빨아먹고 자기는 튀어? 계약했잖아!

분명 계약서 종이를 받아서 어딘가에 숨겨 뒀었는데.

'여기에 두면 안 까먹고, 안 들키겠지!' 라고 생각한 것만 기억나고 어디에 뒀는지는 전혀 떠오르지 않았다.

이 염병할 건망증! 답답한 마음에 담요를 뒤엎고 바닥에 깔려 있던 침상 역시 뒤집어엎었지만 보이지 않았다.

어디 뒀더라.

테이블을 거꾸로 뒤집고 짐 가방을 탈탈 터는 동안 나는 계속해서 여신을 애타게 찾았다.

'대답 좀 해 달라고요, 당장 내일 카일이 간단 말이에요! 여신님!'

금세 해가 지고 오두막 안이 어두컴컴해졌다. 등에 불을 올렸지만 그래도 온 방 안이 환해지진 않았다. 밝을 때도 못 찾았는데 이러면 더 어렵잖아. 분에 차서 숨이 잘 쉬어지지 않았다. 머리가 답답해져 골이 아플 정도였다. 여신은 아직도 답이 없었고 끝이 정해진 카일의 출정은 몇 시간 뒤로 다가왔다.

이제 날이 밝으면 카일은 갈 텐데. 책에서 읽었던 장면이 마치 내가 본 것처럼 생생하게 그려졌다.

화살이 비처럼 쏟아지는 전장에서 포위당한 빌테온 군사들과 그 사이에서 벤지의 희생으로 겨우 살아서 빠져나온 카일. 눈물이 억수처럼 흘러내려도 고삐를 잡은 오른팔로 눈물을 닦을 수 없었고, 왼팔은 이미 잘려 나간 후였다. 참패한 뒤 얼마 남지 않은 군사들을 데리고 돌아온 카일의 행렬을 향해 국민들이 오물을 던졌다. 모두 전쟁에서 가족을 잃은 사람들이었다.

나는 머리를 휘저으며 잔상을 떨쳐 내고 오두막의 문을 열었다.

오늘 무슨 일이 있어도 계약서를 찾아야 하고, 여신을 불러내서 전투의 미래를 하나하나 들어서 외우고, 카일을 따라갈 거야. 내가 다 살릴 거야.

불가능해 보이는 계획을 어떻게든 할 수 있다고 스스로 최면이라도 걸어야 했다. 그게 아니고선 내가 할 수 있는 게 없으니까. 출정을 하루 전날이 되어서야 알다니. 어쩐지 며칠 내내 기사들이 잘 안 보이고, 벤지도 테오도 오질 않고, 궁의 전체적인 분위기가 뒤숭숭하다 했어. 가슴이 마구 울렁거리는 걸 겨우 찍어 내리누르며 눈물을 참았다.

울지 말아야지.

후―

길게 한숨을 내쉬며 주먹을 말아 쥐었다.

"조, 오늘은 그 일 그만뒀어?"

오두막 앞에서 울음을 꾹 참고 서 있는 내 등 뒤로 카일의 목소리가 들렸다. 그가 달빛을 받으며 환한 얼굴로 미소를 띤 채 다가왔다.

내일 출정이라면서 여길 왜 왔어요, 라고 묻고 싶었지만 카일의 얼굴은 언제나처럼 맑고 단단했다.

"……사장이 내 월급을 들고 날랐어요."

"뭐?"

"나 사기당했나 봐요."

울상을 지으며 카일에게 팔을 뻗자 당황하던 카일이 얼떨결에 나를 안아 주었다.

"……여신이 사기도 쳐? 정말로?"

"내 앞에서 여신이라고 하지 마요, 완전 희대의 사기꾼이에요. 그 여자 목소리가 안 들려. 이젠 대답도 안 한다고요."

카일의 가슴에 얼굴을 묻은 채 웅얼거리자 그가 기분 좋은 듯 웃었다. 내 머리칼을 쓰다듬는 커다란 손 역시 평소와 같았다.

"……그래도 다행이다, 오늘도 못 그만뒀다고 하면 어쩌나 했어."

"왜요."

얼굴을 들고 카일을 올려다보며 나지막하게 덧붙였다.

"……오늘이 마지막일 수도 있으니까?"

"……응?"

내 짧은 머리칼을 매만지던 카일의 손이 우뚝 멈췄다. 나는 카일을 안고 있던 팔에 힘을 주어 그를 내 쪽으로 당겼다.

"카일은 내 건데 내 허락도 없이 어딜 가요."

"출정 소식 들었나 보네."

"난 내 거 위험한 데 안 보낸다고요."

"괜찮아, 란티모스가 훨씬 군대가 크니까. 전쟁 영웅이 될지도 모르는 일이잖아. 이런 기회는 좀처럼 흔치 않아."

"……기회요?"

나는 카일에게서 몸을 떨어뜨렸다. 어느새 눈가에 눈물이 가득 차올랐다.

"그게 기회예요? 누가 그래요, 당신 그거 기회라고? 목숨을 걸고 나가는 건데 계승권이 달려 있으니까 다들 막 나가라고 등 떠밀어요? 그딴 바보 같은 결정이 어딨어!"

나를 잡으려 뻗는 카일의 손을 뿌리쳤다. 저녁 내도록 계약서도 찾지 못했고, 여신은 오지 않고, 이대로 당신이 가 버리면 어떤 꼴로 되돌아올지 뻔히 아는데 내가 어떻게 웃으면서 보내요. 울먹이는 내 얼굴을 보던 카일의 얼굴이 굳어 갔다.

"그럼 내가 어떻게 해야 되는데."

"뭐라고요?"

"내가 이런 거 말고 이 황궁에서 맘 편히 살 수 있는 방법이 있어? 조. 미래를 안다며, 말해 봐."

말투는 차가운 주제에 눈에선 흐르지도 못하는 눈물이 갇혀 있었다.

"뭐라고요?"

미간을 찡그린 채 카일에게 되물었지만 그는 굳은 얼굴로 방금 했던 말을 똑같이 되풀이하기만 했다.

"뭘 더 해야 돼. 언제 죽을지도 모른 채 맘 졸이고 사는 것도 싫고, 인정받으려고 발버둥 치는 일도 이제는……."

"나로 부족한 거였어요?"

"뭐?"

"……카일도 나로 만족하지 못하잖아요. 사랑받고 인정받고 싶은 마음 알아요. 그래서 부족한 만큼 내가 더 주려고 했고, 당신도 알잖아요. 내가 항상 진심이었다는 거."

"알아. 알지만, 내 자리가 온전히 내 것이 아니잖아. 나를 여기까지 올려놓은 사람들이 이젠 매 순간 목을 조여 오고 있어. 그건 너랑은 별개의 문제야."

정말 보이지 않는 것에 숨통이라도 막힌 것처럼 숨을 크게 들이마셨다가 내쉰 카일은 복잡한 얼굴로 나를 봤다.

사랑을 고백하고, 다시 고백 받았던 긴 시간들 중에도 카일은 황제가 되어야 한다는 부담에 계속 시달리고 있었구나. ……너야말로 나로는 안 됐던 거잖아.

"거짓말쟁이."

"뭐라고?"

"그게 대체 뭐가 내 거라는 거예요. 카일이야말로 한 번도 내 거였던 적 없잖아. 알고 있었는데…… 분명 그럴 거라고, 어차피 나는 당신한테 썩 중요하지 않다는 거 알고는 있었는데……."

알아, 저 사람한테 제일 중요한 게 내가 아니란 건 알고 있었다고. 그런데도 순간적으로 치받는 감정은 어쩔 수 없었다. 나는 카일에게서 등을 돌렸다. 이 순간에도 마음속에서 투르가 여신을 찾고 있는 내 자신이 웃겼다.

"조, 잠깐만. 가지 마."

내 앞으로 걸어온 카일은 간절한 눈으로 말했다.

"그런 의미가 아니었어. 미안해. 그게 아니야."

"……알아요. 내가 아무리 사랑을 퍼부어도 부족하다는 거."

부모나 다른 사람들에게 제대로 인정받지 못한 것까지 내가 채울 순 없겠지. 나론 부족하단 거 알아. 알고 여기까지 왔잖아, 괜찮아.

애써 스스로를 다독이며 덜덜 떨리던 턱을 앙다물고 길게 숨을 내쉬었다. 하지만 도저히 얼굴을 보고 얘기할 자신은 없어 살짝 고개를 숙였다. 대신 최대한 목소리를 높이고 밝게 말했다.

"걱정하지 마요. 내가 썩 큰 도움은 안 되겠지만 나도 카일을 도울."

"아니야!"

카일의 목소리에 놀라 얼굴을 들었다. 화가 난 건지, 울고 있는 건지 모를 얼굴이었다.

"……왜 그런 말을 해?"

"……뭐가요, 틀린 말도 아니잖아요, 괜찮아요. 각오했으니까."

"……내가 너 좋아하는 거 알면서 어떻게 그런 말을 해."

핏기가 증발한 것처럼 하얗게 질린 얼굴로 카일은 아랫입술을 잘근잘근 깨물었다. 언제나 쭉 펴져 있던 넓은 어깨가 동그랗게 말려 있었다. 달을 등진 카일의 얼굴에 깊은 그림자가 졌다. 억울하다는 듯 말하는 카일을 이해할 수 없었다.

"하지만 그게 사실이잖아요."

"그게 아니야. 조, 제발. 그런 말 하지 마. 가지 마."

단단하게 꾹 다문 입매가 파르르 떨리고 나를 꿰뚫을 것처럼 바라보는 두 눈에는 투명한 물이 맺혀 있었다.

"너한테 나를 준다고 한 건 다른 의미였어."

조심스럽게 내 손을 잡는 카일을 거칠게 뿌리쳤다.

"뭐가 다른 의미인데요! 이럴 때는 다르고, 또 저럴 때는 다르고! 상황 봐 가면서 사람 간 보는 거예요? 알아요, 카일한테 그 황자라는 자리가 얼마나 중요한지 알고 있다고요! 그러니까 돕겠다는 거잖아요! 알겠다는데 왜 자꾸 잡아요!"

사람 눈물 나게. 억지로 꾸역꾸역 서러움을 참고 있었는데 왜 자꾸 건드리냐고요. 한껏 카일을 노려보다가 겨우 숨을 눌렀다.

"늘 하던 대로 우리 그냥, 사랑만 해요."

장난처럼. 재밌게.

내 굳은 표정을 보던 카일의 입매가 멍하니 벌어졌다. 커다란 눈에서 절망이 아래로 뚝뚝 떨어졌다.

"아니야……. 아니야……."

고개를 가로젓던 카일이 다시 내 손을 천천히 잡았다.

"너한테 말한 건 그런 의미가 아니었어. 내 주변의 모든 사람들이, 황제가, 어머니가, 평생 가면을 뒤집어쓰고 대접해 왔던 귀족들이 알고 있는 빌테온의 첫 번째 황자가 아니라, 그 빌어먹을 벨로이스트 가문의 아들이 아니라!"

커지던 목소리가 한순간에 멈췄다. 어색한 적막이 흘렀다.

"……진짜 나를 준 거잖아, 너한테. 그게 내 전부야, 조."

가슴을 손으로 쳐 대며 말하는 카일의 어깨가 잘게 흔들렸다. 집요하면서도 고통에 찬 기색으로 나를 향하던 시선이 이내 내 눈을 피하듯 아래로 향했다.

"……진짜 내가 가진 건 그게 다야. 껍데기 말고는 아무것도 없단 말이야. 그게 다인데…… 근데 네가 가면 나는,"

카일이 등을 구부렸다. 흐느껴 우는 것만 같은 신음이 흘러나왔지만 그는 울지 않았다.

"너는 항상 그냥 내가 좋다며. 내가 황자라서가 아니라, 아카데미를 수석으로 졸업했건 벨로이스트 가문을 등에 업었건 그런 거 없이 그냥…… 날 좋아한다며. 그래서 너한테 나를 다 줬잖아. 난 이미 너한테 다 줬는데 네가 그게 부족하다고 하면 나는 어떡해."

카일에게 그게 그런 의미인 줄은 생각한 적이 없었다. 카일은 깨질 것을 두려워하는 것처럼 내 손을 잡고 조심스레 어루만졌다.

"……미안해. 내가 죽거나 황제가 되지 않는 이상은 그 사람들도 나를 놓지 않을 거야. 나를 황제로 만들기 위해 혈안이 된 사람들이니까."

모두가 잠든 밤 빌테온 제국에 떠오른 별이 반짝이며 빛났고, 내 앞에는 태양이 되지 못한 작은 별이 울고 있었다.

"지금 당장 너한테 줄 수 있는 게 껍데기뿐이라 미안해."

눈망울에 맺혀 있던 물방울이 아래로 또르륵 흘러내렸다.

이게 치사하게 또 사람을 얼굴로 꼬시네. 카일의 목뒤를 잡고 그대로 당겼다. 촉촉한 입술이 맞닿았다. 머뭇거리던 카일의 두 손이 내 허리께로 향했다. 살짝 안았다가 이내 카일이 온몸으로 나를 옭아매듯 안았다.

"조……."

입술을 맞부딪힌 채 내 이름을 불렀다. 짐승이 낮게 으르렁대는 것 같은 짙은 울림이었다.

"……이거 정말 내 거죠. 껍데기."

나 역시 입술을 떼지 않은 채 물었다. 아랫입술이 움직일 때마다 코끝이 부딪혔다. 눈가를 발그레 물들인 카일은 입술로 호선을 그리며 답했다.

"……응."

카일의 재킷을 잡고서 당겼다.

"나 아까 퇴사했다고 말했던가? 우리 사장 튀었다고."

"……응."

"그럼 이거 이제 내가 맘대로 갖고 놀아도 되겠네? 내 거라며."

재킷 단추를 푸는 내 손을 막은 카일이 난처한 듯 주변을 둘러보며 그림처럼 웃었다.

"아, 내 거라며! 또 한 입으로 두말하네!"

"그게 아니라…… 조, 여기 밖이잖아. 급한 마음은 알지만……."

일단 들어가자.

짧게 덧붙인 카일은 나를 번쩍 안아 들고 빠르게 오두막 앞까지 가 문고리를 잡고 당겼다. 그런데 문이 열리지 않았다.

"조, 문이 왜 이래."

"문 이음새가 며칠 전부터 삐걱거리긴 했는데, 아, 나. 이 눈치 없는 문짝 새끼……."

카일의 목을 끌어안고 목이며 쇄골에 아기 새마냥 뽀뽀를 날리고 있던 나는 그의 품에서 폴짝 뛰어내렸다.

참고 있을 성격이 못 돼, 내가. 문짝이라면 저번에도 부숴 봤죠. 유구한 역사와 전통을 자랑하는 발재간입니다.

카일이 말릴 틈도 없이 문을 걷어차자 어디선가 빠직 소리가 들림과 동시에

문이 반대편으로 끼기기긱 소리를 내며 넘어갔다. 쿵, 하는 굉음과 잠깐 먼지가 휘날리긴 했지만 그렇다고 카일을 데리고 마구간으로 갈 순 없었으니까. 말 다섯 마리가 계속 보고 있을 거 아니야. 그거 되게 민망하다고.

"들어오세요."

"……이렇게까지 해야 돼?"

"내 거가 말이 많네. 주인이 들어오라면 들어와야지."

기분 좋게 웃은 카일이 들어와서 넘어가 있던 문을 바로 세워 끼워 맞췄다. 아침에 문을 열 때는 그대로 들어서 옮겨야겠지만 어쨌든 그건 지금 내 알 바가 아니었다.

"빨리 이리 와요! 내 귀염둥이 예쁜이 카나리아! 빨리!"

침상을 통통 두드리며 말하자 카일은 싱긋 웃으며 내게 다가왔다.

"네, 주인님."

내 얼굴을 감싸 쥔 카일이 내게 부드럽게 키스했다. 그의 뜨거운 체온이 내게 느리게 옮겨 왔다. 단단한 그의 손등을 만지작대다 그대로 바지로 손을 갖다 댔더니 카일이 움찔 떨었다.

"……손이 왜 바로 거기로 가?"

"그럼 어디로 가요?"

"……하, 됐어."

염병할 바지가 왜 이렇게 안 풀려. 입술을 마주 댄 채로 씨근덕대자 카일이 기분 좋게 웃었다. 그가 아프지 않게 내 이마에 쿵, 머리를 박았다.

"아야."

"개망나니."

"……뭐요?"

지금 새로운 역사를 쓰는 중인데 나보고 개망나니라니. 놀란 눈으로 카일을 바라봤지만 그는 세상 사랑스러운 표정으로 날 보며 드러난 내 목에 입 맞췄다. 카일의 커다란 손이 내 셔츠 안쪽으로 파고들었다. 설마 방금 그거 애칭이었어? 아니 근데 내 옷 언제 벗겼어.

"카, 카일. 나 씻고 와도 돼요? 저기, 나 아까 잠깐 땀을 흘려서……."

"괜찮아, 또 흘릴 텐데 뭐. 지금은 나한테만 집중해."

카일의 도톰한 무화과빛 입술이 내 입술을 스쳐 지나 맨살에 부드럽게 닿았다.

❈ ❈ ❈

이른 새벽, 카일이 몸을 일으켰다. 아직도 밖은 어둑했다.

"아으……. 어디, 큼, 어디 가요?"

"난 이제 가야지. 좀 더 자."

커다란 손이 내 두 눈을 감겼다. 따듯한 체온에 잠이 밀려왔지만 그대로 잘 순 없었다.

"아니…… 나도 일어나야죠."

스멀스멀 자리에서 일어나자 카일이 날 향해 몸을 돌리며 물었다.

"목소리가 왜 그래, 조."

"……몰라서 묻나."

욕할 뻔했네. 내가 간밤에 이제 그만하자고 몇 번이나 말했는데 네가 모른 척했잖아, 코끼리도 아니고 맘모스 같은 게. 원망스러운 눈으로 카일을 노려보자 그가 슬쩍 눈을 피했다. 카일은 단단한 팔을 뻗어 내 헝클어진 머리카락을 손가락으로 빗어 내렸다.

"……오늘부턴 쉬어도 되니까 더 자."

"내가 왜 쉬어요. 따라가려면 부지런히 움직여야죠. 짐도 싸야 하고요. 아, 어제 짐 하나도 못 쌌네."

온 인상을 찌푸리며 담요를 걷어 내고 침상 밖으로 움직이려는 순간 카일에게 어깨가 잡혔다.

"……네가 짐을 왜 싸."

"……뭐야, 무슨 말이 그래요. 전쟁터에 카일을 혼자 보낼 순 없잖아요."

"내가 애도 아니고 네가 거길 왜 따라오냔 말이야."

"……확실히 간밤에 확인해 본 바로는 애기도 카나리아도 아닌 것 같긴 했지만."

"농담하지 말고!"

"아! 나 농담 아닌데!"

이마에 꿀밤을 먹인 카일이 침상 끄트머리에 앉아 있던 나를 다시 안쪽으로 들어 옮겼다.

"아무튼 따라오지 마. 올 곳이 못 돼."

"싫어요. 갈래요."

"명령이야."

"맹랭이얘~"

"너 정말!"

인상을 찌푸리던 카일이 곧 고개를 팍 숙였다가 들었다.

"여기에 있어. 제발. 위험하다니까?"

"와, 카일 화내니까 가슴 근육 움직인다. 앞으론 화낼 때마다 가슴 근육 생각해야지. 하나도 안 무섭겠당."

급히 담요로 앞을 가린 카일이 손날을 세워 내 정수리를 때렸다.

"왜 자꾸 쳐요! 한 대만 더 쳐 봐! 전쟁 못 가게 할 거야!"

"네가 날 어떻게 막을 건데."

가만히 고민하던 나는 음산하게 입꼬리를 올렸다.

"……남자랑 잤다고 소문낼 거야."

"조."

"아, 왜요오! 아, 갈래! 나도 갈래! 카일이 가면 나도 당연히 가야지!"

바지를 챙겨 입은 카일의 허리를 붙들고 짤짤 흔들었다.

"너무하네요, 여보! 머나먼 길 가기 전에 이런 정을 주고 가시다니요! 미망인이 되어 살아갈 제 남은 청춘은 어쩌라고, 어흑흑!"

"무, 무슨 소리를 하는 거야! 금방 올 거야. 멀쩡하게 온다고! 바지 벗겨져, 하지 마!"

나를 겨우 떨쳐 낸 카일은 내 두 어깨를 짚으며 말했다.

"조, 제발. 한 번만 내 말 들어줘. 난 네가 위험해지는 걸 원하지 않아. 이젠 정말로 너 없으면 안 된단 말이야. 제발 부탁이니까 여기서 기다려 줘. 무슨 일이 있어도 반드시 너에게 돌아올게. 알았지?"

"시룬뎅."

"야!"

"뭐!"

원망스레 나를 노려보다가 일어선 카일은 셔츠와 자켓을 마저 챙겨 입었다.

"그래, 어디 네 맘대로 해 봐."

"네, 최선을 다해 제 맘대로 해 보겠습니다."

"……."

씩씩거리며 나를 노려보는 카일이 새삼 또 귀여워 코피가 나올 것 같았지만 필사적으로 눌러 참았다.

"분명히 따라오지 말라고 했어."

"전 분명히 따라가겠다고 했고요."

해가 뜨기 전에 카일은 궁 안으로 돌아가야 했다. 어제 부순 문짝을 들어 옮기자 쌀쌀한 공기가 안으로 살랑이며 나부꼈다. 문밖으로 나서기 전, 카일은 움찔 멈췄다가 내게 돌아왔다. 카일을 따라 나가려고 급하게 가슴을 동여매던 중 갑자기 얼굴이 잡히며 입술이 포개졌다. 긴 입맞춤 후에 카일은 들뜬 숨을 정리하며 마지막으로 말했다.

"사랑해."

얼이 빠져서 대답도 못 하고 있는 틈을 타 카일은 문을 닫아 준 뒤 마지막까지 따라오지 말라며 신신당부하곤 가 버렸다.

하지만 제가 원래 태생적으로 남의 말을 잘 듣는 타입이 아닙니다.

옷을 다 챙겨 입은 뒤 오두막에서 간단히 짐을 챙겼다. 노트랑 펜도 들고 가야지. 언제 여신의 목소리가 다시 들릴지 모르니까.

만반의 준비를 하고 어제 부순 문을 끙끙거리며 들어 옮긴 후 밖으로 나갔다. 이제 겨우 해가 뜨고 있었다. 진군 행렬 맨 뒤에서 따라가면 모를 거야. 라고 생각하며 발을 디딘 순간 내 손목에 수갑이 채워졌다.

"조 너를 황궁 기물 파손죄로 체포한다. 증거는 방금 네가 직접 보여 줬고."

"예?"

그제야 천천히 상황 파악이 됐다.

첫날밤 보낸 연인 감옥에 처넣기. 그 힘든 걸 우리 카일이 해냅니다.

11. 출정

지하 감옥까지 끌려가는 동안 헛웃음밖에 나오지 않았다.

"하하, 하. 내 인생에, 하하하. 빨간 줄이 두 개. 하하. 썅. 이번엔 뭐, 옥중일기라도 써야 하나. 하하하."

수갑을 찬 내 손목에 이어진 쇠사슬을 잡고 이끄는 병사는 내가 모르는 놈이었다.

일부러 그랬겠지. 카일 이 치밀하고 교활하고 잘생긴 놈. 진짜 가만 안 둬. 이런다고 내가 못 쫓아갈 거 같아? 지옥 끝까지, 아 참. 우리 카일은 지옥 안 갈 테니까 천국 끝까지 쫓아가 주지.

생각할수록 이가 갈렸다. 어떻게 첫날밤 보낸 바로 직후에 자기 연인을 감옥으로 보낼 수가 있어? 씩씩거리는 것도 잠시, 이렇게 끌려가고 있을 시간이 없었다.

"저기요."

"입 닥쳐. 꼬맹이."

"욕하지 마라. 개새끼야."

"……카일 전하가 너랑은 말도 섞지 말라고 하셨다. 말 걸지 마."

"나 며칠이나 수감되는지는 알아야 할 거 아냐. 이번엔 얼마나 있어야 되는데요?"

"10일."

"10일이나?"

대규모의 군사들이 이동하는 행군은 생각보다 전진이 느렸기 때문에 하루 이틀 정도라면 빠르게 걷고, 뛰고, 마차를 얻어 타며 따라갈 수 있겠지만 열흘은 무리였다. 카일도 그걸 아니까 열흘이나 가두라고 시킨 거였겠지.

"그리고 그 이후엔 황궁 생활관 식당에서 한 달간 근무해야 돼. 카일 전하가 단단히 화가 나셨다. 절대 근무일수를 줄이지 말라더군. 한시도 눈을 떼지 말라고 명령하셨어."

어쭈. 아주 작정을 했다 이거네.

내가 갇힌 곳은 저번과 같은 카일 궁의 지하 감옥이었다. 아직도 머리에 붕대를 감고서 나를 형형하게 노려보는 간수는 문 앞을 지키고 서 있다가 철창문을 열어 줬다. 날 데리고 왔던 병사가 계단 위로 올라가자 간수와 나 둘만 남았다.

"어서 와라, 조."

앙금으로 똘똘 뭉친 간수의 눈에 분노가 이글이글 타올랐다. 머리를 감았던 붕대를 천천히 풀어 내자 철창에 박았던 상처가 아직 남아 있었다.

"오랜만에 뵙네요, 형님. 그때는 정말 죄송했습니다. 제가 자유에 눈이 멀었어요."

"형님 같은 소리 하지 마. 범죄자 새끼. 카일 전하가 널 똑바로 지키라고 하셨다. 아주 난폭한 놈이라고."

"카일 전하가 저보고 난폭한 놈이라고 했다고요?"

진짜 웃기는 놈일세. 남한테 자기 연인을 그따위로 소개하는 사람이 어디 있냐고. 심지어 바로 어젯밤에 같이 있어 놓고서. 아니, 혼자 씩씩거릴 시간도 없었다.

"형님."

"형님이라고 부르지 말랬지."

"이번엔 안 들어오세요? 저 밥은요? 저 아침 안 먹으면 죽는데."

"죽든가."

"당 떨어져서 못 견뎌요. 밥 언제 주는데요."

"하루 두 번."

"형님 계속 거기 지키고 계시라고 명령받았나요?"

"그럼."

"거짓말."

카일이 아무리 나를 못 따라오게 하려고 혈안이 돼 있다 한들 그럴 리 없었다. 자기 애인 화장실 가는 것까지 지켜보라고 했을 리가.

"아니잖아요."

"네가 뭘 알아."

"형님. 제가 하고많은 일 중에 왜 황궁 마구간에서 일하는 줄 아세요?"

"……시끄러워. 안 들어."

"제가 사람이랑 같이 일을 못 해요. 왜냐면요,"

꼿꼿이 나를 노려보며 서 있던 남자의 눈썹이 힐끗 올라갔다.

"뭐. 왜. 말을 해."

"제가 귀신을 봐요."

"……그딴 거 안 믿어."

"괜찮아요, 안 믿으셔도. 저도 처음엔 안 믿었거든요."

나는 태연하게 대답한 뒤 침상에 드러누웠다. 수갑의 무게 때문에 옆으로 돌아누울 수밖에 없었다. 나는 담요를 끌어다 눕고는 피식 웃으며 말했다.

"아, 진짜?"

"……뭐야. 미친놈아. 혼잣말하지 마."

"혼잣말이라뇨. 듣는 사람 섭섭하게. 그러지 마세요."

한마디 덧붙였다. 일부러 생긋 웃어 가며.

"……누나. 괜찮아요. 저분이 잘 몰라서 그래요."

간수의 어깨 너머를 보며 다정하게 말을 걸자 그가 온몸을 굳힌 채 덜덜 떨다가 버럭 소리를 질렀다.

"이, 입…… 입 닥치라고!"

나를 노려보던 간수는 제 어깨 위를 털어 낸 뒤 어두침침한 지하 감옥을 매서운 눈으로 훑어보더니 계단 위로 올라가 버렸다.

"난 원래 근무지가 저 위야! 무서운 게 아니라 황자 전하의 명을 따르는 것뿐이다!"

"네, 밥만 제때 주세요."

쾅쾅쾅 소리를 내며 간수가 올라가자마자 나는 마음속으로 여신을 불렀다.

'여신님!'

"야!"

"왁! 깜짝이야!"

"쉿!"

갑자기 허공에 젊은 여자가 나타나 '야!' 라고 부르는 바람에 깜짝 놀라 나도 모르게 소리를 질러 버렸다. 저번과는 또 다른 모습을 한 여신은 검지를 입으로 갖다 대며 조용히 하라는 신호를 했다.

"위에서 들릴지도 모르니까 조용히 해. 저번처럼 물렁하지 않아."

"여신님 맞아요?"

"그럼 진짜 나지. 설마 내가 귀신처럼 보이니."

여유롭게 말하며 어깨를 으쓱하는 여신의 머리채라도 잡으려고 달려들었지만 그대로 통과해 버렸다. 딱딱한 돌벽에 바디 블로킹을 날린 나는 수갑을 통해 전해져 오는 찐한 고통에 손목을 아래로 축 늘어뜨리며 주저앉았다.

"약속한 거랑 다르잖아요. 전쟁이 일어나기 전에 알려 줘야죠. 왜 이제야 나타나요. 심지어 예상보다 전쟁이 훨씬 빨리 일어났다고요."

투르가 여신은 힘없이 늘어지며 침대에 걸터앉았다.

"믿기 힘들겠지만 나도 너한테 몇 번이나 말을 걸었어."

"네?"

"정말이야. 네게 계속 말을 걸었어. 그런데 한 번도 네가 답을 안 했다고."

"잠깐, 타임."

손을 들어 말을 막자 여신이 고개를 갸우뚱 꺾었다.

"……뭘 얼마나 계속…… 말을 걸고 계셨는데요."

"아……."

여신이 눈치를 보며 눈을 이리저리 굴렸다. 내 인상이 점점 험악해지다가 목부터 빨갛게 달아오르자 투르가가 손을 휘휘 내저었다.

"조, 나는 정말 아무것도 못 봤어."

"뭘 봤냐고 물어본 적도 없는데 왜 아무것도 못 봤다고 해요. 다 봤구나."

"아……."

"아무리 신이라지만 개인 프라이버시는 지켜 줘야 되는 거 아니에요!"

벌떡 일어나 소리를 지르자 순해 보이는 얼굴로 나타난 여신이 억울하다는 듯 어깨를 아래로 축 늘어뜨렸다.

"오해가 있는 것 같아. 조, 나는 신이란다. 그런 건 아무런 감흥도 없어. 그리고 계속 아무리 말을 걸어도 답이 없길래 잠깐 멀어져서 다른 인간들 구경도 많이 하고 왔단다."

"아니 어쨌든 밤에 다 봤다는 거 아니야, 어우. 쪽팔려."

"아가. 내게는 너희들이 다 내 손으로 낳고 키운 아이처럼……"

"어느 부모가 자식 밤일까지 구경 다녀요?"

"……미안. 근데 진짜 볼 의도는 없었어."

도톰한 입술을 쭉 내밀며 사과하던 여신이 눈을 반짝 뜨며 초조한 듯 발을 쿵쿵 굴러 댔다.

"카일이 출발했어."

"뭐라고요? 아, 안 돼. 나가야 하는데. 그 전에 전쟁 얘기도 들어야 하고…… 아, 아아……."

"진정해, 조금 늦었긴 했지만 얼른 말할 테니까."

수갑을 찬 상태라 짐 가방을 뒤지는 게 쉽지 않았다. 테오가 줬던 노트와 펜을 찾아낸 후 손에 들고 의자에 앉았다.

"이제 하나씩 얘기해 주세요. 얼른 필기하고 바로 여기서 나가 버릴 거예요. 뭔 수를 써서든."

카일을 살릴 수 있는 사람은 나밖에 없으니까. 각오를 다지며 귀를 쫑긋 세웠다. 여신이 심호흡을 한 번 하고선 첫 번째 전투 이야기를 꺼냈다.

국경에 도착하고 난 뒤, 쿠이란 계곡에서의 전투에서 상대방이 이미 매복하고 있다는 걸 알아챈 빌테온 군이,

“잠, 잠깐만요!”

“왜. 너 시간 없다며.”

이럴 리가 없는데. 손에서 자꾸 새 나오는 땀을 바지에 닦다가 결국 여신에게 구조 요청을 보냈다.

“글이 생각이 안 나요.”

“뭐?”

“한글도, 이쪽의 글도 갑자기 하나도 떠오르지가 않아요. 아니, 그보다는…… 뭔가 글로 옮길 수 없는 느낌이에요.”

이상했다. 들을 수는 있는데 손가락으로 옮겨 적을 수가 없었다. 투르가 여신이 한숨을 길게 내쉬더니 내 맞은편에 의자를 빼 앉았다.

“역시, 내 예상이 맞았구나.”

“뭐가요.”

“전쟁이 일찍 터진 것도, 카일이 출발하기 전엔 너에게 말을 걸 수 없었던 것도 다 관성 때문이었어.”

“그 빌어먹을 관성 얘기 좀 그만하면 안 돼요?”

“그게 아니면 내 영향력이 통하지 않을 이유가 대체 뭐가 있겠어.”

“관성이라는 그 법칙이 날 죽이려고 하는 것도 모자라서 이렇게 사사건건 방해한다고요? 카일이 전쟁에서 이겨서 미래를 바꾸지 못하도록?”

“진정하고 사실만 정리해 보자. 시간이 없잖니, 조. 내 말은 전부 들리는 거지?”

“그건 미리 계약서로 약속을 해 둔 거라 그런가? 들리긴 다 들려요. 이해도 가고요.”

“그래 그러니까…… 전투의 기록만은 불가능하구나. ‘완벽’ 은 있을 수 없다는 거겠지.”

나는 멍한 얼굴로 펜을 내려놓았다. 기록을 못 하면 어쩌란 소리야. 2년 가까이 되는 전투들을 다 머리에 외워서 가란 소린가. 나 머리 별로 안 좋은데. 고등학교 때도 국사, 세계사는 나랑 거리가 멀었다고요. 무슨 전쟁 어쩌고를 내가 똑바로 암기한 적이 없는데.

당황한 탓에 식은땀만 줄줄 흘렸다. 투르가 여신이 이마에 흐르는 내 땀을 닦아 주며 나를 달랬다.

"할 수 있어, 조. 넌 할 수 있단다."

"……네. 해야죠."

달리 방법도 없었다.

꽤 많은 시간이 흘렀다. 점심쯤 되었을 때 쉴 새 없이 빠르게 움직이던 여신의 입이 멈췄다.

"다 기억하겠니?"

"지도를 보면서 외워서 대충은요."

"다행이구나. 앞으로는 더 강한 운명의 관성이 널 방해할 거야. 어쩌면 만나는 것도 이게 마지막일 수도 있겠구나."

자리에서 일어난 여신이 나를 끌어안았다.

"싸우기도 많이 싸웠지만, 어쨌든 너를 사랑한단다. 내 아가, 내 독자. 내 조. 금자야."

"……1번 쿠이란 계곡의 매복 기습 승, 2번 테이비톤 강, 승. 3번 로타이스 요새에선 독화살 때문에 패배. 필승법은 새벽 기습. 4번은, 아. 뭐더라. 네 번째 전투 어디랬죠."

"……조, 지금 이별하는 중이잖니. 집중해야지."

"알았어요, 즐거웠어요, 행복했어요. 여신님이 돌봐 주신 덕에 잘 적응했고, 사람도 살렸어요. 사랑해요. 네 번째 뭐였죠."

"……아르몬디안 평원. 패. 그때는 다들 추위와 배고픔에 지쳐 있으니 싸우지 않는 게 좋단다. 군사들의 사기가 떨어져 있어."

"알겠어요. 4번 아몬평패. 이렇게 외워야지."

"나 간다."

"다섯 번째 전투 뭐였죠. 잠깐만!"

여신의 옷깃을 붙잡으려 했지만 그녀는 이미 사라진 후였다.

이젠 정말 도움은 끝인 건가. 나는 머릿속에서 전투 순서를 다시 되뇌며 투지를 불태웠다. 남은 건 이 감옥에서 나간 뒤, 무사히 황궁 밖까지 빠져나가는 일이었다. 숟가락으로 땅굴을 파자니 10년은 걸릴 것 같았다. 그때 나가면 카일 제사상 차려 줘야 되잖아. 안 돼. 아, 다른 생각 하니까 또 집중이 안 되잖아. 이러다 까먹으면 어떡해.

테오도르가 선물한 펜과 따로 보내 준 잉크가 테이블 위에 얌전히 놓여 있었다. 원망 섞인 눈으로 그것들을 바라보다가 문득 좋은 생각이 떠올랐다.

❖ ❖ ❖

"점심이다! 처자지 말고 일어나!"

"으윽…… 끄흐……."

"뭐야!"

지하 감옥의 간수 글락은 식사가 담긴 그릇을 바닥에 던지듯 내려놓고 철창 바로 앞까지 다가왔다. 조가 온몸을 비틀어 가며 고통 어린 신음을 쏟아 내고 있었다.

"이, 이봐! 괜찮아?"

"살, 살려 줘요…… 살려……."

숨을 몰아쉬는 조의 가슴팍이 위아래로 들썩거렸다. 아까까지만 해도 장난스레 말을 걸던 그 모습이 아니었다. 이내 조의 입에서 낯선 목소리가 절절 끓으며 흘러나왔다.

"……이 몸은…… 내 거야."

"뭐, 뭐야!"

글락이 오들오들 떨면서도 열쇠를 꺼내 자물쇠에 집어넣었다. 털끝 하나 다치는 일 없이 조를 지키라는 카일 황자의 명령이 있었는데 만약 잘못되면 끝이었다.

하지만, 저게 다 연기라면? 글락이 잠깐 망설이는 순간, 조가 기침하며 검은 피를 쏟아 냈다. 입에서부터 검은 액체가 줄줄 흘러내렸다.

"으아아, 마, 마귀가…… 악마가!"

다급하게 문을 따고 들어간 글락은 그대로 쇠창살에 다시 머리를 박고 전과 같은 자리에 쓰러져 기절했다.

……아, 또 당했구나.

❈ ❈ ❈

"퉤."

잉크 때문에 아직도 혀가 깔깔하네. 간수가 내려올 타이밍을 정확히 몰라서 잉크를 입에 몇 분이나 물고 있었더니 혀에서도 썩은 내가 났다. 몇 번 연속해서 땅에 잉크를 뱉어 낸 뒤 빠른 걸음으로 이동했지만 당장 어디로 가야 할지 감이 오지 않았다. 이른 아침에 출발한 카일의 진군 행렬을 빠른 걸음으로 쫓아간들 만날 수 있을지도 불분명했다.

"아, 어쩌지……. 이대로 점점 늦춰지면 큰일인데."

새삼 내 처지가 처량하게 느껴졌다. 이렇게 위급한 상황에 막상 손 벌릴 친구가 없다니. 기사단장이나 다른 장미 기사단도 모두 카일을 따라 진군하고 있을 거고, 말 한 필 빌릴 사람이 없네. 높은 사람이라고 해 봐야…… 음?

아. 이사크가 있구나.

맞아, 걔도 황자였지. 하도 서로 편하게 지내다 보니 잊고 있었을 뿐.

테오도르한테 부탁하면 분명히 따라가지 말라고 붙잡을 게 분명했다. 아니면 나보다 빠르게 카일한테 소식을 보낼 수도 있고. 이사크한테 가야겠어. 서로의 사랑을 응원해 주기로 약속한 사이니까 날 막진 않겠지. 어쩐지 이사크의 궁으로 걸어가는 동안 몇몇이 힐끔거리며 보는 것 같긴 했지만 딱히 신경 쓸 여유는 없었다. 지금 내 머릿속에는 카일을 빨리 만나야 한다는 생각밖에는 없었다.

그간 간간이 들락거린 덕분인지 이사크 궁 앞의 보초병은 나를 보고도 막지 않았다. 다만 눈을 약간 휘둥그레 뜬 채 바라보다가 황급히 고개를 돌리기만 했다. 다들 왜 저러는 거야. 내 얼굴에 뭐가 묻었나. 아니면 카일 이 자식이 나를 감방에 넣으라고 온 궁 사람들한테 다 수배를 때린 건가. 마침 궁 밖으로 나오던 이사크는 내 얼굴을 보자마자 품 안의 손수건을 빼 들었다.

"형, 왜 그래. 내 얼굴에 진짜 뭐 묻었어?"

"……쓸개라도 토한 거야?"

"갑자기 뭔 소리야."

"입에서 검은 피가 흐르잖아."

"……아."

손수건으로 닦아 줄 줄 알았건만 이사크는 내게 손수건을 내밀며 질색하는 표정을 지었다.

"뭘 먹고 다니길래 입술이 검은색인 거야."

"……지금 닦잖아. 형님. 표정 펴세요."

우리는 진짜 때려죽여도 친구다. 핑크빛 기류 그런 건 찾아볼 수가 없군요. 정말 어찌나 다행인지. 나도 네가 인간, 사람, 혹은 아는 형 정도로밖에 안 보여.

손수건으로 입을 열심히 문질러 닦았는데도 잉크라 그런지 시커멓게 변한 치아나 혀가 금방 돌아오진 않았다. 인상을 찌푸리고 나를 보던 이사크한테 주름 펴라고 한마디 하다가 또 한바탕하고서야 어쩐 일이냐는 질문을 받았다.

"형. 나 말 한 마리만 빌려줘."

"어디 가는데?"

"……볼일이 있어서 급하게, 엄청 급하게 가 봐야 돼."

이사크의 얼굴이 굳어졌다.

"카일 전하를 따라가려는 거지?"

"……알면서 왜 물어."

"가지 마."

"뭘 다 가지 말래. 내가 뭐 죽으러 가는 것도 아니고."

"굳이 네가 갈 필요가 없잖아."

"형 이럴래?"

장난처럼 웃으며 이사크의 팔을 쳐 냈지만 그는 사뭇 진지한 얼굴로 다시 내 어깨를 붙잡았다.

"네가 가서 뭘 할 수 있는데."

"내가 가야 돼. 그래야 카일이 살아."

"위험하잖아. 네가 검술을 할 줄 알아, 아니면 격투…… 그거야 그렇다 쳐도 정식 훈련을 받은 로테나 군사들한테 어떻게 당할 건데. 네가 가도 할 수 있는 게 없잖아. 거긴 말 돌볼 마구간지기 필요 없어."

진지하게 말하는 이사크가 원망스러웠다. 내가 가지 않으면 무슨 일이 일어나는지 설명할 수도 없었거니와 그럴 시간도 부족했다. 지금 이 시간에도 카일은 전진하고 있을 테니까. 나는 이사크에게서 한 발짝 떨어져 그의 눈을 똑바로 보고 말했다.

"말 안 빌려줄 거야?"

"……말 탈 줄은 알아?"

"배웠어. 말 안 빌려줄 거냐고."

"내가 안 빌려주면 어떻게 할 건데."

"지나가는 마차에 올라타서라도 쫓아갈 거야. 마차 없으면 말이라도 훔쳐서 쫓아갈 거야. 무슨 미친 짓을 해서도 카일 옆에서 힘 돼 줄 거야."

"……카일 전하는 알아?"

"알 게 뭐야. 내가 가야 한다고 판단 내린 일이야. 형이 날 도와줄 수 있는지만 말해. 시간 없으니까."

이사크가 머리를 거칠게 헝클어뜨렸다.

"너 진짜 어쩌려고 그래!"

"이사크."

이사크의 검은 눈이 나를 똑바로 향했다. 굳은 듯 멈춰 있는 이사크를 뚫어지게 보다가 천천히 입을 열었다.

"지금 내가 바라는 건 내 사람의 생존이고, 행복이야. 비키든지, 말을 내놔. ……크로우."

이사크의 눈이 잠깐 커졌다.

크로우.

이사크가 지내던 알베니스 영지의 뒷골목에서 불리던 별명이었다. 시커먼 머리를 한 영리한 검은 놈이 마을의 쓰레기를 모으는 게 꼭 까마귀 새끼 같다고 누군가 놀리던 별칭이었지만, 그는 그걸 자랑스럽게 여기곤 했다. 쓰레기라고 불리는 거리의 아이들을 모아 가르치곤 했으니까. 나중에 시간이 흐른 뒤 델로아에게 별명에 대해 말하는 장면은 지금으로부터 몇 백 페이지 후에 나오니 알베니스 출신도 아닌 내가 알 리 없는 별명이었다.

"믿어 주세요. 이사크 황자님."

이사크가 눈을 빠르게 깜빡이며 몇 번 입을 열었다 아무 말도 하지 못하고 그대로 다물었다. 이내 그에게서 허락이 떨어졌다.

"……황궁 정문에서 기다려."

짐 가방을 어깨에 짊어지고 초조하게 기다리자 이사크가 갈색 말 한 마리를 데리고 나타났다. 전에 기마 대회가 시작되기 전 내가 돌봤던 말들 중 한 마리였다.

"얘 이름 뭐라고 지었어요?"

"……크로우."

"검은색도 아닌데 왜 크로우라고 이름 지었어. 형 취향 이상하네."

"오르본 백작이 버리려던 말을 내가 데려온 거였거든. 그래서 크로우야. 나랑 비슷하니까."

"……아. 귀한 애네. 이런 말을 빌려줘도 돼요? 나 못 돌려줄지도 모르는데."

크로우의 옆에 서서 갈기를 조금 쓰다듬다가 고삐를 잡고 한 번에 안장 위로 올라탔다. 아래에서 걱정과 혼란이 뒤섞인 눈으로 나를 올려보던 이사크는 나를 물끄러미 바라보다가 내 손을 잡았다.

왜 이래요, 형 동생 사이에 이러는 거 아니야. 낯간지러워 괜히 목을 긁적였지만 이사크는 진지했다.

"네가 크로우라는 이름을 어떻게 알고 있는지는 모르지만, 너라는 사람을 믿어."

이사크가 품에서 단검이라기엔 약간 크고 장검이라기엔 작은 칼을 꺼냈다.

"이건 쓰는 일이 없길 바랄게. 살아서 돌아와야 돼."

"고마워, 형. 잘 쓸게요."

"쓰지 말라니까 그러네."

고삐를 놓지 않고 망설이던 이사크가 천천히 나를 올려다봤다.

"멀쩡히 돌아와. 너도, 카일 형님도. 모두."

"귀한 말을 받았으니 살아야죠. 진짜 크로우도 황궁에서 잘만 살아남는데 이 크로우라고 못할 게 뭐 있겠어요. 크로우도, 나도, 카일도 살아 돌아올게요. 형은 황자 자리나 잘 지키고 있어. 다음에 볼 때는 긴장 좀 하셔야 될걸. 우린 전쟁 영웅이 돼서 돌아올 테니까."

말을 끝마치곤 이랴, 하고 외친 후 고삐를 당기며 힘차게 앞으로 달려 나갔다. 해가 지기까지 앞으로 기껏해야 6시간밖에 남지 않았다. 무조건 그 전에 따라잡는다.

감히 날 감방에 가두고 가? 잡히면 죽었어, 카일.

대규모로 진군하고 있으니 속도는 더딜 수밖에 없었고 충분히 가능할 거라 생각했다. 간과한 사실이라고는 그동안 내가 말을 1시간 이상 몰아 본 경험이 없다는 것뿐이었다.

"허리!"

이 소리는 말에게 물을 먹이기 위해 안장에서 내린 제가 허리가 아파 바닥에 쓰러지는 소리입니다.

"으아아악."

땅바닥에 엎드린 채 고통을 호소했지만 여긴 파스 한 장도 없었다.

"이 미개한 중세 시대 놈들아. 파스를 발명했어야지."

엉덩이도 두 동강이 날 것 같았다. 아, 맞아. 엉덩이는 원래 두 덩어리지. 어쨌든 너무 아프다고요. 강에 머리를 처박고 물을 허겁지겁 마시던 크로우가 나를 힐긋거리더니 슬금슬금 멀어졌다.

"이리 와, 인마. 어디 가. 지 주인 닮아서 그런가. 역마살이 있네."

자리에서 일어나 네 발로 기다시피 크로우에게 다가가 부들거리며 겨우 일어섰다. 크로우의 고삐를 잡고 나뭇가지에 묶자마자 다시 털썩 주저앉고 말았다. 얼른 일어나서 다시 출발해야 하는데 도저히 다시 말 안장 위에 앉을 기력이 나질 않았다. 아메리카노라도 한잔하면 카페인의 힘을 받아서 달렸을 텐데.

그때 어디선가 숯불 향이 풍기기 시작했다. 그냥 숯불이 아니야. 이건 숯불 위에 올라간 오리고기 냄새라고. 한껏 긴장한 얼굴로 자리에서 천천히 일어서자 크로우가 나를 따라 말 머리를 돌렸다.

"쉿, 얌전히 있어. 크로우."

아직 국경 지대까지 가려면 멀었는데 저 큰 짐마차는 뭐지. 조심스럽게 다가가자 인부들의 말소리가 들렸다.

"우리 이거 진짜 먹어도 되나."

"걸리면 뒤지겠지만, 뭐. 누가 알겠어."

"얼른 먹고 출발하자."

"내일까지만 가면 돼."

어디 보자. 하나, 둘, 셋, 넷. 그리고…… 헬릿? 식당에서 일하는 헬릿이었다. 쟤가 저기 왜 있어?

"동작 그만."

오리고기를 뜯어서 입에 집어넣으려던 놈들이 순식간에 몸을 굳히고 나를 바라봤다.

"조?"

헬릿이 당황하며 날 보며 자리에서 일어섰다. 커다란 짐마차에 황가를 상징하는 붉은 매가 그려져 있었다. 와, 이놈들 중간에서 삥땅을 치네.

"와. 기사님들은 쌔빠지게 전쟁터에서 칼 휘두른다고 사기를 잔뜩 충전하니 마니 하는데 여기 일하시는 분들은 무슨 사기를 충전하시길래 숯불에 오리고기를 구워 드십니까요. 이거 다 황자님이랑 기사님들 거 아닌가?"

껄렁거리면서 다가가 헬릿이 앉아 있던 의자를 툭 치자 그가 오리고기를 내려놓고 손을 휘휘 저었다.

"아냐, 우리 점심도 못 먹어서 그냥 잠깐 먹고 바로 출발하려고 했어. 어차피 오늘 야영지는 리치노 숲이라는 소식 들었고 거긴 안전하니까……."

"아, 어차피 안전하니까 전쟁 보급품 삥땅을 치셨다? 다 같이 나눠 먹어야 될 거를 이렇게? 어디 보자. 오리 대가리만 지금 3갠데?"

헬릿이 내 팔을 붙잡았다.

"조, 제발 비밀로 해 줘. 원래 식량 보급 마차가 제일 뒤에 가는 거 알지? 근데 우리는 나중에 추가된 거라서 아예 늦어진 거거든. 근데 이런 일까지 터진 거 본대에서 알게 되면 끝장이야. 나 저번 달에 결혼한 거 너도 알잖아."

"지켜야 할 가정이 있으신 분이 이럼 쓰나."

헬릿과 나의 대화를 귀담아듣고 있던 다른 인부 하나가 끼어들었다.

"……황궁 사람인가 본데, 우리도 다 먹고살자고 하는 거니까요……."

"아이고, 어르신. 전쟁터를 그러면 이기려고 가지. 죽으러 가는 사람이 어딨답니까."

흡사 사채업자 같은 말투로 헬릿이 원래 앉아 있던 자리에 앉으며 오리고기 뒷다리를 들어 올려 양껏 입에 쑤셔 넣었다. 나도 아침, 점심 굶고 있었는데 잘됐다. 먹고 겸사겸사 태워 달라고 해야지. 고기를 씹다가 고개를 들어 올리자 인부 네 명과 헬릿이 불안한 눈빛으로 나를 살피고 있었다.

"……이미 구운 걸 버리고 갈 순 없으니까 일단 드세요. 전 이거 다리 하나만 먹을게. 그리고 어르신들, 신뢰가 얼마나 중요한데 이렇게 가운데서 장난질 치시면 안 돼요."

으름장을 놓으며 다리를 들고 자리에서 일어섰다. 문득 헬릿이 목소리를 높였다.

"그, 근데 네가 여길 왜 왔어! 넌 마구간지기잖아!"

헬릿의 말에 옆에 있던 인부들이 동요하는 게 느껴졌다. 고작 마구간지기 주제에 감찰관처럼 굴었으니 어처구니없을 만도 했다. 나는 이사크에게 받은 단검을 꺼냈다. 검은색 광물인 오르브시델이 손잡이에 박혀 있고, 검집의 끄트머리에 블루 사파이어가 세공되어 있어 대충 봐도 어마무시하게 비싸 보였다.

"나는 이사크 전하의 심부름 때문에 카일 전하에게 가던 길이었지. 자, 저기 내 말도 있잖아. 저것도 이사크 전하의 말이라고. 황자 전하의 귀하신 말씀을 전하러 가는 도중에. 어머나. 이게 웬일이니. 무려 보급품을 빼려 먹는, 간이 배 밖으로 튀어나온 우리 성실한 일꾼들을 만났네? 내 투철한 신고 정신이 불타오르니 어쩜 좋지?"

검집에 박힌 검으로 어깨를 툭툭 치며 느슨하게 웃었다.

"마차 열어, 나 누워서 가게."

비밀 엄수를 계약 조건으로 걸고 나는 짐마차의 폭신한 자리에 누워서 이동했다. 지난밤에 잠을 제대로 못 잔 탓인지 드러눕자마자 잠이 쏟아졌다. 낮잠 한숨 자고 일어나선 크로우의 등에 다시 올라탔다.

"쉬지 말고 자지 말고! 전진하세요, 여러분!"

"……조. 내일까지 가면 안 될까."

"마차 모는 거야 두 명이서 하면 되잖아. 로테이션 돌면서 밤새 걸어요."

보급품 짐마차를 넷이서 번갈아 몰아 가며 달달 볶은 덕에 새벽 동이 터 올 즈음에는 카일군의 야영지에 도착할 수 있었다. 마차 보급품을 관리하는 사람에게 헬릿과 인부들을 맡기고 나는 조심스럽게 크로우를 데리고 다른 쪽으로 이동했다. 기사들이 하나둘씩 일어나 움직이고 있었다. 낯익은 기사들도 몇 있었다.

"조? 네가 여긴 어떻게."

뒤를 돌아보자 톰이 물에 젖은 보랏빛 머리칼을 탈탈 털며 다가왔다. 옷 좀 입고 다녀라, 새끼야. 활 맞아 뒈질 거냐고. 아직 제국령 안이지만 어쨌든 전쟁터 가는 중이잖아.

"옷 좀 입고 다녀, 새끼야."

"뭐?"

"……제가 방금 말로 했나요?"

"……응. 옷 입고 나올게."

톰은 머쓱하게 웃으며 천으로 몸을 가리고 천막으로 지은 막사로 돌아갔다.

잠시 후 얇은 셔츠와 바지를 챙겨 입고 주섬주섬 나온 톰은 날 보며 반갑게 웃었다.

"야. 너 어쩐 일이야. 이런 데서 보니까 반갑네. 말…… 관리는 필요 없지 않냐."

"말 관리하러 온 거긴 하죠."

"어?"

"기마 부대라는 게 있잖아요. 다들 얼마나 전쟁에서 힘드시겠어요. 각자 관리하면 좋겠지만 아무래도 전문가만 못하겠죠. 제가 나라를 위해 자원입대했습니다."

"……대단하네. 뭔진 모르겠지만."

나는 미어캣처럼 고개를 쳐들고 곳곳에 쳐진 막사들을 둘러보며 카일의 막사를 찾았다. 중간에 있는 제일 크고 화려한 저건가.

"카일 전하는 저기에 계세요?"

임시 숙소라기보다는 오두막을 하나 지었구만.

"응. 가 보게? 가자."

"아뇨, 아뇨! 저기엔 안 갈래요."

"왜?"

"……카일 전하 몰래 온 거라서 못 돌려보낼 정도까지 멀리 간 다음에 들키려고요."

"아, 그래? ……그게 자원입대가 맞는 건가……?"

톰이 미간을 찌푸리며 가우뚱 고개를 꺾었다. 자원입대건 나발이건 중요한 것은 저의 진심 아니겠습니까. 카일을 향한 진정성 200%. 뜨거운 올웨이즈 진심. 러브 온 파이어 커밍 쑨.

톰은 내게 다가와 아무 거리낌 없이 어깨동무를 하곤 머리를 마구 쓰다듬었다. 내가 니네 집 똥개인 줄 아나. 이를 갈았지만 아까처럼 입 밖으로 진심이 새어 나올까 봐 꾸역꾸역 참았다.

"잘됐네. 그럼 같이 막사 정리나 하자."

싫다고 정강이나 차고 도망치려던 찰나 머릿속에 좋은 아이디어가 떠올랐다.

"좋아요, 막사 정리랑 말 관리 등등 귀찮은 잡일 같은 거 열심히 할게요. 대신 검술 가르쳐 줘요."

부지불식의 상황에 대비해야 하니까. 내 옆구리에 찬 작은 단검을 보던 톰은 머리를 긁적이며 몸을 비스듬히 세웠다.

"나 엄청 빡세게 가르치는데, 따라올 수 있겠어? 매일 30분 정도면 돼? 나머진 네가 연습하고."

"열심히 할게요. 저 몸 쓰는 일 잘해요."

전쟁에 나가는 것답지 않게 톰은 언제나처럼 느긋하고 여유로워 보였다.

그날 이후로 혼자 하는 숨바꼭질이 시작됐다. 카일이 있는 막사 근처엔 가지도 않았고 기사들에겐 철저히 입단속을 시켰다. 사실 마구간지기 한 놈이 따라온 것쯤이야 황자한테 보고가 올라갈 리도 없었다. 내가 하급 종놈인 게 이렇게 유용하다니. 숨자고 마음만 먹으면 얼마든지 숨을 수 있었다. 사기 치기 좋은 시대구나, 중세 시대란…….

"일단 찌르기 먼저 할게."

"톰. 저 검이 이 단검뿐인데요."

"……너무 비싸 보이는데. 다른 건 없어?"

"저 가지고 다니는 쇠붙이라고 해 봐야 숟가락밖에 없어요. 무기로 쓸 만한 거……. 아. 말채찍은 있는데 그거라도 휘두를까요?"

"……아, 그건 좀……."

난처하게 웃으며 톰이 한 발짝 물러났다. 내가 너무 의지가 불타올랐나 보네. 그래. 우리 사이가 말채찍 휘두르며 정을 쌓아 나갈 하드한 사이는 아니지.

"그럼 무기고에 가서 낡은 검 하나 훔쳐 올까요?"

"국가 재물에 손댄다는 말을 되게 자연스럽게 하네."

"나라가 나한테 해 준 게 뭔데."

하나쯤 없어져도 모를걸요. 태연하게 대답하며 나는 무기고에 들어가 청소하는 척 검을 하나 들고 나왔다.

"야, 너 그거 들고 어디 가."

"장미 기사단의 톰 블레인 님께서 검을 들고 오라고 하셔서요."

"……그래. 가 봐."

"넵!"

이래서 엄마가 남한테 이름 함부로 빌려주면 안 된다고, 보증 서 주지 말라고 한 거구나. 삶의 지혜를 다른 세상 와서야 깨닫네요.

어쨌거나 톰과 함께하는 즐거운—하나도 안 즐거워—검술 연습은 매일 저녁마다 계속됐다. 검술을 가르칠 때의 톰은 생각보다 엄격한 편이었다.

"발이 하나도 안 움직이잖아!"

"안 그래도 힘드니까 소리 지르지 마!"

"조 네 성질만큼만 칼 휘둘러도 백 명은 죽였겠다."

"나 검술 익히면 형 목젖부터 딸 거니까 그렇게 알아."

그냥 찌르는 것만 하는데도 팔이 후들후들 떨렸다. 검은 생각보다 너무 무거웠고 길었다. 들고 앞으로 쭉 뻗는데 어깨부터 손목까지 저려 올 정도였다. 마구간 일을 하며 근력을 많이 키웠다고 생각했는데 검을 자유롭게 휘두르기엔 역부족이었다. 매일 틈날 때마다 팔 굽혀 펴기와 플랭크를 하며 힘을 키웠지만 눈에 띄게 성장하진 않았다.

"크로우…… 넌 좋겠다. 말이라서. 누가 밥 주면 밥 먹고, 똥 쌀 때 되면 똥 싸고. 자고 싶으면 자고. 나도 다음 생엔 말…… 아니다, 돌멩이로 태어나야지."

내가 원래 돌보던 카일의 말들은 모두 중앙 막사 근처에 있어서 나는 돌아다니며 기사들의 말과 이사크가 빌려준 말, 크로우만 챙겼다. 크로우의 얼굴을 붙잡고 넋두리를 늘어놓고 있으면 어디선가 또 나를 찾는 소리가 들렸다.

"조! 연습해야지!"

"알았어요!"

톰이 햇병아리 마구간지기에게 검술을 가르치며 소일거리 한다는 소문이 났는지 검술 스승이 점점 늘어났다. 다들 란티모스의 국경까지 진군하는 동안에는 딱히 할 일도 없고 심심해서 그런 것 같았다. 사공이 많으면 배가 산으로 간다던데 다행히 나는 산도 깎아서 바다로 만드는 사람이었다. 닥치는 대로 열심히 배우는 나를 다들 기특하단 눈빛으로 바라보며 열성적으로 가르쳤다. 다들 검이나 활이라면 이골이 날 정도로 잡았으니까 뭘 배워도 이득이긴 했다. 카일에게든, 빌테온의 군사에게든 짐이 되긴 싫었다. 난 도움이 되려고 온 거지, 발목 붙들고 늘어지는 족쇄가 되려고 온 게 아니었다.

"뭐든 가르쳐 봐요."

"크하핫. 패기 있어, 네놈! 가르칠 맛이 나겠어!"

하얗게 샌 백색에 가까운 금발의 늙은이가 무릎을 치며 웃었다.

"영감님은 뭘 가르쳐 주시게요?"

순간 분위기가 싸해졌다. 뭐야, 저 영감 그냥 영감이 아니었나. 할아버지라고 부르기도 애매해서 그런 건데……. 기사님이라고 할걸. 이놈의 주둥이.

싸늘한 기운이 주변을 떠도는 가운데, 노쇠한 늙은이가 무릎을 짚으며 바위에서 일어섰다. 해가 어스름히 진 넓은 평원의 노을이 영감의 얼굴에 그림자를 만들어 냈다.

"검 없이도 검 든 놈에게 이길 수 있게 해 주지. 너한텐 그게 더 잘 맞을 수도 있어."

"……그런 싸움 방법이 있어요?"

그거야말로 내가 원하던 거였다. 아무리 한 달 동안 이동하는 시간이 있다 해도 그 기간 안에 검술을 완벽하게 뗄 순 없을 테니까.

"검술도 하면서 같이 배우면 될 게다. 천천히 하는 거야. 뭐든 차분하게."

"저 재능 있어 보여요?"

"얼어 죽을 놈의 재능. 재능이야 카일 전하나 있는 거지, 너 같은 놈은 어림도 없어."

"저도 사람 잘 때려요."

"그래? 그럼 어디 한번 나도 때려 봐라."

……뭔가 불안한데. 보통 이런 타이밍에 달려들면 나만 흠씬 두들겨 맞더란 말이야.

"너는 검 들고 덤벼도 돼."

"싫어요."

"왜."

"검 무거우니까 맨몸으로 할래요."

"어쭈, 쥐방울만한 게 용감도 하셔라. 그래, 해 봐."

검을 내려놓고 다리에 힘을 주고 튀어 나갈 준비를 하는데, 뒤에 있는 톰이 고개를 도리도리 저었다. 저건 깝치지 말라는 뜻인데. 본능도 말하고 있었다.

주인님. 제발 좀 얌전히 사세요.

하지만 칼을 뽑았으니 무라도 썰어야 했다. 물론 그 검은 지금 땅에 고이 누워 있어 마치 조금 후에 닥칠 내 모습을 연상시키지만 말이다. 나는 땅을 박차며 늙은 영감에게 달려들었다.

그리고 정확히 땅에 아홉 번 메다꽂힌 후 기절했다. 눈을 뜨니 이미 시커먼 밤이었다.

"……뭐야."

온몸이 두들겨 맞은 것처럼 아팠, 아. 두들겨 맞았구나. 내가 어딜 가서도 맞은 적이 없는데.

너무 아파. 아프고, 분했다. 몸을 일으키자 바로 옆에 톰과 몇몇 기사들이 배를 긁으며 자고 있었다. 내가 지내는 곳을 모르니 일단 본인들이 지내는 막사에 누인 거 같았다.

원래는 크로우를 돌보다가 마구간 앞에서 지푸라기에 몸을 누이고 담요로 몸을 돌돌 말아서 잠을 자곤 했다. 다른 사람들과 막사를 같이 쓸 순 없으니까.

……근데 자 보니까 나쁘지 않은걸. 앞으로도 간간이 사용해야겠다. 자면서 옷을 벗는 것도 아니고, 괜찮지 않나. 몸을 살펴보니 옷을 벗긴 것 같지도 않았

다. 그냥 업고 들어온 건가.

몸을 일으켜서 막사 밖으로 향하자 어딘가에서 목소리가 들렸다.

"너. 이리 와 봐."

아까의 그 영감이었다. 가까이 다가가자 영감이 앉아 있던 바위에서 천천히 일어섰다.

"너, 이 자식아. 여자애가 여기서 뭐 하는 거냐."

"알 바 없잖아. 영감. 주먹질 한번 나눴다고 천년의 우정이라도 나눈 줄 아시나."

말은 거칠게 뱉었지만 심장이 쿵쿵 뛰었다. 어떻게 알았지. 저 할아버지가 어디 가서 맘대로 불면 완전 큰일 나는 거잖아. 어쩌지.

"말하는 본새가 주먹보다도 형편없네."

"……저기요. 비밀 지켜 줘요."

"개같이 말해 놓고 뒤늦게 부탁한들 그게 들리겠냐."

"영감님. 저한테 중요한 일이에요."

"스노우라고 불러."

"스노우? 머리가 하얘서 스노우?"

어두컴컴한 김에 농담을 던졌는데 날아오는 돌멩이에 허벅지를 맞았다. 조약돌이었는데 어찌나 아픈지 총알이 박힌 기분이었다.

"악!"

허벅지를 부여잡고 쓰러지자 스노우가 내게 느긋한 발걸음으로 걸어왔다.

"배짱 하난 좋네. 왜 왔어. 스파이냐."

"그 나이 드시고 기사단에 여즉 남아 계신 거면 눈치라도 좋으셔야죠."

"……뭐?"

"누가 스파이 짓을 이렇게 부지런하게 해요. 심지어 성별까지 바꾸면서."

"그럼 뭐야."

"사랑이죠."

"저런 미친. 상대가 누구야. 톰?"

"저 눈 엄청 높거든요."

"……설마 카일 황자님은 아니겠지."

콕 집어서 제외시키는 것이 얄미워 그만 입이 가벼워졌다.

"왜 아니겠어요. 카일 황자님이 매일 마구간에 놀러 오시던 이유가 뭐겠습니까, 영감."

혀를 끌끌 차던 노인이 내 어깨를 툭 쳤다.

"뭐야, 왜 쳐요."

"네 몸부터 지킬 수 있어야 황자님 옆에 있을 수 있지. 너 아까 보니까 다리가 안 움직이던데. 게을러 터져서 그렇냐."

나는 영감의 말이 끝나기 무섭게 뒤로 한 발짝 이동하며 주먹을 날렸고, 이번엔 세 번 바닥에 던져지고 두 번 나무에 등을 처박혔다.

"……영, 영감…… 아니. 스노우 할아범. 조금만 살살……."

"적이랑 싸울 때도 꼭 살살 해 달라고 해 봐라."

영감이 히죽 웃으며 주먹을 내질렀다. 달을 등진 스노우의 얼굴이 악마로 보였다. 내가 며칠 상간으로 악마 빙의 된 척 조금 했었다고 이런 형벌을 받나요. 고개를 틀어 간신히 스노우의 주먹을 피한 뒤 옆을 보자 퍼서석, 하는 소리와 함께 부서진 나무줄기가 가루처럼 바람에 흩날렸다.

"……스노우, 타임."

"늙은이는 그런 거 모른다."

카메라 어플 이름 가진 영감쟁이가 뭔 힘이 저렇게 좋아. 열심히 도망 다니자 뒤에서 스노우의 껄껄대는 웃음소리가 마치 귀곡산장에서의 그것처럼 울렸다.

그래, 잘 도망가는 것도 훈련이다. 하하하하하하.

분명히 숨었다고 생각했는데 내 다리를 분지를 각오로 발 차기를 날리는 스노우 때문에 숨기는커녕 쉬지 않고 뛰고 또 뛰었다. 뒤가 막히면 주먹을 날리고, 잰걸음이라도 해야 했다. 마른 줄 알았던 스노우가 겉옷을 벗어 던지자 단단한 팔 근육이 드러났다. 곧장 내 얼굴을 향해 팔을 뻗어 오기에 가드를 올렸지만 역부족했다. 스노우가 휘두른 강철 같은 팔이 내 팔과 머리를 후려쳤다. 골이 띵하니 울려 와 인상을 찌푸리다가 그대로 옆으로 넘어갔다.

기절 직전, 너무 억울해서 옆구리에 있던 이사크가 준 단검을 빼 들어 스노우의 종아리를 향해 휘둘렀다. 그리고 제대로 공격이 들어갔는지 확인하기도 전에 정신을 잃었다.

중앙에 위치한 막사의 문이 살짝 열렸다.

"……벤지. 방금 조 목소리가 들리지 않았나?"

"그럴 리가요. 그만 들어가시죠."

벤지에 의해 문이 다시 굳건히 닫히며 카일의 미련 가득한 목소리 또한 뚝, 끊기고 말았다.

눈을 뜨니 또 낯선 천장이네요……. 젠장.

벌떡 일어나 앉았다. 이번 생은 유독 낯선 천장을 많이 보네. 이러다 죽을 팔자인가 보다.

이번엔 천장이랄 것도 없는 마구간 안이었다. 언제든 허물기 좋게 나무 기둥 몇 개로 대충 이어 놓고 천을 씌워서 만들어 놓은 임시 마구간 막사였다. 이 미친 영감이 나보고 말발굽에 밟혀 뒈지란 건가.

크로우가 고개 숙여 내 얼굴을 마구 핥았다.

"크로우…… 잠, 잠깐만……. 너 움직이지 마. 나 허벅지 밟힐 거 같아."

조심스럽게 일어나서 크로우와 다른 말들에게 밥을 챙겨 준 뒤 옆에 있던 커다란 수통에서 물을 한 바가지 퍼서 세수했다. 한 걸음 움직일 때마다 뼈마디가 부서지는 기분이었다. 이를 악물고 앞으로 걸어가던 중 누군가가 갑자기 달려와 나를 거꾸로 들쳐 업었다.

"뭐, 뭐야!"

정신을 차릴 새도 없이 달려가는 남자 때문에 시야가 미친 듯이 흔들렸다. 남자의 등을 주먹으로 마구 내려치며 소리쳤다.

"누구야, 이 개새끼야!"

"나야, 톰! 너 아직 황자 전하한테 들키면 안 된다며. 지금 전하가 막사를 하나씩 돌면서 살피고 있다고!"

"뭐?"

두 손으로 머리부터 숨겼다. 은발 들키면 끝장인데, 카일을 만나야 하는 건 맞지만, 지금 들키면 그냥 돌아가라고 할지도 몰랐다. 적어도 란티모스로는 넘어간 다음에 들켜야 혼자 돌려보내는 일이 없지.

"혹시 카일 전하가 눈치챈 걸까요?"

"……그건 잘 모르겠는데. 아무튼 적당히 숨어 있다가 나와."

"예, 고마워요."

그리 멀지 않은 풀숲에 나를 내려놓고 톰은 다시 돌아갔다. 어우, 간 떨려. 언제까지 숨어 다녀야 되지.

"너 왜 도망 다니냐."

"아욱! 깜짝이야!"

나무 막대로 내 머리를 내려친 스노우가 풀숲에 앉아 있는 내 옆자리로 다가와 쪼그려 앉았다.

"아이고, 무릎아. 간밤에 너랑 뛰어다녔더니 무르팍이 쑤셔 죽겠어."

"그럼 죽으시던가."

"말하는 꼬라지하고는."

"사람을 마구간에, 그것도 우리 안에 넣어요? 진짜 너무하시네."

"새벽에 갑자기 카일 전하가 가까이 오는데 너 기절해서 일어나지도 않길래 일단 거기다 던졌지. 말들이 네 근처에 가지도 않더라. 짐승도 피할 건 피하는 거지."

뭐지. 이 영감. 진짜 나한테 시비 걸려고 태어났나.

"어? 종아리에 붕대 뭐예요? 다치셨어요?"

스노우가 나를 한심하단 듯 쳐다보다가 고개를 절레절레 흔들었다.

"이 자식은 기억력도 나쁘고…… 어휴. 뭐에 쓰려고 이래."

"……할배. 시비 걸지 마세요."

여신님. 이 세상에 의미 없는 인간은 없다고 하셨잖아요. 그럼 이 할배의 존재 이유는 뭔데요.

"그나저나 카일 전하가 너를 아나 보던데?"

"안다니까요! 친해요!"

"너 여자인 것도 아냐?"

"……알죠. 사연이 깊어요, 묻지 마세요."

"아휴, 황자님이 마구간지기랑 정분이 나서야 쓰겠냐. 너 이번 전쟁에서 죽어야겠다. 그게 여러 사람 돕는 길이겠어."

"할배나 죽으세요. 액면가로 보아하니 오늘 죽어도 전혀 무리 없겠는데."

"스노우라고 부르랬지, 자식아!"

스노우가 팔로 내 등을 퍽 치자마자 나는 경사 아래로 미끄러져 내려갔다. 저 염병할 영감. 진짜 가만 안 둬. 이를 갈면서 데굴데굴 구르다가 누군가의 다리에 쿵 하고 부딪히며 겨우 멈췄다.

"아…… 머리야."

"……네가 왜 여기 있는지 설명해."

낮게 읊조리는 스산한 목소리에 목뒤의 솜털이 쭈뼛 곤두섰다. 갑옷을 입은 카일이 굳은 얼굴로 나를 내려다보고 있었다.

"……오늘도 정말 멋지십니다. 카일 황자 전하."

"농담하는 게 아니다. 네가 이리 숨어든 걸 기사들이 모르지 않았을 텐데."

"아……. 그게요."

식은땀을 줄줄 흘리며 카일을 봤지만 그는 지금껏 한 번도 보여 준 적 없던 차가운 눈을 하고 나를 무심히 바라보다 몸을 돌렸다.

"돌아가."

"전하! 저 못 가요!"

"감히 내 명령에 불복하는 건가?"

주변에서 많은 사람들이 지켜보는 가운데 카일의 말에 생떼를 부릴 순 없었다. 하지만 나는 당신을 도와야 되는데. 이젠 마음도 안 통해서 전해 줄 방법도 없잖아요. 떨어지면 끝인데. 카일의 바짓가랑이라도 잡으려던 찰나, 뒤에서 늙은이의 목소리가 들려왔다.

"전하. 제 제자입니다."

"……스노우."

"보아하니 싹수가 샛노란 것이, 깡다구 있어서 데리고 있는 중입니다. 너그러이 넘어가시죠."

"……그건 안 됩니다. 불필요한 사상자를 낼 순 없습니다."

"전장에 나가시는 사령관이 벌써부터 군사의 죽음부터 염려하시면 되겠습니까. 쓸데없는 걱정은 좋지 않습니다."

"내 사람 하나하나의 목숨을 걱정하는 게 뭐가 잘못됐습니까."

카일의 싸늘한 대답에도 스노우는 느긋하게 웃고만 있었다.

저 영감은 뭔데 황자한테 대들어? 무슨 황자 할애비라도 되나 보지. 분명 속으로만 비꼬고 있었는데 스노우가 갑자기 귓불을 잡아당기며 날 일으켜 세웠다.

"아! 아악! 놔요!"

"이놈 이거 목청도 크고, 발도 빠르고, 분명히 그냥 죽을 놈은 아닌 것 같으니 제가 좀 데리고 가르치겠습니다."

"스노우께서 말씀하셔도 허락할 수 없습니다."

"……전하."

두 사람 사이로 냉랭한 기운이 흘렀지만 나는 귀가 떨어져 나갈 것 같았다.

"놓고 말해요! 영감, 아! 귀! 귀! 할배! 아! 스노우!"

"아, 거참 씩씩도 하다. 가자. 이놈아. 어제 너 기절해서 뒤엔 가르치지도 못했네."

"가르침 좋아하시네. 사람을 두들겨 패 놓고! 아! 놓으라고요!"

스노우에게 질질 끌려가면서 뒤를 돌아봤지만 카일이 제자리에 굳은 듯 서 있는 모습만 보였다. 어지간히 화난 게 아닌 것처럼 보이는데 나중에 진짜 짤짤 털리는 거 아냐……?

하지만 내 걱정과는 달리 카일과는 빌테온-란티모스의 국경을 넘어가는 동안 한 번도 만나지 못했다. 그도 그럴 것이, 카일이 찾을 때면 언제나 나는 스노우와 싸우거나 톰에게 검술을 배우는 중이었다.

“조, 황자 전하가 불러.”

“헉, 지금요? 알았어요. 잠시만요.”

엉망진창이 된 머리를 다시 묶고 카일에게 가려고 하면 스노우가 내 꽁지머리를 잡아당겼다.

“어딜 도망가. 이놈아. 제대로 뛰지도 못하는 게.”

늙은이가 다시 나를 죽일 것처럼 주먹을 휘두르면 나는 카일의 막사 근처도 가지 못하고 목숨을 걸고 도망치거나 스노우에게 반격을 해야 했다.

하루 종일 이동하고, 저녁과 이른 새벽마다 스노우와 톰에게서 검술과 무술을 배웠다.

“이게 무슨 무술이에요. 그냥 나 죽이려는 거 아니에요?”

“한 대라도 제대로 맞아 놓고 죽인다 소리를 해라, 이 멍청한 놈아.”

“늙은이가 뭔 입이 저렇게 험해. 죽을 때가 다 돼서 그런가.”

내가 스노우와 이를 갈며 험담을 나눌 때면 주변의 기사들은 슬슬 눈치 보며 자리를 피했다. 가끔 톰이 위로라며 보급 마차에서 주는 고기를 한 덩이 더 나눠 줄 때도 있었다.

“……고생이 많다, 조.”

“저 영감 뭐 하는 사람이에요? 나한테 대체 왜 그러지.”

쥐어 터진 입술이 쓰려서 입을 제대로 벌리지도 못했다. 이러다 화병 나서 죽는 거 아냐?

말을 타고 이동하다가 그대로 기절하듯 정신을 잃어 낙마할 뻔한 적도 있었다. 그럴 때 나를 잡아 올린 건 벤지였다.

“……오랜간, 오맨, 오만, 오갑만.”

“오래간만이지, 조.”

“예.”

“……카일 전하께 얘기 들었어. 스노우의 제자가 되었다면서.”

“완전 미친 할아범이에요. 내가 언제 제자 한다고 했어. 다짜고짜 주먹질부터 했으면서. 지금 그냥 싸움만 근 2주째 하고 있다고요. 덕분에 안 쫓겨나긴 했는데 이게 뭐 하는 짓인지."

"……그래도 정식 기사도 아닌데 스노우에게 뭔가를 배운다는 건 영광이지."

벤지가 웃으며 내게 손수건을 건넸다. 슬쩍 펼쳐 본 손수건에는 글귀가 적혀 있었다.

'오늘 새벽에 몰래 내 막사로 와.'

응?!

눈이 커다랗게 뜨고 벤지를 바라봤다.

……우리가 밀서를 나눌 사이던가?

혼란스러운 얼굴로 뭐라 대답도 못 하고 어버버하자 벤지가 손을 휘휘 저으며 목소리를 한껏 낮추고 말했다.

"나, 나 말고…… 그, 네…… 카나리아께서……."

"아. 아…… 그렇구나."

"……노인 몰래…… 오라고 하셨어."

주변의 눈치를 살피며 벤지가 은밀하게 의미를 전달했다.

"그 할배 이상하죠? 자꾸 못 가게 해. 아무튼 알았어요. 몰래 빠져나가 볼게요. 늙은이가 눈치 더럽게 빨라."

도통 종잡을 수 없는 늙은이라 또 어딘가에서 듣고 있을지도 모른다. 하도 신출귀몰해 저번엔 혹시나 해서 투르가 여신님이냐고 물어봤다가 또 다리를 걷어차였다.

'너 보기엔 내가 여신으로 보이냐, 이 정신 나간 어린놈아!'

'미친 할애비가 자꾸 사람을 패!'

처음엔 갈비뼈며 다리, 등 어디 한 군데 꼽을 곳 없이 골고루 두드려 맞기만 했는데 요즘엔 가드도 나름 제때 올리곤 했다. 꽤 발전했다며 자만하는 순간에 늘 땅으로 던져지긴 했지만, 썩 나쁘지 않았다. 스노우와의 싸움을 되새기며 몸을 잔뜩 긴장시키자 벤지가 다시 말을 걸어왔다.

"조."

"네?"

나를 물끄러미 보는 벤지의 눈에 안쓰러움이 담겼다.

"굳이 여길 왔어야 했어? ……위험하잖아."

"카일 전하를 살려야 해서 온 거예요. 그 질문 한 번만 더 들으면 딱 백 번이겠네요."

"네가 위험해지는 걸 그분도 원치 않을 거야."

"카일이 위험해지는 걸 저도 원치 않아요. 걱정 마세요. 폐 안 끼칠게요."

애써 입꼬리를 올려 웃은 벤지는 다시 행렬의 앞으로 이동했다.

그날 밤에도 톰과 검술을 익히고, 그대로 진검을 들고 스노우에게 달려들었다가 검을 뺏겨서 칼등으로 흠씬 두들겨 맞았다. 억울해서 눈물까지 날 지경이었다.

이 염병할 소설. 나도 황녀 아니면 공녀로 태어나게 해 줬어야지. 왜 마구간지기로 태어나서 모르는 할배한테 맞아야 되냐고.

"할배 편히 죽진 못할걸요."

"너도다, 인마."

"늙으면 죽어야지."

"가성비 구린 너나 죽어라. 너는 밥 먹을 때 자원이 아깝다는 생각이 안 드니?"

"영감 저녁 반찬으로 걸레 끓여 잡쉈수?"

"네가 갖다준 수프 처먹었다, 이놈아."

나는 참지 못하고 또 덤벼들었고 결국 입술이 또 터지고 말았다.

"눈물 한 방울 안 흘리네. 다부진 놈."

"할배 죽을 때 울어 줄게요."

"스노우랬지."

뒷짐 지고 멀어지는 스노우를 한참 노려보다가 마구간 앞에서 담요를 펴고 하늘을 올려다봤다. 북부로 많이 올라와서 그런지 확실히 날씨가 쌀쌀해졌다.

사방이 조용해진 늦은 밤, 주변의 눈치를 보며 슬쩍 일어났다. 카일이 있는 막사로 조심조심 이동하는 동안 다행히 영감한테 붙잡히진 않았다. 막사의 문을 열고 들어가니 카일이 의자에 앉아 나를 보다가 한숨과 함께 고개를 푹 숙였다.

"……전쟁터에 오지 말라고 몇 번이나 말했잖아. 내 말이 말 같지 않아?"

"그 전날 새벽에는 나한테 '멀어지지 마.' 라고 수십 번 말했잖아요. 나는 그 말을 지킨 건데."

"지금 그 얘기 아닌 거 알잖아, 조."

카일의 날카로운 눈매가 나를 향했다. 하지만 눈 안에 든 감정은 분노보다는 애처로움에 가까웠다. 카일은 나를 잃을까 봐 두려워하고 있었다.

"카일. 어차피 내가 쫓아올 걸 예상했을 거 아니에요."

"……예상했어. 예상했으니까 나름 강수를 둔 거였는데…… 감옥에선 어떻게 탈출한 거야."

"미친 척하고, 간수가 놀라서 들어왔을 때 또 머리를 잡아 쇠창살에 갖다 박았어요."

"하……."

카일이 두 손 사이에 얼굴을 묻었다가 다시 천천히 들어 올리고는 내게 손을 내밀었다.

"얼굴은 왜 이래. 누가 보면 이미 전투를 열 번은 치른 줄 알겠어."

"……스노우라는 그 영감 좀 혼내 주세요."

"……그건 좀."

"뭐 하는 영감이길래 누구 하나 그 사람을 막 대하질 못해요."

"넌 그러게 왜 따라와서 이 고생을 해. 안 오면 됐잖아."

말은 모질게 하면서도 카일은 나를 당겨선 제 무릎 위에 앉혀 조심스레 끌어안았다.

"아……!"

"아파?"

"……옆구리에 멍이 들어서요."

"뭐?"

카일의 얼굴이 삽시간에 심각해졌다.

"보자."

"아니, 괜찮아요. 정말, 정말로."

"보여 줘."

"아, 싫어요. 몸 보여 주기 부끄러워요."

그 할배와 사정 봐주지 않고 싸운 탓에 오색찬란하게 물들어 있을 텐데. 카일의 어깨를 밀어 내며 무릎 위에서 내려오려고 하자 그가 나를 꼭 껴안고 있다가 천천히 내려놓았다. 카일은 결연한 표정으로 뭔가 결심한 듯 입술을 꾹 다물었다가 말했다.

"……좋아. 그럼 내가 먼저 벗을게. 다 보여 줄 테니까 너는 어디 다쳤는지만 보여 줘."

"……이제 저를 조종하는 법을 완전히 마스터하셨군요."

마른침을 꿀꺽 삼키며 카일의 바지 벨트에 손을 올렸다. 아, 이건 아닌가.

가볍게 미소를 지은 카일이 입고 있던 가벼운 셔츠를 벗자 탄탄한 몸이 드러났다. 너 인마, 아무리 바지를 챙겨 입었다고 한들 내가 조각상을 사람으로 착각할 리가 있냐. 사람이 이렇게 완벽할 리가 없잖아. 넋을 놓고 예술품을 감상하고 있는데 조각이 입을 열었다.

"자. 이제 상처 보여 줘."

이거 보여 주면 분명 난리가 날 텐데. 왜 따라왔냐부터 시작해서 조심성이 있니, 없니, 밤이 새도록 떠들 게 분명했다.

"카일. 사실 엄청 중요한 말이 있어요."

"약속이랑 다르잖아, 조. 난 벗었잖아."

"그거 어차피 내 건데 잠깐 보여 줄 수도 있지. 까탈 부리긴. 이리 앉아 보세요. 지도 잠깐 같이 볼까요?"

필사적으로 눈을 돌려 테이블 위에 있는 지도를 가리켰다. 굳은 얼굴로 다시 테이블 앞으로 온 카일이 나를 뒤에서 끌어안았다.

"오늘 왜 이렇게 예쁜 짓을 하세요, 전하?"

"……몸 좀 조심히 다뤄. 알면서도 넘어가는 건 이번 한 번뿐이야."

"전하 껍데기나 아끼세요, 그거 제 거잖아요."

우스갯소리를 한 후 지도 위에서 열심히 '쿠이란'이라는 글자를 찾았다.

"쿠이란 계곡……이 어디예요. 여기인가."

"……여기."

엉뚱한 곳을 짚은 내 손을 감싸 쥔 카일이 그대로 조금 더 옮겨 지도의 한 부분을 가리켰다.

"지금 속도라면 내일 오후쯤 도착하게 될 곳이야."

"여기 로테나의 군사들이 매복해 있어요. 골짜기 위에 숨어서 우리가 지나가길 기다리고 있어요."

"로테나의 군대가 여기까지 내려와 있다고? 정찰병으로부터 아무 보고 못 받았는데."

"네. 저 믿으세요, 카일. 진짜예요."

카일에게 안긴 채 뒤돌자 그의 놀란 눈과 마주쳤다.

"조, 너는 어떻게 알았어."

"퇴직금으로 받은 고급 정보죠."

"……저번에 투르가의 목소리가 들린다고 했던 거?"

"네."

"하…… 조."

카일이 내 어깨에 얼굴을 묻었다. 단단한 카일의 몸을 안고 당장에라도 뒤에 있는 침대로 자빠뜨리고 싶었지만 아직 할 일이 남았기에 이를 악물고 참았다. 여신에게 들었던 정보를 최대한 되살려 카일에게 전달했다.

쿠이란 계곡의 골짜기가 워낙 넓어서 군사를 그대로 이동시키기 좋겠지만, 위험하다고. 위에서 로테나군이 바위를 굴려 떨어뜨리고, 화살을 마구잡이로 쏘면서 전방과 후방을 막아 버리면, 그 넓은 골짜기에서 우리는 독 안에 든 쥐나 다름없는 신세가 될 거라고.

카일은 고개를 끄덕였다.

"너한테 빚진 게 이렇게 많아서 어쩌지."

"사랑하면 그런 말 하는 거 아니라지만…… 일단 나한테 잘하세요."

"사랑해."

조용히 귓가에 속삭이는 카일의 목소리에 온몸이 간지러워지는 기분이었다.

자빠뜨릴까? 아냐. 지금은 아니야. 안 돼. 참자. 지금 벗어 봐야 나만 손해다. 몸에 난 상처를 보고 돌아가라는 잔소리를 교장 선생님 훈화 말씀처럼 쏟아부을 거야.

카일이 고개를 숙인 채 말했다.

"내가 잘할게."

"그럼요, 카일은 이미 얼굴이 잘하고 있어요."

"그거 말고도 더 잘할게."

"당연한 말이네요."

바람 빠지듯 힘없는 소리를 내며 웃은 카일은 내 볼에 짧게 키스했다.

"카일, 내일 다치지 말아요."

"……너 어디 있을 건데."

"당연히 저도……,"

"안 돼."

"뭔 말만 꺼내면 안 된대."

"그런 말 할 입장이야? 내가 안 된다고 했을 때 네가 들은 적이 몇 번이나 있어."

"그러니까요. 그럼 이제 그런 말 안 할 때도 됐잖아요."

카일은 엄지로 내 입가의 상처 주변을 느리게 어루만졌다.

"……다른 건 몰라도 다치지 좀 마. 이게 뭐야. 속상하게."

"전쟁에 참전하신 분이 그런 말 하니까 되게 우습네요."

"그 전쟁 따라오신 분이 이렇게까지 다칠 줄 몰랐거든요. 조, 왜 그러는 거야, 대체. 전투에 대해 알려 주려고 온 거면 그것만 알려 주고 돌아가면 되잖아."

그 생각을 안 한 건 아니다. 한 번에 우르르 말하고 돌아갈 수도 있지 않을까.

사실 방금 지도를 보자마자 말하려고 했는데, 아무리 입을 열어도 내일 있을 쿠이란 전투 말고는 입으로 소리 내어 말할 수가 없었다. 목구멍을 틀어막아 놓은 느낌이었다. 그나마 관성이 이 정도만 개입하는 게 다행이라고 해야 할까. 목숨을 담보로 걸고 있어서 이거나마 허락해 주는 건지 알 수가 없다. 여신님, 날 보고 있다면 정답을 알려 줘.

"분명히 전투를 줄줄 외우고 있었는데 지금은 말을 할 수가 없어요."

"괜찮으니까 말해."

"아뇨, 제가 말하기 싫은 게 아니라, 정말로 말을 꺼낼 수가 없어요."

나는 카일의 단단한 어깨 위로 아까 그가 벗은 셔츠를 둘러 덮었다. 로테나와 란티모스 공국의 국경 지대는 빌테온보다 훨씬 기온이 낮았다. 내 카나리아 감기 걸리면 안 돼.

"제 생각엔 페널티 같아요. 미래를 함부로 말할 수 없는 핸디캡이 생긴 거죠."

카일의 얼굴에 그늘이 서렸다. 무거운 짐을 진 듯 몇 번 입을 달싹이던 카일이 조심스레 물었다.

"이런 걸 나한테 말해도 너한테는 아무런 이상 없는 거야? 미래를…… 바꿔도 괜찮아?"

아니요, 재수 없으면 죽을지도 몰라요. 온갖 우연들이 나를 죽이려고 한대요.

이런 대답은 하지 않는 게 좋겠지. 말로만 돌아가라고 하는 게 아니라 정말 꽁꽁 묶어서 빌테온으로 가는 마차에 실어 버릴지도 몰랐다. 나는 최대한 티 없이 맑게 웃으며 걱정에 가득 찬 카일의 얼굴을 쓰다듬었다.

"네, 아무 이상 없어요. 보세요. 몸에 생긴 약간의 상처는 그 성격 더러운 할배 때문이고, 나 지금 그냥 멀쩡하게 카일 옆에 있잖아요. 괜찮아요."

내 말에도 안심하지 못하겠는지 카일은 여전히 미련이 뚝뚝 묻어 나오는 얼굴로 내 손을 감싸 쥐었다.

"……혼자서 열심히 해 볼 테니까 돌아가, 조."

"옆에 있게 해 줘요. 똑같은 얘기로 몇 날 며칠 싸우기 싫어요."

"네가 고집을 꺾으면 되잖아. 전투 중엔 널 지킬 수 없어."

"그래서 매일 훈련하고 있잖아요. 내 몸은 내가 지킬게요. 당신은 당신이나 잘 챙겨요. 그거 다 내 거니까."

새벽이 다 가도록 카일은 나를 끌어안고 주문이라도 외우듯 속삭였다.

다치면 안 돼. 조. 다치지 마. 내 사람, 내 사랑.

"알았어요. 해 뜨겠다. 저 이제 갈게요. 이따 전투 때 봐요."

"보급품 마차와 함께 있어."

"왜요. 저 열심히 훈련했는데."

불만을 가득 실어 카일에게 항변했지만 그는 단호했다.

"상관으로서 눈에 보이니 하는 말이야. 아직 전투에 나가기엔 형편없는 실력이야."

"……칼같으시네. 저 다치지 말라고 하는 말이 아니고 정말로?"

"정말로. 황궁 안에서 벌이는 주먹싸움이면 괜찮겠지만 훈련된 군사와 싸우기엔 아직 부족해."

인정한다. 검술도 아직 찌르기 정도나 똑바로 하면 다행인 수준이었고, 맨몸싸움도 한참 부족하긴 했다. 근데 묘하게 오기 생기네.

해가 뜨기 전 카일의 막사를 빠져나와 마구간으로 가는 도중 누가 정수리에 꿀밤을 먹였다.

"하라는 훈련은 안 하고!"

"이 영감쟁이가 진짜!"

영감과 새벽 댓바람부터 치고받고 싸우던 중 카일이 갑옷을 챙겨 입고 나와 스노우를 불렀다.

"스노우. 잠시 막사로 오시죠."

"예, 전하."

고개를 돌리는 스노우의 옆구리로 힘껏 주먹을 날렸지만 몸을 틀어 피한 덕에 겨우 옷깃을 스치는 정도였다.

"치사하게 말하고 있는데 치냐. 꼬맹아."

"싸움에 치사한 게 어딨어요. 이기는 게 벼슬이지."

"뭐 이런 놈이 다 있어."

"누가 할 말을."

형형하게 노려보던 스노우가 카일의 막사로 들어갔다가 몇 분 뒤 빠져나왔다. 잔뜩 뿔이 난 얼굴이었다.

"때리지 말고 교육하라는데 그게 대체 뭐냐. 전쟁터에서 약한 놈은 일찍 죽으니까 내가, 어? 좋은 마음으로 한 건데."

"거봐. 내가 언젠가 한 번은 카일 전하한테 뒈지게 혼날 줄 알았지. 좋은 마음 같은 소리 하지 마요. 그냥 나한테 분풀이한 거 아니에요?"

스노우가 투덜거리던 입을 다물고 지그시 나를 노려보다가 갑자기 내 얼굴을 향해 주먹을 날렸다. 흠칫 놀라 피한 나는 왼손으로 가드를 세우는 한편 오른손으로 곧장 단검을 뽑아 스노우의 옆구리를 겨냥했다. 스노우가 뒤로 빠지며 내 손목을 쳐 내긴 했지만 그의 옷깃이 조금 잘려 나갔다.

"이거 봐. 하나하나 말로 해서 가르쳤으면 네가 2주 만에 내 옷자락에 손이나 댔겠냐고. 지금은 거의 인간 병기로 만드는 중인데."

어느새 다가온 카일이 스노우의 뒤에 고목처럼 굳은 듯 서 있다가 얼어붙을 듯 차가운 목소리로 덧붙였다.

"인간 병기로 만들어 달라 한 적 없습니다."

"……전하가 아끼는 분 같아서 살아남으라는 뜻에서 이리 가르친 겁니다."

스노우가 몸 전체를 돌리면서 부드럽게 대답했지만 카일의 얼굴은 여전히 굳어 있었다.

"다시 말씀드립니다. 인간 병기로 만들어 달라 한 적 없습니다."

"상황에 따라 쓸모 있는 사람이 되어야지요."

카일이 미간을 찌푸렸다.

"할아버지."

"……예, 전하."

뭐야. 왜 짜증 안 내. 뒤에서 가만히 대화를 듣고 있던 나는 펄쩍펄쩍 뛰며 분통을 터뜨렸다.

"왜 카일 전하가 할아버지라고 부르니까 화 안 내요! 내가 할배라고 하면 꿀밤부터 때리면서!"

그 말에 카일이 오른손을 들어 눈가를 가렸다. 반응이 왜 그래.

스노우가 쿡쿡거리면서 웃다가 카일에게 인자한 미소와 함께 말했다.
"참, 보는 눈하고는."
"아직 잘 모르시잖아요."
여기 놈들은 왜 목적어를 말 안 해. 종특인가. 스노우가 부드럽게 웃으며 백발을 쓸어 넘겼다.
"전하. 제가 나이가 들어서 외증손주를 볼 때가 됐다 싶긴 했는데 말입니다. 우리 외손주 취향이 워낙에 독특해서 걱정이 이만저만이 아니네요."
팔짱을 끼고 듣자 하니 어처구니가 없었다. 지 외손자 얘길 왜 해.
"영감님. 카일 전하한테 왜 가족사 상담까지 하십니까. 상담원 연결은 딴 데 가서 하시라고요."
"그러게 말이다. 내가 얼마나 답답하면 그러겠니. 이 자식아. 그리고 넌 말본새 좀 고쳐라. 자세가 글러 먹었어. 치사하게 고자질이나 하고 말이야."
"하, 참 내! 내가 고자질 제대로 했으면 할배 모가지가 지금 여기 멀쩡하게 붙어 있을 리가 없죠."
"이놈이!"
헛웃음을 치던 스노우가 내 귓등을 잡아당기자 카일이 앞으로 튀어나올 것처럼 소리를 높였다.
"할아버지!"
"영감! 아! 놓으라고요! 아, 할배 진짜 이번 전쟁에서 누가 더 오래 살아남나 봅시다."
배를 부여잡고 껄껄 웃은 스노우가 눈물을 닦아 내곤 내 어깨를 툭툭 치고 지나갔다.
"너 꼭 살아남아라. 우리는 할 얘기가 많겠어."
"어련하시겠어요. 할배가 가르친 대로 꼭 짱이 돼서 살아남을 거니까 걱정 마세요."
평소처럼 스노우랑 이를 갈며 인사했는데 카일이 왜 울 것 같은 얼굴로 마른세수를 하는지 모를 일입니다.
"조……."

"네?"

"하……. 아냐, 너 하고 싶은 대로 해. 아……. 보급 마차를 지켜, 조. 앞으로 나오지 말고."

"……넹."

힘없이 터덜터덜 걸어가던 카일은 두세 걸음 후엔 다시 어깨를 꼿꼿이 펴고 허리를 곧추세우곤 뒤에 서 있던 벤지에게 명령했다.

"장군들을 내 막사로 부르도록."

근데 벤지는 왜 저렇게 깜짝 놀란 것처럼 사색이 됐지. 허옇게 질려 있네. 누가 보면 시체인 줄 알겠다. 늙다리 할배가 카일의 폴인럽 애인인 나를 막 대해서 그런 건가. 벤지 쟤도 참, 날 너무 좋아한단 말이야. 콧등을 검지로 스윽 닦으며 기지개를 켰다.

❖ ❖ ❖

오늘 오후에 있을 쿠이란 계곡 전투에서 카일은 원래부터 승리할 운명이었다. 다만 많은 수의 병력을 잃게 되어 전력의 손실이 컸다. 그게 이어질 전투에서 패인으로 작용하기도 하니 첫 번째 전투는 무조건 대승하는 게 맞았다. 내가 황궁으로 돌아가면 안 되는 이유이기도 했다.

아침 식사를 한 후, 빌테온의 군사들은 카일의 명령에 따라 두 방향으로 나눠 이동했다. 넓은 쿠이란 계곡을 오른편과 왼쪽 양옆에서 에워싸 범위를 좁힐 예정이었다. 적들이 우리를 코너로 몰아넣고 죽일 작정으로 테두리를 지키고 있다면, 더 넓은 테두리에서 적을 한데로 몰아넣으면 될 일이었다.

보급품을 실은 짐마차가 뒤편에서 이동했고 나는 그 뒤 언저리에서 조용히 이동했다. 심장이 미친 듯이 두근거렸다.

"야, 긴장하지 마라."

"……아. 놀래라. 영감. 사람 좀 놀래키지 마세요. 예고편을 날리고 등장하시라고요."

온 얼굴에 장난기를 담고 실실 웃는 스노우가 오늘따라 유독 얄미웠다.

"왜 사람을 그렇게 봐요."

"넌 카일 어디가 좋냐."

"카일이 할배 손자도 아니고, 얻다 대고 카일, 카일이에요?"

"그래, 손자라 치고. 너 카일 어디가 좋냐고."

"잘생겼고, 착하고, 섹시하고, 매너 좋고, 다정하고, 잘생겼고, 뭐든 열심히 하고, 카리스마 있고, 잘생겼고……."

"너 방금 잘생겼다를 세 번이나 말했는데."

"역시 사랑과 기침, 카일의 미모는 숨길 수가 없네요."

낄낄 웃으며 스노우 영감과 함께 가던 중 갑자기 우레와 같은 함성이 쏟아지고 말발굽 소리가 천둥처럼 온 골짜기를 채웠다.

첫 번째 전투였다.

긴 창을 들고 있던 스노우가 큰 목소리로 '밀집 대형!' 이라고 외치자 앞쪽에서 있던 어느 병사가 뿔피리를 짧게 끊어 세 번 불었다. 스노우는 일반 병사 계급이 아니었나 봐. 명령을 내리는 걸 보니 지휘관 정도 되나 본데. 어쩐지. 다들 찍소리도 안 하더라니.

근처에 있던 검병과 장창병들이 앞을 막아서듯 촘촘히 뭉치더니, 몇 줄로 나뉘어 대형을 이루었다. 보급품이 몰린 후방의 대열을 지키는 것이 그들의 임무인 듯했다.

앞쪽에서 쉴 새 없이 검이 맞부딪치는 날카로운 소리가 울려 퍼졌다. 생각보다 큰 소리에 정신을 제대로 차릴 수가 없었다. 쇠가 부딪치는 소리가 천둥처럼 느껴졌다. 머릿속이 새하얗게 질려 갔다.

쿠이란 계곡에서 정말로 승리하는 게 맞나. 원래 가만히 놔두면 승리할 전투였는데 괜히 내가 건드려서 지게 되면 어떡하지. 카일은 다치지 않고 무사할 수 있을까.

가슴이 미친 듯이 뛰어서 진정되질 않았다. 나도 모르게 옆구리에 있는 검에 손을 갖다 댔다. 아직까지는 대형이 뚫리지 않아 마차를 등지고서 지키는 수준이었지만, 멀지 않은 곳에서 들려오는 소리로 봐선 적들이 금방이라도 이리로 다가올 것 같았다.

언뜻 듣기론 로테나군의 숫자가 우리보다 많다고 들었는데. 골짜기의 낭떠러지까지 적을 몰아넣기 위해 우리 군사는 반으로 나뉘어야 했다. 만약에 수가 모자라서 전방이 뚫리면 어떻게 되는 거지. 검과 검이 부딪치는 소리가 사방을 에워싸듯 들려왔다. 심장이 미친 듯이 떨렸다. 긴장감으로 다물린 턱에 경련이 일기 시작했다.

나도 모르게 검을 빼 들려는 찰나, 스노우의 고함 소리가 귓가에 박히듯 들려왔다.

"정신 차려!"

화들짝 놀라 눈을 깜빡이며 정신을 차렸다. 내 눈앞으로 긴 창이 날아왔다.

"흐읍!"

으악 같은 비명을 지를 틈도 없이 숨을 들이켜며 본능적으로 머리를 숙였다. 날아온 창은 피했지만 중심이 흔들린 탓에 말에서 떨어지고 말았다.

"아흐윽……."

고통 섞인 신음이 입에서 흘러나왔다. 크로우 역시 큰 소음에 적잖이 놀란 듯 발굽을 높이 들었다가 내리며 히히힝 하고 길게 울었다. 전쟁터에 훈련받지 않은 말을 데려온 것도 모자라 기마병도 아닌 내가 말을 타고 있었다니. 표적이 되기 딱 좋았다. 갑자기 병장기 부딪치는 소리가 모두 나를 향하는 것처럼 느껴졌다.

바닥에 떨어진 채 멍청히 엎드려 있던 나는 날아온 로테나군의 창이 꽂힌 마차를 힐긋 보곤 마른침을 꿀꺽 삼켰다. 엉금엉금 기어서 보급품이 가득 실린 커다란 마차 밑으로 숨어들었다.

……숨어 있는 게 차라리 더 도움이 될지도 몰라. 무서워.

죽을 거야. 이번엔 정말로 죽을지도 몰라.

당당하게 큰소리쳤지만 코앞으로 다가온 죽음과 짙게 파고드는 피 냄새에 심장이 오그라들었다. 막연하게 생각한 게 현실로 펼쳐지고 있었다. 견딜 수 없는 두려움에 이가 딱딱 부딪혔다.

크로우는 내가 사라지자 더 흥분했는지 이리저리 몸을 흔들어 댔다. 밀집 대형의 가운데에 있는 말이 중심부에서 큰 몸을 엉망으로 뒤흔들자 대형 전체가 흐트러지기 시작했다. 굳게 서서 대형을 지키던 기사들의 발이 우왕좌왕하는 게 눈에 보인 것도 잠시, 병사 하나가 대형에서 벗어나 뒤로 쓰러졌다. 옆구리를 길게 베여 피가 마구 흘러넘쳐 땅을 적셨다. 고통에 젖어 잔뜩 찡그린 얼굴이 눈에 익었다. 지난주 내게 검술의 보법을 가르쳐 주겠다며 옆에 나란히 서서 보폭을 하나하나 짚어 준 친절한 사람이었다. 이름이 뭐였지. 같이 저녁을 먹고 웃고 떠들었는데.

남자의 미간이 치미는 분으로 험악하게 찌푸려졌다. 마차에서 기다시피 빠져나와 남자의 어깨를 끌어안았다.

"……뭐야, 너…… 소심하게 마차에…… 쿨럭. 숨어 있었냐."

질타하는 말치고는 웃음기가 서려 있었다.

대형은 금세 그의 빈자리를 메꾸며 채워졌다. 훈련이 잘된 병사들도 두려움은 어쩔 수 없을 것이다. 그럼에도 모두 목숨을 걸고 싸우고 있었다.

"죄송해요. 미안, 미안해요……."

다른 사람들에게 밟힐지도 몰라 남자를 안고 가운데로 이동해 마차 바퀴에 등을 기댔다. 줄줄 흐른 남자의 피가 내 손을 타고 흘렀다. 내 몸에서도 비린 피 냄새가 진동을 했다. 신음을 눌러 참던 남자는 결국 기절해 버렸다.

멀지 않은 곳에서 싸우고 있는 스노우 영감의 목소리가 귀에 박히듯 들렸다.

"흔들리지 말고 자리를 지켜!"

……자리? 내 자리?

흐트러진 대형의 군사들에게 한 말인 듯했지만 마치 내게 하는 말처럼 느껴졌다. 다들 필사적으로 싸우고 있었다.

적들이 낭떠러지로 떨어지고는 있는 건가. 금방 끝날 줄 알았는데 체감상 벌써 1시간은 넘게 굉음 속에 갇혀 있는 것 같았다.

내 자리를 지켜야 돼. 떨리는 무릎을 부여잡고 천천히 자리에서 일어섰다.

애초에 카일의 군사들은 지원군이라기엔 턱없이 부족한 숫자였다. 겨우 천 명 남짓한 숫자. 한 나라의 황자가 이끄는 군대라기엔 초라하기까지 했고, 내심 다들 돌아오기 힘들 거라 얘기를 했었다. 그래서 더더욱 다들 이를 악물고 싸우고 있었다.

나도 뭔가를 해야 해. 짐이 되면 안 돼. 반드시 살아서…… 카일과 함께 돌아가야 돼.

아직도 몸을 이리저리 흔들며 혼란스러워하고 있는 크로우의 고삐를 잡았다. 앞발을 몇 번이나 들었다 내리며 두리번거리는 크로우의 고삐를 내 쪽으로 잡아당겨 냉큼 올라탔다. 허리를 숙여 크로우의 귓가에 조용히 속삭였다.

"크로우. 착하지. 크로우……."

내가 두려워하는 걸 눈치채면 크로우가 더 난리를 칠까 봐 최대한 차분한 목소리로 크로우의 목덜미를 쓰다듬었다. 크로우가 차츰 진정되자 말 등 위에서 겨우 허리를 펼 수 있었다. 보이지 않는 앞쪽도 전투가 한창인 듯했고 이곳 후방까지 치고 들어온 적의 숫자도 상당했다. 로테나의 보병들이 우리의 밀집 대형을 뚫기 위해 고전하고 있었다.

크로우는 말 주제에 그리 크지 않았다. 그래도 일반 보병들보다 지금의 내 눈높이가 월등히 높으니까…….

나는 마차에 꽂혀 있는 로테나군이 날렸던 긴 창을 뽑아 들었다.

지금 내가 할 수 있는 걸 하면 돼.

나는 내 키보다 큰 창을 옆구리에 끼우다시피 들었다.

'보급 마차를 지켜, 조.'

카일은 보급 마차까지 이렇게 순식간에 적이 쳐들어올 줄 모르고 한 소리였겠지만, 명령을 받았으면 따라야죠. 황자님. 지킬게요. 여기.

나는 창을 거꾸로 들고 한 걸음 앞으로 말을 몰았다.

어차피 찌르는 건 못해. 창날로 사람을 찔러도 당길 때 힘이 부족해서 뽑지도 못하고 그대로 끌려가다 또 말에서 떨어질 거야. 할 수 있는 것만. 지금의 내가 할 수 있는 것만.

창의 뒷부분, 나무가 있는 쪽을 이용해 우리 쪽 병사와 싸우고 있는 적의 머리를 힘껏 쳐서 뒤로 밀었다. 말에 타고 있어서 수월하게 할 수 있었다. 비록 공격당할 위험에 한 대 치고 빠르게 뒤로 빠져야 했지만, 마차 아래에 숨는 것보다는 나으니까.

나무 막대에 머리를 맞은 로테나의 병사가 휘청거리는 사이 내 앞에 있는 병사가 그의 몸을 베었다. 그를 시작으로 작은 원을 그리고 있는 밀집 대형의 안을 돌아다니며 긴 창을 이용해 적의 머리를 몇 번이나 후려쳤다. 원리는 두더지 게임과 같았지만 눈앞에서 사람이 죽어 나간다는 점에서 달랐다.

내가 머리를 친 것은 두더지가 아니라 적군이었고, 그 이전에 나와 같은 사람이었다. 떨리는 손에 애써 힘을 주어 창을 고쳐 쥐었다. 어찌나 힘이 들어갔는지 어깨에도 경련이 올 지경이었다.

"허리 숙여!"

스노우의 고함 소리에 재빠르게 허리를 숙이자 내 머리 위로 창이 날아갔다. 잔뜩 화가 난 표정의 스노우가 대형 밖에서 날 향해 소리쳤다.

"멍청아! 나대지 말고 가만히 있어!"

"입 닥쳐요!"

죽을 각오를 한 건 이쪽도 마찬가지예요.

그다음은 잘 기억이 나지 않았다. 나무 막대를 마구 휘두르고, 날아오는 활을 피하고, 난리 치는 크로우의 등에서 내려와 맨몸으로 대형의 안쪽에서 긴 창을 이용해 로테나군을 마구 찌른 것. 말 위에 있을 때보다 내려오니 더 편했다. 창을 두 손으로 들고 대형의 빈틈 사이로 창을 찔러 넣었다가 그대로 뺐다.

괜찮아. 할 수 있어. 박자만 잘 맞추면 돼. 내 앞엔 훈련이 잘된 기사들이 있으니까 그 사람들을 믿는 거야.

꼭 찌르지 않아도 충분했다. 검들이 마구 맞부딪치는 사이로 창을 넣어 대충 시야만 교란시키다가 다시 뒤로 내빼면 빌테온의 기사가 그의 목을 베는 것으로 마무리했으니까. 두려워하지 말자고 스스로 몇 번이나 다독이며 대형의 안쪽에서 이리저리 도망 다니며 긴 창을 이용해 대형 바깥쪽을 둘러싼 로테나 병사를 찌르고 다시 도망쳤다.

그리 길지 않은 시간이 흘렀을 때, 우와아 하고 내지르는 커다란 함성이 계곡을 가득 채웠다.

우리의 승리였다.

온몸이 땀으로 범벅이었다. 멍하니 서 있던 나는 들고 있는 창을 바닥으로 툭, 내려놓고 다른 사람들처럼 두 손을 엉거주춤 들어 올렸다.

"우……우와! 와아아!"

목에서 튀어나오는 소리가 내 것이 아닌 것처럼 느껴졌다. 귀가 먹먹해 올 정도의 커다란 함성이 온몸을 울렸다.

쿠이란 계곡에서의 첫 번째 전투는 대승을 거뒀다. 적이 숫자가 워낙 많아 보급품 대형까지 몰려든 것치고 우리 측 사상자는 많지 않았다.

로테나 군사의 반은 카일군에게 밀려 골짜기 낭떠러지 아래로 떨어졌고, 반은 매복 작전의 실패에 당황해 우왕좌왕하는 사이에 죽어 버렸으니까.

쿠이란의 산골짜기를 넘어가자 야트막한 산과 긴 평지가 이어졌다. 앞쪽에 선 사람들이 이리저리 퍼지며 막사를 치는 걸 보니 멀어서 잘 안 들리긴 했는데 아무튼 쉬라고 했나 보다.

오늘은 여기서 야영이구나. 쥐고 있던 크로우의 고삐를 잡고 천천히 구석진 자리로 갔다. 작은 나무 그늘 아래 털썩 주저앉자 온몸에서 힘이 빠졌다.

"……아. 진짜 죽을 것 같다……."

눈을 감자 아까의 전투가 생생하게 그려졌다.

"살아 있었네."

"……영감님. 저 진짜 힘이 하나도 없어요. 저리 가세요."

"처음 전투에 참전한 것치고는 쏘다니는 꼬라지가 볼만하던데."

"할배도 그 연세에 정정하시던데요."

나무에 반쯤 기대 누워 스노우의 말을 받아 주곤 있었지만 정말 혓바닥 하나 움직이는 것조차 버거웠다. 스노우가 내 앞에 천천히 쪼그려 앉았다.

"……아, 오늘은 그 훈련 안 하면 안 돼요? 저 진짜 너무 힘들고……,"

갑자기 내 머리 위로 손을 올리는 스노우 때문에 말을 끝마칠 수 없었다. 어색한 손길로 스노우는 내 머리를 쓰다듬었다.

"고생했다. 한숨 자라."

그에게서 처음 듣는 위로였다. 어쩐지 가슴에 따듯한 물이 차오르는 것 같았다. 천천히 자리에서 일어선 스노우가 크로우의 고삐를 잡고 터덜터덜 막사들 가운데로 걸어갔다. 늙은 지휘관의 뒷모습을 보는 도중 눈꺼풀이 서서히 감겼다. 긴장해 있던 몸이 한 번에 풀린 탓이다.

카일은 다친 곳 없냐고 물어야 되는데. 벤지는 안 다쳤을까. 아까 옆구리가 베인 그 기사님은 어디서 치료받고 있지. 톰은 괜찮은가. 크룩 단장님은. 저 늙은이도 멀쩡해 보이긴 한데 혹시 어디 다친 거 아닐까. 아, 팔이랑 어깨가 너무 아파…….

온갖 생각이 불꽃놀이처럼 튀어 오르다가 순식간에 정신을 잃듯 잠에 빠져들었다.

'너 하나 돕는다고 그게 끝날 일이 아니야.'

여신의 음성이 선명하게 들려왔다. 하지만 투르가가 내 꿈을 통해 찾아온 게 아니었다. 그냥 과거의 일을 다시 떠올리는 것뿐이었다.

'로테나의 병사들은 어떡하니. 거기 사람들은 죽어도 괜찮은 거야?'

그때 뭐라고 대답했더라.

'당연히 괜찮죠. 아는 사람 아무도 없고, 아쉽게도 제가 먼 나라 이웃 나라 인간의 죽음을 슬퍼할 만큼 박애주의자가 아닙니다.'

아니야. 죽는 건 죄 없는 사람들이야. 기사와 병사들은 잘못이 없는데, 그냥 운 없이 전쟁에 참전한 탓에 죽은 거야……. 그 사람들이 죽은 건 내 잘못이야. 다 나 때문이야.

승리는 달콤하지 않았다.

잠결에도 죄책감에 감은 눈이 파르르 떨려 오는 게 느껴졌다. 모두가 승리할 순 없다. 어차피 전부 살아서 돌아가진 못한다. 꼭 살아야 하는 쪽이 있다면 그건 우리 쪽이어야 한다. 나는 꿈속에서 주먹을 쥐고 투르가 여신을 마주 보며 답했다.

'후회 안 해요, 나는.'

'……그래. 아가.'

여신의 미소가 은은하게 퍼졌다. 그것을 신호로 마치 막혔다 뚫린 것처럼 막사 밖의 시끌벅적한 소리가 귓가로 흘러 들어왔다. 나는 불에 덴 듯 화들짝 놀라며 몸을 일으켰다.

처음에는 시야가 흐릿해 사물이 잘 구별되지 않았다. 앉은 채로 몇 번 눈을 깜빡여 초점을 맞추니 걱정스러운 얼굴로 나를 내려다보는 카일이 눈에 들어왔다.

"……카일?"

"얘기 들었어. ……창을 들고 싸웠다며."

"……네."

목소리가 잠겨 제대로 나오지 않았다. 내 손을 꼭 잡은 카일의 손이 잘게 떨려 왔다.

"……내가 기어코 네 손에 피를 묻혔구나."

"나도 똑같은 마음이라고 했잖아요. 카일이 죽는 걸 가만히 지켜볼 순 없어요."

내 단호한 말에도 카일의 얼굴은 좀처럼 풀리지 않았다. 꾹 다문 입술로 한참 나를 바라보던 카일은 두 눈을 질끈 감았다가 뜨며 씹어뱉듯 말했다.

"대체 내가 뭘 더 어떡해야 돌아갈 거야."

아래로 파고들어 가듯 애처로운 목소리였지만 이제 와서 돌아갈 순 없었다.

"아직도 날 몰라요? 돌아갈 거였으면 애초에 오지도 않았어요."

단단한 목소리로 대답했지만 내 손을 힘주어 잡고 있는 카일의 손엔 땀이 흥건했다. 일자로 다물린 그의 입술이 바르르 떨렸다.

"……네 손에 피를 묻히게 한 내가 싫어. 혐오스러워서 참을 수가 없어."

"그렇게 빡치시면 거울 한번 보고 오시든가요. 천년의 분노도 잠재울 미인이니까."

장난스레 이죽거리는 나를 원망스레 바라본 카일이 고개를 푹 숙였다.

"할 수만 있다면 이 얼굴을 들고 안전한 곳으로 가 있으라고 하고 싶어."

"그건 그림에 불과하잖아요. 그런 걸로 충분했으면 애초에 여기 오지도 않았어요. 난 살아 있는 당신을 지키려고 온 거예요."

내가 이 세계로 온 이유 자체가 당신을 만나기 위해서였는데. 카일 당신이 우는 걸 보고 싶지 않아서였다고요. 네가 뭔데 내 인생의 목표를 막아. 내 불만 가득한 얼굴을 본 카일의 얼굴에 수심이 가득했다. 차라리 대화 주제를 좀 돌려 볼까.

"우리 쪽 병사들이 많이 다치진 않았죠?"

"……응. 덕분에."

"로테나군이 원래 그렇게 숫자가 많아요?"

"란티모스 공국은 작은 나라니까. 그에 비하면 로테나가 크지. 인구도 많고. 징집된 군사들의 수도 많을 거야. ……빌테온 지원군의 수가 생각보다 적다는 변수도 있고."

장미 기사단의 숫자는 겨우 삼백여 명. 나머지는 징집된 몇몇 영지의 기사들과 용병이었다.

"플라반에서도 도와줘서 다행이었지."

"……황제가 지원해 준 황궁 기사들의 숫자는요?"

"이백 정도……."

개새끼.

명색이 제국이면서 그렇게 짜게 굴어서야 쓰나. 황자를 내보내면서 고작 이백밖에 군사를 내주지 않다니. 이건 첫 번째 황자인 카일을 무시하는 행위라고도 볼 수 있었다. 지금부터 카일에 대한 지지를 철회한다. 오늘부터 카일과 나는 한 몸으로 앞으로 카일에 대한 모욕은 나를 향한 모욕으로 간주한다.

황제 가만 안 둬. 죽어라, 이놈. 속으로 이를 갈고 있었는데 카일이 피식 웃는 게 느껴졌다.

"이젠 네 얼굴만 봐도 무슨 생각을 하고 있는지 알겠군. 알았으니까 그만 생각하고 누워. 다쳤잖아."

"……아까 말에서 떨어진 거요? 크로우가 장성한 말치고는 별로 안 커서 그렇게 크게 다치진 않았어요. 어깨가 조금 저린 거 말고는……."

종알종알 말하며 괜찮다고 어필하는데 카일의 표정이 심상치 않았다.

“왜 그래요.”

“기억 안 나?”

“……뭐가요.”

카일이 내가 덮고 있는 담요를 걷었다. 무릎 조금 위쪽 허벅지에 칭칭 감긴 하얀 붕대가 눈에 들어왔다.

다쳤었나? 언제……? 상처를 입은 게 전혀 떠오르지 않았다. 필사적으로 뛰어다니고, 날아오는 활을 아슬아슬 피하고, 흙바닥에 몇 번 넘어진 것만 생각날 뿐. 그러고 보니 담요는 언제 덮었지. 게다가 분명 잠들 때는 작은 나무 아래였는데 지금은 막사 안이다.

“언제 다쳤는지 기억이 안 나요.”

카일은 걱정이 가득한 눈으로 나를 내려다보다 내 얼굴을 감싸 쥐었다. 입술이 맞닿으려는 순간 막사 입구의 천이 획 젖혀지며 스노우가 들어왔다.

“눈은 떴냐! 꼬맹이!”

“악!”

화들짝 놀라 나도 모르게 카일을 밀어 버렸다. 의자에서 떨어져 바닥을 구르는 카일을 보고 기겁을 하며 침상에서 내려가려고 했지만 카일은 손을 내저으며 거절했다.

“……괜찮아. 거기 있어.”

스노우가 온 세상 행복을 머금은 듯 밝은 얼굴로 껄껄 웃었다.

“할배는 황족이 자빠졌으면 일으켜 세워 주든가 하시지, 왜 거기서 그냥 웃고만 있어요!”

“나는 원래 자식도, 자식의 자식도 강하게 키우는 주의라서.”

이 할배가 노망이 났나. 나는 눈썹 한쪽을 있는 힘껏 찡그리고 스노우를 노려봤다.

“너 방금 나보고 노망난 할배라고 생각했지.”

“헉. 혹시 제 마음의 소리가 들리세요?”

텔레파시가 다시 생긴 건가 싶어 놀라 물었지만 스노우는 야차 같은 험상궂은 몰골을 더 구겼다.

"진짜 그렇게 생각했냐! 이 몹쓸 놈. 내가 전투에서 너한테 날아가는 창 열 개는 막아 줬을 거다, 이놈아! 은혜도 모르고! 막사에 숨어서 황자 전하랑 뽀뽀나 하고 말이야!"

"아아아악!"

여자인 걸 알고 있고, 내가 카일을 좋아한다는 것도 다 까발려진 마당이었지만, 스킨십 장면을 들킨 건 살짝 다른 문제였다. 귀를 막으며 부끄러워 어쩔 줄 몰라 소리를 꽥액 지르자 카일이 엉덩이를 툭툭 털며 일어나 내게 등을 지고 섰다.

엉덩이……. 여전히 동그랗고 예쁘고 업 돼 있네요, 카일. 당신 힙라인 옥황상제 똥꾸멍도 찌르겠어.

마음의 소리가 들리지 않아서 얼마나 다행인지. 음흉한 미소를 지으며 카일의 뒤태를 천천히 감상했다.

"스노우. 여긴 어쩐 일입니까. 설마 그 말도 안 되는 막돼먹은 훈련을 오늘도 하실 건 아니시죠."

"그럴 리가요, 황자 전하. 저놈한테 물어볼 게 있어서 왔습니다."

"……스노우. 뻔히 여자인 걸 알면서 자꾸 이놈 저놈이라고 부르는 이유가 뭡니까. 다른 사람들 앞도 아닌데."

카일의 차가운 목소리에도 스노우는 태연했다. 저것도 연륜인가. 저 할배는 도통 카일 앞에서 쫄지를 않네. 그래도 카일이 황자인데, 꼭 무슨 자기가 어릴 때부터 본 손주 보듯 하잖아.

콧잔등을 긁다가 허리가 아파 슬그머니 다시 침상에 누웠다. 누우니까 시야에 카일의 탄탄한 말벅지가 눈에 들어오네요. 말…… 제가 잘 길들이는데 말입니다.

별안간 스노우의 픽 새는 웃음소리가 들려 그쪽으로 고개를 돌리자 스노우의 진한 푸른 눈동자와 눈이 마주쳤다. 그러고 보니까 저 영감도 파란색 눈이네.

스노우가 어깨를 으쓱 올렸다 내렸다.

"황자 전하 엉덩이나 훔쳐보면서 눈 희번덕거리는 사람을 '아가씨'라고 부르기도 좀 우습습니다."

카일이 귓불을 빨갛게 물들이며 휙 돌아봤고 나는 누운 채 고개를 절레절레 흔들었다. 무조건 부인하고 봐야지. 엉덩이 본 거 또 들키면 또 짤짤 털릴 거야.

기분 좋은 얼굴로 너털웃음을 짓던 스노우가 침상 가까이로 다가와 황족의 명령도 없이 의자를 빼 앉았다.

"뭐야. 회복에 썩 좋은 얼굴도 아니면서 가까이 오지 마세요."

"하여간 말하는 싹수하곤. 너 나중에 황자 전하랑 결혼한다고 하면 난 무조건 반대다."

"할배가 뭔데 반대를 해요."

기어코 누워 있는 내 이마에 꿀밤을 먹인 스노우는 '할아버지!' 하고 달려드는 카일을 손을 휘휘 저어 가볍게 조용히 시킨 뒤 내게 진중한 얼굴로 물었다.

"밀집 대형 안에서 창을 이용해 밖에 있는 적을 공격한다는 생각은 어떻게 한 거냐."

……어떻게 했냐니. 당연한 거 아닌가. 눈을 동그랗게 뜨고 고개를 갸웃거리던 나는 솔직하게 답했다.

"바보가 아니고서야……."

"뭐?"

"안에서 손가락이나 빨고 있을 순 없잖아요."

스노우의 큰 눈이 나를 꿰뚫을 듯 지그시 바라봤다.

"보통 멍청이들은 그 안에서 검을 들고 대형에 합류하지. 훈련도 안 돼 있으니 짐이 되고."

"……그런데요."

"아니면 너처럼 창을 들고 달려들어도 무게를 이기지 못하고 쓰러지거나."

스노우의 목소리가 낮고 진지해질수록 뭔가 무서웠다. 담요 밑의 오른손 주먹을 말아 쥐었다가 천천히 폈다. 손가락 마디마디마다 퉁퉁 부어오른 것처럼 버겁고 쑤셨다.

"저도 엄청 무거웠어요. 지금도 오른쪽 어깨 밑으로는 내 거가 아닌 거 같은데요."

"찌르겠다는 건방진 판단을 하지 않고, 툭 밀고 뒤로 빠르게 빠진 건 아주 좋은 판단이었어. 보기보다 재주가 있구나, 꼬맹아. 내가 가르쳤던 어떤 놈들보다도 더."

안 웃으려고 해도 입꼬리가 스멀스멀 올라갔다.

"제가 좀 하죠."

"그 큰 창날에 허벅지를 베이고서도 눈 하나 깜빡 안 하는 깡다구 하며……."

스노우가 뱀처럼 눈을 빛내며 내게 미소 지었다.

"너. 전쟁에서 제일 중요한 게 뭔지 아냐."

"……보급품?"

내가 보급품을 잘 지켜서 칭찬을 하는 건가. 머리를 긁적이며 대답했지만 스노우는 고개를 절레절레 흔들었다.

"기백이다, 기백."

"기백이요?"

"그래. 반드시 이기고, 적을 무너뜨리겠다는 강한 의지 말이야. 너한텐 그게 있어. 첫 전투에 꽁지 빠지게 도망갈 줄 알았더니 용케 제 한몫 해내겠다고……."

허허, 짜식. 기특하긴. 뒷말을 덧붙이며 스노우는 내 앞머리를 쓰다듬었다. 나를 푹 쉬게 두자며 카일과 함께 나가던 스노우가 장난기 가득한 못된 얼굴로 뒤를 돌아봤다.

"상처에 딱지 생기면 다시 훈련 들어간다."

"악! 그러는 게 어디 있어요!"

그럼 그렇지! 저 영감이 웬일인가 했다, 내가. 역시! 방심하는 게 아니었어, 이 망할 영감쟁이!

그날 이후, 스노우는 가끔 막사에 들어와 내게 이것저것 물었다.

"전처럼 적에게 포위될 경우 너라면 어떡하겠냐."

"아, 뭐 환자한테 그런 걸 물어요. 사람 졸려 죽겠는데."

"이 자식은 뭐 한 번에 곱게 대답하는 법이 없어. 카일이 입던 잠옷이라도 갖다줄 테니까 대답이나 해 봐. 이 호색한아."

"……저라면 전처럼 밀집 대형으로 군사들을 모은 뒤, 방패를 든 병사들을 앞에 세울 것 같아요. 방패병과 창병을 두 줄로 나눠 세우는 거죠."

"호오?"

스노우가 눈을 빛내며 의자를 당겨 앉았다.

"철로 만든 무겁고 단단한 방패를 앞세웠다가 타이밍에 맞춰서 잠깐 벌리고 그 틈으로 창병이 뒤에서 푹 찌르는 거예요. 적의 1열이 쓰러지면 또 한 발짝 전진할 수 있잖아요."

"방패가 무거울 텐데?"

흥미롭다는 얼굴로 스노우가 내게 되물었다.

"그러니까 방패를 든 군사들은 다른 검이나 창을 안 드는 거죠. 오로지 방어에만 집중하고, 공격은 뒤에서."

"한 줄씩 해치우면서 앞으로 진군한다고?"

"그렇죠."

"시간이 너무 많이 걸리지 않을까?"

한쪽 입꼬리만 비스듬히 올린 스노우가 나를 흘기며 물었다.

"그런가……. 근데 개인의 능력치에 맡겨서 일렬횡대로 세우기엔 너무 잃는 게 크지 않을까요. 포위당한 상태라면 사방에서 공격이 밀려올 텐데요."

영화에선 다들 그렇게 하던데요. 스파르타 엄청 재밌게 봤단 말이야. 귀밑머리를 긁적이며 대수롭지 않게 대답하자 스노우가 흡족한 듯 웃었다.

"꽤 보는 눈이 있는데. 데리고 다니면서 키울 보람이 있겠어."

"설마 그거 제 얘기예요? 내가 무슨 반려견도 아니고 뭔 말을 그렇게 하세요, 영감님. 할배 연세도 누가 데리고 있으면서 부양해야 될 연세 아니에요?"

이죽거리는 내 말투에도 스노우는 평소처럼 화내지 않았다.

질문은 매일 달라졌다.

"징집된 군사들이 명령을 따르지 않으면 어떻게 해야 할까."

"상관한테 문제가 있겠죠. 한둘이야 개인의 문제지만 군사들이 하나같이 마음이 돌아섰다는 건 상관이 뭔가 잘못했다는 거겠죠. 돈을 안 줬거나, 밥을 안 줬거나. 말을 개같이 했거나."

"그래?"

옛날에 우리나라에서도 군인들이 난 일으켰던 거 같은데. 고등학교 때 배웠던 기억이 스멀스멀 다시 올라왔다.

"부하들의 죽음은 상관의 잘못이잖아요. 지휘를 잘못한 거니까요. 왜요. 할배네 수하들이 말을 잘 안 들어요? 그건 할배가 괴팍해서 그래요."

"새끼야, 너나 잘해."

"또, 또 걸레 잡쉈네."

며칠 쉬며 환자들을 치료하고 무기를 보수한 뒤, 카일군은 다시 전투가 한창인 로테나의 국경 지역으로 이동했다. 하필 넘치는 회복력으로 절뚝이며 걸을 수 있게 된 나는 다시 크로우에 올라탔다. 말을 타고 가다가 허리가 아프면 내려서 고삐를 잡고 걷기도 했다.

갑주를 챙겨 입은 스노우가 느긋하게 내 옆까지 다가왔다. 이 영감이 또 무슨 질문을 하려고. 지겨운 기분에 모른 척 더 뒤로 빠지려다가 잡혀 버렸다.

"아이, 왜요."

"싫은 티 그만 내고 대답이나 해 봐라. 우리가 다음에 강을 지나게 되는데 아무래도 강을 건너다 보면 기동성이나 공격력이 낮아진단 말이지. 강 건너편에 놈들이 매복할 가능성도 높고. 너라면 어쩌겠냐."

"총사령관 카일 전하한테 가서 물어보세요."

"네가 한번 말해 봐. 늙은이 부탁도 못 들어주냐."

"이럴 때만 늙은이래. 강이면, 그거죠."

……살수 대첩. 초중고 12년이 헛된 게 아니구나. 나는 열심히 살수 대첩을 스노우에게 설명했다.

"……그러니까, 강의 상류를 둑으로 막아 뒀다가 한 번에 터뜨리는 거죠. 유인하다가 적들이 넘어왔을 때 한 방에요. 우르르 강물에 쓸려 나가게."

"……호오, 그래?"

스노우가 음흉하게 웃으며 고개를 끄덕였다.

12. 전쟁의 신

이동하는 동안에 로테나군과 몇 번 더 마주치긴 했지만 잔뜩 사기가 올라간 빌테온의 군사들은 가뿐하게 이기며 전진했다. 비록 후방 부대의 보급 마차 담당 소속이었지만 나도 나름대로 검을 휘두르며 몇 명의 적을 투르가 여신 곁으로 보내 줬다.

"여신님. 또 한 놈 갑니다."

테이비톤 강에서의 전투 준비는 첫 번째 전투보다 길게 이어졌다. 몇 날 며칠에 걸쳐 로테나 군사들을 유인하고 뒤로 빠지는 잔잔한 전투가 이어졌지만 그 또한 작전에 포함되어 있다는 것을 전달받은 기사들과 다른 병사들은 쉽사리 지치지 않았다. 사상자는 내지 않으면서도 전투에선 자꾸 꽁무니가 빠지게 도망을 치니 로테나군이 이를 갈며 기회를 엿보는 게 느껴졌다. 유인하는 횟수가 늘어날수록 더 빠르게 쫓아왔고, 멀리까지 따라왔다. 약이 바짝 오른 상태의 로테나군을 보며 카일의 병사들은 과장해서 버거운 티를 냈다. 그 와중에도 테이비톤 강 상류로 미리 보내 놓은 일꾼들은 열심히 둑을 막았다. 그중엔 나도 있었고.

"이상하다. 카일이 나를 이런 험한 곳에 보낼 리 없는데."

수레에 바위를 실어 열심히 나르다 보니 온몸에서 땀이 줄줄 흘렀다.

"아이고, 삭신이야……."

갑자기 수레가 가벼워지는 기분에 뒤를 돌아보자 톰이 수레를 밀고 있었다.

"어라? 톰은 왜 여기로 왔어요? 기사님은 하류에서 싸우셔야지."

"……몰라. 나보고 이리로 가라던데. 혹시 나 강등당한 거 아닐까."

"나를 지키라는 걸 수도 있죠."

"설마. 너는 사막에 떨궈도 도적 떼를 모조리 잡아다가 부하로 부리고 두목이 되어 돌아올 것 같은데."

"농담은."

소리 내어 웃은 뒤 다시 두 다리로 단단히 버티고 선 채 온몸에 힘을 줘서 돌이 가득 실린 수레를 앞으로 밀었다.

"……나 농담한 거 아닌데."

테이비톤 강 상류를 막는 며칠 동안 다른 병사들과도 친해졌다. 톰의 주둥아리가 한몫했지.

"비실비실한 것처럼 보여도, 이 자식 은근히 근육이 딴딴하다니까. 이거 봐."

둥그렇게 둘러앉아 밥을 먹다가 톰이 너스레를 떨며 옆으로 다가왔다.

"조, 힘줘 봐."

허기진 배를 채우려 밥을 마구 퍼먹다 말고 팔에 힘을 주자 톰이 오오오! 하며 탄성을 내질렀다.

"전보다 더 단단한데! 체력 단련한 효과가 있나 보군."

너도 매일 노예마냥 돌 수레 밀어 봐라. 없던 근육이 당연히 생기지.

"게다가 얘……,"

밥을 퍼먹던 사람들이 은밀한 이야기에 귀를 기울이자 톰은 목소리를 낮추고 소곤거렸다.

"엄청난 대물이야."

"호오오—"

"푸흡!"

이 미친 새끼 진짜. 깜짝 놀라 씹어 넘기던 고기를 입 밖으로 뿜어내자 톰이 등을 두드리며 걱정했다.

"야, 괜찮아?"

"조 그렇게 안 보이는데 어마어마하게 실한 놈이었구나."

"어쩐지 힘이 좋다 했어. 힘의 근원이 따로 있었던 거지."

내 사타구니 사정에 한마디씩 코멘트를 달던 병사들이 부쩍 친근한 척을 해 왔다.

"조! 같이 목욕이나 하러 가자! 소문의 그거 구경 좀 하자고!"

"밥 먹는데 개소리하지 마. 개자식들아!"

"어린놈이 성깔은 제일 더럽다니까! 조! 땀 흘렸으면 씻어야 될 거 아냐!"

"얼마나 대단하길래 꽁꽁 묶어 놓고 보여 주지도 않냐!"

호기심 가득한 얼굴로 불만을 표하는 다른 사람들을 보다 보니 이젠 억울해질 지경이었다. 야, 나도 그 엇비슷한 거라도 있었으면 진작 바지 내렸지. 답답해 죽겠네. 진짜.

내 또래들은 궁금증이 더 강했다.

"조."

"왜."

"볼일 보러 가자."

"……미쳤냐. 뭔 화장실 가는데 같이 가재. 혼자 가, 새끼야."

"숲속이잖아. 로테나 놈들 만나면 어떡해. 망이라도 봐 줘. 너 볼일 볼 때 내가 망 봐 줄게."

"……됐어, 꺼져."

제발 좀 꺼져. 내가 볼일 보겠다고 바지 내리면 당장에라도 옆에 와서 소문의 진상을 파헤칠 눈깔을 하고선 무슨 망을 봐 준대. 좀 속아 넘어갈 거짓말을 해라.

"제발 다들 좀 꺼져요. 혼자 있고 싶어."

우르르 몰려 있는 사람들을 향해 바위를 들어 던지자 그들은 깔깔 웃으며 흩어졌다.

"역시, 남다른 힘이네!"

놀리는 말도 빠뜨리지 않고서. 어떻게 이렇게 아무도 의심을 안 하지. 강에 비친 내 얼굴을 빤히 보다가 옷소매를 들어 군살 하나 없이 튼튼해진 팔 근육을 매만졌다. 허벅지나 엉덩이도 건강미가 흘러넘치는 중이었다. 체격이 커진 건 아니었지만 몸에 군살이 빠지고 더 탄탄해진 건 맞았다. 아니, 아무리 그래도…….

"왁! 히히. 놀랐지!"

강가에 앉아 있는 내 등을 툭 밀며 장난을 치는 소년병 조슈아의 뒷덜미를 잡아다가 그대로 강으로 던져 버렸다.

"이 새끼야! 내가 놀래키지 말라고 했지! 심장 약하댔잖아!"

물에 흠뻑 젖은 생쥐 꼴이 되어 터벅터벅 걸어 나온 조슈아는 눈물방울을 그렁그렁 매달고 사과했다.

"……죄송해요, 형……. 안 그럴게요."

"아니. 뭐, 그래……. 다음부턴 하지 마."

"네……."

의심받긴 글렀네. 이번 생에선 글렀다.

저녁이 되면 톰이 갑옷을 벗고 가벼운 옷으로 갈아입은 채 검을 들고 찾아왔다.

"조. 검 들어."

"……예에……."

매일 톰에게 검술을 배우고, 다른 사람들에게도 틈틈이 검을 쥐는 법, 보법 등을 배웠다. 거기다 스노우 영감은 지치지도 않는지 저녁쯤 강 상류로 올라와 내게 종알거렸다.

"전쟁에선 병사들 개개인의 능력도 중요하지만, 전술이 좋아야 하거든. 기발하고, 효과적이어야 돼. 적들의 동태를 잘 살피고, 주변 지형도 파악해야 하고."

"……예, 예에. 예."

"듣고 있냐!"

스노우가 휘두른 나무 막대에 어깨를 얻어맞자마자 나는 곧장 그에게 달려들어 멱살을 잡았다.

"아이고, 이놈이 지 할애비뻘 멱살을 잡네!"

"왜 갑자기 약한 척을 해요! 지난주까지만 해도 잡아 죽일 것처럼 굴어 놓곤!"

스노우에게 목소리를 높이며 짜증을 냈지만 그는 실실 웃으며 딴소리를 해댔다.

"너, 활은 쏠 줄 아냐."

"……하. 저를 진짜 인간 병기로 만들 셈인가요."

"네가 무슨 인간 병기냐. 고작 창 하나 들었다고 몇 날을 앓아누운 주제에."

"전에 카일 앞에서는 인간 병기 만든다고 했잖아요!"

"약 오르라고 한마디 한 거지! 어릴 때는 동글동글 순진했던 놈이 눈에 힘 팍 주고 덤벼드는 게,"

"잠깐. 어릴 때?"

손을 들어 말을 막고 스노우를 가만히 바라봤다. 스노우가 빠르게 눈을 깜빡이다가 의미심장하게 슬쩍 돌아앉았다.

"……이제야 눈치챈 거냐. 그래, 사실은 내가,"

"그렇게 오랫동안 기사 생활을 했어요? 카일 어릴 때 어떻게 생겼어요! 빨리 설명해 봐요!"

"……병기가 아니라 넌 그냥 병인데."

"말이 심하시네."

기회는 이때다 싶었는지 스노우는 자신이 젊었을 적 꽤 날린 기사였다며 영웅담을 한참 늘어놓았다. 턱을 괴고 가만히 듣고 있다가 꾸벅꾸벅 졸기 시작하자 스노우가 버럭 소리를 질렀다.

"자냐!"

"악! 소리 좀 지르지 마요! 이 할배가 진짜!"

"속이 터진다! 터져! 너 같은 놈이 뭐가 좋다고! 순발력만 좋고 얼굴만 밝히는 순 호색한 변태 자식이잖아!"

"영감님, 무슨 말을 그렇게 험하게 하세요! 마음 씀씀이가 자기 얼굴 주름살보다 험악하네!"

"에잇!"

결국 다시 스노우와 주먹다짐을 나누다가 넘어져 무릎이 시뻘겋게 까지고 나서야 싸움을 멈췄다. 씩씩대는 나를 보고 스노우는 또 비실비실 웃었다.

"……아주 기백이 넘쳐."

"감상평 자꾸 내놓지 마요. 약 오르니까."

스노우가 몰래 챙겨다 준 고기를 야금야금 뜯어 먹다가 달빛 아래에서 은근슬쩍 질문을 던졌다.

"스노우."

"왜."

"사실 나 좋아하죠. 꽤 맘에 들었잖아요."

"지랄하네."

"말이랑 행동이랑 왜 이렇게 달라요. 지금 나 먹으라고 고기도 챙겨 와 놓고."

"내 보니까 여기 놈들 중에 네가 제일 바위 많이 옮기는 거 같아서 그런 거야!"

"그니까요. 이 약아빠진 색목인 새끼들. 왜 일을 제대로 안 해. 다 한국에서 주 52시간 근무해 봐야 정신 차리지."

"뭐?"

"……근면 성실이 중요한 거 아니겠습니까, 영감님."

스노우는 씨익 웃으며 내 머리를 툭 치곤 자리에서 일어섰다.

"내일이나 모레쯤, 산 중턱에서 뿔피리가 울리면 둑을 뚫어야 돼."

안 그래도 바위를 쌓을 만큼 쌓았다 싶긴 했다. 그 너머로 강물도 제법 높이 넘실거리기도 했고. 하지만,

"그걸 왜 저한테 말하세요."

밤에 보는 스노우의 낯짝은 여전히 무서웠다. 평생을 전장에서 돌아다녔다

더니 확실히 울던 애도 그치게 생기긴 했다. 소소한 감상을 속으로 되뇌고 있을 때쯤, 그가 들고 온 짐 가방에서 무언가를 꺼냈다.

"후방 부대 지휘관으로 임명한다. 딱 이번 전투만이니까 나대지 말고."

"뭔데요, 이게."

스노우가 내민 건 붉은 장식이 달린 검이었다.

"여기 있는 사오십 명을 아래에 두고 부리란 뜻이 아니야. 한 몸처럼 움직일 수 있도록 네가 잘해 보란 말이야, 그 우렁찬 목청으로."

"……이 검이……."

"다시 말하지만, 임시직이다. 부사관."

"부부부부사관? 저 말 돌보는 마구간지기인데요!"

"전쟁 나와서 네가 말똥 몇 번이나 치웠다고 마구간지기냐. 카일은 모르지만, 톰이나 여기 있는 다른 몇몇은 이미 동의했으니까 겁먹지 말고. 하란 대로 해. 이 둑만 제때 뚫으면 돼."

"……톰이 기사잖아요. 정식 훈련을 받은 기사가 더……,"

"너 내 입에서 똑같은 말 나오게 할래? 이 할애비 안목을 뭘로 보는 거냐."

손바닥에 들린 검의 무게가 무겁게 느껴졌다. 들릴 듯 말 듯 작은 목소리로 투덜거렸다.

"치. 언제는 할아버지라고 부르지 말래 놓고."

"네가 언제 할아버지라고 했냐. 할배 아니면 영감, 아니면 늙은이였지."

나는 더 이상의 군말 없이 검을 옆구리에 매달았다. 허리가 내려앉을 것처럼 무거웠다. 심리적 부담감 말고, 정말로 물리적으로 무거웠다. 묵직한 무게감에 몸을 이리저리 돌리자 스노우가 한심하단 듯 나를 바라보며 혀를 끌끌 찼다.

"검을 세 개나 차고 있으니까 그렇지. 무기고에서 빼 온 이건 도로 갖다 놓으면 되고. 이…… 단검은 어디서 났냐."

"이사크가 줬어요."

"이사크 황자가 뉘 집 강아지냐. 어딜 감히 이사크, 이사크야. 마구간지기가."

"……아이씨. 아까는 부사관 하래 놓고."

"……너 이사크 황자한테도 카일한테 하듯 그러는 건 아니지. 너, 그렇게 가벼운 놈은 아닐 거 아니냐. ……카일 황자가 제일 좋다며."

스노우가 왜인지 걱정 가득한 얼굴로 물었다.

"왜요. 한창 청춘인데 이래저래 여러 사람 만나는 것도 다 경험이죠."

주름진 그의 눈가에 순식간에 불길이 치솟았다.

"야, 이……!"

"농담이에요, 농담. 정말그냥친한사람이고단한번도카일같은의미로생각해본적없습니다정말이에요할아버지스노우님진짭니다."

금방이라도 나를 쳐 죽일 것 같아서 최대한 빠르게 답했다. 스노우는 다시 인자한 얼굴로 돌아오더니 사람 좋은 미소를 뿌렸다.

"그래, 역시 그렇지? 너 보기엔 황궁에서 누가 제일 잘생겼냐."

"카일이요. 카일. 카일 미만 잡."

뿌듯한 얼굴로 허리에 손을 올린 스노우가 별안간 나를 보며 한껏 느끼하게 미소 지었다.

"내가…… 약간 카일 황자 전하랑 비슷한 구석이 느껴지진 않고?"

"전혀요. 아, 비위 안 좋다. 방금 먹은 고기 다 토할 뻔했네."

"티끌도 안 닮았어?"

"눈 두 개, 코 하나, 입 하나인 건 닮았네요. 카일은 신이 만든 조각상이 우연한 기회로 인간이 된 거라고요. 이게 학계 정설인데 어떻게 스노우는 인간이면서 감히 신의 영역에 도전하세요. 진짜 코웃음이 절로 난다."

질렸다는 표정으로 스노우가 나를 흘겨보다 터덜터덜 다시 산을 내려갔다.

"잘 해. 검의 무게를 항상 손끝에."

"네, 네. 알았어요."

그러고는 자고 일어나니 옆구리에 찬 검을 본 몇몇 병사들이 나를 놀렸지만 딱히 트집을 잡진 않았다.

"……역시, '그것' 순으로 승진한다, 이건가."

"말단 졸병인 줄 알았는데 역시 이유는 '그것' 때문인가."

내 중심부를 뚫어지게 보며 한마디씩 얹고 놀리는 병사들 때문에 힘들다가도 웃음이 터졌다.

"그만 놀려요!"

"무슨 소리야. 우린 내심 네 '그것'을 경배하고 있었어."

"아, 진짜! 입 좀!"

낄낄대며 다 같이 웃던 것도 잠시, 뿔피리 소리가 산을 가득 메웠다.

"천을 잡아요!"

애초에 강바닥 아래에 넓은 천을 깔고 둑을 쌓아 놓았었다. 안 그럼 어느 세월에 바위를 치우겠는가.

"하나, 둘, 셋!"

오십여 명이 한꺼번에 매달려 줄을 당겼지만 위로 쌓아 올라간 바위의 무게가 상당해서인지 꿈쩍도 하지 않았다. 이 작전은 타이밍이 중요했다. 대군이 강을 건너는 바로 지금이어야만 했다.

"당겨!"

목이 터져라 외치며 천을 당겼다. 약간 흔들리는 듯도 했지만 워낙 미약해서 위에 잔뜩 고인 물의 출렁거림 때문인지, 천을 당겨서 생긴 반동 때문인지 분간이 가지 않았다.

이대로는 안 돼.

끈을 커다란 아름드리나무 줄기에 동여매고 길게 여유를 두고 내 허리와 이어 묶었다.

"계속 당겨요!"

이를 악물고 젖 먹던 힘까지 다해 천을 당기는 병사들을 뒤로하고 강물에 뛰어들었다. 막혀 있는 반대쪽은 수위가 무릎 정도까지밖에 되지 않았다.

"야! 뭐 하는 거야!"

내 기행에 톰이 소리를 높였지만 이 방법밖에는 생각나지 않았다. 1분 1초가 다급한 상황이었다. 작은 돌 하나만 빼내도 둑은 터지게 돼 있어. 오르브시델로 만든 단단한 단검이라면 돌 틈새로 쑤셔 박아 흔드는 것만으로도 둑을 터뜨릴 수 있을 것 같았다.

"둑이 무너지면, 줄 잡아당겨요!"

"멍청아! 바위에 깔려 죽어!"

내 키보다 높이 쌓아 올린 바위 둑 앞에서 나는 심호흡을 한 뒤 물이 졸졸 새고 있는 바위들 틈으로 이사크의 단검을 박아 넣었다.

"하나, 둘, 셋!"

신호와 함께 단검을 비틀어 당겼다. 처음엔 밑동에 박힌 주먹만 한 돌이 빠져나왔다. 된 건가. 아리송하던 찰나에 쿠구궁, 산의 울음소리가 들렸다.

"조! 나와!"

오른편에 자리한 사람 얼굴 크기의 바위가 잠시 흔들리는가 싶더니 훅 아래로 떨어졌다. 물이 금방 허벅지까지 차올랐다. 물살이 어찌나 센지 다시 강변으로 가는 게 쉽지 않았다. 톰은 이제 나를 묶어 놓은 줄을 당기고 있었다.

그때였다. 꽤 굳건히 버티고 있던 바위 둑이 순식간에 터지며 무너져 내렸다. 탁 트인 시야에 톰의 놀란 얼굴이 클로즈업이라도 된 것처럼 가득 찼다가 내 쪽으로 달려드는 바위 때문에 금세 사라졌다.

"조!"

주먹만 한 돌에 관자놀이를 가격당하고 휘청하는 사이 다른 커다란 바위들이 마저 날아들었다. 허리에 매어 놓았던 줄이 끊어지고 정신을 차릴 새도 없이 나는 물살에 쓸려 갔다. 수면 아래에서 수많은 돌덩이들이 대포처럼 날아들었다. 쳇바퀴에 갇힌 것처럼 몸이 물 안에서 빙빙 돌았다. 어디가 위이고 아래인지 분간할 수가 없었다. 그 와중에도 같이 휩쓸린 바위에 갈비뼈와 등, 허리를 가격당해 몸이 마구잡이로 꺾였다. 뭐라도 붙잡으려 손을 뻗는 순간 손가락을 때리고 지나가는 바위에 비명이 터져 나왔다. 하지만 수면 아래에서 내질러진 내 비명 소리는 밖으로 전해지지 못했다. 모든 것이 너무나도 멀게 느껴졌다. 살수 대첩에서도 나처럼 바보가 있었을까. 적을 쓸어버리려다가 같이 쓸려 나가는 멍청한 부사관.

이게 여신이 말한 관성인가. 아니면 그냥 내가 멍청한 짓을 한 건가. 하지만 이 방법밖엔 없었는걸. 정말로, 조금 더 똑똑한 방법을 쓸 수도 있었겠지만 그땐 이미 늦었을 수도 있다. 점점 정신이 혼미해졌다.

이렇게 될 걸 예상 안 한 건 아니지만, 그래도 내가 쓸데없이 내 명을 재촉했네. 아직 전투가 많이 남아 있는데. 괜히 부사관이니 뭐니 부담감에 일을 그르쳤어. 아니야, 그르친 건 아니지. 둑은 뚫었으니까.

……내가 죽으면 카일이 울겠지. 그 예쁜 얼굴로 엉엉 소리 내어 울려나.

물살에 휩쓸려 마구 흔들리는 와중, 카일의 음성이 떠올랐다.

'내가 우는 게 보고 싶으면 네 앞에서 울어 줄게. 너 없을 때 내가 혼자 울면 네가 못 보잖아.'

아. 맞다.

내가 죽으면 카일 우는 얼굴을 못 보잖아. 미인의 눈물만큼 흔치 않은 경험이 없는데. 그렁그렁 말고 펑펑 우는 거 보고 싶단 말이야! 온 얼굴을 빨갛게 물들이고 소리 내어 우는 얼굴 보고 싶은데!

사랑하는 사람의 우는 얼굴을 상상했을 때 가슴이 아프면 사랑이고, 가슴이 뛰면 변태라고 했던가요. 미안. 저는 카일을 사랑하는 변태입니다.

남은 숨이 얼마 없어 머리가 하얗게 질려 가는 와중에 있는 힘껏 팔을 휘적거렸다. 겨우 물 바깥으로 머리는 내밀었지만 이미 상류에서 한참은 내려온 것 같았다. 군사들이랑 마주치면 그대로 개죽음이었다. 로테나 군사랑 뒤섞여서 죽긴 싫은데! 저승길에 눈총 받을 거라고!

물살에 쓸려 가는 와중에 강 쪽으로 쓰러진 커다란 나무가 언뜻 눈에 들어왔다. 저기서 뻗어 나온 나뭇가지라도 잡아야 돼. 못 잡으면 끝이야. 진짜 죽는 거야. 카일 우는 얼굴 보기 전엔 절대 못 죽어! 그리고 난 웃는 얼굴도 더 많이 봐야 된다고!

있는 힘 없는 힘 다 끌어내 팔을 뻗었지만 가지를 잡기엔 짧았고 물살은 헤엄조차 칠 수 없을 정도로 강했다. 조금만……. 조금만 더 팔이 길었다면.

오른손에는 아까 뽑아낸 이사크의 단검이 아직 들려 있었다. 팔을 큰 궤도로 휘둘러 겨우 가지의 끝부분을 내리찍었다. 한순간의 판단이었지만 다행히 정확하게 맞아 들어간 칼 덕분에 몸이 튕겨지듯 수면 위로 떠올랐다가 수압에 다시 반쯤 가라앉았다. 센 물살로 인해 몸이 쓸려 갈 것 같았지만 온 힘을 다해 칼의 손잡이를 잡고 버텼다. 하류로 흐르는 물이 온 얼굴을 때리면서 눈으로도 들어가 앞을 볼 수도 없었다. 코와 입으로 들이차는 물 때문에 숨조차 쉬기 힘들었지만 손에 힘을 풀 순 없었다.

살아야 돼. 무슨 일이 있어도 살아서 돌아간다.

칼날이 휘청거리는 게 느껴져 이를 악물고 몸을 앞으로 당겨 나뭇가지의 굵은 부분을 손으로 끌어안았다. 몇 십 초에 한 번 정도 숨 쉴 수 있는 틈이 생기면 필사적으로 숨을 몰아쉬며 견뎠다. 온몸의 피가 끓어오르는 것 같은데도 머리는 차갑게 식었다.

몇 분이나 흘렀을까. 물살이 점차 잦아들었다. 움직일 만해지자 이사크의 단검으로 앞을 찍어서 엉금엉금 기어 뭍에 조금씩 가까워졌다. 마침내 두 손으로 흙을 짚고서야 구역질이 올라왔다.

"우, 으, 우웨엑."

입 안에서 물비린내와 위액의 쓴 냄새가 한 번에 올라왔다. 자꾸만 얼굴 위로 물이 쉴 새 없이 흘러 소매로 닦아 내자 붉은 것이 잔뜩 묻어 나왔다. 아까 터진 관자놀이에서 아직도 피가 줄줄 흐르고 있었다. 심지어 다 아문 줄 알았던 허벅지에서도 상처가 터져 피가 흘렀다. 온몸이 피투성이였다. 소매 부분은 갈가리 찢겨 거의 넝마나 다름없었고, 그나마 남아 있는 몸통 부분 역시 금세 피에 젖어 들었다.

피를 너무 많이 흘리면 안 되는데.

휘청거리면서 자리에서 일어선 나는 오른손에 들고 있는 이사크의 단검을 검집에 넣으려 했지만 물살에 쓸려 갔는지 옆구리엔 아무것도 남아 있지 않았다. 스노우가 지난밤 줬던 검조차도. 어딘가에 앉거나 누웠다간 그대로 정신을 잃을 것만 같았다. 중반부까지 내려왔으니 로테나 군사가 있을지도 모른다. 아직 기절할 순 없었다. 안전하다고 확신이 들 때까지만 더 버티자. 강가에 우뚝 멈춰 선 채 단검 하나만을 쥐고 굳은 듯 서서 주변의 소리에 집중했다. 머리부터 발끝까지 온몸에 힘이 바짝 들어갔다. 그때, 멀지 않은 곳에서 말소리가 두런두런 들리기 시작했다.

"살, 살려 주……."

"우리 쪽이냐? 어? 살, 살려 줘."

뒤돌아야 하는데 발이 내 것이 아닌 것처럼 무겁게 느껴져 꼼짝을 할 수가 없었다. 질척한 발소리가 등 뒤까지 다가왔다.

"……야."

말투가 묘하게 달랐다. 빌테온의 사람들이 아니구나.

내 어깨에 체온이 닿는 순간 마취라도 풀린 것처럼 빠르게 뿌리치며 뒤돌았다. 오른손에 들고 있는 날카롭게 벼려진 단검에 남자의 손이 날아갔다. 고깃덩이 같은 것이 툭 떨어지자 잠깐의 적막 후에 비명이 터져 나왔다.

"흐……으아아악!"

상대는 두 명. 물살에 휩쓸린 탓인지 로테나의 병사들도 검을 들고 있지 않았다. 무거운 갑옷도 없었다. 일찌감치 벗어 던지고 도망친 덕에 하류까지 가지 않고 빠져나왔겠지. 근처에 빌테온의 군사도 있을 거야.

딱 두 명만 죽이면 돼.

제대로 사고가 돌아가지 않는 머리는 불가능도 가능할 거라는 착각을 불러일으켰다. 손을 잃은 남자가 남은 한쪽 손을 내게 뻗으려는 순간 남자의 아래쪽으로 파고들어 다리를 걸어 넘어뜨렸다. 그와 동시에 앞에 선 다른 남자의 무릎 아래쪽 인대 부분을 가로로 죽 그어 버리자 피가 분수처럼 쏟아졌다.

"끄아아악!"

줄이 끊어진 인형처럼 옆으로 쓰러진 남자가 몸부림치는 사이 단도를 다시 고쳐 잡아 아래에 깔려 있는 남자의 목에 깊이 박아 넣었다. 그러자 무릎 아래를 베인 채 쓰러져 있던 남자가 일어나 내 얼굴로 주먹을 날렸다. 무릎의 인대를 제대로 끊기에는 힘이 부족했던 모양이다. 나는 옆으로 쓰러져 흙바닥을 구르다가 금세 벌떡 일어났다. 몇 주 내내 맞으며 몸으로 익힌 맨몸 싸움이었다. 머릿속에선 단 하나의 문장만 떠올랐다.

아직 죽을 수 없다.

상대는 스노우에 비하면 한참 느렸다. 문제는 내가 저 속도를 따라잡을 수 있냐는 건데. 눈으로 보이는 거랑 반격은 다른 문제니까. 기우뚱거리던 남자가 상체를 낮추고 내게 달려들었다.

근력으로 상대가 안 될지도 몰라. 그러면…….

'깝치지 말고, 성깔 좀 죽여. 안 된다 싶으면 피해야지.'

'말을 왜 그따위로 해요, 영감.'

'상대방의 힘을 이용하는 것도 싸움이야.'

'……시발.'

'너 방금 욕했지!'

'……귀도 좋네.'

'야!'

'왜요!'

버티지 않고 남자의 힘을 그대로 받아서 뒤로 넘어갔다. 함께 넘어지려는 순간 땅에 박힌 바위가 눈에 들어왔다. 쓰러지는 순간 오른쪽 다리에 힘을 실어 살짝 몸을 틀었다. 아래에 있는 남자의 몸도 함께 틀어졌다. 두 사람의 체중이 고스란히 땅으로 메다꽂혔다. 쩌적, 하는 듣기 싫은 소리와 함께 바위 위로 떨어진 남자의 머리에서 피가 흘러나왔다.

잠시 후, 가쁜 숨을 몰아쉬며 나는 깔아뭉갠 남자의 몸 위에서 일어났다. 내 옷을 붙잡았던 남자의 손이 힘없이 바닥으로 떨어졌다.

"……허, 흐어……. 헉……."

이젠 정말 손 하나 까딱할 수 없었다. 부사관 앞으로 줘도 안 한다. 절대로 안 해.

얼마 지나지 않아 위쪽에서부터 익숙한 소리가 들려왔다.

"조!"

"……빨리도 오네……."

말소리가 들린 쪽으로 머리를 돌리자 병사들이 흠칫 놀라 잠깐 멈춰 섰다가 움찔거리며 다가왔다.

"조……?"

이젠 기절해도 되겠지.

❖ ❖ ❖

다행히 테이비톤 강에서의 전투도 대승으로 돌아갔고, 전투를 승리로 이끈

주역이자 환자인 나는 며칠인지 모를 시간이 흐른 뒤에야 눈을 떴다. 눈을 깜빡였는데도 시야가 컴컴해 처음엔 시각을 잃은 줄 알았는데, 아주 느리게 빛이 새어 들어오며 시야가 밝아졌다.

처음 눈에 들어온 건 스노우가 줬던 검이었다. 강물 속으로 사라진 줄 알았는데 이게 어떻게 여기에 있지.

"이틀이나 지났다, 개자식아. 부사관 하랬지, 자살하랬어?"

이기게 해 줘도 지랄이야.

목소리가 나오지 않아 속으로만 쌍욕을 퍼부었다. 목이 돌아가지 않아 옆에 있을 스노우를 볼 수 없었다.

"……조, 미리 말해 두지만 오해하지 마. 난 그냥 지금 자리를 지키는 거고, 네 몸의 상처들은 카일 전하가 직접 치료하셨어."

벤지가 다급하게 해명하는 소리도 들렸다.

그럼 그 카일은 지금 어디 있는데요.

떠오른 의문을 소리 내어 묻기 위해 입을 열었다. 바싹 마른 입술에서 투둑 살 찢어지는 소리가 들린 것도 같았다.

"……카, ……일."

"아, 그게……."

손가락만 수차례 꿈틀거리며 10분 넘게 끙끙거린 후에야 겨우 목소리를 낼 수 있었다.

"……카일 어디, 갔어요."

"후방 부대에 가셨어."

"왜요. 후방 부대에는…… 콜록, 왜요."

스노우가 갑자기 혀를 쯧쯧쯧 차더니 내 몸을 일으켜 앉혔다.

"뼈는 성하니까 일어날 수 있을 거다. 네가 직접 보고 와."

미친 할배가 사람을 뭘로 보고. 욕이라도 퍼부으려고 했으나 그 말대로 온몸이 근육통을 호소하는 것 말고는 별다른 증상이 없는 것으로 보아 뼈가 부러진 것 같진 않았다.

그 난리 통에 으스러진 곳 없이 멀쩡하다니. 이것도 기적인데. 투르가 여신이 내 이마에 입 맞추며 신의 가호가 함께한다고 하더니 영 사이비는 아니었나 보네.

끙끙거리며 침상에서 내려와 스노우가 준 검을 목발처럼 짚고 두 발로 섰다.

"그 귀한 검을 왜 목발로 써!"

"이제 내 검인데 뭐 어때요……!"

쉬어 버려 갈린 목소리로 대답을 한 뒤 벤지의 부축을 받으며 절뚝거리는 걸음걸이로 막사의 문을 젖혔다. 얼마 안 가 카일의 뒷모습이 보였다. 그리고 그 너머로 굳은 표정으로 줄을 맞춰 서 있는 후방 부대의, 강 상류에서 함께 지내던 사람들이 서 있었다. 카일의 분노 어린 음성이 그들의 정수리 위로 쏟아졌다.

"그러고도 빌테온 제국의 기사라고 할 수 있는가! 고작 쪼끄만 남자애 하나 못 말리고!"

"……나요?"

내 목소리를 들은 카일이 황급히 뒤돌았다.

"……조."

카일의 푸른 눈동자가 마구 흔들렸다. 최대한 편하게 웃어 보이려 했지만 눈가도 찢어졌는지 영 편치 않았다. 대신 입꼬리를 올려 미소를 띤 채 그에게 대답했다.

"네. 전하."

카일이 믿을 수 없다는 듯 입을 달싹이다가 천천히 걸어왔다. 느리게 내 앞까지 다가온 카일의 눈가가 점점 붉그스름하게 달아올랐다. 금방이라도 나를 껴안을 기세였다.

주변에 사람이 이렇게 많은데, 얘가 왜 이래. 진짜 정신도 못 차리고.

밀어 낼 힘도 없어서 나는 동공을 마구 흔들다가 주변에 들리지 않을 정도로 작게 말했다.

"잠, 잠깐. 포, 포옹은 안 돼요. 키스도 안 돼요. 정신 차려요. 당신 황자예요."

'너는 황자입니다.'

이게 무슨 마법의 주문이라도 되는지 카일은 멈칫거리며 다가오던 발걸음을 멈추고 눈을 빠르게 깜빡였다. 기계처럼 뻣뻣하게 뒤돌아선 카일이 후방 부대와 근처에 몰려 있는 다른 기사들을 향해 외쳤다.

"……바, 박수!"

응?

갑자기 웬 박수야. 조무래기가 황자의 간호를 받는 것도 감지덕지인데 박수를 치라고 하면 누가 치겠어요, 반발만 사지. 며칠 못 봤다고 바보가 됐나. 인상을 찌푸리며 카일을 올려다보는 순간 벙쪄 있던 다른 사람들에게서 박수와 함성이 터져 나왔다.

"우어억!"

짐승 울음소리를 닮은 우렁찬 함성이었다. 귀가 떨어져 나갈 것 같았지만, 그보다 믿기지 않아 주변을 둘러봤다. 후방 부대의 사람들부터 인사나 겨우 나눴던 기사님들과 내 인사는 받아 주지도 않던 콧대 높은 중장기병들까지 모두 정렬해 있었다. 멍청한 얼굴로 고개를 천천히 돌리며 어리둥절해 있는데 카일이 허리를 굽혀 내 귓가에 낮게 속삭였다.

"네가 전부 살린 거나 다름없으니까."

"예, 예?"

카일이 등을 꼿꼿이 세우고 목소리를 높였다.

"테이비톤 강에서의 전투는! 조의 희생이 없었다면 전멸했을지도 모를 전투였다! 우리보다 3배는 많은 숫자의 적들을 단번에 쓸어버린 지략과! 바위로 막아 놓은 둑을 손수 뚫는 용기!"

"우와아악!"

뭐야, 이럴 때 겸손하거나 못 알아듣는 척해야 멋진데 나 지금 너무 기분 좋고 뿌듯해서 광대가 씰룩거려. 어쩌지. 비실비실 입꼬리가 올라갔다.

"우린 모두 조에게 빚진 생이다!"

"예!"

"모두 반드시 살아 내자! 그리고! ……제국으로 돌아가자!"

"우와아아!"

병사들의 힘찬 대답이 온 땅을 뒤흔들 것처럼 울려 퍼졌다. 사기가 잔뜩 올라간 병사들이 각자 들고 있는 창과 검을 높이 들고 소리를 지르며 기합을 넣었다. 병사들이 박자에 맞춰 발을 굴렀다. 대지를 울리는 쿵. 쿵. 쿵. 소리가 점차 멀리 퍼져 나갔다. 카일의 날카로운 눈매가 그들을 널리 살폈다. 굳게 닫혀 있던 입술이 열렸다.

"여기! 적들의 무덤 위로! 투르가 여신의 기적을 새기자!"

"우와아악!"

환호하는 그들의 괴성에 저절로 입이 쩍 벌어졌다. 얼떨결에 사기 증진의 아이콘이 되어 버렸네. 카일이 내 어깨에 손을 올리며 부드럽게 웃었다.

"막사 안으로 들어갈까, 조?"

어쩐지 무서운 것은 제 착각일까요.

"……예, 전하."

카일의 부축을 받으며 다시 막사 안으로 들어갔다. 나를 부축하고 나갔던 벤지는 알아서 눈치껏 빠져 주었다. 뒤로 입구가 다시 막히자마자 카일은 나를 번쩍 들어 올려 침상에 앉혔다.

"……아니, 뒤에 스노우도 있는데 바로 침상은 좀……."

게다가 밖에서 병사들이 아직도 소리를 지르고 있잖아요. 천여 명의 응원을 받으며 밤일을 하긴 이상하잖아. 머쓱한 얼굴로 허허 웃었지만 카일은 전혀 웃지 않았다.

"……넌 내 생각은 안 해?"

"네? 난 항상 카일 생각을,"

"한다면서 그렇게 위험한 짓을 해?"

"말 끊지 마세요."

"지금 그게 중요해?"

"중요하죠! 예의범절이 없어, 왜! 황자가!"

"황자, 황자! 그래! 난 황자라서 네가 그때 거기서 죽었어도 네 시체를 안고 울지도 못해! 후방 보급 부대한테 왜 사람 하나 제대로 못 지켰냐고 화도 못 냈을 거야! 그냥……."

꾹 말아 쥐었던 카일의 주먹이 힘없이 펼쳐졌다. 멈춰 있는 카일의 옆으로 공중의 먼지가 포스스 날다가 차분히 가라앉았다. 그의 입술이 다시 열렸다.

"……또 나 혼자 남았겠지. 남한테 뭐라 하지도 못하고 혼자……."

카일의 크고 선명한 푸른 눈이 아래로 내리깔렸다. 어머.

입을 틀어막고 진지한 얼굴로 카일의 얼굴을 감상했다. 나는 네가 이렇게 안타까운 얼굴로 쓸쓸해할 때 너무 좋더라. 죄송해요, 카일. 저는 어쩔 수 없는 변태인가 봐요.

그때 카일의 뒤에서 '이야.' 하는 짧은 감탄사가 울렸다. 아. 참. 스노우도 같이 있었지.

"너희 원래 그렇게 싸우냐."

막사 안 의자에 비스듬히 앉아 넓적한 빵을 으적으적 씹던 스노우가 자리에서 일어났다.

"카일 황자님. 황자로서의 스트레스가 이만저만이 아니셨나 봅니다. 처음 마음 준 사람한테 그런 절절한 고백까지 하시고."

전부터 느꼈는데 저 할아버지 묘하게 카일한테 하대하는 느낌인걸. 물론 나도 카일한테 맞먹듯 달려들긴 하지만 그래도 황자로서 대우는 하는 편인데. 저 할배는 좀 심하잖아.

내 찡그린 미간을 보던 스노우가 피식 웃더니 카일을 향해 고개를 숙였다.

"……황자님."

"……예."

"오래도록 지켜봤지요. 황자 전하의 순수하던 어린 시절부터 욕심 많은 어미의 뜻을 이어받아 자라는 것도요."

이번엔 다른 의미로 입을 틀어막았다. 아무리 그게 사실이라고 해도 제국의 황비를 욕심 많은 어미라고 표현하다니. 저 할아버지 진짜로 노망이라도 난 거 아닐까.

"저기요. 두 분 싸우실 거면 나가서 싸워 주세요. 무섭거든요."

조심스럽게 말을 건넸지만 스노우와 카일은 귓등으로도 듣지 않았다. 카일의 굵고 곧은 목이 스노우를 향했다.

"……이젠 이 사람이 제 쉼터입니다. 실망스러우실지도 모르지만,"

"아니요. 꽤 맘에 듭니다. 개망나니 같은 행동과 말투나 대책 없는 깡다구만 빼면."

뭐야, 좋은 말 하는 척 욕하고 있잖아. 스노우에게 화내려고 목소리를 내려는 순간, 카일이 먼저 언성을 높였다.

"차라리 다 싫다고 하세요!"

야 이 새끼야. 그렇게 말하면 내가 뭐가 돼요. 개망나니 같은 행동과 말투나 대책 없는 깡다구가 나를 이루는 전부라는 뜻이잖아.

주먹을 부들부들 떨며 카일의 야속한 뒤통수를 노려봤다. 스노우는 얄밉게 어깨를 으쓱 올렸다 내리며 눈가 주름을 검지로 긁적거렸다.

"아니, 뭐…… 특색 있고, 아무튼 나는 찬성입니다."

막사를 나가기 전, 스노우는 전투 때마다 기절하면 금방 죽을 거라며 저주 아닌 저주를 퍼붓는 걸 잊지 않았다. 그 때문인지 이후로도 카일에게 1시간 가까이 짤짤 털려야 했다.

대체 무슨 생각으로 그렇게 한 거니, 네가 날 좋아하는 것처럼 나도 널 좋아한다는 걸 좀 자각을 하길 바란다, 조 네가 날 정말로 아끼고 사랑한다면 네가 간 이후에 혼자 남을 나도 생각했어야지…….

그 부분에 대해선 나도 할 말이 많았다.

"저 그 생각 하면서 살아남은 거예요."

"뭐?"

신경질적으로 금발을 쓸어 올리던 카일이 인상을 찌푸리고 나를 바라봤다.

"카일이 혼자 남을까 봐 물에 휩쓸려 가던 중에 필사적으로 살아서 빠져나온 거라고요. 그걸 칭찬해야죠. 잘했다 격려하고, 살아 돌아와 줘서 고맙다고, 수고했다고 다독여도 모자랄 판에 왜 자꾸 혼을 내요. 서럽게. 방금 눈 떴는데."

카일의 넓은 어깨가 아래로 축 처졌다. 또 집에 가라고 하면 이번에는 진짜 그냥 때려야지. 얼굴을 때려서 얼마나 화났는지 내 분노를 보여 주고 말겠어. 각오하며 힘없는 오른손에 최대한 기를 끌어모으고 있는데 카일의 입에서 나온 말은 전혀 기대도 안 했던 문장이었다. 그는 내 손을 꼭 잡고 다짐하듯 낮게 내뱉었다.

"꼭, 같이 돌아가자."

"……네."

"나도, 너도. 더 강해지고, 단단해져서 아무도 무시 못 할 정도가 되면,"

"네!"

"그때 결혼하자."

"헙."

"……왜 그 대답은 '네'가 아닌 거지?"

카일의 한쪽 눈썹이 일그러졌다.

"그거 저랑 가능하긴 해요?"

"뭐?"

내 손을 꼭 붙잡고 있던 카일이 충격받은 얼굴로 허리를 펴며 내게 멀어졌다. 황당하단 듯 하, 하고 내뱉는 신음에 되레 내가 더 당혹스러웠다.

"지금 내 꼴을 봐요. 미라도 아니고 몸의 반이 붕대잖아요. 마구간지기일 때는 모르겠지만, 이렇게 혁혁한 공을 세운 마당에 지금 당장 밖에 뛰쳐나가서 '저 사실 여자예요!'라고 한들 누가 믿겠어요."

"……에이, 설마. ……믿겠지."

말은 그렇게 하면서도 카일 역시 확신은 할 수 없는지 눈빛이 마구 흔들렸다.

"제 눈을 보고 확실하게 말해 보세요. 제가 웃통을 까거나 바지를 내리지 않아도 제가 여자라는 걸 밖의 저 사람들에게 납득시킬 수 있을까요."

"음, 일단 진정하고 눕자……. 몸이 아직 회복이 안 됐으니까."

"이거 봐! 카일도 대답 못 하면서! 진짜 이러다가 턱시도 입고 카일이랑 결혼하게 생겼다고요. 그럼 드레스는 누가 입어. 카일이 입을 거예요?"

"……그러게 적당히 하지 그랬어! 이게 뭐야. 남은 심사숙고해서 큰 결심하고 꺼낸 말인데!"

"아, 언제는 들키지 말라면서요!"

카일이 자리에서 벌떡 일어났다.

"네가 이 정도까지 할 줄 알았겠어?! 어떻게 아무도 의심을 안 할 수가 있어!"

"그, 그게 왜 내 잘못이에요! 난 뭐든지 최선을 다한단 말이에요!"

"그래! 말 잘했다. 최선을 다하니까 둑만 뚫으라는데 너도 같이 쓸려 가서 사람을 이틀 동안 잠도 못 자게 했겠지! 강물에 쓸려 내려오는 검을 주운 스노우가 내려다보면서 '조?' 하고 혼잣말할 때 내 기분이 어땠는지 네가 상상이나 해 봤어?"

그러게. 왜 상상을 안 해 봤을까. 가만. 깜짝 놀라고, 망연자실해서 멍한 얼굴로 강 상류를 올려다봤을까. 피가 뚝뚝 떨어지는 칼을 들고 한참을 서 있다가 조용히 제 귀에 들릴 정도로만 속삭였겠지. '조.' 하면서 내 이름을 아주 짧게. 텅 빈 눈으로 조용히.

"엄멈머. 세상에. 어떡해. 완전 재난 영화의 멜로눈깔 남자 주인공 티저였겠다."

"……넌 내 얼굴 보고 만나는 거지! 그러니까 나한테 그렇게 신경을 안 쓰는 거야."

잔뜩 상처받은 얼굴로 입술을 꾹 다문 카일이 그대로 막사를 나가 버렸다.

"카일, 잠깐만요. 마음의 소리가 그만, 카일!"

맘 같아서는 쫓아가고 싶었지만 아직 누군가의 부축 없이는 걸어가는 게 힘들었다.

"대체 저게 무슨 대사야. 넌 나 얼굴 보고 만나는 거지, 라니……."

온몸이 찢어질 듯 아파 와 아무래도 조금 더 자야 할 것 같았다. 여긴 마땅한 진통제도 없으니 잠만이 나라가 허락한 유일한 마약이었다.

한 번 더 자고 일어나니 또 하루가 지나 있었다. 벤지가 보여 준 거울 속 내 얼굴은 완전 엉망이었다. 머리가 찢어진 건 물론이거니와 눈가 역시 약을 발라 뒀고, 쿠이란 계곡에서 다쳤던 다리도 엉망으로 부어 있었다. 거기다가 팔꿈치부터 팔뚝까지 찢어져 붕대로 칭칭 감아 둔 상태였다. 마침 내게 밥을 가져다

주는 벤지에 말을 걸었다.

"저기, 벤지."

"응?"

"나 이렇게 오래 막사에 누워 있어도 돼요? 다들 이상하게 생각하지 않을까요. 징집 대상도 아니었던 잡일꾼 주제에 벤지 님이 갖다주는 밥을 먹고 있잖아요."

"괜찮아. 다들 너를…… 음, 영웅처럼 보고 있으니까."

"정말요? 다행이네요."

그것 말고도 걱정되는 게 하나 더 있었다. 물가에서 다른 사람들한테 발견될 당시에 분명 옷이 여기저기 찢어져 있었는데 들키진 않았을까. 이에 대해 물으려는 찰나 벤지의 대답이 더 빨랐다.

"……음, 약간 두려워하는 것 같기도 하고."

"두려워하다니요. 그건 또 무슨 소리예요?"

대답을 망설이는 벤지를 재촉했지만 그는 몸이 다 낫고 밖으로 나가 보면 알게 될 거라고 끝까지 대답을 해 주지 않았다.

며칠 뒤 나뭇가지에 기대어 혼자 절뚝이며 걸을 수 있을 정도가 되었을 때 밖으로 나가자, 톰이 달려와 반갑게 말을 걸었다.

"조, 이제 걸을 순 있는 거야?"

"네. 조금 더 지나면 다 나을 거 같아요. 상처가 좀 빨리 붙는 편이라서."

"다행이다. 그땐 미안했어."

"뭐가요."

"너 기절하고 나서 바로 손 못 대서……."

머리를 긁적이며 난처한 표정을 짓던 톰이 귓속말을 하려는 듯 살짝 허리를 굽혔다.

설마, 들켰나. 찢긴 옷 틈새로 가슴을 동여맨 붕대라도 본 건가.

"마귀라도 몸에 들어간 줄 알았어. 정말…… 무서웠거든. 온몸에 피를 뒤집어쓰고 있어서. 다들 꼼짝 못 하고 얼어붙어 있었어. 너 무려 선 채로 기절했잖아."

저절로 얼굴이 구겨지는 핑계였다.

"말도 안 돼! 톰은 기사잖아요! 사람이 피 좀 흘릴 수도 있지."

"너도 봤으면 그런 말 못 해. 온몸에서 살기가 뚝뚝 흘러넘쳤다고. 잡히면 나도 죽을 것 같았어. 전쟁의 신이 현신한다면 그런 모습일까, 생각될 정도였는데."

"……전쟁의 신?"

이게 돌았나. 이거 소문 돌면 프러포즈의 패인은 네 주둥아리다.

전쟁의 신이 현신했던 것처럼 용맹했다, 라는 목격담은 며칠 새,

'정말로 전쟁의 신이었을지도 몰라.'

라는 말로 변질되었다. 나는 변질이라고 표현했지만 톰은 그걸 합리적 의심이라 표현했다. 희한하게도 테이비톤 강 이후로 전투를 했다 하면 승리했다. 나름 잘 갖추고 훈련도 많이 한 정예군이니 승리하는 게 이상할 건 아니었지만, 뭔가 묘했다. 다들 약이라도 한 것처럼 텐션이 항상 업 돼 있었다. 테이비톤 전투 이후에 본국에서 온 지원군들도 소문을 들었는지 슬금슬금 내 눈치를 살폈다. 게다가 아직 상처가 다 낫지 않은 내가 절뚝이며 지나갈 때면 갑옷으로 온몸을 둘러싼 귀족 기사들이 묵묵히 악수를 건넸다.

"……아, 저요? 네……."

당황스러웠지만 최대한 자연스럽게 손을 맞잡았다. 기사들은 결연한 표정으로 손을 힘주어 꾹 잡고 한 번 위아래로 흔들고 놓아주고 멀어졌다.

왜들 저러는 거야, 진짜.

"네가 전쟁의 신이라서 그래."

"그런 말 좀 하지 마!"

몇 달간 붙어 지내며 꽤 친해진 톰의 엉덩이를 발로 찼지만 그는 하하 웃으면서도 했던 말을 무르진 않았다.

"벤지 님한테도 넌지시 물어봤다고."

"뭘."

"난 귀족이긴 해도 공부도 워낙 안 했고, 거의 수도 끄트머리 변두리였으니

까 그런 걸 잘 모른단 말이야."

"뭐냐고 물었잖아요, 톰."

"전쟁의 신은 어떻게 생겼냐고 물었지."

"이게 진짜……."

"신화 정도는 물어볼 수 있잖아! 아, 때리지 마!"

마침 벤지가 지나가고 있었다.

"벤지 님! 전쟁의 신이라는 게 정말 있어요?"

톰의 의도성 다분한 질문이었지만 벤지는 당황하지 않고 차분하게 대답했다. 얼굴에는 아웅다웅 싸우는 유치원생을 바라보는 미소를 띤 채였다.

"당연히 있지. 전쟁에서 가장 간절하고 용맹한 사람의 편에 서서 승리로 이끌어 주신다고."

"거봐! 그때 너만큼 간절하고 용맹한 사람이 없었을 테니까 넌 그때,"

"형은 좀 맞아야겠다."

몸이 거의 나았을 즈음부터 스노우와 다시 훈련을 시작한 덕에 검술이나 무술 실력은 나날이 일취월장했다. 무슨 뜻이냐면, 톰이랑 주먹다짐을 해도 된다는 말이었다.

"이거 봐! 제대로 배운 적도 없는 애가 금방 이렇게 하는 게 이상하다고!"

"톰, 입 좀 닥쳐요!"

엎치락뒤치락 들판에서 치고받는 톰과 나를 보던 벤지가 내 뒷덜미를 잡고 일으켰다.

"……조. 이제 얌전히 있으라곤 안 할게. 싸우지 말라고도 안 할 거야. 근데 싸울 때 욕을 좀 줄이는 게 어떨까. 전쟁의 신도 왔다가 놀라서 도망가겠어."

"벤지 님까지 진짜 이럴 거예요!"

전쟁의 신이라니.

스노우까지도 곱게 넘어가는 법이 없었다. 저녁에 긴 창을 들고 찾아온 스노우가 내게 앞으로 백 번은 찌르라며 시키곤 옆의 바위에 느긋하게 드러누웠다.

"팔자 좋으시네요."

"전쟁의 신이 우리와 함께하는데 뭐가 두렵겠니."

"아이, 진짜!"

창을 내던질 기세로 씩씩거리며 몸을 돌리자 스노우가 히죽거렸다.

"우리 군사들이 며칠 내내 승리하는 게 뭐 때문이겠어. 심지어 저번 메이른 요새는 로테나의 연합군이 우리 깃발을 보고 그냥 후퇴했잖아. 왜겠냐고."

"모르겠어요."

"너 생각을 해 봐라. 수천 명이 눈알에 불꽃을 박아 넣고 달려드는데 당연히 꼬랑지가 말리지. 지금 여긴 다 사기가 올라가 있잖아. 이긴다는 강한 확신이 있으니까 당당한 거야."

"전에 말했던 기백, 그런 거요?"

"그래. 란티모스 측에서도 보급품을 이렇게 줄기차게 보내 주잖냐. 우리 전쟁 잘한다고. 포도주 먹는 전쟁이라니. 내 평생 나간 전쟁 중에 제일 호화롭다."

"……그렇긴 해요."

전투를 며칠에 한 번씩 하는 것치곤 확실히 사상자도 거의 없었다. 내가 알던 거랑 달라도 너무 다른데. 큰 전투 두 개에서 대승을 거두긴 했지만 분위기가 이렇게 달라지는 게 가능한가.

"할아버지."

"스노우라고 불러."

"에이씨. 카일은 가끔 할아버지라고 부르더만요!"

"넌 어디 가서 눈치껏 일했다, 뭐 이런 말 하지 마라. 눈치라고는 찾아볼 수가 없어. 아무튼 왜."

"……로타이스 요새가 어디예요."

"로타이스도 알아?"

스노우가 벌떡 일어나 앉으며 흥미롭다는 듯 눈을 빛냈다.

"난공불락의 성이지. 로테나로 가는 길목에서 반드시 뚫어야 할 곳이기도 하고. 거기만 먹으면 협상으로 이 전쟁을 마무리할 수도 있겠지."

전쟁이 시작된 지 벌써 반년이 지났다. 어쩌면 여신이 가르쳐 줬던 네 번째, 다섯 번째 전투까지 가지 않아도 로타이스 요새만 뚫으면 모든 걸 끝낼 수 있을지도 모른다는 예감이 들었다. 전쟁의 큰 흐름을 결정하는 전투들만 가르쳐 준 거라 했으니까 그 뒤에 자잘한 것도 남아 있을진 모르지만, 어쨌든 로타이스 요새가 이 전쟁에 마침표를 찍을 수도 있는 중요한 계기가 될 것은 확실했다. 스노우의 눈을 똑바로 보고 말했다.

"저희 로타이스 뚫어요."

"하하! 거, 하하하! 이 자식이 정말."

"왜요."

"그게 뚫는다고 뚫어지면 로테나가 왜 군사력이 강한 걸로 유명하고, 란티모스를 먹겠다고 멀쩡한 무역 협정을 깨고 쳐들어왔겠냐."

요목조목 말하는 스노우의 말도 일리는 있었지만 그래도 승산이 없진 않았다. 여긴 전투가 어떻게 흘러갈지 알고 있는 내가 있으니까. 비록 반년 전의 기억이지만 몇 번이나 되새기고 머릿속에서 시뮬레이션을 돌린 덕에 마치 이미 보고 온 것처럼 선명했다.

"할배 언제부터 그렇게 안 된다고 확신했어요. 뚫을 수 있어요!"

"너 뭔 수가 있나 보다?"

"우리, 방패 있죠?"

"어?"

"전에 얘기했던 방패로 꽁꽁 다 막은 밀집 대형 얘기 기억하세요? 좀 오래된 거긴 한데. 이번에는 요새에서 공격을 받는 거니까, 하늘을 막는 거죠. 방패로 머리 위에 방어 막을 만든 상태로 전진하는 거예요."

"……내가 볼 때 네가 진짜 신은 아니라도, 전쟁에 소질이 있는 거 같긴 하거든. 이게, 어? 돌아가는 게, 비상해."

손을 머리에 갖다 댄 스노우가 휙휙 돌리는 시늉을 하며 나를 기특하다는 듯 바라봤다. 간만에 좀 우쭐해 있는데, 스노우가 계속 말해 보라며 옆자리를 통통 두드렸다. 나는 스노우의 옆에 쪼그려 앉아 바닥에 그림을 그려 가며 열심히 설명했다.

"……그러니까, 기마병들이랑 보병들이 방패를 들고 있는 각도를 달리하면 빈틈이 안 생기잖아요. 봐 봐요. 이렇게 비스듬한 지붕을 만든다고 생각하고.

독화살을 막아야 하니까요. 뭔 말인 줄 알겠죠? 어? 할배. 듣고 있냐고."
"생각하고 있잖아, 이 건방진 자식아. 카일 황자가 네 어디를 좋아하는지 도무지 이해를 못 하겠네."
"방금 한 5분 전에 영감 나 엄청 좋아하는 티 팍팍 냈거든요."
고민을 한답시고 팔짱을 낀 늙은이의 얼굴이 어쩐지 익숙한 느낌이 들긴 했지만, 그것도 잠깐이었다.
"할배 젊었을 때 좀 날렸겠는데."
"그럼 그럼. 내 자식도 날 닮았단 소리를 많이 들었고, 내 외손주도 다 내 피가 강하단 말을 많이 들었지."
"칭찬 하나 했다고 뭘 외손주까지 내려가요."
질색하며 흘겨보자 스노우가 한숨을 뱉으며 고개를 절레절레 흔들었다.
"넌 답이 없다."
"왜요, 또! 나 지금 열심히 전략 설명하고 있었는데! 봐요! 방어력 좋은 1군이 앞장서서 이렇게 진군을 하면, 그사이 투석기로 돌덩이를 날리면 된다고요. 사거리가 짧은 독화살이 앞으로 집중되었을 때. 그때, 투석기 짠이요."
"투석기?"
"캐터펄트. 공성전에서 쓰는 거. 200미터 넘게 보내 버리잖아요."
스노우가 고개를 갸웃 꺾었다.
"너 어디 병법서를 읽었냐."
……21세기에선, 중세 시대 배경의 다양한 콘텐츠가 있답니다.
"그리고 아까부터 자꾸 독화살, 독화살 하는데, 로타이스 요새가 어디 있는 줄도 모르는 게 독화살을 쓸 거라는 건 어찌 알고?"
스노우의 날카로운 눈이 나를 향했다.
아차, 너무 신나서 함부로 떠들었구나. 카일한테 가서 말하는 게 나았을 텐데. 나는 아무렇지 않은 표정으로 스노우의 어깨를 툭 친 후 대답했다.
"제가 지도는 못 봐도 로타이스 요새에 대한 소문은 들었다고요. 로테나가 로타이스 믿고 깝을 그렇게 친다면서요. 거길 못 뚫으면 로테나 수도를 못 먹으니까."

스노우가 팔짱을 끼며 고개를 끄덕거렸다.

"투석기로 뚫은 다음엔?"

"투석기병은 안전한 곳으로 빠지고, 방어력 좋은 1군이 성문으로 그대로 쳐들어가는 거죠. 머리 위 방패로 사람 쳐 죽여도 되니까. 그거 엄청 무겁잖아요."

곰곰이 작전을 들으며 고개를 끄덕이던 스노우는 카일을 만나러 가겠다며 자리에서 일어섰다.

다음엔 좀 더 조심해야지, 하마터면 들킬 뻔했네. 미래를 안다는 걸 더 많은 사람에게 들킬 순 없었다. 완전히 믿어 줄지도 확신 못 하잖아. 예전에 델로아가 의심 가득한 눈으로 나를 보던 게 생각났다.

"……델로아한테 중요한 사건들 몇 개 말해 주고 오긴 했는데 잘 넘겼겠지."

시에나 황녀가 델로아를 황궁에서 몰아내려고 델로아의 가족을 공격하는 일도 있었다. 남아 있는 아버지와 남동생이 죽어 버리면 그녀가 알베니스의 가주가 되어야만 할 테니까.

그리고 또 시에나가 이사크 황자가 키우는 정원의 새들 모이에 독을 타서 모조리 죽인 다음에 검은 황자의 저주라는 유치한 소문을 퍼뜨리는 것까지. 소문은 유치했지만 의외로 사람들의 인식에 큰 영향을 미쳤다. 그건 델로아에게 대충 말하고 왔으니 알아서 처리했겠지. ……날 믿었다면 말이야.

차가운 바람이 불어와 옷을 여몄다. 다시 남쪽으로 많이 이동하긴 했지만 어쨌든 로테나의 국경 지대 자체가 높아서 빌테온에 있을 때보다는 추웠다.

"조! 목욕하러 가자!"

저 새끼들은 지치지도 않나. 몇 개월째 한결같이 목욕하러 가자며 졸라 대곤 했다. 엊그제는 조슈아가 근처에서 코를 씰룩거리더니 눈을 휘둥그레 뜨고 반걸음 뒤로 물러났었다.

"왜."

"조는 그렇게 오래 안 씻는데도 왜 냄새가 안 나? 조 정말로 마귀야?"

"나 씻어. 아무튼…… 조슈아."

"왜, 형."

"우리 같은 조씨끼리 거짓말하지 말고 말하는 거다. 나보고 전쟁의 신이랬다가 마귀랬다가 하는 놈이 대체 누구야. 불어."

어깨를 아프지 않을 정도로 꽉 붙잡고 말하자 이제 겨우 열여섯 정도가 된 조슈아는 눈을 빠르게 깜빡이며 주변을 한번 살피더니 재빠르게 대답하곤 사라졌다.

"톰 블레인."

"내 그 자식 그럴 줄 알았다!"

곧바로 잡아 족치러 갔지만 톰이 지치지도 않고 내게 친하게 구는 바람에 불발에 그쳤다. 이사크가 뒷골목 형이었다면 톰은 눈치 없는 막돼먹은 도련님 같았다.

"조! 목욕하러 가자니까!"

또다시 놈들이 성화를 부리는 통에 산통이 확 깨져 버렸다.

"……아이씨, 그래! 간다, 가!"

"와! 진짜?"

두 팔을 걷어붙이며 우르르 가는 놈들의 뒤를 따르자 또 하나둘씩 입을 열어 나를 놀리기 시작했다.

"드디어, 확인하는 건가. 전설의 '그것'?"

"조를 단숨에 부사관의 자리까지 올려놓았던 '그것' 말인가."

"전쟁의 신이 '그것'의 용맹함에 반해 조의 몸에 현신했다지."

"너희 세 분 다 입을 좀 다물고 가시면 안 될까요? 아니면 그냥 확 꿰매 드릴까 보다."

가까운 강으로 향하는 놈들 사이에 섞여 함께 이동하다 벤지를 만났다.

"다들 어디 가?"

"훈련했더니 몸이 찝찝해서 자기 전에 강물에서 목욕이나 하려고요! 오늘 조도 간답니다! 벤지 님도 같이 가시죠!"

톰이 생글거리며 상관인 그에게 함께 가기를 권했다.

"조가…… 같이 목욕을 한다고?"

"네. 방금 같이 가겠다고 했어요."

벤지의 눈이 팝콘처럼 마구 튀어 올랐다. 나를 빤히 보는 시선 가득 이게 어떻게 된 일이냐는 질문이 묻어났다. 내가 눈썹을 한껏 올렸다 내리며 어깨를 으쓱거리자 벤지가 이마를 짚었다.

"……조는 못 가."

벤지의 한마디에 같이 가던 놈들이 우르르 목소리를 높였다.

"아니, 왜요!"

"벤지 님! 전쟁의 신이 왔다 간 몸이라고요!"

"억울합니다!"

큰 키의 벤지가 나머지 기사들을 하나씩 바라보며 묵직하게 말했다.

"해이해졌군. 내가 조에게 명령할 일이 있다는데, 그게 불만인가?"

그러자 다들 조용히 가던 길을 가겠다며 스르륵 움직였고, 난 벤지의 뒤꽁무니를 쫓으며 너스레를 떨었다.

"뭘 시키시려고요, 벤지 님."

"진짜로 목욕을 따라갈 거였어?"

"아니, 뭐. 갔다가 똥 싼다고 하고 빠져나오면 되죠. 사람을 가만두질 않잖아요. 재네들이."

"하?"

조오오……. 내 이름을 한숨과 함께 섞어 부르는 벤지를 보며 깔깔 웃었다. 그냥 즐겨요, 벤지. 재밌잖아요.

* * *

시에나 황녀가 잔을 든 손으로 강하게 탁자를 내려쳤다. 찻잔에 금이라도 갔는지 시에나의 손에서 붉은 피가 흘러내렸다.

"……어떻게 단 하나도 성공 못 할 수가 있지. 번번이……. 꼭 누가 보고 있기라도 한 것처럼……."

분노로 떨리는 손끝을 말아 쥐며 시에나가 조용히 읊조렸다.

"……내통하는 자가 있다."

시에나는 입술을 짓씹으며 바들바들 떨었다. 암살 계획이 벌써 몇 번이나 틀어졌다.

그간 붉은 눈이 아닌 것을 해치우는 데에는 그리 큰 결심이나 수고가 필요하지 않았다. 여태 해 왔던 대로 포도주에 독을 풀고, 즐겨 먹는다는 디저트에 독을 넣고, 잠잘 때 켠다는 수면초에 독을 넣어 잠든 사이에 죽일 수도 있었다. 삐끗한 적이야 있어도 이렇게 몇 번이나 실패한 적은 없었다. 그동안 황제의 자식들이 죽어 나가도 제대로 된 재판이 이뤄진 적이 없으니 이번에도 손쉽게 죽일 수 있을 줄 알았는데.

잔이 깨지는 소리에 들어온 시녀가 피를 흘리는 시에나의 손에 급히 손수건을 감았다.

"황녀 전하, 피가……!"

시녀의 다급한 목소리에도 시에나는 무덤덤한 얼굴로 혼잣말처럼 부드럽게 내뱉었다.

"내통하는 자가 있다."

"……네? 그게 무슨."

탁자에 앉아 있던 시에나가 고개를 숙여 시녀와 눈을 마주쳤다. 그러자 시녀가 불에 덴 듯 놀라 파드득 떨며 고개를 숙였다.

"아닙니다! 전하, 저는 정말로 아닙니다! 제가 전하께 받은 은혜가 있는데 설마 제가 그랬을 리가요!"

두 손으로 땅을 짚고 머리를 조아리는 시녀의 동그란 정수리를 무심히 보던 시에나는 느리게 눈을 깜빡였다.

"네가 그랬을 리가 없지."

손수건이 감긴 피에 젖은 손을 허공으로 올렸다. 매듭짓지 못한 손수건이 바닥으로 떨어졌다. 시에나는 손에서 흐르는 피도 아랑곳 않고 시녀의 머리를 쓰다듬었다. 시녀의 짙은 금발이 붉은 피로 금세 젖어 들었다.

"너여선 안 되지."

카펫을 짚고 있는 시녀의 손이 덜덜 떨려 왔다.

"시에나 황녀 전하. 제 가문의 명예를 걸고 맹세합니다. 어린 시절부터 쭉 전하를 모셔 온 제가 무슨 이유로 그런 일을 저지르겠습니까. 아닙니다. 정말로 저는 아닙니다."

저보다 대여섯 살은 많은 시녀의 머리 위에 손을 올려놓고 시에나는 느긋하게 발을 꼬았다.

"그래. 여태 너와 함께해 왔는데 내가 너를 믿지 않으면 누굴 믿겠니."

시에나가 오른손으로 시녀의 머리카락을 움켜쥐었다. 으윽, 하는 짧은 신음이 시녀의 입에서 튀어나왔다. 하얀 시에나의 손가락 사이사이로 블론드색 머리카락이 삐져나와 헝클어졌다. 시녀의 머리채를 잡고 들어 올린 시에나가 허리를 살짝 숙여 눈을 맞췄다. 그리고 낮고 차분한 목소리로 나붓하게 속삭였다.

"네가 아니라면 찾아내."

"……예? 아. 네!"

동그랗게 눈을 뜬 채 더듬거리며 대답한 시녀가 덜덜 떨었다.

"어느 쥐새끼가 야금야금 날 방해하는지. 네 손으로 독을 타 황족들을 죽인 죗값을 뒤늦게라도 치르고 싶지 않다면."

시에나가 손에 힘을 풀어 머리카락을 놓아주자 시녀는 멍한 얼굴로 올려다보며 다시 대답했다.

"네."

덜덜 떨리는 다리에 겨우 힘을 주어 자리에서 일어선 시녀가 다소곳이 허리를 굽혀 보이고는 문으로 향했다. 시에나가 '아.' 하는 짧은 신음을 뱉더니 덧붙였다.

"……정말로 네가 아니라면 그거야말로 이상하구나."

겁에 질린 시녀가 천천히 뒤돌아서며 다시 울먹거렸다.

"전하, 저는 정말로……."

"누굴까."

"예?"

"누가 무슨 수로 알아채고 다 막는 걸까. 페기, 언제부터였지. 이렇게 가로막힌 듯 다 실패한 게?"

"대략…… 2년 정도가 되어 가는 것 같습니다."

"그때 황궁에 입궁한 자들의 명단을 알아봐. 수상한 거 단 하나도 놓치지 말고."

"예, 전하."

시녀가 문을 열고 나간 뒤 방에 홀로 남은 시에나는 의자에 기대며 창밖을 바라봤다. 그림자 하나 보이지 않음에도 누군가 지켜보고 있다는 생각을 지울 수가 없었다. 검지로 테이블을 툭툭 두드리던 시에나가 낮게 읊조렸다.

"누가 주술이라도 부린 것처럼……. 그래, 정말…… 마법처럼 말이야."

먼 곳을 바라보는 시에나의 붉은 눈이 저열하게 불타올랐다.

13. 로타이스

"아니! 버티시라니까는!"

"못 버틴다고, 이 새끼야! 네가 들어 봐!"

"와, 나! 형! 이걸 왜 못 버, 윽. 죄송합니다."

호언장담하며 내 몸만 한 철 방패를 들어 올리다가 나는 그대로 휘청거리며 옆으로 쓰러졌다. 흙바닥에 처박힌 내 꼴을 보며 방패병들이 낄낄거리며 웃었다.

"들어 올린 게 용하다. 보통 멍청이들은 아예 들지도 못 한다고!"

"……하, 근데 기사 형님들. 이거 꼭 들어서 진군하셔야 되거든요."

자리에서 일어서자 갑옷을 입고 빙 둘러선 방패병들이 히죽거리며 웃는 게 눈에 들어왔다. 기사도 되지 못한 내가 작전에 대해 왈가왈부하는데도 딱히 기분이 나빠 보이진 않았다. 이것도 내가 전쟁의 신의 현신이라는 오해를 받아서일까. 무시 안 당하니 썩 나쁘진 않은 것 같기도 하네.

나는 옷에 묻은 흙을 탈탈 털고는 방패를 땅에 세운 채로 기사들에게 내밀었다. 방패를 받아 든 덩치 큰 기사가 고개를 갸우뚱 꺾었다.

"들고 버텨 보라길래 일단 해 보긴 했는데, 그 상태로 흔들리지 않고 백 보 이상을 진군하는 건 사실 힘들지."

"……정말로 불가능할까요."

하지만 완벽한 방어 진형이 아니라면 로타이스 요새의 독화살을 막아 낼 재간이 없었다. 다른 방법이 있으려나. 내가 머리를 긁적이며 인상을 찌푸리고 있자 기사 하나가 내 팔뚝을 툭 치며 장난을 걸어왔다.

"야. 네가 장군도 아닌데 뭔 고민을 하냐. 그냥 까랄 때 까면 돼."

"그래, 인마."

"조. 온 김에 너 연애 얘기나 좀 해 봐. 고향 여자 친구랑 사이좋았다며."

넌지시 연애 사정을 묻던 병사가 내게 은근슬쩍 어깨동무를 해 왔다.

"싫어요. 애인이랑 있었던 일 하나하나 말하는 거 예의 아닌 것 같아요."

"조 이 자식. 비결 끝까지 말 안 해 줄 작정인가 본데."

놀리는 말투로 내 볼을 콕콕 찌르는 기사의 손가락을 잡고 뒤로 꺾으며 어깨동무에서 빠져나왔다.

"아악!"

"그러게 누가 건드리래요."

나를 잡으려 손을 뻗는 기사에게서 빠져나와 다른 사람의 등 뒤에 숨었다가 요리조리 피하며 약을 올렸다.

"아오! 이 쥐새끼!"

약이 바짝 올라 땅을 쿵 차며 씩씩거리는 기사를 향해 다들 껄껄껄 웃었다. 내게 놀림받은 기사도 정말로 화가 난 건 아니었는지 얼굴에 웃음기가 서려 있었다.

"그리 여유롭나."

공기를 싸늘하게 얼어붙이는 듯 차가운 목소리에 웃고 떠들던 기사들과 나는 순식간에 제자리에 굳어 버렸다. 갑옷을 입은 카일이 가만히 서서 이쪽을 무심한 듯 바라보고 있었다.

"……전하."

"여유로운가 물었어."

"그게 아니라…… 조가 방패를 들어 보라 시키기에……."

"책임을 물었을 때 아랫사람 탓을 하는 버릇이 있는 줄은 몰랐군. 리베론 경."

"……죄송합니다, 전하."

리베론이라는 기사가 고개를 숙여 사죄했다. 분위기 개삭막하네. 눈치가 보여 눈동자만 데굴데굴 굴리던 중 카일과 눈이 마주쳤다.

"전시에 중요한 군사에게 무슨 일을 시킨 거지."

냉담하게 묻는 카일의 말에 간이 쪼그라드는 것 같았지만 진정하고 차분히 말했다.

"제 생각에는요, 전하."

"나중에 따로 얘기하지."

의도적으로 내 말을 끊은 카일이 나를 내려다보며 말했다. 멍하니 입을 벌리고 어버버하는 사이에 다른 기사가 끼어들었다.

"전하. 조도 전하의 백성으로서 나름대로 생각을 하고 의견을 말한 것이고, 저희 역시 아무런 생각 없이 장단을 맞춰 준 것은 아니니 너무 노여워 마십시오."

"아, 그래?"

나를 보고 있던 카일이 기사를 향해 몸을 돌렸다.

"조가 어떤 의견을 말했지?"

"……방패를 머리 위로 들고 10분 이상 버텨 보라고 했습니다."

"가능하던가?"

"아니요."

"그럼 가능할 거라 생각했나?"

"……아닙니다."

카일이 고개를 한쪽으로 비스듬히 기울였다.

"그런데 자네들은 왜 안 되는 것에 시간을 낭비했지?"

기사들이 대답을 하지 못하고 고개를 숙였다.

"전하,"

내가 한 발짝 앞으로 다가서며 말을 걸려고 하자 그가 손을 들어 막았다. 카일은 다시 한 번 그들을 보며 물었다.

"전투를 앞둔 시점에 휴식을 취하는 것도, 훈련을 하는 것도 아닌 일을 굳이 한 이유가 무엇이지?"

입술을 일자로 꾹 늘이다가 그대로 어깨를 축 늘어뜨린 기사가 대답했다.

"……재밌어서입니다."

"조가 재밌어서라."

그래, 조가 재밌어서라고. 고개를 끄덕이며 납득한다는 듯 부드러운 표정을 짓는 카일의 얼굴이 참으로 무섭기 그지없었다. 태풍의 눈 속에 들어간 것 같았다.

"사기가 올라간 것은 좋지만 느긋해져서는 안 된다. 전쟁에서 진짜로 싸우는 대상은 적이 아니라 나 자신이야. 스스로 흐트러지지 않고, 방심하지 않아야 끝까지 살아남을 수 있는 거다."

무슨 의미로 말을 하는지는 알지만, 속상했다. 내가 고작 장난이나 치자고 그런 말을 했다는 게 아닌 걸 알면서, 저런 식으로 느긋하게 빠져 있지 말라고 말해 버리면 어떡해. 아랫입술을 잘근잘근 씹다가 문득 카일을 올려다보니 그도 나를 보고 있었다.

"따라와."

"……예."

앞서서 성큼성큼 걷는 카일을 따라 걸었다. 힐긋 돌아보니 기사들은 한숨을 푹 내쉬며 머리를 헝클어뜨리고 있었다. 괜히 나 때문에 혼났나 싶어 눈치를 보며 뒤돌아봤지만 나와 눈이 마주친 리베론은 열없이 웃으며 손을 휘휘 저었다. 얌전히 카일의 뒤를 따라가라는 듯.

고개를 꾸벅 숙여 인사하고 약간 멀어진 카일을 쫓아갔다. 비 온 뒤의 질척해진 땅에 남은 카일의 발자국 위를 총총 밟으며 갔다. 발이 크구나, 하는 영양가 없는 생각을 하다 보니 어느새 카일의 막사 안이었다. 밖에 비해 어두운 막사에서 카일은 길게 숨을 내쉬며 뒤돌았다.

"조."

"……저기, 카일."

화났냐고 물으려던 참이었다. 내가 당신 기사들에게 명령을 해서 화난 거냐고. 하지만 내가 하고 싶은 말이 카일의 입에서 튀어나왔다.

"화났어?"

"예?"

내가 화났냐고 왜 물어. 방금까지 화내던 건 너였으면서. 어처구니없다는 얼굴로 카일을 올려다봤다.

"너는 여기에 마구간지기로 왔지."

"……네. 그렇죠."

좋게 생각하려 했는데 점점 내 마음이 삐딱선을 탔다.

설마 마구간지기로 온 주제에 검을 잡았고, 스노우의 가르침을 받았으니 그걸로 만족하고 입 닥치라는 건가. 나대지 말라는 말을 하려나. 카일의 다음 말을 기다리며 주먹을 쥐고 있던 중에 다음 말이 이어졌다.

"네가 대책을 생각하고 있다는 건 알아. 하지만 그건 나만 아는 사실이야. 스노우는 네가 하는 말을 그저 전쟁에 꽤 소질이 있는 명석한 아이가 하는 말로 생각하고, 병사들이야…… 방금 네가 들었듯."

"아."

어중이떠중이가 하는 말은 결국 장난으로 치부되기 마련이다. 내가 아무리 미래를 알고 있어서 적절한 작전을 내놓았다고 한들, 저 사람들이 보기에 나는 그저 마구간지기 얼뜨기에 불과하니까. 방금 전의 기사들도 나와 친하니 재미로 장단을 맞춰 줬을 뿐이었다.

"네 말을 진심으로 들어 주는 사람도 저 중에 있었겠지. 하지만 아직은 모두에게 통하지 않아."

"……네, 무슨 말인지 알았어요."

카일은 잠깐 쓰린 눈으로 나를 내려다봤다.

"네 입에서 나온 작전임을 모를 때 사람들은 그걸 환호하지. 저번 테이비톤 강에서처럼. 하지만 아직 지위도 없는 네가 작전을 지시하기엔 일러. 웃고 떠들며 장난으로 받아들이고 다들 쓸데없는 자존심을 내세우겠지. 그렇게 소비되어

선 안 될 작전인데도 불구하고."

이해는 갔다. 테이비톤 강에서 쓴 살수 대첩 작전은 스노우가 회의할 때 냈기에 모두 스노우의 의견으로 알고 진행했었다. 일개 인부가 낸 작전을 따를 콧대 높은 기사는 아무도 없을 테니까.

"……스노우가 테이비톤에서의 작전이 네 아이디어라는 걸 말했어. 전투가 모두 끝난 뒤."

"그런데요?"

"콜린 경이 무시하더군. 고작 그런 햇병아리의 말만 듣고 진행하다니, 스노우가 감을 잃었다고 말이야."

"그건……!"

"알아, 그건 네 잘못이 아니지."

"아뇨. 그 얘기가 아니라 콜린 경이라는 사람 욕하려던 거였어요. 그건 콜린이 등신 새끼인 건데."

잠깐 당황하던 카일은 열심히 말을 덧붙였다.

"그, 그렇지. 그렇긴 한데 편견 없이 귀가 열린 스노우와 달리, 네가 여신의 목소리를 들었다는 걸 모르는 귀족들은 그렇게 생각할 수 있으니까."

"그래서요, 앞으로는 입 다물어야 돼요?"

잔뜩 뿔이 나 인상을 찌푸리며 묻자 카일이 피식 웃으며 답했다.

"아니. 내게 말해. 내가 총사령관이잖아."

"……아."

그제야 잊고 있던 사실을 떠올린 나는 멍청한 얼굴로 군사 총지휘권을 가진 사령관 애인을 올려다봤다. 그리고 카일이 왜 나를 막사로 따로 불렀는지 그 이유를 또 하나 깨달았다.

"나는 네 모든 게 정답인 걸 알고 있으니 그대로 할 거야."

애초에 그랬듯 나는 도울 뿐이고, 최종 명령은 총사령관인 카일을 통해야만 한다. 그래야 명확한 지휘 체계로 작전 수행이 칼같이 이루어질 테니까. 물론 이게 최선인 걸 아는데도 마음이 시드는 건 어쩔 수 없었다.

"신분제 개같네요. 좋은 말을 해도 무시당하고."

낙담하여 어깨를 축 늘어뜨리자 카일이 조심스레 내 왼쪽 어깨 위로 손을 올려 느리게 다독였다.

"비록 지금은 그렇지만 앞으로는 아무도 너를 무시할 수 없도록 할 거야. 천천히 조금씩. 그러나 확실하게."

고개를 들어 올렸다. 카일의 커다랗고 푸른 눈과 마주했다. 연한 금빛의 속눈썹이 한 번 깜빡였다. 단단한 입매의 붉은 입술이 열렸다.

"네가 조력자로만 남도록 하지 않아."

"어떻게요."

"지금처럼 알음알음 비공식적으로 훈련을 받는 게 아니라, 정식으로 내 명령하에 스노우의 훈련을 받는다고 해 둘게. 그럼 지금보다는 처우가 나아지겠지."

"정말요?"

눈을 빛내며 한 걸음 다가서자 카일이 자연스럽게 뒤로 한 발자국 물러섰다.

"뭐야, 왜 도망가요."

"……잠시 후에 간부들끼리 회의가 있어서 지금 일 치르기엔 좀 그래."

"무슨 소리야! 떡 줄 사람은 생각도 없는데 혼자 김칫국 먹고 있네!"

"떡, 김, 뭐?"

"아, 됐어요. 외국인이라 그런가. 소통 단절 심각하네."

"외국이라니. 조 고향이 어디라고 했지."

"저 그럼 이만 나가 볼게요, 전하."

냉큼 도망치려는데 카일이 나를 불러 세웠다.

"조, 잠깐만."

"네?"

전쟁 중이라 제때 자르지 못한 카일의 머리카락이 살짝 길어져 이마를 반쯤 덮었다. 언제나 약간 짧은 길이로 이마 뒤로 넘기고 있었는데.

"언젠가는 말해 줄 거지?"

"……안 믿으실 텐데요."

"믿어."

"정말로 안 믿으실 거예요. 저보고 미쳤다고 하실걸요."

의심 가득한 눈초리로 흘겨보며 말하자 카일이 빙그레 웃었다.

"이젠 네가 내 정답이고, 방향이야. 내가 너 말고 누굴 믿겠어. 네가 하는 말은 다 믿어."

연한 붉은 입술이 호선을 그리며 올라갔다. 부드럽게 휘어져 반달을 그리는 카일의 눈 안에 푸른 눈동자가 보석처럼 반짝였다.

"널 믿어."

멍하니 카일의 하얀 얼굴을 보다가 애써 정신을 차리고 물었다.

"뭐, 뭐부터 말해요? 로타이스 필승법? 아니면 내 과거?"

블루 다이아몬드 같은 눈동자가 좌우로 빠르게 흔들리더니 그가 배시시 웃었다.

"일단 지금은 작전 회의가 급하니 필승법부터 말해 주시겠습니까, 전쟁의 신이시여."

"에이씨. 카일까지 그러기예요. 알았어요. 이번 전투 끝나면 솔직하게 다 말해 줄게요."

그와 마주 보며 웃고 있으니 근심이 날아가는 기분이었다.

로타이스 요새에서의 패인은 끝없이 날아드는 독화살과 절대 뚫지 못하는 난공불락의 요새 때문이었다고, 그걸 한 방에 뚫을 수 있는 게 필요하다며 나는 방패를 활용한 전술을 카일에게 얘기했다.

"방패를 들고 계속 진군하는 건 현실적으로 힘드니 다른 방법을 찾아봐야겠군."

"어쨌든 독화살은 반드시 막아야 돼요. 그게 아니면 로타이스를 뚫을 수 없어요."

벤지가 독화살을 맞고 죽으니까요.

뒷말은 속으로만 삼켰다. 괜히 꺼내 봤자 카일의 감정만 뒤숭숭하니 시끄러워질 게 뻔했다.

"곧 작전 회의라 장군들 몰려올 테니 저는 나가 있을게요."

카일에게 웃어 주며 돌아서려는 찰나, 그가 나를 붙잡았다.

"……그때, 그 말 진심이었어?"

"뭐가요."

카일의 푸른 새벽을 닮은 눈동자가 얕게 떨렸다.

"……전쟁이 끝나도, 나랑 결혼은 하지 않겠다는……."

"그 얘기가 지금 왜 나와요?"

진심으로 궁금해서 물은 거였다. 전쟁에 대해 얘기하고 있는데 결혼이 중요한가. 그걸 왜 물어봐.

"아니, 네가……!"

번쩍 손을 들어 나를 가리키던 카일이 우물쭈물했다. 허공에서 길 잃은 카일의 가련한 검지만 쭉 뻗었다가 꼬리를 말듯 점차 주먹 속으로 숨어들었다.

"제가 뭘요?"

"……네가 안 한다고 했잖아."

"그랬긴 하지만. 어쨌든 지금 중요한 건 그게 아니기도 하고, 까놓고 말해서 현실적으로 가능한지도 이제는 잘,"

"잘, 뭐? 끝까지 말해."

카일의 눈꼬리가 묘하게 올라갔다.

"모르겠어요."

내 말을 들은 카일은 눈을 한껏 치켜떴다가 아래로 늘어뜨렸다. 하지만 이쪽 세계로 넘어온 것도 이제 좀 있으면 2년이 다 돼 가는데 나도 눈치라는 걸 키웠단 말이에요. 마구간지기와 황자인 당신이 결혼할 수는 없으니까요. 적어도 당신네 그 외가가 모조리 몰살당하지 않는 이상은 결혼 전날 밤에 나 독살당할걸요.

"아니면 내가 지위를 얻어서,"

"알았어. 됐어. 나가."

"……삐쳤어요?"

"안 삐쳤거든."

"삐쳤는데."

"안 삐쳤다고."

묘하게 도톰하게 올라온 붉은 입술이나 힐긋 나를 봤다가 휙 돌아서는 시선이나. 아무리 봐도 삐쳤는데. 놀리면서 살살 달래고 싶었으나 잠시 후 있을 작전 회의 때문에 나는 카일의 막사에서 나가야만 했다. 발걸음을 돌리려다 말고 괜히 한 번 더 장난을 치고 싶어 또 카일의 약을 올렸다.

"결혼은 인륜지대사인데 그렇게 막 결정해서야 되겠어요, 카일?"

"아, 됐다고. 나도 안 해. 싫어. 안 해! 이제 네가 하자고 해도 안 해!"

"삐돌이."

"아니야!"

소리를 지르며 돌아보는 카일의 얼굴이 평소답지 않게 붉으락푸르락 타올랐다.

"나 삐친 게 아니라, 어? 생각을 해 보니까. 너 지금 상황으로는, 현실적으로 안 될 거 같고. 어? 전쟁이 끝나도 그게 가능할 것 같지가 않으니까. 안 한다는 이성적인 판단으로, 내가!"

"네, 알겠어요. 저도 그 말이었어요."

말없이 나를 노려보던 카일이 내 등을 떠밀며 막사 밖으로 내몰았다.

"나가."

"이따 밤에 막사에 숨어들어도 돼요?"

실실 웃으며 농담을 건넸지만 카일은 단호했다.

"싫어."

나를 쫓아내는 카일이 너무 귀여워 계속해서 장난을 치고 싶었지만, 카일 체면에 썩 좋지 않을 것 같아 막사의 천을 걷으면서는 얼굴 가득한 웃음기를 애써 지우며 그에게 인사했다.

"전하, 이만 가 보겠습니다."

눈에 잔뜩 힘을 주고 노여운 듯 나를 보던 카일은 그대로 돌아섰다. 저렇게 귀여워서 어떡하지. 누가 잡아갈까 봐 겁난다. 전쟁이라고 도둑맞으면 어떡해. 나라의 보물인데.

이런저런 방식으로 카일을 놀리는 상상을 하던 중 근처에 서 있던 벤지가 내게 눈인사를 건네며 슬쩍 옆으로 다가왔다.

"……많이 혼났어?"

"제가요?"

웃음기를 머금고 벤지를 향해 고개를 돌리자 내 표정이 어지간히도 자신만만하게 보였는지 벤지도 그저 웃고 말았다.

"전하께서 심각하게 너를 막사로 데려갔다길래."

"전하가 어디 저를 혼낼 사람인가요."

"그런 것치곤 자주 혼났잖아."

"그……렇긴 하죠."

평소엔 항상 혼나고 있긴 했지. 처음 만났을 때 제발 헛소리 좀 멈추라며 작고 하얀 얼굴을 붉히며 소리를 쳤었고(무지 예뻤지). 조금 지나서부터는 정말 날 좋아하는 게 맞긴 하냐고, 닦달하듯 내 진심을 달달 볶아 댔고(아, 귀여웠어). 전쟁이 터지기 전에는 왜 자기가 최우선이 아니냐며 확신을 달라고 또 화를 냈지(지금 생각해도 역시 사랑스러웠단 말야).

음흉하게 변한 내 표정을 보던 벤지가 내 이름을 소리 내어 크게 불렀다.

"조!"

"아우, 깜짝이야. 왜요."

"또 무슨 생각을 하길래 귀만 빨개져. 너 그럴 때면 불안해."

"내가 야한 생각을 하는데 왜 벤지가 불안해요."

"……내가 모시는 주군이 잘못된 선택을 하신 건 아닌지 걱정이 된단 말이지."

"그걸 이제 와서 후회하긴 너무 늦었지 않아요?"

포기했다는 듯 벤지가 고개를 절레절레 흔들었다. 밝은 오렌지색의 머리카락이 곱실거리며 부드럽게 흔들렸다. 여신이 말했던 미래가 믿기지 않았다. 로타이스 전투에서 벤지가 죽는다니. 전쟁터에서 죽는 거야 알고 있었지만, 책에서는 구체적으로 서술되지 않았던 내용이라 더 충격이었다.

"조? 표정이 왜 그렇게 심각해? 무슨 일이라도 있어?"

눈치 좋게 나를 살펴 오는 벤지를 보며 나는 애써 밝게 웃음 지었다.

"별건 아니고 저 스트레스 받아서 그런가, 머리가 좀 빠진 거 같지 않아요?"

정수리를 불쑥 들이밀자 벤지가 흠칫 놀라 뒷걸음질 쳤다.

"……괘, 괜찮은 것 같은데."

"그래요? 아, 사람이 나이 먹을수록 돈도 돈이지만 머리숱이 중요하다는데. 나 약간 모발이 가늘어진 것 같아."

"아냐. 전혀…… 그렇지 않아."

당황한 벤지는 손사래를 치며 고개를 휘휘 저었다.

"벤지 머리숱 비결이 뭐예요."

"글쎄. ……어머니를 닮았나."

"아버지는 대머린가 봐요."

"……맞다고 하면 불경일까."

사뭇 진지한 얼굴로 고민하는 벤지를 보다 웃음을 터뜨리자 벤지 역시 편하게 눈을 접으며 나를 바라봤다. 지금처럼 편안하게 아무것도 모른 채 걱정 없이 전쟁을 끝낼 수 있다면 좋을 텐데. 나는 손을 올려 다소 높은 벤지의 어깨를 토닥였다.

"내가 무슨 일이 있어도 우리 벤지 지킬게요."

한쪽 입꼬리만 올려 피식 웃은 벤지는 내 머리를 쓰다듬었다.

"그래, 고마워."

"정말로요."

가볍게 말했지만 진심이었다. 책으로 볼 때는 모든 것들이 멀게 느껴졌지만 이젠 아니었다.

여기가 내가 지켜 내야 할 삶이니까. 꼭 다 살릴 거예요.

밤이 되어 나를 찾아온 스노우는 보기 드물게 험악한 낯빛이었다.

"뭐야. 안 그래도 무섭게 생겼는데 왜 주름살을 정성껏 더 만들어요."

"……에이."

얼음처럼 얼어붙은 분위기를 깨 보려고 평소처럼 시비를 걸어 봤지만 스노우는 구겨진 눈살을 펴지 않고 짧게 신음 같은 짜증만 내고 말았다.

"에이가 뭐예요. 사람이 묻는데."

스노우가 은근히 좋아했던 내 미소를 만면에 머금은 채 생글거렸지만 그는 입술을 삐죽거리다가 획 고개를 돌려 버렸다. 뭐야, 오늘 왜 이렇게 나한테 삐친 인간들이 많아.

"저기요. 스노우. 나 때문에 화났어요? 그럼 말을 해요. 내가 훈련을 잘 못 따라가요?"

"……아냐, 그런 거."

"지난주에 내가 글 모른다고 거짓말 치고 스노우한테 병법서 소리 내서 읽어 달라고 해서요? 아니면, 검 연습하기 싫다고 검 숨겨 놓고 잃어버렸다고 해서? 그것도 아니면…… 그저께 훈련하기 싫다고 여기 산 천지로 뛰어다니면서 숨바꼭질해서 그런가?"

눈을 빠르게 깜빡이던 스노우가 머리를 긁적였다.

"그러고 보니 내가 그런 네놈을 여태 살려 주고 있구나. 이 망할 자식. 늙은이 고생을 다양하게도 시키네."

말은 험하게 하면서도 스노우의 표정은 아까보다는 많이 풀어져 있었다. 가볍게 그의 옆구리를 쿡 찌르며 왜 그러냐고 물었다. 한숨을 푹 내쉰 스노우는 별이 가득 뜬 밤하늘을 바라보다 입을 열었다.

"능력보다, 제 자존심이 먼저인 멍청한 놈들이 너무 많아."

"예?"

"전쟁에서 중요한 건 이기는 거다. 다른 무엇보다 내가, 아군이 이기는 게 중요하다고."

"그……렇죠. 당연한 말을 왜 하세요. 일평생 전쟁터만 다니셨다더니 말년에 드디어 정신을 놓쳐 버리신 건가……."

스노우의 양 관자놀이를 붙잡고 걱정을 가득 담아 말했지만 잔뜩 역정이 난 스노우가 내 이마에 꿀밤을 먹였다.

"아악!"

이마를 감싸 쥐고 뒤로 데굴데굴 구르는 나를 보며 스노우가 지친 듯 말했다.

"지휘관들이 네 입에서 나온 작전인 걸 알고는 로타이스 요새로 진군하는 걸 반대하더구나."

"아, 나 뇌진탕 온 것 같, 예?"

눈물이 삐죽 나오다가 쑥 들어갔다. 벌떡 일어나 앉아 스노우의 앞으로 바싹 다가갔다. 세월에 지쳐 처진 눈꺼풀 사이의 푸르스름한 눈으로 스노우는 가만히 나를 바라봤다. 잔뜩 주름진 입술을 양옆으로 쭉 늘여 입매를 가다듬었다가 천천히 열어 계속해서 말을 이었다.

"카일 녀석이 내건 작전을 지휘관들의 과반이 찬성하지 않는데 마땅한 이유도 없어. 그저 그게 어느 말단 마구간지기의 입에서 튀어나왔다는 게 다야."

"뭐라고요?"

순식간에 이맛살이 찌푸려졌다. 스노우는 알 만하다는 듯 고개를 대충 주억거렸다. 귀족 놈들에게 아주 진저리가 나는지, 주먹을 말았다 펴는 스노우에게 분노가 느껴졌다. 아까의 회의를 되새기는지 또 말이 없어진 스노우를 닦달했다.

"그래서 뭐가 어떻게 됐는데요. 진군을 한다는 거예요, 안 한다는 거예요."

어깨를 붙잡힌 스노우가 내게 짤짤 흔들리다가 신경질적으로 내 머리에 또 꿀밤을 먹이곤 툭 내뱉었다.

"카일은 처음에 방패병을 앞세워 진격하자 했어."

"하지만, 독화살을 막을 방패는 무거워서 그걸 들고 진군하는 건 힘들다고 했어요."

"그래, 처음엔 콜린 그 얌생이 새끼도 그걸 핑계로 들었지."

콜린.

아까 카일에게서도 들은 이름이었다. 콜린이라는 귀족 지휘관이 테이비톤 강에서의 작전도 내 아이디어라는 걸 알고 스노우를 비난했다고 했지. 둔통이 밀려오는 게 혹이 올라올 것 같은 이마를 문지르며 스노우의 다음 말을 기다렸다. 옆구리에 찬 검집을 쥐었다 폈다 하던 스노우가 담담한 목소리로 회상을 이어 갔다.

"밀집 대형을 하고 방패를 이용해 지붕을 만든 뒤에, 그 밑에서 하나의 방패를 두 사람이 번갈아 들며 흔들림 없이 진군하면 가능하다는 의견이었어. 그렇게 화살을 소진시킨 뒤 다른 군사들이 일제히 진군하면 된다고 우리 총사령관이 말했지."

"그런데요?"

"근데 그 콜린 놈의 따까리인 벨시리스인가 하는 놈 자식이 시비를 걸더라고. 그것도 짐승 새끼 여물이나 챙겨 주는 그놈 의견이냐고."

"……말을 개같이 하는 재주가 뛰어나신 분이네."

고개를 갸우뚱 기울이며 그 벨시리스 놈이 한 말을 곱씹었다.

짐승 새끼 여물이나 챙겨 주는 놈? 니네 엄마도 금수만도 못한 네 밥 챙겨서 키웠을 텐데. 역지사지가 안 되는 새끼.

부들부들 떨며 스노우를 노려봤다.

"날 왜 째려봐, 이놈아."

"몰입해서요. 그래서 어쨌는데요."

"그 한두 놈이면 입 닥치라고 하고 말았겠지, 내가. 근데 몇몇 놈 빼고는 다들 반대하더라고. 썩 괜찮은 작전인데도 불구하고. 로타이스가 요충지라는 걸 알면서도 돌아가자는 개소리를 하질 않나."

아까의 회의가 생각나는지 스노우는 아드득 소리가 날 정도로 이를 악물고 바들바들 떨었다. 전쟁터 잔뼈가 굵은 영감이라더니 정말 지는 걸 죽기보다 싫어하는구나 싶었다.

"영감님 연세에 이 깨무시면 그대로 이 빠져요."

"지금 상황에 시비가 걸고 싶냐. 네가 내 제자라고 카일 황자가 그 자리에서 밝혔는데도 불구하고, 그 염병할 턱수염이나 만지작대면서! '그래도 그런 근본 없는 놈이 뭘 알고 꺼낸 말도 아닐 텐데요.' 라고 떠드는데! 이런, 제기랄!"

결국 로타이스를 포기하고 그 옆에 비교적 만만한 캐럴 성을 먼저 뚫자는 의견까지 나왔다고 했다. 그건 카일과 스노우가 동의하지 않아 기각되었지만.

"거기 경비가 허술하다고 해서 만만한 게 아니야. 캐럴 성은 로타이스 요새보다 훨씬 크고, 기사들 수가 많다고. 쪽수가 딸린다 그 말이야. 겉보기에 만만하다고 정말로 만만하다 여기면 안 돼. 로타이스는 뚫기는 힘들어도 일단 한 번 저 문만 열리면 간단하단 말이다. 어?"

분을 참지 못한 스노우가 내게 거의 악다구니를 질러 대다시피 정세를 가르쳤다. 고작 하급 지위의 인간이 의견을 냈다는 하찮은 핑계로 작전이 무시당했다는 말에 억울한 감정과 분노가 동시에 끓어올랐다.

뭐가 중요한지 제대로 분간도 못하는 윗대가리 새끼들 때문에 죽어 나가는 건 하급 병사들인데. 지들은 화살받이가 아니라 이거잖아.

"자존심에 목숨 거는 멍청한 귀족 새끼들."

욕을 하고 보니 문득 스노우도 귀족일지도 모른다는 생각이 머리를 스쳤다. 지휘관 자리까지 올라간 거 보면 귀족일 텐데. 귀족 자체를 욕한 건데도 스노우는 그다지 신경 쓰지 않는 눈치였다. 입으로 쌍욕을 주절주절 뱉는 스노우의 눈치를 살피다가 넌지시 물었다.

"할배. 근데 그럴 거면 애초에 내가 낸 아이디어라고 안 밝혔으면 됐잖아요. 할배도 그렇고 카일도 그렇고 왜 쓸데없이 솔직해요."

스노우가 한쪽 눈을 비스듬히 뜬 채 희번덕거리며 고개를 갸우뚱 꺾었다. 인상 쓰고 그런 얼굴 좀 하지 마요. 전쟁터의 마귀 같은 인간아. 부디 세상에 할아버지 핏줄이 없길 바랍니다. 이렇게 무섭게 생긴 사람의 혈통이 이어져선 안 돼.

"야, 이 자식아!"

"아, 깜짝이야! 왜 소리를 질러요!"

"네 거니까 그런 거 아니야!"

"뭐가요!"

"새끼가 기특한 생각을 했으면 인정을 받고 싶어 하든가!"

"인정받고야 싶죠! 근데 현실적으로 불가능하면 적당히 타협도 하고, 그래야죠!"

"그렇게 다 남 퍼 주다가 어느 세월에 기사 되고, 공 쌓을래!"

……내가 공을 쌓을 필요가 있나요. 눈만 멀뚱멀뚱 뜨고 스노우를 보자 그가 티 나게 콧김을 팍 내뿜으며 짜증을 부렸다.

"늙은이가 노망이 났나. 왜 면전에서 짜증을 내요."

"너 나중에 후회한다, 이 자식아."

"뭘요."

"어쨌든 간에! 네가 남자건! ……여자건,"

누가 들을세라 뒤의 '여자'라는 단어는 작게 말하는 늙은이의 배려에 웃음이 터졌다. 스노우는 내 히죽거림에도 아랑곳 않고 말을 이었다.

"네가 공이라도 쌓아 놔야 카일 옆에 붙어라도 있을 거 아냐. 계속 말똥이나 치우며 살 거냐!"

알긴 알겠는데, 그걸 스노우까지 신경 쓰고 있는 줄은 몰랐다. 생판 남의 연애사인데 왜 이렇게 자기 자식 짝짓는 것마냥 길길이 날뛰지.

"저기요. 스노우."

"왜, 인마!"

"역정 내지 말고요. 왜 카일 옆에 저를 붙여 주고 싶어 하세요?"

나름대로 자연스럽게 넌지시 물은 건데도 스노우는 묵묵히 나를 응시할 뿐 한참 말이 없었다.

"……불쌍해서 그런다. 사랑한번제대로받아보지도못하고저리키워진것이불쌍해서."

"예? 뭐라고요? 왜 그렇게 말을 빨리 해요. 하나도 못 알아들었네. 늙은이 혓바닥에 프로펠러를 달았나."

"못 들었으면 됐어. 일어나, 네 작전 씹혔다고 훈련까지 쉴 생각은 없으니까."

"아이씨!"

"씨? 씨이? 너 오늘 팔 굽혀 펴기 서른 번 하고 시작이다. 엎드려."

"저기요."

"시작해!"

스노우의 불호령에 결국 엎드려서는 울며 겨자 먹기로 체력 단련을 하고, 검술에 보법, 맨몸 무술까지 하고서야 겨우 풀려났다.

이후로 내가 톰과 스노우에게 번갈아 훈련받는 며칠 동안 카일은 몇 번이나 회의에서 방패 작전을 피력했다. 독화살만 막으면 로타이스를 차지할 수 있다고. 하지만 지휘관들은 내 존재 자체를 마뜩잖아 하는 듯싶었다.

"……얼마 전에야 사기 증진한다고 전쟁의 신, 전쟁의 신 하긴 했지만, 제대로 훈련을 받아 본 적도 없고 군사 학교를 졸업하지도 않은 놈이 뭘 알겠습니까. 전하."

"어린놈이 내놓은 작전에 왜 그렇게 목을 매십니까."

"방패를 이용해 진군한다뇨. 그럼 요새 코앞까지 무슨 딱정벌레마냥 설설 기어가란 겁니까. 전하. 전쟁이란 자고로 칼이 맞부딪치는 소리가 들려야지요. 그게 진정한 전쟁 아니겠습니까."

다들 한마디씩 말을 보탰지만 그중 제일 스노우를 열받게 하는 건 콜린이라 했다. 벨로이스트와 교류하는 가문임에도 불구하고 콜린 후작은 묘하게 카일을 무시하는 태도로 일관했다.

"전하께서는 전쟁에 참전하신 경험이 전무하시니 모르실 수 있습니다. 그런 눈속임 작전은 상상 속에서나 가능한 거지요."

능글맞게 눈동자를 굴리며 카일을 흘겼다가 냉큼 고개를 돌리는 꼬라지가 어지간히도 얄미워 스노우가 결국 탁자 위에 칼을 꽂았다고 했다. 기십 년이 넘도록 함께 전장을 누빈 무겁고 단단하게 벼려진 명검을.

"내 알기론 콜린 자네도 젊은 시절에 기껏 국경 전투 두 번 간 게 다일 터인데. 지금 내 앞에서 전투 경험 운운한 건가."

"뭐…… 그렇다기보다는……."

스노우는 그놈이 단박에 기가 죽어 꼬랑지를 내리는 꼴이 웃겼다며 내게 얘기해 줬지만 그것만으로는 안심되지 않았다. 어쨌든 무의미한 시간이 낭비되는 중이었다. 결과적으로는 콜린이라는 후작 새끼도, 그 따까리들도 아무도 카일의 편을 들지 않았으니까. 매일 하는 스노우와의 훈련을 마친 뒤 지쳐서 기진맥진한 채 내가 쳐 놓은 임시 막사로 가던 중 벤지가 내게 손짓했다.

"……아, 벤지. 간만이네요."

"저기, 조. 너무 낙담하지 마. 전하께서 너를 부르지 않는 건,"

"알아요. 친분에 흔들려 바보 같은 작전을 행하시려 한다, 같은 모함을 당하기 싫어서인 거. 저도 머리 굴러가요."

벤지는 씁쓸하게 웃었다.

"그래."

위로도 뭣도 아닌 말을 꺼내기 위해 새벽이 다 되도록 날 기다렸던 건지 벤지는 내 어깨를 두어 번 두드리고 다시 돌아갔다.

"하아……. 지친다."

이쯤 되니 어느 한 곳으로 결판이나 났으면 좋겠다는 마음이었다. 벌판에 진을 친 지 벌써 3주가 넘어가는 중이었다. 그사이 사기도 많이 내려갔고, 군사들의 군기 역시 해이해졌다. 똘똘 뭉쳐서 적을 깨부수던 몇 달 전과는 달리, 카일의 장미 기사단에게 시비를 걸어오는 콜린의 기사들도 늘어나고 있었다. 얼마 전까지만 해도 내 식사에 별다른 시비를 걸지 않던 놈들이 내 근처로 다가오더니 대놓고 접시를 건드려 땅으로 떨궈 버렸다. 한 입 떠서 입 안으로 넣으려던 참이었는데. 빡쳐서 벌떡 일어나 놈의 어깨를 밀쳤다.

"이 쌍노무 새끼가."

"입 거친 거 봐라. 근본 없는 잡부 새끼라 그런가 보지."

갑옷을 입은 병어 눈깔 새끼가 낄낄낄, 못에 긁힌 창문 같은 소리를 내며 웃었다.

"애초에 잡부로 따라온 새끼가 기사들 먹는 밥을 같이 먹는 게 말이 안 되잖아."

"저기. 아저씨. 어차피 보급 마차에서 나오는 거고, 다 엇비슷해요. 이 빡추 새끼야."

"비슷하면 이거 주워 들고 가서 여물통 앞에서 처먹든가."

땅에 떨어진 감자를 발로 짓이기며 말하는 놈의 가는 눈알을 쑤셔 버리고 싶었다.

"야. 너는 네 주인 닮아서 싹수가 뒈졌냐? 기사라는 새끼가 가오가 없어."

텅 빈 접시를 바닥에 내던지며 주먹을 말아 쥐자 기사들이 휘파람을 불며 조롱했다. 아까 내 감자를 밟은 가운데 서 있는 놈이 혀를 내어 아랫입술을 천천히 훑더니 '하!' 하는 헛웃음을 흘렸다.

"이 콩알만 한 새끼가 진짜로 지가 뭐라도 된 줄 아나. 예쁘다, 예쁘다 봐줬더니."

"까고 있네. 네가 언제 나한테 예쁘다, 예쁘다 했어. 뇌에 구멍 났냐."

놈에게 달려들려는 순간 옆에 서 있던 다른 놈이 내 어깨를 틀어쥐고 뒤로 밀쳤다. 꼴사납게 넘어지진 않았지만 뒤로 밀려난 터라 그들을 힘껏 째려봤다. 순식간에 얼굴을 구긴 기사가 내게 이죽거렸다.

"건방진 새끼. 믿는 구석이 있단 거지. 아, 그래. 1황자님이 어린 남자애랑 개인 침실에서 은밀한 대화를 나누는 취미라도 있나 보지."

중앙에 서 있는 놈이 옆의 놈들을 툭 치자 다들 버튼이라도 눌린 것처럼 낄낄거리며 따라 웃었다. 입을 양옆으로 쭉 찢고 침 튀기며 가가대소하는 얼굴들.

참지 않고 곧장 검을 빼 들어 카일을 모욕한 놈의 목 앞에 검을 들이댔다. 한 번의 흔들림도 없이 목 중앙을 겨냥한 칼날에 놈들의 웃음소리가 뚝 끊겼다. 그것도 잠시, 옆에 있던 다른 놈들이 검을 뽑아 내 목을 겨눴다. 적막 속에서 나를 조용히 노려보던 놈이 입을 열었다.

"주제도 모르는."

"닥쳐. 난 지금 뒈지더라도 네 목에 이 검을 쑤셔 박아야겠으니."

"네가?"

팔꿈치를 접어 든 두 손을 하늘로 두고 어깨를 으쓱한 뒤 약이라도 올리듯 그는 내 검의 끝을 검지로 툭툭 두드렸다.

"네가 무슨 수로."

"친구를 잘 둔 수로."

다른 목소리가 끼어들었다. 병어 눈깔 기사의 턱 아래에 긴 장검이 순식간에 자리를 잡았다. 장검의 주인이 기사의 머리를 틀어쥐고 뒤로 제끼고서, 검을 더 바짝 들이대자 그놈의 목에서 피가 조금 흘러나왔다.

내 친구를 자칭한 사람은 톰이었다.

"감히 황족을 모욕한 대가는 네 목으로 받아 가야겠는데."

톰의 구릿빛 손에 잔뜩 힘이 들어갔다. 제 목 밑에 들이대진 검에 막말을 퍼붓던 놈이 쫄았는지 몸을 굳히고 더듬거렸다.

"너, 너, 이, 씨, 이 검…… 당장 떼라. 떼라고 했다."

"똑바로 말해. 하나도 못 알아듣겠으니까."

톰이 느긋하지만 낮은 말투로 그의 말을 무시했다. 목에서 피가 주륵 흘러내리자 놈은 꽥 소리를 질렀다.

"왜! 끼어드냐고! 왜!"

"황자 전하를 모욕하고도 살아남길 바라는 게 과욕 아닌가."

기분 나쁘도록 어두운 놈의 눈알이 별안간 다시 나를 향했다.

"하, 어린 남창 새끼가 기사 얼굴에 먹칠하네. 이 새끼가 네 남자 친구인가 보지."

"이 자식이……!"

화가 난 톰이 막말한 놈의 목을 그어 버리려는지 손에 힘을 주었지만, 내가 더 빨랐다. 나는 내 옷소매를 잡아서 주욱 찢은 후 나를 보고 있던 놈의 얼굴에 던졌다.

"장갑 없어서 이걸로 대신 던진다. 꼬우면 한 판 뜨면 될 거 아냐. 기사 새끼가 쓰잘데기없이 주둥이로 싸우고 있네."

신경을 긁는 데 성공했는지 놈의 입꼬리가 비스듬히 올라갔다.

"장갑도 없는 놈이, 정식 기사도 아닌 주제에, 감히 이 베트겐에게 결투를 신청해?"

"장갑은 씨바, 사다 주든가. 새끼야. 얼마 없는 옷 찢어서 면상에 던져 줬으면 감지덕지해야지. 시건방진 게 꼴에 느그 주인 닮았네."

아연실색한 톰이 후다닥 베트겐에게 들이대고 있던 검을 거두고 내게 다가왔다.

"조, 미쳤어? 아무리 그래도 베트겐은 기사 훈련을 받은 사람이야."

"어쩌라고."

"야, 너 왜 이렇게 대책이 없어?"

톰이 주변 눈치를 보며 발을 동동 구르자 베트겐이 피가 흐르는 목을 매만지며 다가왔다. 그러고는 주먹을 꽂고 싶은 면상을 히죽거리면서 톰의 어깨를 툭 치며 그를 밀쳐 냈다. 나보다 머리 하나는 차이 나는 베트겐이 주변에 서 있는지 친구들에게 큰 소리로 비아냥거렸다.

"마구간에서 똥이나 치우던 새끼가! 기사한테! 결투를 신청했잖아! 가상한 용기에 박수 한번 쳐 줘야 되지 않겠냐!"

주변에 서 있던 놈들이 모두 껄껄 웃으며 과장되게 박수를 짤깍짤깍 쳐 댔다. 굳은 얼굴로 서 있는 건 나와 톰뿐이었다.

"네 남자 친구는 네가 싸우는 걸 반대하는 거 같은데?"

"너 아가리에서 똥 냄새 나. 양치 안 하니?"

"하!"

"왜 헛웃음을 쳐. 난 진심인데."

시큰둥하게 말하며 코를 틀어쥐자 베트겐이 이를 악 깨물며 땅에 떨어져 있던 내 소매를 주워 들었다.

"자. 결투 신청 받았다. 모레 저쪽 평원에서 승부를 내자고. 도망쳐도 용서하마. 너는 원래 명예랄 게 없는 놈이니."

"예. 영광입니다. 기사 나으리. 그러는 기사 나으리나 목에 때 벗기고 오세요. 목 벴는데 피 아니라 때만 나올까 봐 겁나네요."

나를 있는 힘껏 흘겨본 베트겐은 손에 쥔 내 소맷자락을 더욱 구겨 쥐고는 일부러 내 어깨를 퍽 치고 지나갔다. 그들이 가고 난 후에야 톰이 맘 놓고 내 어깨를 잡고 짤짤 흔들었다.

"야! 미쳤어! 너 진짜 어쩌려고 그래!"

"……아, 좆됐네."

사고를 치고 나니까 꿈에서 깨듯 현실 자각하게 되네. 욱해서 결투 신청을 하긴 했지만 나도 안다. 몇 년 동안 기사 훈련을 꾸준히 받아 왔던 놈과 대등하게 싸울 수 있을 리 만무했다.

"근데 아까 너무 화났었으니까 이 정도는 양반이죠. 차라리 검을 뽑아 드는 게 아니라 그냥 죽일 걸 그랬어."

"그랬으면 너도 사형이야. 정식 결투 신청이라도 했으니 다행…… 아니, 다행이 아닌 건가."

톰은 울상을 하고 나를 바라봤다.

"어떡하지. 어떡, 어떡하냐고. 야. 베트겐한테 이길 수 있을까."

여간 초조한 게 아닌지 손톱을 물어뜯다가 나를 힐긋 봤다가 다시 손톱을 딱딱 물어뜯었다. 나는 빼 들었던 검을 다시 검집에 넣으며 태연자약하게 말했다. 어차피 인생이 다 모 아니면 도야.

"죽기 아니면 까무러치기지."

"넌 왜 그렇게 대책이 없냐!"

"소리 지르지 마요!"

꽥꽥 싸우고 있어 봤자 답이 나올 리 없었다.

"톰. 기사 결투에서 지면 어떻게 되죠?"

"……기사직을 그만두고 떠나면서 모든 명예를 다 내려놓거나."

"내려놓거나?"

톰은 뒷말을 잇지 못하고 눈을 한참 굴리다가 머리를 긁적였다. 조바심이 나서 톰의 배를 툭 치며 뭔데요, 라고 되묻자 톰이 겨우 입을 열었다.

"죽겠지."

"결투하다가?"

"베트겐이 너를 죽인다고 해서 얻는 건 없지. 맞아. 그럴 리 없지. 정식 기사도 아닌 너를 죽여서 무슨……."

병적으로 혼잣말을 줄줄 뱉는 톰을 보다 보니 그제야 실감이 들었다. 음, 재수 없으면 죽겠구나. 사실 재수에 맡길 수도 없이, 실력 차이로 죽을 수도 있겠구나.

톰은 이제는 아예 화를 내고 있었다.

"그러게 왜 결투 신청을 했어!"

"그럼 그놈들이 칼 들이대면서 황자님도, 톰도 다 모욕하는데 그 상황에서 차분하게 대화로 풀어 보자고 해요?"

"죽게 되면 어떡할 거야!"

"아, 뭘 어째! 전쟁 나와서 죽을 수도 있지!"

"로테나군이랑 싸우다 죽는 것도 아니고 네가 바보짓 해서 죽는 거잖아!"

"바보? 지금 나더러 바보랬어요?"

"그래, 이 바보야! 성질머리 좀 죽여! 넌 인생에 미련이 없어? 고향에 여자 친구도 있다며! 가족들도 있을 거 아냐! 돌아가야지!"

그 염병할 여자 친구.

"입 닥치고 검술이나 가르쳐 줘요! 아는 거 말고 새 거나 좀 익히게!"

"이제 겨우 기본기나 뗀 놈이 결투라니!"

머리를 마구 쥐어뜯던 톰이 한숨을 퍽 내쉬며 나를 죽일 듯 노려보다가, 검을 다시 빼 들고 한 발짝 뒤로 물러났다.

"사실 검술 자체의 특별한 건 없어. 찌르기, 베기, 막기, 흘려보내기. 그런 기본기에서 출발해서 기사가 되고 나면 단체 훈련을 받곤 하니까."

"뭐야. 별거 없네. 근데 왜 나한테 엄청 큰일인 것처럼 말했어요."

"그거야 기사들은 매일 대련을 하니까. 당연히 너랑은 능력의 차이가 나지."

한심하다는 눈으로 나를 보던 톰이 고개를 절레절레 흔들었다.

"아냐, 이틀 뒤가 우리 마지막일 수도 있으니까 웃어야지."

"내가 진다고 단언하면 어떡해요. 언제는 형이라며."

"내 동생들은 그렇게 멍청한 짓 안 해."

한숨을 쉰 톰이 검을 고쳐 쥐며 자세를 잡았다.

"너도 검 들어."

"예?"

"대련을 해 봐야지. 심하게는 하지 않을 테니까."

말을 마치고 톰은 검날로 나를 겨냥했다. 진심인 모양이었다. 나는 천천히 검집에서 검을 빼 들었다.

"들어와."

날이 저물 즈음까지 톰과 칼을 맞댔더니 온몸이 땀범벅이었다. 당장에라도 다리에 힘이 풀려 쓰러질 것 같았는데 톰은 그다지 힘들어 보이지도 않았다.

"뭐, 흐, 뭐에으억, 윽, 토할 것 같아. 뭐예요. 심장이 두 개야?"

"숨을 그렇게 쉬면 당연히 힘들지."

"숨을, 그러, 면, 흐억, 어떻게 쉬어요? 가르, 흐. 가르쳐나 주고, 하든가. 팍씨."

씩씩거리며 톰을 노려보던 중, 스노우의 목소리가 들렸다.

"뭐 하냐. 재밌어 보이네."

저녁 시간이었는지 한 손에 말린 육포를 들고 질겅질겅 씹으며 스노우가 밍기적거리며 걸어왔다.

"웬 대련이야. 이 꼬맹이는 아직 나무나 치는 게 적당해."

"어우, 할배. 잘 오셨소. 으어. 나는, 쉬어야겠어."

검을 내팽개치며 자리에 털썩 주저앉으려는데 스노우가 곧장 내 허벅지에 로우 킥을 날려 버렸다. 악! 소리를 내며 흙바닥에 앞으로 엎어질 뻔한 것을 겨우 양손으로 짚어 중심을 잡았다. 나는 발끈해서는 벌떡 일어서서 스노우에게 소리를 질렀다. 아직도 숨이 차서 죽을 것 같았지만 노망난 할배와 싸울 힘은 남아 있었나 보다.

"이 영감이 진짜! 왜 나를 발로 차요!"

"검 다룬다는 새끼가 왜 검을 집어 던져!"

"아, 힘드니까 그렇죠!"

"핑계 대지 마! 나중에 기사도 하고, 그러려면 검에 대한 예우부터 갖춰!"

"기사는 무슨! 안 해! 노망난 늙은이!"

스노우와 죽일 듯 이를 갈며 싸우고 있는데 톰이 잠잠했다. 평상시라면 중간에 끼어들어 식은땀 흘리며 제발 스노우에게 막말하지 말라고 말렸어야 될 양반인데. 스노우도 잠잠한 것이 무언가 미심쩍었는지 톰을 향해 고개를 돌렸다.

"보라머리. 넌 또 왜 죽상이야."

아까까지만 해도 힘들어 보이지도 않던 톰이 흐으, 하는 긴 숨을 토하며 소매로 눈가를 거칠게 닦았다.

"기사…… 흐……."

"기사가 뭐 어쨌단 거야. 보라머리. 울 거면 저쪽 로테나 쪽 가서 울어. 재수없으니까. 엄마 보고 싶다고 하면 가만 안 둬."

스노우의 싹수 뒈진 말에도 톰은 미동이 없었다. 그냥 여전히 소매로 눈을 벅벅 문지를 뿐이었다. 그제야 스노우가 나를 툭 치며 지 새끼 왜 지러는 거야, 라고 물었다.

"……아마 저 때문인 것 같은데요."

아니, 아까까진 화도 내고 대련도 잘만 했으면서 갑자기 왜 울고 그래. 사람 난처하게. 머쓱한 얼굴로 먼 산을 보며 말하자 스노우가 단번에 이해가 가진 않는지 고개를 갸우뚱 꺾었다. 그의 주름진 얼굴의 미간이 한껏 좁혀졌다가 일순간에 확 펴졌다. 스노우의 입술이 천천히 벌어졌다.

"이, 이…… 이……."

"이 뭐요?"

손을 들어 올려 나를 삿대질하던 스노우가 온몸을 바들바들 떨며 입매에 힘을 주어 꾹 입을 다물었다.

"스노우. 왜 그래요?"

"……치정인 게지."

"예? 뭐라고요?"

작아서 무슨 말인지 하나도 들리지 않았다. 한쪽 눈썹을 일그러뜨리며 스노우를 향해 몸을 기울이는 순간, 그가 검을 빼 들었다.

"대련, 그까짓 거 내가 상대해 주마."

"네? 아. 감사하……긴 한데. 지금 스노우 인상이 썩 좋진 않, 으악! 악!"

땅에 떨어진 검을 집어 들고 얼떨떨하게 서 있는 순간 스노우의 검이 날아들었다. 정말 '날아왔다' 라고밖엔 표현되지 않았다. 분명 눈앞에 검을 들고 있는 건 한 사람인데도 사방에 사람이 서 있는 기분이었다. 온갖 곳에서 검이 휘몰아치는 것 같았다. 태풍에 휘말린 느낌으로 겨우겨우 하나씩 쳐 냈다. 공격은커녕, 스노우가 어디에 있는지조차 알아차리기 힘들었다. 왼쪽에 서 있나, 하면 금세 내 오른쪽에 서서 옆구리를 향해 칼을 내질렀고 빠르게 뒤로 물러나 막아내는 순간 긴 검이 머리로 내다 꽂혔다.

"계속 도망만 갈 거냐!"

"거, 검이!"

"그렇게 뒷걸음질만 치다가 적진까지 가라지!"

"갑자기 왜, 왜!"

말도 제대로 끝마치지 못했다. 스노우가 어떤 지점에서 스위치가 당겨져 분노하는지 감도 오지 않았다.
“이 천하의! 못된! 망아지! 못 준다!”
“아니, 무슨!”
“난 반대야! 이 지저분한 놈!”
“제가 뭘! 악!”
“이럴 줄 알았지! 뺀질이! 얼굴만 보고 달려들 때부터!”
“무슨, 악! 악! 잠! 깐! 타, 임!”
결국 몇 번의 합도 받아 내지 못하고 칼을 놓쳐 버렸다. 앗, 놓쳤다. 라고 자각하기 무섭게 스노우의 칼이 내 목 아래로 다가왔다. 눈 깜짝할 새였다. 번뜩이는 스노우의 푸른 눈이 달빛에 비쳐 형형하게 빛났다.
“……검을 놓치지 말라고 했지. 쓰레기.”
“……스, 스노우. 뭔가 오해가…….”
“검 들어라. 이 난잡한 놈.”
“저기요. 제가 왜 쓰레기에다가 난잡한 놈이라는 말까지 들어야 하는지 전혀 모르겠고, 납득도 안 가는,”
“말이 많다. 검 들어!”
스노우가 지르는 소리에 놀라 얼떨결에 다시 검을 주워 들었다. 그저 검을 든 채로 스노우가 내려치는 공격을 받아 내고만 있을 뿐인데도 손에 힘이 잔뜩 들어갔다.
“비실비실해선!”
“윽!”
“그래 가지고 황자랑 무슨!”
“잠깐만요! 뒤에 아직 톰 서 있거든요!”
“다 필요 없다! 이 배은망덕하고 방자하고 망측한!”
“아악!”
머리를 꿰뚫을 것처럼 검을 내려치는 스노우 때문에 또 휘청거리다가 옆으로 쓰러졌다. 이번엔 검을 놓치진 않았지만, 그의 힘을 견딜 수 없었던 건 변함 없었다.

"갑자기 왜 그래요!"

부아가 나서 버럭 소리를 지르자 검을 쥔 스노우가 차갑게 식은 눈으로 나를 내려다봤다.

아, 이상하게 익숙한 느낌이 드는데. 착각인가.

고개를 갸우뚱 꺾으며 아리송한 얼굴로 그를 올려다보는데, 뒤에서 톰이 나를 노려보며 말했다.

"스노우 님도 다 널 아끼니까 그런 거겠지."

"아끼긴 개뿔이."

"그래, 개뿔이 아껴."

톰의 말에 스노우와 내가 연달아 대답했다. 저 미친 영감이 정말로 나를 아낀다면 이렇게 일언반구 말도 없이 칼을 들이댈 리 없었다. 방금은 정말로 나를 죽일 기세였잖아. 씩씩거리며 스노우를 노려봤지만 그 역시 나를 노려보며 이를 갈고 있었다.

"제자로서는 나쁘지 않다만 다른 면으로서는 빵점이야! 너는!"

"하! 스노우는 스승으로서도 빵점이고, 동네 노망난 노친네 점수로 따지면 마이너스거든요!"

지지 않고 바락바락 대들자 톰이 식겁하며 사이를 가로막았다.

"조! 말 좀 가려서 해!"

"미쳤어요! 이 영감이 지금 일부러 악감정 품고 이러잖아요!"

"영감? 뭐? 영감? 야, 그래! 이 자식! 그동안 싸가지 없어도 귀여워서 그러려니 했더니! 이게 뭐? 감히 다른 남자를 만나?"

"뭔 소리야!"

억울해서 발을 쾅 굴리며 스노우에게 삿대질을 하는데 톰이 아연실색한 표정으로 나를 돌아봤다.

"톰은 표정이 또 왜 그래요."

"너, 너……,"

입을 틀어막고 떨던 톰이 스노우와 나를 번갈아 봤다. 아, 뭔가 불안한데.

"……스노우 님이 방금 다른 남자를 만나냐며 화냈잖아."

"톰, 잠깐만. 뒷말하지 말아 봐요."

"너 스노우 님과 그렇고 그런……. 아무리 그래도 나이 차이가 너무 나지 않니. 아니, 스노우 님은 가정도 있으신 분이."

머리를 비스듬히 꺾은 스노우가 뭐라 말하는 대신 조용히 검을 움켜쥐었다. 진짜 돌아 버리겠네. 내가 전생에 무슨 죄를 지어서.

"왜 톰까지 지랄이야! 톰도 나랑 결투하고 싶어요!"

톰의 멱살을 쥐고 짤짤 흔들었다. 이래저래 흔들리며 톰이 고개를 가로저었다.

"그게 아니고, 아니, 너, 힘 다 빠진 줄 알았더니, 잠, 아니 나 골이 울려. 조, 멈춰."

톰이 주절주절거리는 걸 듣기도 싫었다. 왜 하루 종일 오해나 받아야 하냐고. 별안간 스노우가 내 어깨를 쥐며 진지한 얼굴로 물었다.

"네가 나랑 그렇고 그런 사이냐니, 그게 무슨 소리야."

"저야말로 묻고 싶어요. 영감님, 양심도 없어요? 저는 손녀뻘인데!"

"관심도 없어! 그게 아니라, 너 톰 이놈이랑 뭔가, 관계를 이어 가던 거 아니었어?"

이건 또 무슨 소리야…….

"악!"

결국 폭발해서는 자리에 주저앉아 머리를 마구 헝클어뜨리며 비명을 질렀다. 전쟁하러 온 양반들이 무슨 드라마를 찍나. 왜 이렇게 오해에 오해가 월 복리 이자처럼 쌓이는 거냐고. 사채업자야?

"저기요. 저는 아무한테도 관심 없고요."

스노우가 다시 검을 들어 올리려는 찰나 빠르게 덧붙였다.

"카일 전하만 존경하고, 사랑하고, 마음 깊이 모시고 있습니다. 예? 빌테온 1황자, 금발의 벽안, 그 사람이요! 정말 다른 사람은 단 한 번도 만난 적이 없어요. 근데 내가 왜 이런 절절한 고백을 생판 남인 두 사람한테 하고 있어야 되냐고요."

어깨 밑으로 힘이 제대로 들어가지 않아, 화를 내고 있는데도 내 스스로가 초라하게 느껴졌다. 답답한 마음에 마구 토해 내다시피 말하다가 지쳐 늘어졌다.

"힘들어 죽겠는데 정말 왜 그래요."

"……야, 그, 오해했다. 보라머리가 너 때문에 운다길래……."

어색하게 손을 올려 내 어깨를 다독이는 스노우를 맹렬히 째려봤다가 그조차 기운이 빠져 그만뒀다.

"어, 근데, 나야 그렇다 치고 스노우 님은 생판 남이라기에는,"

"쉿."

하던 말을 가로막은 스노우가 톰에게 되물었다.

"그럼 보라돌이 넌 왜 울었던 거야."

"아, 그게 말입니다."

이제야 사건의 전말이 제대로 밝혀졌다. 콜린 후작의 기사 중 베트겐과 그 무리들이 내 식사를 엎었다고 말하자 스노우가 갑자기 내 꿀밤을 때리며,

"밥그릇 엎는다고 쌈박질할 거면 온 세상 사람이랑 다 싸워야 돼."

라고 나무랐다. 왜 다 듣지도 않고 나보고 뭐라 하냐고 또 스노우와 한 대씩 치고받고 싸우다가 톰이 겨우 말려 다음 이야기로 넘어갔다.

베트겐이 황자를 모욕했고, 날더러 남창이라 욕했다는 부분을 조심스레 말하자 스노우의 입꼬리가 비틀려 올라갔다.

"호오, 그래서?"

"조가 칼을 빼 들어서 베트겐의 목을 겨눴습니다. 그쪽에서는 다 같이 검을 꺼내 조를 둘러쌌죠."

눈썹을 찡긋거리던 스노우가 차분히 가라앉은 얼굴로 나를 바라봤다.

"너는, 인마. 검을 뽑았으면 사람 목이라도 썰고 집어넣어야지. 여태 뭐 배웠어."

"그러려고 결투 신청한 거잖아요. 그냥 썰었다가 영창 갈까 봐."

"음?"

두 눈을 휘둥그레 뜬 스노우가 다시 톰을 바라봤다. 진한 보라색 머리카락을 쓸어 넘긴 톰이 주춤거리며 말을 이었다.

"조가 소매를 찢어서 베트겐한테 던졌어요. 베트겐은 그걸 받아들였고요. 이틀 뒤에…… 결투를."

"이 미친놈아!"

"아이고, 깜짝이야! 이 영감아!"

깜짝 놀라 소리를 질렀는데, 영감이 내 뒤통수를 찍어 누르며 정수리에 몇 번이나 꿀밤을 먹였다.

"기사한테! 결투를! 신청하면! 어떡해! 이놈아! 배때기가 불렀지!"

"그만 때려요!"

"너 인마! 칼이라도 맞으면 카일이 얼마나! 어?"

스노우의 손아귀에 목이 잡힌 채로 이리저리 휘둘렸다. 손을 들어서 늙은이의 옆구리를 마구 주먹으로 내질렀지만 어째 하나도 맞질 않았다. 전쟁의 신이고 나발이고 그거 사실은 이 영감한테 붙어야 될 별명 아니냐고.

"카일한테는 비밀로 하면 되잖아요!"

"네놈 새끼 팔이 썰리든 목이 썰리든 둘 중에 하나는 분명히 썰릴 텐데 잘도 비밀로 하겠다! 난 외팔이한테는 내 손ㅈ,"

"손?"

스노우가 갑자기 우뚝 멈춰 선 덕분에 팔에서 겨우 풀려나 헝클어진 머리를 손으로 얽어 내리며 바라보자 그가 황급히 헛기침을 했다.

"네가 외팔이 된대도 내 손을 붙여 줄 생각은 없다."

"당연하죠. 내가 무슨 프랑켄슈타인인 줄 알아요."

퉁명스럽게 쏘아붙이며 얻어맞은 머리를 문질렀다.

"흐음, 그래. 그래서 그렇게 대련을 하고 있었단 거지. 너희 둘이서."

"네."

늙은 영감탱이는 톰을 물끄러미 보고 있다가 손을 휘휘 저었다.

"이만 들어가 봐."

"알겠습니다."

"네."

걱정 가득한 표정으로 날 보던 톰이 알겠다고 대답하기에 나도 네, 라고 대답했다. 오늘 몇 시간 동안 빡세게 연습했으니까 이만 쉬러 가야지. 뒤돌아서는 순간, 스노우가 내 어깨를 짚으며 부드럽게 미소 지었다.

"넌 어딜 도망가."

"……저, 왜요?"

"난 내 제자가 어디 가서 지는 꼴은 못 봐."

"잠깐만요. 스노우 님. 톰, 톰! 어디 가요, 같이 있어 줘요. 형. 우리 형 동생 하기로 했잖아. 형. 잠, 잠깐만!"

"어이. 보라돌이. 너 가서 벤지 데려와라. 벤지한테만 미리 귀띔해 두면 카일 그놈은 친구가 없어서 절대 모를 테니까."

"예, 스노우 님."

안쓰럽다는 듯 나를 잠깐 보던 톰이 재빠르게 등을 돌려 사라졌다. 톰을 붙잡으려던 내 손이 허공에 뻘쭘히 뻗어 있었다.

"너는 멍때리지 말고 자세 다시 잡아. 생각해 보면 영 승산이 없진 않아. 너는 기본기를 미친 듯이 다졌으니까 출퇴근하며 술 반, 검 반으로 다진 놈보다야 나을 수도 있다."

"정말요?"

화색이 된 내 얼굴을 한심하게 보던 스노우가 혀를 끌끌 차며 덧붙였다.

"그야 네가 그 기본이 완벽할 때 얘기지. 방금 내 검을 쳐 내는 걸로 봐선 어림도 없어. 넌 분명히 이틀 뒤에 죽을 거다."

"무슨, 그런 저주를 하세요. ……늙은이."

"뒤에 작게 욕한 것도 다 들었다. 그만 자세 잡고 검 들어 올려. 막는 것부터 다시 가르쳐 주지."

스노우의 검이 다시 폭풍처럼 몰아쳤다. 이 영감은 늙어 가지고 오늘내일하는 연세면서 지치지도 않나. 체감상 30분은 넘은 것 같은데 아직도 흐트러짐이 없다. 다행히 몇 달 동안 스노우와 맨몸으로 치고받은 덕에 그의 빠른 스피드는 눈에 익었지만, 검을 들고서 받아 낸 적은 없었기에 묵직하게 감도는 타격감이 낯설기만 했다.

"으윽!"

한참 뒤 결국 스노우의 검을 막아 내지 못하고 놓쳐 버렸다. 저 멀리 허공으로 검이 날아가는 걸 본능적으로 눈이 좇았다. 갑자기 따가운 감각에 나도 모르게 몸을 낮추며 귀를 움켜쥐었다. 차갑게 얼어붙은 눈으로 스노우가 검 끝을 내 눈앞으로 들이대고 있었다.

"검을 놓쳤으면 이빨로라도 물어뜯어서 목숨을 끊어 버려. 너 그런 거 잘하잖아."

"……기사가 명예를 걸고 싸우는 건데 이로 물어뜯으라뇨."

왼손을 천천히 귀에서 떼어 냈다. 내 귓불의 끄트머리를 살짝 베어 낸 건지 피가 묻어 나왔다. 뜨끈한 열감이 귀부터 온몸에 넘쳐흘렀다.

"봐주지 말고 덤벼. 난 네 친절한 할애비가 아니니까. 이번에도 검을 놓치면 귀 하나를 통째로 썰어 주마. 귀 정도 없어도 결투는 할 수 있을 테니."

이 미친 할배가. 어금니에 힘을 주어 깨물며 자리에서 일어섰다. 날아갔던 검을 다시 줍고 일어서자 목을 따라 흐르는 피가 선연히 느껴졌다. 이미 밤이 된 지 오래라 사방이 어두웠다. 근처에 타오르는 불 몇 개와 달빛에 의지해 스노우의 검을 막아야 했다. 이를 악물며 스노우에게 다가가 다시 자세를 잡았다. 왼손은 아예 등 뒤로 돌려 뒷짐을 진 스노우는 여유롭게 계속 잔소리를 퍼부었다. 그것도 상당히 재수 없게.

"보폭이 너무 넓어. 도망갈 준비라도 하는 거냐."

"그건 너무 좁잖아. 허수아비라고 광고라도 할 모양이지."

"카일을 홀아비로 만들 셈이냐."

"결혼 안 했다고 책임질 생각은 없었나 보지."

"몸을 오른쪽으로 틀 거면 검을 오른손이 밑으로 가게 잡으라고 몇 번을 말했냐. 어깨가 올라갔잖아. 내려. 어깨가 아닌 등 근육으로 휘두르라고."

저 영감은 숨도 안 차나.

옆구리로 파고드는 칼을 비스듬히 서서 옆으로 흘리며 몸을 날렸다. 몸통 박치기를 할 속셈이었는데 스노우는 유연하게 몸을 틀어서 피한 뒤 또 내 허벅지 뒤를 발로 찼다.

쓰러지는 와중, 이번에도 검을 놓치면 정말로 죽는다는 생각에 몸을 틀어서 머리 위를 막았다. 다가오는 스노우의 검날을 비껴서 발로 차고 일어나려는 순간, 그의 검이 내 머리 옆을 내려찍었다.

"검날을 발로 차다니. 이게 길거리 싸움인 줄 아나 보지."

말은 그렇게 하면서도 스노우는 내 방식이 만족스러웠는지 히죽거리며 내게 손을 내밀었다. 그의 손을 잡고 일어서자마자 반동을 이용해 스노우를 넘어뜨리고, 올라타 그의 목에 칼을 들이댔다.

"……헉, 으…… 나 아직, 검 안 놓쳤어요."

"숨도 제대로 못 쉬는 놈이 깐족대기는."

목 바로 아래까지 검이 바짝 들이대져 있는데도 그는 여유로운 미소로 화답했다. 씩씩거리며 숨을 고르는 날 보던 스노우의 입이 천천히 열렸다.

"영 나쁘진 않군."

안도의 한숨을 내쉬려던 찰나 벤지가 다급하게 뛰어왔다.

"조! 내려와! 뭐, 뭐 하는!"

기겁을 하며 달려온 벤지가 옆에서 안절부절못하며 발을 구르다 대뜸 스노우에게 사과했다.

"죄송합니다, 스노우 님!"

"네가 왜 사과해. 야. 양아치. 그만 내려와라, 무거우니까. 전쟁 중인데 대체 뭘 먹고 살을 찌운 거냐."

"스노우가 맨날 갖다주는 육포 먹었는데요."

스노우의 배 위에서 이죽거리며 일어나서는 그에게 손을 내밀었다. 누워 있는 스노우가 얼굴에 물음표를 매달고 나를 바라봤다.

"뭐야, 이거."

"늙어서 눈도 갔나. 손이잖아요. 관절 편찮으실까 봐 내가 손 내밀어 줬구만."

벤지가 그 말에 사색이 되었다. 스노우는 늘 그랬듯 껄껄 웃으며 내 손을 잡고 일어서곤, 내 뒤통수를 후려갈겼다.

"친절하고 싸가지 없는 놈!"

"때리지 좀 마요!"

이후로 벤지에게 대충 상황 설명을 했다. 아까 했던 얘기를 또 하려고 하니 여간 지치는 게 아니었다. 그래서 대충 짧게 설명했더니 벤지가 멍한 얼굴로 하얗게 질려 갔다.

"……결투를……? 조, 네가……?"

"그 반응 이제 너무 식상하네요."

"아니, 왜. 왜 그랬어."

스노우가 내 어깨를 툭 치며 자랑스러운 듯 웃었다.

"욕먹는 걸 못 참는 불같은 성격이라잖니. 어유, 쓸데없이 정의로워. 마음에 쏙 들어."

"어느 할배가 마음에 쏙 드는 사람을 이렇게 시시각각으로 두드려 팬대요? 말도 안 돼."

"다 너 잘되라고 하는 거다. 자, 검 잡아."

"또요?"

"그럼 편히 자려고 했냐?"

스노우는 주변을 두리번거리더니 긴 막대를 찾아 왔다. 회초리로 사용할 수 있을 법한 나무 막대였다.

"자. 벤지 너는 이걸로 이 뺀질이가 3초 이상 멈춰 있으면 발목을 후려쳐 버려."

"에? 아, 영감!"

펄쩍 뛰며 반대했지만 스노우는 단호했다.

"검을 막을 때 다리에 힘을 주는 건 좋지만, 다시 공격할 줄도 알아야지. 멈춰서 방어만 하면 계속 뒤로 물러나기만 할 뿐이다. 밀어 내고, 공격하고, 흘려 내고, 공격하고. 알았지? 네 단순한 머리로도 이 정도는 외우겠지."

"……결투만 끝나 봐요, 스승이고 뭐고 없어."

"조! 제발!"

이상하게 내가 스노우와 싸울 때마다 벤지가 식겁을 하며 말려 댄다. 아냐, 생각해 보면 벤지뿐 아니라 주변 인물들이 다 그랬던 것 같은데. 대체 왜 그래. 사람 불편하게.

결국 그날 새벽이 이슥하니 여물도록 스노우의 지도 아래 계속해서 연습했다. 발목에 벌겋게 붉은 줄이 그어진 걸 보고 벤지는 죽상을 하며 사과해 왔다.

"괜찮아요. 벤지는 비밀만 확실히 지켜 주세요. 카일 귀에 들어가면 진짜로 날 유배 보내 버릴지도 모른다고요."

강아지 같은 눈을 아래로 축 늘어뜨린 벤지가 고개를 끄덕이며 멀어졌고, 나는 그제야 만신창이가 된 몸을 이끌고 내 막사로 들어가 잠을 잘 수 있었다.

❖ ❖ ❖

잠든 지 얼마 지나지도 않았는데 막사 밖에서 천둥 같은 고함 소리가 울려 퍼졌다.

"일어나! 이 망할 사고뭉치 녀석! 얼른 아침 간단히 먹고 검 잡아!"

"스노우 이 망할 영감탱이! 내가 아침만 먹고 나면 당신부터 죽여 버릴 거야!"

껄껄 웃는 스노우의 웃음소리가 징그럽게 울렸다.

"죽일 수 있으면 죽여 봐라! 내 옷깃 하나도 못 스치는 놈이."

"아악!"

분이 나서 밖으로 뛰어나가자 접시를 양손에 들고 있는 스노우가 보였다.

"밥 먹어."

"……한국 오면 꼭 욕쟁이 식당 차리세요."

"그게 뭐냐."

"됐어요."

스노우가 가져온 식사는 장군 전용 식사였는지 고기의 질도 좋고 빵도 부드러웠다. 장군 놈들 이런 걸 먹고 있었단 말이지. 지금까지는 기껏해야 기사들이 먹는 식사에 몇 번 껴서 먹었는데 앞으로는 목표를 더 크게 잡아야겠다. 장군들 식사를 훔쳐 먹는 것으로.

어제 체력을 너무 많이 써서 그런지 너무 허기가 진 탓에 허겁지겁 밥을 해치웠다.

"근육통은? 없어?"

"지금 팔이 떨어져 나갈 것 같아요."

"식사는 할 수 있는 정도인가 보지. 그동안 이래저래 몸을 막 굴렸더니 이 정도 운동에는 끄떡도 안 하나 보군."

흡족한 미소를 지으며 스노우가 고개를 끄덕거렸다. 오늘따라 더 얄미운 낯짝이었다.

"할배 자식 있어요?"

"……있지."

"자식도 이렇게 키웠어요?"

"너 내 딸 보면 깜짝 놀라서 까무러친다."

"왜요. 할아버지랑 똑같이 생겼어요? 윽."

코웃음을 친 스노우가 곧추세우고 있던 등을 천천히 굽히며 지그시 나를 바라봤다.

"너, 내 손주 소개시켜 줄까?"

"뭔 그런 끔찍한 소리를 하세요. 영감이랑은 이번 생에서 그만 엮이고 싶어요."

"왜, 좋잖냐. 내 손주 잘생겼어."

"아. 됐어요. 잘생겨 봤자 영감 손주지. 인성 어디 갔겠습니까."

"정말?"

"그 할배에 그 손주 아니겠어요. 됐어요. 저는 카일 아니면 아무 관심 없어요."

"내가 정식으로 소개시켜 준다니까."

"아, 됐다고! 왜 이렇게 질척거려요! 요양원에 봉사하러 갔다가 붙잡힌 기분이네! 일어나요! 차라리 칼질을 하고 말지!"

접시를 자리에 내려놓고 벌떡 일어서서 검을 꺼내 들었다. 할배가 어제 검법 가르쳐 준답시고 무리하느라 뇌에 나사가 빠졌나. 대체 왜 갑자기 손주를 소개시켜 준다고 하는지 모를 노릇이었다. 내가 마음에 들면 나한테 잘할 것이지. 온갖 구박을 다 하면서 갑자기 뭔 손주래.

"할아버지 손주 여자예요?"

"……너 여자 좋아했냐."

"아니, 그게 아니라 제가 지금 남자잖아요."

"껍데기가 아니라 알맹이도 남자로 바꾼 거냐. 그 정도면 거의 마법사인데. 재주 좋다. 검 배우지 말고 마법이나 계속하지 그래."

"그 말이 아니라, 남장하고 있는 나를 누가 좋아하겠어요."

"……내 손주는 취향이 특이해서 괜찮아."

"……남장한 여자를 좋아해요? 머리가 짧거나, 키가 크거나, 그런 게 아니라 진짜 남장한 여자를?"

"그래. 지금 만나고 있는 애도 그런 거 같던데. 남자처럼 보이는 게 아니라, 진짜로 남장을 하고 다니는 사람을 만나더라니까. 주변도 다 걔가 남자인 줄 아는데, 그런 애를 사귀더라고. 평생 애인 한 번 없던 놈이."

"진짜 취향 특이하네. 변태 아니에요? 이상한 페티시가 있네."

죽어도 그런 변태와 만나고 싶은 마음은 없었다. 나한테 변태를 소개시켜 주려 하다니. 스노우 이 영감 내가 마음에 든다고 말만 하는 거지, 실제로는 영 별로인가 봐.

"근데 무지 잘생겼어."

내가 넘어가길 바라는 건지 스노우는 자꾸 넌지시 자기 손주를 어필했다. 하지만 내겐 카일뿐이니까.

"내 그럴 줄 알았어. 상판 멀쩡하게 생긴 애들이 꼭 취향 지저분하더라고요."

"……오, 너 나중에 내 손주 만나면 꼭 그 말 해 줘라."

"못할 건 뭐야. 난 앞에서 할 수 있는 말만 뒤에서 해요."

"그래. 나랑 약속하는 거다."

뭐가 그렇게 재밌는지 스노우는 새끼손가락을 내밀었다. 검을 잠깐 왼손에 들고 스노우와 약속을 하고서는 다시 똑바로 쥐었다. 지나가던 말단 병사가 스노우 옆에 놓인 빈 접시를 발견하고는 부리나케 달려와 아침 접시를 치우겠다며 들고 사라졌다. 이 영감 그냥 장군이 아닌가. 사람들이 굉장히 떠받드는 기분이었다.

“내가 젊을 때부터 전쟁을 많이 다니고 공을 세워서 기사들이나 용병들 사이에선 꽤나 유명하지. 그만큼 가정에 소홀해서 아내한테도 잘 못했고, 하나 있는 딸이 어찌 크는지도 살피지도 못했어. 손주한테 군사학 정도 잠깐 가르쳤지만 걔도 나를 할아버지라고는 잘 부르지 않아. 꼭 스노우라고 하더라고. 정을 못 느낀 게지.”

내 의아한 표정을 봤는지 스노우가 갑자기 넋두리를 시작했다.

“나도 우리 할아버지 김춘배라 부르고 싶다.”

“……넌 공감 능력이 없냐.”

“아니, 김춘배라고 하면 뭔가 되게 가까운 느낌 들 거 같아서요. 재밌을 거 같은데. 김춘배. 김춘배. 사탕 사 와서 꼭 오빠만 주던 김춘배. 용돈 오빠만 주고 모른 척하던 김춘배.”

“내가 볼 때 너는 못 받은 사랑 시외조부한테 다 받을 느낌이야.”

“어우, 됐어요. 할배라면 이제 넌더리가 나요. 우리 김춘배 일찍 돌아가셔서 이제 좀 낫나 했더니 여기선 웬 백발 늙은이가 맨날 두드려 패고. 아이고, 내 팔자야.”

나를 흘겨보던 노인네가 자리에서 일어서서 검을 빼 들었다.

“이제야 대련 시작하겠네. 내일 오후에 베트겐이랑 싸워야 되니까 오늘은, 으악!”

말이 끝나기도 전에 스노우의 검이 휘몰아쳤다. 이 영감은 악감정이 있으면 그냥 말로 하지, 꼭 맨날 검으로 표현하더라.

한참 동안 스노우와 검을 맞대다가 진이 다 빠졌을 무렵, 해가 높이 떠올랐다. 검날이 부딪치는 날카로운 소리와 함께 내 칼을 쳐 낸 스노우가 배를 발로 차 날 뒤로 넘어뜨렸다. 이제 이런 정도야 우스웠다. 전쟁이 시작되고 여태 스노우와 맨몸으로 싸운 게 몇 개월짼데. 밀어 내는 강도의 발 차기는 이제 우스웠다. 살짝 뒤로 밀려났다가 곧장 방향을 틀어 스노우의 옆구리를 향해 주먹을 내질렀다. 이후로 몇 번의 합이 빠르게 지나갔다. 아차, 하는 순간 스노우의 칼이 또 내 목 아래로 파고들었다.

"……에이씨. 또 졌네."

"너 이제 겨우 어디 가서 검 좀 쥐어 봤다고 할 수 있겠다."

"하…… 그동안 매일 기사님들한테 기본기를 배웠는데도 대련은 어제가 처음이었으니까 그렇죠. 이 정도라도 만족해야 할까 봐요."

비록 내일 죽을지도 모르지만. 베트겐한테 팔은 잘라 가도 목숨을 살려 달라고 해야 되나. 아냐, 내가 죽더라도 그 새끼 모가지를 끊어 놓고 가야지. 카일을 모욕하던 베트겐의 면상이 떠오르자마자 잠재웠던 분노가 다시 치밀었다. 스노우가 내 얼굴을 보더니 흥미롭다는 듯 온 얼굴을 구기며 활짝 웃었다. 저 영감은 무슨 괴상한 취향인지 내가 빡칠 때마다 좋아하더라.

"지금 그 표정 아주 좋다."

"내가 뭘요."

"뺀질이. 전쟁에서 제일 중요한 게 뭔 줄 아냐."

"아오! 기백! 기백! 영감아, 기백! 아주 한 번만 더 말했다간 백 번이겠네!"

꽥꽥 소리를 지르며 스노우의 다리를 발로 찼지만 어찌나 근육으로 뭉쳤는지 그는 미동도 없이 서 있기만 했다. 검의 양날이 아닌 평평한 부분으로 내 머리를 내려친 스노우가 미간을 좁히며 짜증을 냈다.

"그래! 새끼야! 백 번은 더 말해 주마! 기백!"

"아유, 예! 기백!"

"아주 한마디를 안 져!"

"내가 왜 져!"

"그래, 너 잘났다! 내일도 꼭 이겨라!"

"예! 알았어요, 그 멋진 기백으로 그 염병할 베트겐, 내가 모가지 따 올게요!"

씩씩거리다가 웃음이 터져 배시시 웃어 버리자 스노우 역시 입꼬리를 비스듬히 올리다가 눈을 접어 환하게 웃었다.

"웃긴. 내일 뒈질 양아치 놈이."

"할배도 내일 죽어도 이상하지 않을 연세 주제에."

서로 막말을 뱉으며 다시 검을 고쳐 쥐었다. 아직도 해가 길었고 스노우의 스파르타 대련 강습은 끝날 줄을 몰랐다. 도저히 손가락 하나를 올릴 힘이 없어 주저앉아 물만 벌컥벌컥 마실 때는 옆에 톰이 다가와서 속닥거렸다.

"조, 발을 빠르게 움직여야 돼. 그리고 검을 휘두를 때는 어깨에 조금만 힘을 빼."

"알았……어요."

"그리고 검을 휘두를 때 잠깐 숨을 멈추면 더 몸에 힘이 들어가니까."

"……예."

"숨은 짧게 나눠서 들이쉬고, 짧게 뱉고. 호흡의 길이가 보폭에 영향을 준단 말이야."

"알았어요. 나 지금 쉬고 있는데…… 왜 자꾸…… 으으."

"너 내일 지면 안 돼. 알았지."

"알았다고요! 등쌀에 밀려서 죽지도 못하겠네!"

톰뿐만 아니라 친한 다른 기사들도 막사 옆 평지에 하루 종일 들락거렸다.

"여, 스노우께서 직접 가르치는 전쟁의 신! 내일 결투한다며!"

"왜 쉬고 있냐. 스노우 님이 허락하시면 나랑 대련해 보자."

"조! 내가 보고 왔는데 베트겐 그놈은 놀고 있더라고."

친한 기사들과 조금이라도 얘기할라치면 이번에는 스노우가 훼방을 놓았다. 마치 자기 며느리가 외간 남자랑 노는 걸 단속하듯.

"뭐 해! 일어나! 노닥거리지 말고!"

미친 할배 같으니. 내가 남장을 했다고 지 변태 페티시 손주랑 정분이라도 날 줄 아나 본데, 나는 오직 카일뿐이라고.

내가 스노우와 대련하는 걸 본 기사들은 저들끼리 쑥덕거리다가 대충 손을 휘적거리며 인사하고는 빠르게 사라졌다. 왜 그러지. 그렇게 못 봐 줄 정도인가. 사라지는 내 친구들을 시무룩하게 보고 있으면 스노우가 꼭 한마디씩 던졌다.

"너 하는 꼴을 보니 죽진 않겠다 싶으니 그냥 돌아가는 거지."

"말하는 거 봐. 부인이랑 사이 안 좋았죠?"

사실이었는지 스노우는 입을 꾹 다물고 나를 노려보다가 다시 검을 들었다.

"젊었을 때 못 챙겨 준 게 미안해서! 지금은! 엄청! 잘하고 있거든!"

"아이고! 잘나셨다! 하지만! 부인분도! 그렇게 생각하실까요! 밑 빠진! 독에 물 붓는 애정 공세! 의미 없다!"

챙챙 검이 마구 맞부딪치는 와중에도 스노우의 말을 받아쳤다. 항상 내가 밀려서 지곤 하다가 단 하루 만에 스노우의 합을 받아 낼 수 있다는 것만으로도 장족의 발전이었다. 저녁밥을 먹고 난 뒤 다시 검을 쥐자 스노우가 고개를 절레절레 흔들었다.

"아, 또 뭐요."

어젯밤부터 오늘 하루 종일 얼굴을 보면서 싸웠으니 이제 질릴 지경이었다.

"내일 결투가 있으니까 오늘은 무리하지 말고 이만 들어가."

"이른 아침부터 지금까지 한 것만으로도 이미 무리거든요."

"쉬기 싫어?"

"아뇨. 안녕히 계세요."

보내 줄 때 튀어야 된다는 생각에 얼른 자리를 털고 일어났다. 빨리 결투하고 죽고 말지, 더 이상 스노우와 대련을 하고 싶진 않았다. 검을 쥐고 있던 손가락 사이사이가 어찌나 저리고 아픈지 온몸을 쭉쭉 늘렸다가 펴며 스트레칭을 하고 나서야 겨우 잠자리에 누웠다.

내일이면 베트겐과 결투고, 어쩌면 나는 죽을지도 모른,

어. 뭐야. 눈 감았다 떴는데 아침이잖아.

간단히 몸을 풀고 스노우와 톰에게 검법에 대한 조언을 들었다. 밥을 너무 많이 먹으면 몸을 움직이는 데 불편할 수 있으니 적당히 먹으라는 벤지의 말대로 적당히 챙겨 먹은 뒤 베트겐과 약속했던 평원으로 향했다.

그곳엔 이미 콜린 후작의 기사 놈들이 떼거리로 서서 낄낄거리고 있었다. 물론 나는 장미 기사단을 뒤에 떼거리로 달고 온 참이었다. 본의 아니게 패싸움이 된 느낌이었고, 우리 쪽 대표가 나라는 죄책감이 약간 들었지만, 어차피 죽는 것도 난데 무슨 상관이랴 싶기도 했다.

알 게 뭐람.

될 대로 되겠지.

인생의 대부분은 저 두 가지 말만 가슴에 품고 살면 알아서 해결되곤 했다.
베트겐이 날 보더니 지 다리 길이보다 긴 검을 자랑스레 꺼내 들었다.

"준비는 됐나, 애송이."

"날 애송이라고 할 수 있는 건 백발 영감밖에 없어. 나이 더 처먹고 와라. 좆밥아."

뒤에서 그 백발 영감이 껄껄 웃는 소리가 들렸지만 바짝 긴장한 내 귀엔 자세히 들리지 않았다.

나도 검을 꺼내 들었고, 신호도 없이 갑자기 결투가 시작되었다. 베트겐이 먼저 검을 바짝 당겨 쥐고 내게 달려들었다. 찌르기구나. 엥, 근데 왜 저렇게 느리지. 새끼가 기어 오나.

스노우에 비하면 베트겐은 애기 발 장난 수준이었다. 검을 수직으로 세워 베트겐의 검을 옆으로 흘려보내며 옆구리에 주먹을 꽂았다. 베트겐이 윽, 소리와 함께 휘청거렸다.

진짜 뭐지, 이 만만한 느낌은. 얘 아침밥 안 먹고 왔나.

활짝 몸이 열려 방어도 제대로 못 하는 베트겐이 심하게 한심해 보였다. 얘는 누구한테 쉴 새 없이 몰매 맞은 적이 없나. 왜 가드도 제대로 올리질 못하는 거지.

혹시나 하는 마음으로 오른손을 크게 휘둘러 베트겐의 얼굴을 갈겼다. 그대로 바닥으로 쓰러진 베트겐을 보다 보니 진심으로 걱정이 되기 시작했다. 기사가 이럴 리가 없잖아. 이렇게 약한 게 말이 되냐.

"야. 너 어디 아파? 왜 그래. 너 기사잖아."

내 뒤에 서 있는 장미 기사단 쪽에서 시끌벅적한 웃음이 터져 나왔다. 야유 소리에 얼굴이 시뻘겋게 변한 베트겐이 자리에서 벌떡 일어났다. 다시 검을 힘주어 고쳐 쥔 그는 이를 악물고 미친 듯이 휘둘렀다.

아니, 근데 정말 얘 왜 이렇게 느려? 스노우에 비하면 훨씬 수월했다.

어제 10시간 가까이 받아 낸 스노우의 검과 달리 내려치는 검의 무게 또한 가볍게만 느껴졌다. 저 백발 영감탱이의 검을 쳐 내고 나면 온 손이 다 저릿저릿하고 발이 땅에 살짝 박힌다는 착각까지 들 정도였는데.

베트겐의 검을 가볍게 몇 번 쳐 내다가 발로 그의 명치를 차서 뒤로 밀었다. 덩치 차이가 있어서 대번에 뒤로 넘어지진 않았지만, 베트겐이 잠깐 주춤하는 틈을 타 그의 가슴팍 한가운데로 검을 찔러 넣었다.

하지만 역시 느려도 기사는 기사인지 베트겐은 공격을 쉽게 허용하진 않았다. 가운데로 파고드는 내 검을 쳐 낸 그는 곧장 공격을 했다. 나 역시 막아 내긴 했지만 언제 파고들어야 할지 제대로 감이 오지 않았다. 이틀 동안 방어에만 집중해 연습을 한 때문인지 공격하는 게 낯설게 느껴졌다.

왜 스노우는 방어 위주로 날 가르쳤을까. 한 치의 틈도 없이 나한테 몰아치듯 공격해서 방어만 익히게 한 데에는 분명 이유가 있을 텐데. 저 천년 묵은 구렁이 같은 늙은이가 아무 이유도 없이 그렇게 가르쳤을 리 없잖아. 그때 스노우가 했던 말이 머릿속을 스쳤다.

'검술의 모든 공격은 기본기부터야.'

아. 찌르기. 베기.

그거라면 전쟁이 시작하고 난 뒤 지금까지 매일 질리도록 했다. 더 이상의 진도도 나가지 않고 매일 약간의 보법과 찌르기와 베기만을 반복했으니까. 베트겐이 기사 생활을 몇 년 했든 연습 시간으로만 보면 지지 않을 자신이 있었다. 게다가 스노우에 비하면 베트겐은 빈틈도 많았다.

얼마든지 공격할 수 있어.

확신이 들고 나니 눈에 힘이 들어갔다.

옆구리, 머리, 목. 그리고 다리. 공격 패턴 또한 뻔했다. 허리부터 날개뼈, 팔뚝, 손목, 손가락 하나하나 모두 고르게 힘이 퍼지는 기분이었다. 온몸이 열에 휩싸이는 감각이었는데도 머리는 차갑게 식어 갔다.

단숨에 한 발짝 뒤로 물러나 베트겐의 다리를 베어 냈다. 베트겐은 흔들리는 와중에도 내게 검을 휘둘렀다. 공중에서 두 검이 맞부딪치며 칭— 하는 소리와 함께 공명했다. 손목의 각도를 틀어 베트겐에게 쭉 미끄러져 다가갔다. 빠르게, 보폭은 넓게, 한 번에. 검의 각도를 틀었다.

베트겐이 당황하는 순간, 이미 내 검은 그의 목을 향하고 있었다. 살짝 찌르자 목에서 피가 주륵 흘러나왔다. 허공을 가르고 있던 베트겐의 검이 쨍그랑,

소리와 함께 바닥으로 떨어졌다. 잠깐의 적막이 흐르다가 내 뒤에서 함성이 터져 나왔다.

한쪽 다리에 완전히 힘이 풀린 듯 반쯤 꿇어앉은 베트겐이 눈을 휘둥그레 뜨고 나를 멀뚱멀뚱 바라봤다. 천천히 깜빡이던 그는 결국 두 눈을 질끈 감아 버렸다.

"……죽여라."

심히 비장한 얼굴이었다. 좆밥 주제에.

"야. 너 설마 무슨 무협 영화처럼 '검을 나눴으니 우리는 이미 친구다.' 이럴 줄 아나 본데 난 안 그래. 진짜 죽일 거야."

싱긋 미소 지으며 속삭이자 베트겐이 다시 눈을 떴다. 주변 눈치를 살피는지 눈을 이리저리 굴리던 놈이 다소 비굴한 낯으로 넌지시 말을 건넸다.

"……우리, 결투 전에 뭐 걸었던가?"

가만 생각해 보니 바짝 긴장해 있던 터라 뭔가를 내건 것 같진 않았다.

"음……."

고민하는 순간 베트겐이 두 손을 높이 들며 뒤로 물러났다.

"야, 뭐 해."

당황해 제대로 말리지도 못했다. 베트겐이 큰 소리로 외쳤다.

"패배를 인정하고 물러나겠다! 앞으로는 조의 실력을 의심하지 않고! 무시하지도 않겠다!"

저 새끼 목숨값을 헐값으로 내놓으려고 하네.

어처구니는 없었지만 어쨌든 전쟁은 인간이 재산이었기 때문에 원래 죽일 생각은 없었다. 애초에 내가 이길 수 있다는 생각도 별로 안 하긴 했지만.

얼떨떨한 얼굴로 보고 있는데 그가 다부진 입매로 내게 힘차게 손을 내밀었다.

"지금? 악수?"

하도 어처구니가 없어서 헛웃음을 치며 되물었지만 베트겐은 엄숙하게 고개를 끄덕였다. 그래, 될 대로 돼라. 네 맘대로 해라. 어차피 이긴 건 나니까.

손을 맞잡자 영 달갑지 않은 박수가 사방에서 터졌다. 내가 아는 중세 시대랑 다른데. 원래 결투가 이렇게 평화주의적인가요. 누가 보면 성장 만화인 줄 알겠어.

나중에 톰에게 물어보니 다 그렇지는 않다고 했다. 다만 정식 기사도 아닌 내가 생각보다 너무 빨리 베트겐을 이겼고, 베트겐이 생각보다 약삭빠른 양아치 새끼였다는 게 이 청춘 성장 만화의 이유였다. 자존심을 건드리지 않는 선에서 적당히 친선인 척하는 게 낫댄다.

"내가 왜 그래야 돼. 그 새끼가 나보고 남창 새끼라고 했는데."

"……사실 네가 베트겐과 말을 섞지 않고 바로 목에 검을 찔러 넣었어도 아무도 뭐라고 하지 않았을 거야."

"내가 순진했네. 다음엔 말 걸면 대답하지 말고 바로 죽여 버려야지."

결심을 되새길 때, 뒤에서 다정하고도 음산한 목소리가 묵직하게 울렸다.

"그래. 재밌는 일을 또 벌였다며, 조."

……이거 장르 공포 스릴러인가.

뒤를 돌아보기가 겁이 났다. 멈춰 선 채로 가만히 앞을 보고 있자 톰이 먼저 뒤돌아 고개를 숙였다. 제발, 누구인지 네 입으로 확인시키지 마. 제발.

"자네가 조를 도왔다고."

낮고 단단한 목소리가 말을 건네자 가만히 있던 톰이 입을 열었다.

"안녕하십니까, 전하. 장미 기사단의 톰 블레인이라고 합니다. 이렇게 대화하게 되어 영광입니다."

"그래. 톰. 근데 왜 조는 감히 내게 등을 보이고 있는 거지? 내가 말을 걸고 있잖니, 조."

어쩌지. 튈까. 지금 도망가면 어디로 숨어야 되지? 그래. 일단 말 타고 도망가자. 강을 건너서 로테나 적진에 항복하고 들어가는 수밖에 없어. 카일한테 잡히면 죽는다. 로테나에서 새 인생 시작하자. 눈알을 마구 굴리는 도중 저 멀리 스노우가 보였다.

스노우?

왠지는 모르지만 카일도 스노우에게는 막 대하지 못했던 거 같은데. 카일도 장유유서가 있는 놈이라는 확신이 들자마자 나는 단숨에 스노우 쪽으로 뛰기 시작했다. 뒤에서 카일이 내 이름을 외쳤다.

"조!"

흘긋 뒤를 돌아보자 카일이 미친 듯이 달려오고 있었다.

"으아악!"

"왜 도망가! 이리 와!"

"아악! 싫어요!"

엉엉, 뭐야. 남들도 원래 애인이랑 이렇게 무서운 추격전 하나요. 황족은 안 뛴다며! 전쟁터라지만 황족으로서의 체통은 지키셔야죠, 전하.

카일에게 뒷덜미가 잡힐 무렵 겨우 스노우 앞에 다다랐다.

"할아버지!"

"……뭐 하냐, 너. 카일이랑."

거의 껴안다시피 스노우의 어깨를 부둥켜안았다가 단숨에 그를 앞세우고 뒤에 숨었다. 나를 힘껏 쫓아온 카일이 숨을 쌕쌕 거칠게 쉬다가 허리를 펴고 스노우에게 인사했다.

"……안녕하십니까. 스노우. 조에게 재밌는 걸 가르치셨다면서요."

"이놈이 결투를 한다길래 필요한 걸 가르쳤지요. 어중이떠중이 기사는 거뜬히 이기던데요. 아주 자랑스러우시겠습니다. 전하."

믿음직한 우리 할아버지. 힘내요. 사실 나 처음부터 당신 마음에 들었어. 저 원래 백발 벽안 할아버지가 멋있다고 생각했어요. 로망이 있었다니까요.

"조. 장난치지 말고 이리 와. 네 입으로 직접 해명해. 어떻게 된 일인지."

크게 숨을 들이쉰 카일이 두 손으로 허리를 짚고 나를 지그시 노려봤다. 나는 스노우의 두 어깨를 짚고 몸을 가린 채 최대한 너스레를 떨며 답변했다.

"어유, 전에도 저 싸운 거 들으셨잖아요. 식당에서도 싸웠고, 이사크 전하랑도 간간이 싸우고, 테오 전하랑도 싸우고, 저야 뭐 싸우는 게 일인데요. 카일 황자 전하. 너무 신경 쓰지 마세요."

"하? 신경 쓰지 말라?"

멀리 서 있는 주변 사람들이 보기엔 영락없이 혼나고 있는 모양새였다. 물론 진짜로 혼나는 중이긴 했지만. 슬슬 모여들며 싸움 구경을 하는 기사들 눈치를 보던 카일이 한숨을 푹 내쉬곤 고갯짓으로 막사를 가리켰다.

"안 가요. 가면 혼낼 거잖아요."

"그러게 왜 혼날 짓을 해."

스노우가 내게 어깨동무를 하며 기분 좋게 웃었다.

"뭐가 혼날 짓이랍니까, 전하. 이렇게 잘 싸우고, 머리도 좋고. 몸싸움만 잘하는 줄 알았더니 검술도 잘해. 너무 마음에 들어!"

어지간히 기분이 좋았는지 스노우가 함박웃음을 지으며 생전 안 하던 칭찬을 퍼부었다. 두통이 오는지 카일이 오른쪽 관자놀이를 짚다가 남들에게 들리지 않을 정도로 조용히 말했다.

"너. 여자로 돌아가고 싶은 마음이 있긴 해?"

어처구니가 없네. 누가 보면 지금 몸도 남자인 줄 알겠어요. 나랑 할 거 다 해 놓고. 아니나 다를까, 스노우가 한껏 이죽거렸다.

"전하, 설마 이렇게 재능 넘치는 조를 귀족가 영애처럼 들어앉힐 계획은 아니시겠지요?"

"그건 아니지만……."

"조를 보십쇼. 이제 훈련을 게을리한 기사 정도는 너끈히 해치우는 근력과 타고난 센스에서 비롯되는 유연한 기술을. 가만두시면 제국에서 가장 유명한 용병이 될 텐데요."

실실 웃으며 카일의 속을 긁는 스노우가 새삼 대단해 보였다. 카일의 단정하게 뻗은 눈썹이 비스듬히 올라갔다.

"스노우. 진심이십니까? 조를 용병으로 키우겠다고요?"

내 어깨를 팡팡 두드린 스노우가 고양된 목소리로 카일에게 자랑했다.

"검을 배운 지 겨우 몇 개월인데 나랑 합을 맞춘다는 것만으로도 대단하죠. 카일 전하도 검을 배우실 때 1년이 지나고서야 저를 받아 냈지 않습니까. 그에 비하면 조는 배우는 속도도 빠르고. 아유, 기특해."

카일을 약 올리려고 날 칭찬하는 줄 알았더니 그게 아니었나 보다. 내 머리를 쓰다듬던 스노우가 내 눈을 똑바로 바라보며 물었다.

"아까 결투 끝나고 나서 용병단 놈들이 네 이름을 물었단 말이다, 이 재능

넘치는 뺀질이 놈아. 너는 황궁에서 말만 돌보기엔 재능이 아깝다. 검을 잡아야 한다고."

"아…… 그래요?"

잠깐 솔깃하긴 했다. 하지만.

카일이 푸른 눈을 동그랗게 뜨고 나를 바라봤다. 파란색의 보석이 투명하게 반짝이는 것 같았다. 그 사이에 쭉 뻗은 하얀 콧날과 아래의 도톰한 입술까지.

"용병 재밌을 거 같긴 한데, 저는 카일 얼굴이 조금 더 재밌어요."

맑은 채도의 붉은 입술이 열렸다.

"조……."

하얀 석고상 같은 티 없이 매끄러운 카일의 두 볼이 분홍빛 잉크를 두 방울 떨어뜨려 놓은 것처럼 색채를 더해 갔다. 어떻게 사람이 이렇게 완벽할 수가 있담.

"……이건 내 거야."

멍하니 읊조리는 혼잣말치곤 너무 컸던 탓에 옆에 있던 스노우가 들어 버렸다.

풉.

입새로 튀어나오는 스노우의 웃음소리에 고개가 돌아갔다. 입을 틀어막고 어깨를 들썩이던 스노우가 헛기침을 하며 겨우 진정하곤 카일을 바라봤다.

"너무 나무라진 마십시오. 전하. 이놈도 싸울 때는 싸워야죠."

"……조가 다치기라도 했으면 어쩔 작정이었습니까."

붉어진 얼굴을 갈무리하며 카일이 말하자 스노우가 부러 큰 소리로 답했다.

"전쟁터에서! 결투도 해 보고! 싸움도 하면서! 크는 거지! 그렇게! 진정한! 남자가! 되는 거죠!"

근처에서 살살 눈치만 보던 기사들이 기다렸다는 듯이 휘파람을 불며 환호를 퍼부었다.

"속 시원했다, 조!"

"잘했어!"

으쓱해져서 나도 두 손을 들어 휘휘 저었다. 다들 콜린 후작네 기사들이 마음에 안 들었던 거지.

“용병, 재밌겠다.”

“뭐?!”

나도 모르게 나온 속마음에 카일이 기겁을 하며 목소리를 높였다. 스노우가 그것 보라는 식으로 픽 웃더니 내 어깨를 다독였다.

“얼마든지 할 수 있다.”

눈을 빠르게 깜빡이던 카일이 황급히 스노우와 내 손목을 잡고 근처의 빈 막사 안으로 들어갔다. 시선이 차단된 곳에 들어가서야 카일은 목소리를 죽이고 말했다.

“하지만 조는 여자잖습니까.”

“그렇지. 여자인 걸 밝히고 나면 몸값이 2배로 뛰겠지. 잠입하기 능하니까. 눈에 안 띈다고. 게다가 이놈은 황궁에서 남자로 몇 년 동안 일한 경력직이란 말이지. 이런 천재가 어디 있냔 말이야.”

장난스레 킬킬 웃은 스노우가 태연하게 의자에 앉으며 옆에 놓인 술병을 들고 짤짤 흔들었다.

“전쟁이 길어지니 다들 술이나 퍼마시는구만. 에이. 얼마 남지도 않았네.”

이제 혼잣말을 시작한 스노우를 두고 카일은 황급히 내 쪽으로 고개를 돌렸다.

“정말로 할 건 아니지? 조, 그건 정말 위험해. 용병의 삶은 그런 잠시 잠깐의 결투 정도가 아니라 내내 전쟁터를 전전하며 살아야 하는 거야. 네가 그럴 이유가 뭐가 있어. 그건 가족이 없는 사람들이나,”

“나 가족 없잖아요.”

사실을 말한 것뿐인데도 카일의 얼굴에 그늘이 졌다.

“……그런 의도는 아니었어.”

“그게 아니라, 정말로 난 가족이 없으니까.”

“너 엄마 아빠 없냐. 전에 김춘배 뭐라 했잖아.”

“할배는 눈치도 없이 여기 왜 끼어들어요. 지금 우리 카일 조금만 더 놀리면 울기 일보 직전인데.”

남아 있던 술을 잔 가득 부어 한입에 털어 넣은 스노우가 빈 잔을 짤짤 흔들다가 대답했다.

"애초에 내가 있는데 둘이 그런 분위기를 풍기면 안 되지. 이 망할 것들아."

"할배 미쳤어요? 지금 감히 황자한테 망할 것들이라니."

"내 눈에는 네가 더 낫다. 검을 더 잘 쓰잖아."

"미쳤나. 진짜."

스노우의 뚝배기라도 깰 요량으로 옆에 세워져 있던 나무 막대를 잡아 든 순간, 카일이 얼굴에 조명이라도 켠 것처럼 환하게 웃더니 날 바라봤다.

"그래! 검을 쓰고 싶어서 용병이 되려는 거면, 계속 스노우에게 검을 배워도 돼. 전쟁이 끝나도 계속. 그래도 괜찮아."

"그걸 왜 카일이 결정해요."

스노우의 의견도 묻지 않고 맘대로 말해도 되나. 애초에 스노우가 이번 전쟁이 끝나면 쉰다는 보장도 없는데.

"……그…… 난 황자잖아. 명령할 수 있어."

배를 잡고 웃던 스노우가 묘안을 내놓았다.

"그러지 말고 그냥 내 양자를 해라. 이래 봬도 내가 꽤 유명한 귀족이거든. 그러면 기사도 할 수 있고, 나중엔 내 뒤 이어서 가주도 하고. 너도 나중에 양자를 들여. 좋잖아. 나는 딸만 하나인데 내 딸은 가주를 못 하거든. 다 큰 손주라곤 하나뿐인데 그놈도 영 바빠."

"아. 그 남장한 여자 좋아한다는 변태 페티시?"

어쩐지 카일 쪽에서 어금니가 맞물리는 으드득 소리가 들려왔다. 웃음기를 지우지 못하는 스노우가 말을 이었다.

"그래. 그 변태 손주 놈은 빼고. 안 그래도 양자를 구해야 하나, 고민 중이었."

"안 됩니다! 그게 말이나 됩니까!"

버럭 소리를 지른 카일이 내 눈치를 살피다가 나를 등 떠밀며 막사에서 쫓아냈다.

"결투, 그래. 너 원하면 결투도 맘껏 하고, 검도 더 많이 배우고, 창이건 활이건 뭐든 다 해도 돼. 말도 마음껏 타. 대신 이 전쟁이 끝나면 나한테 돌아와. 용병은 하지 말고. 응?"

내 등에 대고 빠르게 중얼거린 카일은 막사의 천막을 내리곤 안쪽으로 들어갔다. 안에서 양자, 어쩌구 하는 소리가 언뜻 들려왔다.

"그럼 이모가 되는 건데,"

"어쩌라고, 어차피 결혼도 못 할,"

"난 이모랑은 절대……."

제대로 말소리가 들리지도 않았다. 언제 왔는지 막사 앞에 서 있던 벤지가 비 맞은 강아지 같은 꼴을 하곤 내 눈치를 보다가 슬금슬금 다가왔다.

"……내가 말했어, 조."

"그럴 줄 알았어요. 벤지는 카일한테 숨기는 게 없잖아요."

"화났어?"

"아뇨. 그냥…… 이것저것 생각할 게 많아져서요."

어차피 검은 더 배우고 싶었다. 마구간 관리하고 말 돌보는 데에만 재능이 있는 줄 알았더니. 아무래도 내가 중세 시대 체질인가 봐. 나란히 걷던 벤지에게 물었다.

"벤지. 전쟁이 언제 끝날까요."

"글쎄. 아직까진 확답을 할 수가 없네."

전쟁이 끝나면 난 어떻게 되는 거지. 카일의 궁으로 돌아가서 마구간에서 다시 일하는 건가.

솔직히 말하자면, 싫었다. 검을 잡고 휘두르는 게 더 좋았고, 조금씩 내 스스로 발전할 때마다 느끼는 고양감이 즐거웠다. 말을 돌볼 때에는 느끼지 못했던 성취감이었다.

'결혼하자.'

사뭇 진지하게 고백했던 카일이 생각났다. 황자와의 결혼.

당연히 카일이랑 결혼할 건데요. 라고 자신감 있게 외치기엔 이쪽 세상에서 너무 오래 살았다. 아무리 그가 황제의 관심을 못 받는 황자라고는 하나 어쨌든 빌테온 제국의 1황자였고, 어머니는 벨로이스트였다. 순순히 평민과의 결혼을 승낙할 리 없었다. 게다가 남장을 하고 살았던 나를.

막사가 줄줄이 이어져 구석구석 연기가 피어오르는 넓은 평원을 느리게 둘러보았다.

어쩌면, 정말로 용병이 나한테 맞을지도 몰라. 이번 전쟁이 끝나고 카일이 무사히 살아 있으면 그때부터는 원래의 이야기와 완전히 틀어지게 되는 거니까. 이젠 굳이 내가 없어도 카일은 잘 해내지 않을까.

사랑해서 옆에 남아 있고 싶은 건 사실이다. 하지만 나와 친하다는 이유로 카일이 다른 귀족들에게 무시당한다는 얘기는 달갑지 않았다. 마구간지기인 나는 그에게 짐이었다.

"내가 콜린 후작의 기사와 싸워 이겨 봤자 달라지는 건 없잖아요. 그죠."

"왜, 그들은 이제 널 무시하지 못할 텐데."

내가 정말이냐는 듯 물끄러미 바라보기만 하자 그는 민망한 듯 시선을 다른 곳으로 돌리며 덧붙였다.

"……귀족들은 워낙에 오만불손하니까. 평민을 무시하기도 하고……. 쉽게 바뀌진 않겠지."

그래. 지금도 이 정도인데 여자인 걸 밝히고 카일과 결혼하겠다고 하면 오죽하겠어. 카일에게도 좋지 않은 선택지였다. 나라는 존재 자체가. 오른쪽 허리에 매여 있는 검을 움켜쥐었다.

전쟁이 끝나면 떠나야 한다. 이번 결투를 통해 깨달은 해답은 그것이었다. 내가 사라지는 게 카일을 위하는 길이야.

다른 기사들과 대련을 더 많이 해 보니 확실히 알 수 있었다. 대부분 내가 지긴 했지만 몇 년 동안 수련을 해 온 그들과 대련이 가능하다는 것 자체가 얼마나 대단한 건지. 보급 마차를 끌고 왔던 내 또래의 인부들과는 비교도 못 할 정도였고, 겨우 몇 개월 검을 잡은 것이라곤 아무도 믿지 못할 만큼의 눈부신 발전이었다.

"스노우의 제자니까."

"그래. 스노우가 직접 가르친 제자잖아."

나를 지켜본 이들은 다들 입을 모아 스노우 영감 덕이라 말했다.

내가 잘했다고 해야지, 이 눈치 없는 새끼들아. 나는 이마에 흐르는 땀을 닦으며 의자에 주저앉았다. 이젠 내가 기사들 사이에 앉아 있어도 아무도 비웃는 사람들이 없었다. 나는 태연히 톰이 갖다준 물을 마시며 물었다.

"그 영감쟁이가 그렇게 대단해요?"

"……영감쟁이……. 그래. 뭐, 원래 유명하기도 유명했지만, 사실 스노우가 진짜로 유명해진 건 그가 직접 이끌었던 용병단이 있어서겠지."

"이쪽 업계에선 거의 전설이지. 물론 지금은 우리 전쟁의 신이 있지만!"

웃으며 내 어깨를 주먹으로 치는 레일리와 함께 그냥 웃고 말았다. 스노우의 용병단…….

그날 저녁, 나를 찾아온 스노우는 정말로 용병으로 활동할 생각이 없냐고 물었다.

"생각 있으면 말해. 이 전쟁이 끝날 때까지 훈련하고 나면 너도 어디 내놓기 쪽팔리지 않을 실력은 될 테니까."

나는 말없이 입꼬리만 올려 살짝 웃었다. 만약 정말로 카일을 떠나야 한다면 스노우에게도 알리지 않는 편이 좋았다. 지금 내가 사라진다면 카일이 날 찾을 테니까.

내 우중충한 얼굴을 본 스노우는 무언가 짐작 가는 게 있는지 나무 꼬챙이로 앞에 있는 모닥불을 들쑤시다가 슬쩍 입을 열었다.

"너, 치사하게 도망가려는 생각은 마라."

"……뭔 소리예요."

"너 지금 보니까 꼴이 딱 '내가 옆에 있어 봤자 카일에겐 아무런 도움도 안 돼.' 뭐 그따위 생각이나 하는 것 같아서 하는 말이야."

정곡을 찔려서 당황했지만 최대한 장난스러운 얼굴로 활짝 눈을 접어 웃으며 스노우의 옆구리를 툭 쳤다.

"우리 카일은 나 없으면 완전 바보잖아요. 내가 카일 옆에 있어야죠. 그리고 일단 내가 카일 없으면 못 살아요."

"그래?"

나는 지그시 바라보는 스노우의 푸른 눈동자와 길게 눈을 마주치지 못하고 시선을 피해 버렸다. 꿰뚫리는 기분이 썩 달갑지 않았다. 스노우는 내 옆모습을 물끄러미 보다가 다시 모닥불을 향해 고개를 돌렸다.

"……그래. 네가 그렇다면 그런 거지."

잠깐 적막이 흘렀지만 이내 스노우는 불쏘시개를 던지듯 내려놓고 내 뒷덜미를 잡아 일으켰다.

"결투에서 이겼긴 했지만 내 보기엔 여전히 엉망이었어!"

"잘 싸웠다면서요!"

"카일이 보고 있으니까 네 면 세워 주려고 그런 거지, 인마!"

"얻다 대고 자꾸 카일, 카일이래요! 영감이 카일 할배라도 돼요?"

"말대꾸하지 말고 검 들어!"

검집으로 내 머리를 빡 소리가 날 정도로 때린 스노우는 곧장 검을 빼 들었다. 나도 스노우를 따라 검을 빼긴 했지만 쉬고 싶은 마음이 더 컸다. 오늘도, 어제도 10시간이 넘도록 검을 들고 설친 탓에 몸이 말이 아니었다.

"영감. 오늘은 대련 안 하면 안 돼요?"

영감탱이의 시푸른 눈깔이 또 나를 째려봤다. 눈을 한 번 깜빡이자 그의 예리한 칼날이 또 내 목 밑으로 바짝 들어와 있었다.

"네가 전쟁이 끝나고 뭐가 될진 내 알 바 아니다만, 아직 전쟁은 끝나지 않았고 여기서 자기 칼도 못 다루는 멍청이는 짐짝에 불과해."

이 늙은이가 또 맞는 말만 하네. 결국 군말 없이 다시 검을 쥐었다.

⁂

소년의 작은 몸이 기우뚱 넘어갔다. 나는 무거운 검을 들고 펄쩍펄쩍 뛰었다.

"어? 우아아악!"

소년병이라고는 하나 키는 나보다 약간 작은 조슈아를 대련 끝에 이긴 참이었다. 진 게 분했는지 조슈아는 바닥에 쓰러져 씩씩거리다가 검도 내다 버리고 내게 달려들었다. 조슈아야. 안타깝구나. 누나의 주 전공이 몸싸움인데. 내 몸통을 향해 달려드는 조슈아의 허리를 위에서 둘러 잡고 두 다리로 버티다가 깍지 낀 손으로 한가운데를 힘껏 찍었다.

"악!"

힘 빠진 조슈아가 바닥으로 그대로 엎어졌다. 옆에서 구경하던 톰과 레일리가 껄껄 웃으며 끼어들었다.

"조슈아! 완전히 졌네."

"조 너는 애를 상대로 왜 그렇게 진심이야."

"검 만진 지 이제 겨우 1년도 안 된 저한테 병사가 지면 안 되죠! 소년병이라곤 해도 얘가 전쟁 짬밥이 있는데!"

호기롭게 허리에 두 손을 올리고 의기양양하게 외쳤다. 조슈아가 잔뜩 울상을 짓고는 비틀거리며 흙바닥에서 일어섰다.

"……조. 언제 이렇게 강해진 거야."

"너도 맨날 스노우한테 두드려 맞아 봐라."

한껏 으스대고 있는데 어디선가 달갑지 않은 목소리가 들렸다.

"스노우, 스노우. 내가 네 친구냐, 이 자식아."

언제 나타났는지도 모르게 옆으로 다가온 스노우가 내 오금을 걷어찼다. 앞으로 쓰러진 나는 흙바닥에 두 손을 짚었다가 벌떡 일어났다.

"사람을 왜 차요!"

"내가 갑자기 차도 너는 견뎌야지!"

"에이씨!"

또 백발 노인네랑 엎치락뒤치락 싸우다가 나무로 던져졌다. 아무리 수련을 게을리하지 않는다곤 해도 저 영감을 이길 것 같지가 않았다.

나무 그늘 아래에 쓰러진 채 그대로 드러누워 바람을 맞는 나를 보며 픽 웃던 스노우가 내게 붉은 천 쪼가리를 던졌다.

"뭐야, 이 천 쪼가리는."

"이 무식한 놈아. 그건 천 쪼가리가 아니라……. 아유, 됐다. 네 좆대로 불러라."

레일리가 술잔을 내려놓고 자리에서 일어섰다.

"스노우 님, 작전이 결정된 건가요."

"그래. 전처럼 후방 부대 보급 마차는 조가 담당한다. 너, 인마! 정신 빼놓지 말고 그거 검 손잡이에 묶어 놓으라고!"

"아, 왜 소리를 질러요! 할배 늙어서 그런가. 성질만 더럽게 급하네!"

톰이 고개를 절레절레 흔들며 조슈아를 데리고 등을 돌려 걸어갔다.

"조슈아, 너는 전쟁터에서 자랐지만 절대 저 사람처럼은 크면 안 된다. 여기서도 어른을 공경하는 최소한의 예의를 아는 청년으로 자라야 돼."

"톰! 야, 너 뭐라 그랬어요! 내 욕했지!"

내 목소리가 들리지 않는 척, 톰은 조슈아의 어깨에 손을 올리고 부지런히 막사 쪽을 향해 멀어졌다.

"절대 존댓말과 반말을 섞어 쓰는 저런 무식한 어른이 되면 안 돼. 저런 사람은 장가도 못 가."

당장 톰에게 달려가려는 찰나, 또 스노우가 내 목덜미를 잡아챘다. 으억, 소리와 함께 뒤로 넘어가자 스노우가 내 등을 받치며 귀에 조용히 읊조렸다.

"용병 열 명."

"네?"

"네가 이번에 데리고 있을 사람들이다."

고개를 돌려 스노우와 눈을 마주쳤다. 사뭇 진지한 얼굴로 나를 보던 스노우가 주변에 들리지 않을 목소리로 말했다.

"소속도 없고, 그냥 여기저기 돌아다니면서 돈 따라 일하는 놈들이야. 용병단이 아니라는 거지."

"……그런 망나니들을 왜 내 쪽으로 줘요. 걔네가 내 말을 듣겠어요?"

느리게 눈을 감았다 뜬 스노우가 내 머리를 헝클어뜨리며 쓰다듬었다.

"너도 망나니니까 어떻게든 되겠지. 잘 해 봐라."

아프지 않을 정도로 내 어깨를 친 스노우의 손목을 붙잡았다.

"……작전은 어떻게 결정됐어요. 우리, 어디로 가는 거예요?"

몇 날 며칠을 끌었던 지루한 작전 회의의 결말이 궁금했다. 스노우는 당당한 낯으로 검지를 들어 저 멀리 강 건너편을 가리켰다.

“로타이스.”

나는 반색하며 되물었다.

“로타이스?”

“그래. 로타이스. 저길 뚫기로 했다. 그 돼지 같은 귀족 놈들이 드디어 말을 듣더구나.”

“제 앞에서 귀족 욕 막 그렇게 해도 돼요?”

“너는 내 제잔데 뭐 어때.”

자랑스럽게 웃으며 내 어깨를 툭툭 친 스노우가 자리를 뜨기 전 내게 신신당부했다.

“정신 똑바로 차려라. 후방 부대를 지휘하는 장군이야 따로 있겠지만 어쨌든 보급 마차는 네가 지켜야 한다고. 뒤에 있다고 안심하지 말고.”

“알았어요, 알았어.”

“……죽지 말고.”

“영감이나 살아 계세요.”

기분이 묘했다. 매번 전투마다 마지막처럼 인사를 하고 헤어지고, 전투가 끝나면 서로 살아 있는지 확인해야 한다는 게. 매일을 마지막처럼 살고, 그런 매일을 일상처럼 견뎌 내는 나날이었다.

작전은 오늘 이른 새벽부터 시작이었다. 카일이 처음 말한 것처럼 전방에서 방패를 높이 들어 독화살을 막으며 진격하는. 일명 딱정벌레 작전.

보급 마차 쪽으로 가자 몇 명의 인부들과 용병 열 명이 나를 빤히 바라봤다. 고작해야 후방 부대의 보급 마차 두 개를 지키는 것이었지만 기분이 요상했다. 저번처럼 적이 없는 작전지에서의 지휘관이 아니라, 직접 싸우는 전장에서의 담당자라니.

나를 보고 있는 놈들을 향해 간단히 소개를 했다. 나는 보급 마차가 뚫리지 않도록 지키는 사람이며, 당신들과 함께 싸울 조라고. 검은 옷을 입은 용병 중 하나가 손을 들어서 내게 질문했다.

"이름은 조, 오케이. 그럼 성은?"

"……없어."

삼십 대 정도로 돼 보이는 청년이 콧잔등을 훌쩍이다가 거칠게 닦았다.

"그럼 우리랑 별다를 것도 없네. 소속도 없고."

"그래. 피차 비슷한 사이니까 협조해. 어쨌든 이번 전쟁을 무사히 마치고 돌아간다는 목표는 똑같잖아."

"이 쪼막만 한 새끼가 내 상관이라니. 기분 더러운데."

다가오며 내 머리를 치려 손을 올리는 놈의 엄지를 잡아 뒤로 꺾은 뒤 오금을 걷어차자 그가 저항 한번 못하고 흙바닥에 풀썩 무릎을 꿇었다.

"너 이름 뭐야."

"으…… 샘, 아악! 손, 손가락! 샘입니다! 샘이요."

"그래. 샘. 이 작전은 서로 협조만 하면 되니까 건방 떨지 말고, 우리 잘하자. 쪼막만 한 나도 최선을 다할 테니까."

공중에 던지듯 샘의 손을 풀어 주고는 자세를 바르게 하고 서서 인부들과 용병들을 둘러보았다. 이들과 함께라. 나 잘 해 나갈 수 있겠지.

이번 전투는 전방이 뚫리지 않고, 나중에 기마병이 타이밍 좋게 들어간다면 충분히 승산이 있는 싸움이었다. 적어도 귀족들이 배신하기 전까지는.

몇 시간 동안 로타이스를 향해 진군하던 군사들의 행렬이 갑자기 방향을 바꿨다.

"어디로 가는 겁니까! 벨시리스 장군님!"

후방의 중대 전체를 지휘하는 장군인 벨시리스가 검을 높이 들어 왼쪽을 향해 휘둘렀다.

"로타이스로 간 전방 부대에서 연락이 왔다! 딱정벌레는 날지 못했다!"

딱정벌레는 날지 못했다. 작전이 실패했다는 뜻이었다.

그럴 리가. 여신이 가르쳐 준 대로 했다면 실패했을 리 없는데. 나는 벨시리스 백작의 옆으로 바짝 말을 몰아 그의 앞을 막아섰다.

"벨시리스 님! 딱정벌레가 날지 못했다면 돌아올 수 있도록 길이라도 터야

합니다!"

"네가 누구인지부터 밝혀라, 이 건방진!"

이 정신없는 와중에 소속부터 따지는 걸 보니 얼마나 껍데기만 보는 인간인지 빤했다. 나는 스노우가 줬던 붉은 천이 달려 있는 검을 앞으로 내밀며 단단한 음성으로 외쳤다.

"후방 부대의 보급 마차를 담당하는 조입니다! 이대로 물러나면 안 됩니다!"

"비켜라! 감히 주제도 모르고 상관의 말을 무시하는 거냐!"

당연한 결과였다. 애초에 벨시리스는 내 말을 들을 생각이 없었으니까. 눈앞의 벨시리스 뒤로 그를 따르는 수많은 기사들이 보였다. 하지만 나는 고작해야 보급 마차를 지키는 하급 담당에 불과했다. 내가 주춤대는 사이 벨시리스는 몸을 돌려 뒤에 있는 군사들을 향해 큰 소리로 일갈했다.

"로타이스는 이미 틀렸다! 앞서 진격한 전방 부대로부터 방향을 바꿔 캐럴로 향하라는 명령을 받았으니 그리로 간다!"

캐럴 성이라니. 로타이스로 간다고 했잖아.

"우리는! 빌테온은! 반드시 승리한다! 절대로 지지 않는다!"

깜짝 놀란 나와는 달리 다른 병사들은 갑자기 캐럴로 향하는 것에 아무런 이질감도 없는지 잔뜩 기합이 들어가 창과 검을 머리 높이 들고 괴성을 질렀다.

"우와아아악!"

지휘관의 굵직한 목소리가 내 귓가에 번개처럼 내리쳤다.

"상관의 명령에 불복종하는 자는 즉결 처형하겠다! 닥치고 따라와!"

후방 부대 사람들이 얼빠진 나를 비웃듯 폭풍처럼 우르르 내 옆을 스쳐 지나갔다. 로타이스로 가는 방향은 당연히 아니었다. 그 옆에 있는 캐럴 성으로 간다는 건 사실인 것 같았다. 이백여 명의 군사들의 말발굽 소리가 내 옆을 빠르게 스쳐 지나갔다.

앞서가는 병사들을 그대로 따라온 건지 보급 마차의 소대원들이 제각기 검을 들고 뛰다가 내 앞에 우뚝 멈춰 섰다. 검은 옷을 입은 용병들 열 명과 보급 마차의 인부들이 어리둥절한 표정으로 내게 물었다.

"……조, 안 갑니까?"

"……캐럴 성까지 얼마나 걸리지."

꽤 나이가 많은 용병 하나가 말했다.

"서둘러 가면 반나절 만에 가죠. 아직 해도 안 떴으니 아침쯤에 도착하겠네요. 조. 빨리 쫓아가야 합니다. 이러다 뒤처진다고요."

잔뜩 인상을 찌푸린 용병이 발을 동동 굴렀다.

"난 돈 받은 쪽으로 가야 돼!"

버럭 소리를 지르는 젊은 용병의 말에 반쯤 나갔던 정신을 겨우 챙겼다. 그래, 미래가 꼭 내가 들은 대로 흘러가진 않는다고 했으니까. 카일도 최전방에 있겠다고는 하지 않았어. 총사령관이니까 비교적 안전한 곳에서 작전을 진두지휘하고 있을 거야. 걱정하지 말자. 캐럴 성으로 가야 한다고 말한 것도 카일일 거야. 딱정벌레가 날지 못했다는 작전을 들었으니 캐럴로 진격하자는 명령을 내렸겠지. 아까 분명 벨시리스도 캐럴로 향하라는 명령을 받았다고 했어. 맞아, 그럴 거야.

불안한 예감을 억지로 짓누르며 스스로 고개를 끄덕였다. 고작 나의 확신 없는 판단을 믿고 독단적으로 행동할 수는 없었다.

"가자! 캐럴 성으로!"

말 머리를 돌려 앞서갔던 발자국을 따라 캐럴을 향해 달렸다. 이제는 말 타는 것에도 꽤나 익숙해져 빠른 속도로 달릴 수 있었다. 로타이스 요새와 맞붙어 있는 강 중류와는 점점 멀어지긴 했지만 작전이라는 말을 믿는 수밖에.

강 하류를 따라 많이 내려가 아침 해가 미처 다 모습을 드러내기 전에 캐럴 성 근처에 도착했다. 그러나 카일도, 벤지도, 스노우도 보이질 않았다.

"명령을 받고 온 거라면서요! 다른 사람들은 어디 있어요!"

"다들 여기 있잖아, 멍청한 자식아! 헛소리 말고 마차 정리 끝나면 돌덩이나 옮겨!"

벌판에 깔린 몇백의 군사들 사이에서 내가 찾는 사람 몇 명을 골라내기란 쉬운 일이 아니었다. 나는 결국 '다들 여기 있잖아.' 라고 말하는 놈의 말을 믿어야 했다. 무거운 돌을 들어 나르는 동안에도 기마병들은 쉴 새 없이 캐럴 성으로 진격했다. 말발굽 소리가 온 땅을 찢어발길 듯 울려 퍼졌다. 한데 아무리 봐도 이상했다. 카일의 전투 방식이 이렇게 무데뽀 진격이었나.

투르가 여신에게 들은 바에 따르면 카일이 치렀던 전투의 패인은 작전을 무용하게 만드는 악천후 때문이거나 적의 이중 매복이었다. 패배를 반복하니 군사들의 사기가 줄어들었지만 카일은 끝까지 이성적으로 싸우려고 노력했다고 들었다.

그러니 계속해서 승전보를 이어 나가고 있는 지금, 이렇게 막무가내로 진격할 인물은 아니었다. 더더욱 내가 로타이스로 가라고 말했는데도 불구하고.

이건 카일이 명령한 작전이 아니야. 카일은 여기 없어.

바보같이 돌덩이를 몇 개나 나르고 난 뒤에야 깨달았다. 순간, 내 머리 위로 검은 돌덩이가 포물선을 그리며 날아가 캐럴 성의 찌를 듯 높이 솟아 있는 벽으로 향했다. 하지만 강 하류가 너무 넓어서인지 발사한 돌덩이가 캐럴 성 앞의 땅에 맥없이 떨어지고 말았다. 수많은 군사들의 함성 소리와 비명이 맞물렸다.

"진격하라!"

앞에 선 지휘관이 칼을 앞으로 내밀며 목이 터져라 소리치자 다들 그를 따라 우르르 강을 건넜다. 푸른 강 위로 적군의 활이 비처럼 내렸다.

"안 돼!"

나의 외침은 오직 내 귀에서만 선명했다. 모두 죽어. 이러면 모두 죽는다!

몇 시간을 쉬지 않고 달렸으니 이제 와서 로타이스로 가 봤자 어차피 늦어. 카일이 거기에 있다면, 최소한 목숨이라도 스스로 부지했기를 바랄 수밖에.

여기서 내가 할 수 있는 일은 최대한 많은 사람들을 살리는 것. 강을 건너던 많은 빌테온의 군사들이 활에 맞아 시체가 되어 떠내려갔다. 어떻게 알고 준비했는지, 이미 뒤를 둘러싸고 다가오는 적군 로테나 군사들 때문에 후퇴할 수도 없었다.

겨우 강을 건넌 빌테온 군사들은 제대로 된 공격 한번 못 해 보고 비처럼 쏟아져 내리는 화살에 하나둘 머리가 뚫려 바닥으로 고꾸라졌다. 굳게 닫힌 캐럴 성의 문은 열리지 않았고, 이래저래 우리 군사들의 시체만 언덕처럼 쌓여 갔다.

진격하면 활에 맞아 죽고, 후퇴하면 칼에 베여 죽는다.

왜 하필 후방 부대만 캐럴로 온 거지. 벨시리스 장군은 왜 전쟁에서 자기 멋대로 행동하는 헛짓거리를 했을까. 꼭 죽을 자리를 찾아온 것처럼. 겨우 이, 삼백 남짓한 숫자로 캐럴 성을 깨부술 수 없다는 걸 모르지 않을 텐데. 그렇게까지 멍청한 인간이었나.

의문이 새록새록 솟아났지만 가타부타 생각할 틈이 없었다. 그저 떠올릴 수 있는 것이라곤 이 자리에서 내가 정말로 죽을 수도 있다는 거였다.

'모든 우연들이 너를 죽이려고 할 거야.'

투르가 여신의 당부가 생각나는 걸 애써 고개를 뒤흔들어 모른 척했다. 남이 멍청해지는 것도 우연이냐고요. 아냐, 정신 차리자. 이건 인재(人災)야. 그따위 운명이 아니야. 내가 그딴 거에 휘둘릴 사람이었으면 여태 살아 있지도 못했지. 지금은 살아날 방도만 생각하자.

스노우가 그때 뭐라고 했었지. 캐럴 성으로 진격하면 안 되는 이유 중 하나는 성 자체가 워낙 커서 공격을 집중하기가 힘든 거라고. 게다가 로테나는 쪽수가 많다고.

죽어 나가는 우리 군사들의 수도 만만치 않았지만, 대체 저 많은 군사가 어디에 숨어 있었는지 가늠조차 되지 않을 정도로 로테나 군사들은 쉴 새 없이 터져 나왔다. 이대로 허무하게 죽을 순 없어서 나는 검을 빼 들었다. 다리라도 있었으면 순식간에 건너갈 텐데.

강을 가로지르는 다리를 이용하면 훨씬 빠르게 성안으로 들어갈 시도라도 할 수 있었을지 모르지만, 여기선 강을 등진 채 눈앞의 로테나 군사와 기를 쓰고 싸우는 것에 사활을 걸어야 했다. 나무다리라도 있었으면 얼마나 좋,

다리?

강이 앞을 가로막아 제 기능을 못하고 있는 공성탑을 잠깐 멍하니 올려다봤다.

"조! 뭐 해!"

누군가 뒤에서 나를 부르는 소리에 퍼뜩 정신을 차리고 앞을 보자 검이 바로 눈앞까지 다가와 있었다. 본능적으로 허리를 뒤로 꺾어 피하며 다리로 놈의 사

타구니를 걷어찬 뒤 칼로 몸 한가운데를 갈랐다. 이제 이 정도 기습이야 아무렇지도 않았다. 거의 1년여간 매일 쉬지 않고 훈련했으니까.

적이 풀썩 쓰러진 뒤 나는 주변을 둘러봤다. 모두 정신없이 싸우는 중이었다. 나는 내 근처에서 열심히 싸우고 있는 용병들을 향해 외쳤다. 지금 당장 내 말을 들을 사람들은 저들뿐이었다.

"검은 용병들! 공성탑을 강으로 밀어!"

"미쳤냐!"

"입 닥치고 내 말 들어! 살아서 돌아가게 해 줄 테니까!"

새벽녘 내게 손가락을 꺾였던 샘이 눈앞 로테나 군사의 목을 벤 뒤 바닥에 침을 퉤 뱉고선 내게 신경질적으로 다가왔다. 강한 힘으로 내 멱살을 잡아 끌어 올린 샘이 소리 질렀다.

"다 죽게 생긴 마당에 무슨, 염병할 공성탑이야!"

나는 답하는 대신 샘의 멱살을 잡아 바닥으로 쓰러뜨리고는, 샘의 뒤에서 달려들던 로테나 병사를 검으로 베어 단숨에 쓰러뜨렸다. 한순간도 눈을 뗄 수 없을 정도로 적이 밀려들었다.

"주둥이 나불댈 시간 있으면 내 말 들어! 살려 준다고 했잖아!"

"……나 죽으면 죽을 줄 알아."

샘이 작게 욕을 뇌까리더니 주변에 있는 다른 용병들에게 외쳤다.

"밀어!"

전쟁터에서 꽤나 굴렀다는 용병들이 싸우던 적을 마저 해치우고 공성탑을 강을 향해 밀기 시작했다.

나는 근처에서 날뛰는 내 말, 크로우에 올라타 공성탑 근처를 돌며 적들의 목을 베는 한편 계속해서 소리쳤다.

"공성탑을 밀어! 다리를 만들어!"

몇 명이 더 달려들어 힘을 보태자 땅에 박힌 듯 멈춰 있던 커다란 공성탑이 점점 밀렸다. 강 근처에서 드디어 기우뚱 공성탑이 쓰러지며 반대편으로 넘어갔다. 길이는 조금 모자랐지만 얕은 강 반대편까지 닿을 정도는 됐다.

"건너가!"

목이 터질 듯 고함치자 다른 기사들이 순식간에 우르르 넘어갔다. 나 역시 말을 타고 반대편으로 달렸다. 수십의 군사가 어렵지 않게 캐럴 성문 앞까지 당도했다. 날아드는 화살로도 미처 막지 못할 속도였다.

나를 지켜보던 다른 지휘관 역시 주변의 기사들에게 강을 건너 진격하라고 명령했다. 금세 캐럴 성 앞으로 우리 측 병사들이 들어찼다.

이제 닫힌 성문만 뚫으면 돼. 땅에 꽂힌 긴 창을 빼 들어 성벽 위에서 활을 쏘는 궁수를 향해 던졌다. 창에 꿰뚫린 적의 시체가 성벽 아래로 떨어졌다.

"성문을 열어!"

내 목소리를 따라 하기라도 하듯 크로우가 앞다리를 들며 길게 울었다. 그것이 신호라도 된 것처럼 성문 앞에 모인 기사들이 우르르 달려 나갔다. 몸이 짓눌려 터질 것처럼 병사들이 성문을 힘껏 밀어붙였고, 몇몇은 사다리를 타고 올랐다. 오래되어 낡은 성문이 삐걱거리며 점차 틈을 보이기 시작했다. 말 위에 올라타 쉴 새 없이 칼로 적을 베어 쓰러뜨리는 매 순간들이 현실감 없이 멀게만 느껴졌다. 괴성을 지르며 문틈으로 밀려들어 가는 군사들의 모습 역시도.

하나만 생각하자.

살아야 한다. 살아남아야 해.

이를 악물고 시야에 가득 이름 모를 적들을 담았다. 그다음부터는 단편적으로 뚝뚝 끊어진 장면들이 이어졌다. 아군 적군 할 것 없이 죽어 가는 사람들과, 미친 듯이 칼을 휘두르며 싸우는 나. 성 안쪽에서 성벽 위로 빠르게 올라가 궁수들을 모조리 밀어 떨어뜨리고, 베었다. 무거운 창을 던져 적을 단번에 꿰뚫었다. 사방에서 튀는 핏물에 몸이 젖어 갔다.

내 스스로 숨을 제대로 쉬고 있는지조차 분간이 가지 않을 즈음, 주변이 잠깐 적막에 휩싸였다. 이어서 적들이 칼을 바닥에 내려놓는 챙그랑, 소리가 줄줄이 이어지며 들려왔다.

으스러질 듯 칼을 쥐고 있는 내 손바닥에 고여 든 땀이 생생히 느껴졌다. 나도 모르는 새 입을 열었다.

"……끝났다."

눅눅한 바람이 코끝을 간질였다. 전투는 끝났지만 저번과 같은 함성 소리는 없었다. 그저 비릿한 피 냄새만 진동했다. 겨우 얻은 승리였다.

내 코에 감도는 뜨겁고 비린 쇠 냄새의 주인들이 모두 찬 바닥에 널브러진 채 불 꺼진 동공으로 멀리 허공을 바라봤다. 그들의 입에선 더 이상 어떤 숨도 빠져나오질 못했다. 고개를 내리자 덜덜 떨리는 손이 눈에 들어왔다.

지난 몇 달간 하루도 빠지지 않고 가르침을 받았고, 살아남는 방법을 몸에 익혔다.

괜찮아. 난 괜찮아. 그저 배운 대로 했을 뿐이야. 내 쪽으로 흘러오는 핏줄기를 짓밟으며 겨우 걸음을 옮겼다.

캐럴 성을 장악하긴 했지만 무리한 작전 때문에 잃은 병력이 너무 컸다. 모두 지쳐서 넋을 잃은 채 서 있었다. 하지만 이렇게 멍때릴 시간도 없었다. 이게 벨시리스 장군의 독단적인 행동이라고 한다면, 본대가 걱정이었다.

"……카일한테 가야 해."

후들거리는 다리를 붙잡고 말의 고삐를 쥐었다.

"가자, 크로우."

포로들을 정리하는 사람들 사이로 갈색 말을 끌고 가는 내 앞을 용병들이 막았다.

"그 꼴로 가게?"

"본대에 알려야 하잖아. 캐럴 성을, 장악했다고……."

"……아까 벨시리스 장군님이 이미 사람을 보냈습니다."

샘의 뒤에 서 있는 다른 용병이 내게 존대를 했다. 나는 지친 눈으로 그를 보다가 조심스럽게 입을 열었다.

"……너는 이름이 뭐야."

"게일입니다."

"그래, 게일. 살아서 다행이다."

그의 어깨를 툭툭 치며 지나쳐 걸었다. 차마 나를 붙잡지 못한 용병들이 길을 열어 줬다. 무거운 다리를 질질 끌다시피 걷던 내가 크로우의 등에 올라타려는 순간, 부서진 성벽 문 너머로 처참할 정도로 넝마가 된 붉은 깃발이 보였다.

카일이 군사를 데리고 캐럴 성으로 오고 있었다. 무사했구나, 하고 안도하는 것도 잠시. 그의 두 눈에 담긴 불같은 분노가 눈에 들어왔다. 엉망이 된 꼴로 성문을 지나친 카일은 나를 보며 잠깐 풀어진 눈을 하더니, 그대로 성 안쪽에 서 있는 벨시리스 장군의 앞까지 빠르게 다가갔다. 말에서 내린 카일은 벨시리스를 내려다보며 물었다.

"……벨시리스. 왜 로타이스로 오지 않았지."

"……실패할 것을 예상하고 캐럴 성을 먼저 차지하여 전하께,"

"그럼 캐럴은 왜 이 꼴이지. 이게 자네가 바라던 승리였나."

"듣던 것보다 수비가 막강하고 적군의 수가,"

벨시리스 장군의 말은 마무리되지 못했다. 그의 머리가 몸에서 분리되어 흙바닥 위로 나뒹굴었다. 카일은 긴 한숨을 느리게 뱉어 낸 뒤 천천히 뒤돌았다.

"상관의 명령을 무시하는 건 전쟁에서 독이다."

그리 크지 않은 목소리인데도 정적에 휩싸인 주변을 가득 메우는 듯했다. 온통 시체가 널브러진 캐럴 성을 둘러본 카일이 입매를 꾹 다물었다가 입을 열었다.

"딱정벌레는 결국 날지 못했다."

칼을 쥐고 있는 카일의 손이 바들바들 떨렸다.

"방패도, 돌덩이도 모두 순조로웠지만…… 후방 부대가 나타나지 않았지. 진격군의 숫자가 부족했다. 그대들이…… 없었다. 상관을 무시한 장군 때문에, 나도, 그대들도 오늘 잃지 않아도 됐을 수많은 전우를 잃었다."

잠깐 입을 달싹이던 카일이 고개를 숙였다가 들어 올렸다.

"캐럴 성은 스노우가 맡고…… 우리는 전열을 갖추어 다시 로타이스로 쳐들어간다."

스노우? 스노우, 무사히 살아 있었나. 머리를 쭉 빼고 주변을 살피자 참담한 얼굴로 카일을 보고 있는 백발의 노인이 보였다. 그 역시 온몸에 피를 뒤집어쓴 상태였다. 스노우를 보고 있던 중 카일의 힘 빠진 목소리가 내 귓가에 선명하게 내리꽂혔다.

"……로타이스 요새에 인질이 붙잡혀 있다."

불안한 예감이 뇌리를 스쳤다. 카일의 말이 이어졌다.

"……최전방을 이끌던 부대의 대부분이 전사했고, ……벤지가 붙잡혔다."

책의 줄거리가 생각났다. 아끼던 부하 벤지를 잃고 전쟁에서 돌아온 카일.

나는 피범벅이 된 손을 들어 경악이 터지려는 내 입을 틀어막았다.

벤지가…….

무어라 말하려 입을 열었던 카일이 잠시 멈추었다가, 몸 전체에 힘을 주어 낮고 단단하게 말했다.

"우리는…… 로타이스를 차지한 뒤…… 이 전쟁을 끝낸다."

어떤 장군이 목소리를 높였다.

"하지만, 카일 전하. 지금 모두 지쳐 있고, 로타이스로 다시 쳐들어갈 병력 또한 부족합니다."

말한 이는 콜린이었다. 후방 부대를 이끌다 명령 불복종으로 죽어 버린 벨시리스 장군이 콜린 경의 사냥개라는 걸 모르는 이는 없었다. 멍청하고 허울만 중요시하는 벨시리스가 자기 스스로의 판단으로 캐럴로 왔을 리 없다는 생각이 들었다.

캐럴 성은 손쉽게 성공할 수 있으리라고, 그렇게 카일의 기를 꺾자며 콜린이 부추겼을지도 모른다는 직감에 나도 모르게 콜린을 죽일 듯 노려보았다. 그런 생각을 한 건 나뿐만이 아니었는지 카일 역시 콜린을 싸늘하게 바라봤다.

"'또' 내 명령을 무시하는 건가."

카일은 당장에라도 콜린의 머리를 벨 기세였지만 내 생각에도 당장 쳐들어가는 건 무리였다. 방금 전까지 목숨을 걸고 싸웠기에 병사들에게 기력이라곤 조금도 남아 있지 않았다. 스노우가 카일에게 조금씩 다가갔다.

"전하. ……이럴 때일수록 차분하고 치밀하게 작전을 세워야 합니다. 일단,"

"언제까지! 다 죽고 난 후에?!"

울분을 터뜨리는 카일의 목소리에 모두들 고개를 숙였다. 그러나 스노우만은 굴하지 않고 걸걸한 목소리로 카일을 나무랐다.

"정신 차리십시오! 친구를 잃은 건 전하뿐이 아닙니다! 이곳의 모두가 누군가를 잃었습니다! 남아 있는 이들도 잃을 순 없잖습니까! 이성적으로 판단하십시오!"

카일은 입을 열었다가 아무런 말도 꺼내지 못하고 굳게 다물었다. 일자로 다물린 그의 붉은 입술이 파르르 떨렸다. 짙은 쌍꺼풀 아래의 긴 속눈썹이 만든 그늘에 카일의 보석 같은 푸른 눈동자가 어두운 빛으로 내려앉았다. 카일은 그대로 등을 돌려 성채 건물 안쪽으로 들어갔다.

홀린 듯 카일을 따라가다 스노우에게 팔이 붙잡혔다.

"……용케 살아 있었네. 양아치."

"……할배도요. 명줄이 길긴 긴가 봐요. 근데 이것 좀 놔요. 카일 어떡해요. 벤지는 제일 친한 친구잖아요. 친구를 눈앞에서 잃었을 텐데……."

스노우의 얼굴을 한번 살피고 다시 카일이 사라진 방향을 물끄러미 바라봤지만 스노우는 손에 힘을 풀지 않았다.

"지금 네가 가 봤자 뭘 할 수 있겠냐. 혼자 둬. 슬픔은 혼자,"

"그건 내가 결정해요. 카일은 내가 더 잘 알아요. 우리 아기 꽃사슴 혼자 있으면 땅굴 판다고요. 이거 놔요."

할배가 우리 카일을 알면 얼마나 안다고 아는 척이야. 내 말에 넋 빠진 얼굴을 하면서도 스노우는 잡은 팔을 놔주질 않았다.

"아, 진짜! 영감!"

스노우의 짙게 물든 파란 눈이 나를 뚫어지게 쳐다봤다.

"정말 카일의 잘못이 단 하나도 없다고 생각하냐."

"뭐요?"

인상을 찌푸리며 스노우의 팔을 뿌리치고 그의 어깨를 퍽 소리가 나도록 밀쳤다.

"영감 나이가 들더니 진짜 노망이 났나! 카일에게 무슨 잘못이 있겠어요!"

어수선하던 주변에서 헉 하는 소리가 들려오자 스노우가 내 어깨를 부여잡고 구석으로 이끌었다. 방금 전쟁 치르고 온 인간치고는 힘이 너무 남아도는데. 완전 사기캐잖아. 스노우에게 질질 끌려 성 구석의 어느 창고 안으로 들어간 나는 로타이스에서의 이야기를 전해 듣게 되었다. 후방 부대가 오지 않았음에도 카일은 왜인지 퇴각하라는 스노우의 말을 무시하고 고집을 꺾지 않았다고.

'무슨 일이 있어도 이 작전은 성공해야 하며, 성공할 것입니다.'

무리한 진군 명령에 벤지가 전방에 있던 부대를 이끌며 앞서 나갔고, 수많은 적들의 공격에 속수무책으로 당해 인질이 되어 끌려갔다고 했다. 나 때문이라는 생각이 머리를 스쳤다. 내가 카일에게 내 말대로 하면 로타이스 전투에서 승리할 거라고 말했기 때문이야. 눈가가 뜨끈해지며 눈시울에 물기가 들어찼다. 스노우가 마른세수를 하며 나를 지그시 노려봤다.

"……전쟁터에선 항상 올바른 판단을 할 순 없지만, 늘 최선을 선택해야 한다. 오늘 카일이 했어야 할 최선의 명령은 후퇴였고, 그는 그걸 하지 않았어. 벨시리스 놈의 명령 불복종? 그건 사실 카일의 실책이야."

"카일은……."

"부하를 제대로 이끄는 것도 그가 해야 할 일이었으니까. 어쨌든 카일이 이끄는 부대에서 많은 사상자가 난 것은 사실이다."

주먹을 꾹 쥐고 바들바들 떨었다. 너무 억울한 한편 미안한 감정이 고개를 들었다. 카일의 수하들이 그의 말을 따르지 않은 것 역시 나 때문이었으니까. 총사령관인 카일이 고작 조무래기인 마구간지기와 친하게 지냈으니까.

스노우가 검지로 내 이마를 툭 쳤다.

"멍청한 넌 이게 다 네 잘못이라 생각하고 있겠지만 그것도 아니고. 아무튼 내 말은, 카일이 짊어지는 슬픔이나 부채감을 네가 같이 책임질 필요도 없다는 거야. 저놈은 좀 강하게 클 필요가,"

나는 순식간에 작은 단도를 빼 들어 스노우의 목을 겨눴다.

"알았으니까 자꾸 카일한테 강하게 커야 된다느니, 어쩌고 좀 하지 마요. 사람을 왜 자꾸 구석으로 내몰아요. 안 그래도 몰려 있어서 힘든 사람한테."

"……꼬맹이 너."

스노우의 얼굴에 비릿한 미소가 감돌았다. 왜 웃지, 라고 생각하는 찰나 그가 빠르게 내 손을 쳐 내고 단도를 빼앗아 들어서는 내 눈알 바로 앞까지 들이댔다. 눈을 깜빡이기만 해도 칼날에 동공이 베일 것 같은 거리였다. 서늘한 스노우의 목소리가 들렸다.

"네 탓하지 마라. 이렇게 많은 이들이 직접 보며 알게 된 이상 계속 카일의 뒤를 따라다닐 소문이야. 그걸 이겨 내는 건 카일의 몫이다."

단도를 걷어 낸 스노우가 다시 칼을 내 손에 쥐여 주며 싱긋 웃었다.

"많이 컸네. 검을 꺼내는 건 아예 보지도 못했어. 이제 전쟁에 혼자 내보내도 소대 하나 정도는 처치하고 돌아오겠는걸."

스노우가 자랑스럽게 말하는 동안에도 나는 카일 걱정을 했다.

내가 카일의 곁에 남으려고 하던 지난 시간들이 그에게 결국 부정적인 영향을 끼쳤구나. 이 긴 전쟁이 끝나고 카일의 곁을 떠나게 되더라도 그에게 꼬리표처럼 남을지도 모를 지저분한 소문이다.

'마구간지기와 놀아난 남색 황자.'

나는 내 손바닥 위에 올라간 단도를 꾹 말아 쥐었다.

"……스노우, 아니, 스승님."

창고를 둘러보던 스노우가 천천히 다시 눈길을 내게로 돌렸다.

"왜."

고개 들어 스노우를 똑바로 바라봤다. 온몸에 들어가 있던 힘이 고르게 퍼지는 괴상한 감각에 휩싸였다.

"……카일을 혼자 두지 마세요."

"뭐?"

"외로움을 많이 타는 사람이에요. 곁을 잘 안 내주긴 하는데, 아무튼 너무 오래 혼자 두진 말라고요. 강하게 키우긴 개뿔. 그딴 헛소리는 스승님 죽을 때 저승길에서나 혼자 떠드시고."

"……비장하게 불러 놓고 악담은 왜 하는 거냐."

"그리고 날 찾지 말아요."

"뭐?"

인상을 찌푸리며 고개를 꺾는 스노우의 명치를 있는 힘껏 주먹으로 갈겼다. 평소라면 틈도 보이질 않더니 방심한 탓인지 그대로 내게 얻어맞은 스노우가 휘청거리는 순간 손날로 뒷목을 후려쳤다. 바닥으로 풀썩 쓰러진 스노우가 어금니를 짓씹으며 나를 죽일 듯 노려봤다.

"이, 미친…… 감히, 나를……."

"영감님 그래도 안 죽는 거 다 알아요. 무지 강하잖아요. 그리고 이렇게 안 했으면 날 막았을 테니까."

"무슨……"

더듬거리며 눈을 가물가물 감는 스노우에게 말했다.

"스승님의 애제자가 해결할 테니까 잠깐 주무시고 계시죠."

스노우는 그대로 정신을 잃었다.

❖ ❖ ❖

저녁쯤에 겨우 눈을 뜬 스노우는 욕을 뇌까리며 자리를 털고 일어섰다.

"이 망할 놈. 열심히 가르쳤더니 스승을 후려치고 도망가다니. 썩을 놈 새끼."

창고 문을 열고 나가자 시체가 즐비하던 아까에 비해 다소 정리된 성은 비교적 멀쩡해 보였다. 스노우는 지나가던 용병 하나를 붙잡았다. 당장에라도 조를 잡아 거꾸로 매달아 놓을 계획이었는데, 그가 보이질 않았다.

"이봐."

"헉, 스노우 님. 안녕하십니까, 저는 용병 비르칸이라고,"

"그래그래. 아무튼 조를 보지 못했나? 은색 짧은 머리에 키는 이만하고,"

"아. 그……"

"그?"

기다리는 걸 참지 못한 스노우가 한숨을 내쉬며 미간을 일그러뜨려도 아둔한 용병은 알아채지 못하고 입을 털었다.

"머리 좋은 그놈 맞죠?"

"머리? ……좋긴 한데, 머리 얘기가 왜 나와."

"꼼짝없이 다 죽을 팔자였는데, 아까 게일이랑 다른 놈들에게 들으니 조가 공성탑을 쓰러뜨려 다리로 만들라고 명령했다 하던데요. 아까 스노우 님도 오시면서 보셨죠."

넓은 강을 가로지르며 쓰러진 공성탑을 보긴 했지만 그걸 조가 명령했다고는 생각지 못했다. 스노우가 놀라 용병에게 되물었다.

"그걸 조가 명령했다고?"

"예, 예. 그렇다던데요. 저기 샘이 자세히 알고 있습니다."

용병의 손가락이 가리키는 곳을 바라보자 검은 옷을 입은 용병들이 모닥불을 피우고 그 근처에 둘러앉아 있었다. 스노우는 비르칸을 지나쳐 그들에게 가까이 다가갔다.

"조가 무슨 명령을 내렸는지 말해라."

"아앗, 스노우 님! 안녕하십니까. 명성은 익히 들어 알고 있습니다! 젊은 시절 용병들을 이끌,"

"됐으니까. 조에 대해 말해."

노장의 묵직한 목소리에 너스레를 떨던 어린놈을 제쳐 놓고 샘이 그를 힐긋 보며 말했다.

"……숲 반대편에서도 로테나군들이 몰려와서 꼼짝없이 죽을 지경이었는데 조가 저희들에게 공성탑을 밀어서 다리를 만들라 했습니다."

"곱게 따를 성격이 아니잖나, 자네."

"……예, 처음엔 뭔 개소리인가 싶어서 싫다 했는데 입 닥치고 살려 줄 테니 따르라 하더군요. 그래서 그냥, 시키는 대로 했습니다."

스노우가 헛웃음을 터뜨렸다. 안 봐도 훤했다. 내가 사람 하나는 제대로 봤지. 그 상황에서 그런 깡다구로 덤비다니. 조다웠다.

"솔직히…… 조 아니었으면 모두 살아 있지 못했을 겁니다."

"그래, 건너온 이후에는? 조가 또 뭘 했지?"

흥미진진한 얼굴로 미소를 지은 스노우가 뒷이야기를 묻자 샘이 영 탐탁잖은 낯으로 계속해서 말을 이었다.

"공성탑을 미는 동안에는 계속 저희를 엄호했고, 문이 열리고 난 직후에는 성안으로 들어가서 적들을 해치우고…… 아니, 아까 보셨잖습니까. 조 그놈이 피로 샤워라도 한 것마냥 뒤집어쓴 거. 그거 다 남의 피예요."

"하하하. 그랬단 말이지. 하하하하. 그놈 그거 내가 가르쳤어. 하하."

아까 기절한 복수를 하겠다며 조의 행방을 찾던 걸 잠깐 잊고 스노우는 기분 좋게 웃었다. 제가 가르친 제자가 정말 거뜬하게 소대 하나는 무찌를 정도로 전투를 이끌었다는 게 어지간히 뿌듯했다.

"근데 걔 어디 갔습니까."

"뭐?"

잔뜩 올라가 있던 스노우의 광대가 흠칫 떨리며 굳었다. 조가 어디 갔냐니.

"……그걸 왜 나한테 묻냐."

샘이 떡진 머리를 벅벅 긁으며 스노우에게 되물었다.

"아까 같이 창고로 들어가서 얘기하시는 거 봤습니다. 나오는 거는 못 봤지만요. 저희도 할 말이 있어서."

"……나오는 걸 못 봤다고? 너희는 그놈한테 무슨 볼일이 있는데."

나무에 등을 기대고 앉아 있던 게일이 일어나 스노우에게 말했다.

"대장이 되어 달라 하려고 했죠. 저희가 그동안 전쟁터만 떠돈 피라미라 애물단지 취급 받았었거든요. 작전에 이용만 당하고 살아남는 건 모두 뒷전으로 생각했는데, 조만큼 저희 목숨 지켜 주는 걸 신경 써 준 상관은 없었습니다."

"나머지 놈들도 다 같은 생각인가."

열 명 남짓한 용병들이 모두 말없이 고개를 끄덕거렸다. 이제는 하얗게 새어버린 백금발을 쓸어 넘기며 스노우는 곰곰이 생각에 빠졌다. 고작 전투 한 번에 소속도 없이 떠돌던 용병들의 신임을 얻은 거나, 겨우 1년여의 훈련을 거친 주제에 내보인 전투를 이끄는 통솔력까지. 탐날 만큼 타고난 재능이다. 마구간지기로 일했다던 시간들이 아까울 정도로.

출신 가문이 없는 게 문제라면 만들면 되지. 양자로 삼아 제대로 키우고 싶은 마음이 굴뚝같지만 손자뻘이니 무리였다. 먼 사촌 동생 라트엘이 아직 자식이 없었지. 나이도 저에 비해 많이 어리니까 양자를 들이는 게 무리는 아니다. 일단 라트엘의 양자, 아니, 양녀로 넣어서 정식으로 기사로 키워 보고……. 아니, 지금 상태로는 양자로 넣으라고 해야 되나. 그럼 용병으로 등록할 때는 여자로 해야 하나. ……그래도 입양할 때 양자로 할 거면 용병 등록도 양자로 해야 하는 거 아닌가. 대체 그놈은 언제 밝힐 거야!

인재 양성의 꿈이 성별에서부터 가로막힌 스노우가 열심히 늙은 머리를 굴리다가 고개를 휘휘 저었다. 일단 그건 나중에 생각하고.

"조가 어디 갔는지 아무도 몰라?"

"예, 저희는 못 봤습니다. 스노우 님 혹시 찾으시면."

"그래. 알았다. 너희한테 가 보라고 할 테니까 수선 떨지 말고 앉아. 정신없으니까."

미친 얼굴 집착광인 천재 제자는 아마도 카일을 보러 갔을 터였다. 스노우는 곧장 카일이 쉬고 있다는 방으로 들어갔지만 그는 혼자였다.

"……스노우. 왜 오셨습니까."

"전하. 조가 여기로 안 왔습니까."

"조……."

조의 이름을 조용히 읊조리는 카일의 얼굴에 슬픔이 서렸다. 스노우는 제 외손자의 입에서 조를 탓하는 내용이 나오면 금방에라도 그 유약함을 나무라려고 시동을 걸었다. 조가 무슨 조언을 했든 간에 작전을 판단하는 건 통솔권을 지닌 네 몫인데 왜 남 탓을 하냐는 불호령이 언제든 입 밖으로 튀어나올 준비가 되어 있었다.

카일이 차분한 얼굴로 주접을 떨기 전까지는.

"하……. 조가 보고 싶습니다."

"예, 예?"

"지금 당장 조를 봐야겠는데 도통 오질 않네요. 진작 나를 찾아와서 벤지를 구하러 가자고 닦달하고도 남았을 텐데. 또 어디서 쓰러진 건 아닌지."

얼굴에 묻었던 피를 닦아 낸 손수건을 어딘가로 던지며 카일은 하얗게 깨끗해진 얼굴로 말했다.

"아까 제게 하셨던 말은 이해하지만 지체할 시간이 없습니다. 이럴 시간에 로타이스로 쳐들어갈 작전을 세우는 게 낫죠. 조는 명석하니 작전을 짤 때 도움이 될 겁니다. 물론 이번 일이 틀어진 건 상황을 제대로 살피지 못한 제 잘못이 큽니다."

"아, 그……렇지요."

"참. 스노우, 이번 전투에서 죽은 자들의 명단을 정리해 남겨 주십시오. 유가족들에게 보내야 하니."

"……카일."

카일을 부른 스노우가 묵묵히 서 있다가 천천히 입을 열었다. 스노우의 머리에 조가 했던 말이 문득 떠올랐다.

'우리 아기 꽃사슴 혼자 있으면 땅굴 판다고요.'

아무리 봐도 아기 꽃사슴은 어울리지 않았다. 게다가 제 손자는 조의 생각만큼 나약한 것 같지도 않았다. 대체 무슨 콩깍지가 씐 건지 궁금했지만, 딱히 알고 싶지도 않았다.

"……하실 말씀 없으시면 다른 장군들을 부르겠습니다. 오늘 전투에 대한 보고를 들어야 하니."

스노우는 대충 고개를 끄덕거렸다. 대체 이놈은 어딜 간 걸까. 기절할 때 무어라 했던 것 같은데 까무룩 정신을 잃는 바람에 정확히 기억이 나질 않았다.

조야 어디 퍼질러져 자고 있겠지. 고된 전투였으니까. 합리적으로 결론을 내린 스노우는 더는 조를 찾지 않기로 했다.

⁂ ⁂ ⁂

죽은 벨시리스 장군을 대신해 피에르가 회의에 참석했다. 카일은 무심한 얼굴로 피에르의 보고를 들었다.

"그래, 로테나 군사들에게 둘러싸였었다고."

"……예. 활이 쏟아져 강 건너편까지 건너갈 수 없는 상황에서,"

무거운 분위기에서 피에르가 캐럴 성 전투에 대해 입을 열었다.

"……죽은 벨시리스 장군이 기지를 발휘해 공성탑을 이용해 다리를 만들라고 명령했고,"

"풉."

피에르가 고개를 돌려 웃음소리가 들린 곳을 바라봤다. 그곳엔 스노우가 입을 틀어막고 입술을 깨물고 있었다. 스노우임을 확인한 피에르가 짜증을 내려던 것을 잠깐 억누르고 왜 그러냐 물었지만, 스노우는 대충 손만 휘휘 저으며 대답했다.

"아, 미안. 미안. 계속 말해 보시지."

"……아무튼, 예. 벨시리스 장군은 위급 상황에서도 최대한 많은 병사들을 살리려 노력했고, 그것으로 그분이 잘못 판단한 죄를 모두 덜 순 없겠지만 그래도 노력만큼은 인정해 주셨으면,"

"크흡!"

"……스노우 님. 자꾸 웃으시는 이유가 뭡니까."

"웃긴 일이 생각나서. 계속해, 나는 신경 쓰지 말고."

짜증 난다는 듯 스노우를 잠깐 노려본 피에르가 계속해서 벨시리스의 공에 대해 떠들었다.

"……아무튼 그래서 벨시리스 님이 군법을 어긴 것은 맞지만, 적어도 최선을 다해 전투를 승리로 이끌었다는 것만큼은 알아주십사……."

스노우가 손을 들고 말했다.

"캐럴 성 전투를 승리로 이끈 것이 벨시리스 장군이라고?"

"……예."

"공성탑을 밀어서 넘어뜨려 다리를 만들라는 그 창의적인 생각을 그 앞뒤 꽉 막힌 벨시리스가 했다는 걸 믿을 것 같나. 할 줄 아는 거라곤 배 까뒤집고 꼬리나 흔들던 사냥개 주제에 그런 생각을 했다고?"

"이보시오. 스노우! 아무리 카일 황자 전하의 외조부라 해도, 다른 귀족을 그렇게 무시할 순 없는 겁니다!"

콜린 후작이 테이블을 쿵 치며 분개하자 스노우가 이죽거리며 피에르에게 고개를 돌렸다.

"공성탑을 밀었던 병사들을 부르지 그래, 피에르 백작."

"……워낙 정신없이 몰아쳐서, 잘 보지 못했습니다."

"벨시리스 장군이 명령한 건 정확히 봤는데, 정작 누가 밀었는지는 보지 못했다?"

그때, 문밖에 서 있던 시종 한 명이 검은 용병 샘을 데리고 안으로 들어왔다. 피에르가 신경질적으로 외쳤다.

"지금 중요한 회의 중인데 감히 용병 따위가 어딜 들어와!"

두려울 게 없는 무소속 용병 샘이 인상을 팍 구겼다.

"부르실 땐 언제고 왜 욕을 하십니까. 아까 스노우 님이 공성탑 다리에 대한 이야기를 상세히 들어 보자고 부르셨는데요."

"네, 네놈이 밀었다고?"

"저랑 다른 검은 용병들이 밀었죠. 조가 자기만 믿고 입 닥치고 공성탑이나 밀라고 하더라고요. 뒤에서 엄호해 주는 틈을 타서 저희가 열심히 밀었습니다. 근데 스노우 님께 아까 말씀드렸는데 또다시 말해야 되는 겁니까?"

긴 테이블 가운데 앉아 있던 카일이 얼굴을 구겼다. 그럴 줄 알았지. 그 멍청한 벨시리스가 했을 거라곤 생각지도 않았다. 조가 명령을 내렸을 거라곤 예상치 못했지만.

카일을 비롯한 사람들의 시선이 모여들자 피에르의 얼굴이 붉어졌다.

"……저는, 벨, 벨시리스 장군님이…… 명령한 줄 알고 그렇게 말한,"

"벨시리스 장군이 그렇게 말했을 거라 확신한 이유가 궁금한데."

관자놀이를 긁적인 카일이 시큰둥하게 말했지만, 그의 목소리에 또렷이 서린 냉기를 알아채지 못할 리 없었다. 피에르는 떨리는 목소리로 천천히 말했다.

"장군께서는…… 항상, 제국의 영광을 이야기하셨고."

"내가 지금 죽은 그이의 평소 가치관에 대해 물었나. 캐럴 성 전투 역시 패했으면 우리 군은 패잔병이 되어 제국으로 돌아갔어야 했다. 피에르 경은 군법을 어긴 반역자의 편을 든 이유를 정확히 말하라."

"전하! 그게 아니라, 그, 그저 그따위 놈에게 공이 가는 것보다는 벨시리스 장군님의 치욕을 씻어 드리는 것이,"

"아. 치욕."

피에르의 말을 비웃는 듯한 카일의 낮고 서늘한 목소리에 이번에는 장내 전체가 차갑게 얼어붙었다. 스노우는 매섭게 자란 외손주를 보며 고개를 갸우뚱 꺾었다. 아무리 봐도 제자의 콩깍지를 이해할 수 없었다. 저게 어딜 봐서 아기 꽃사슴이라는 거냐. 만나면 눈에 큰 부상을 입은 건 아닌지, 누군가가 세뇌라도 시킨 건지 물어봐야겠어. 제 젊은 시절을 닮아 소름 돋게 잘생긴 건 인정하지만, 카일이 여리고, 혼자 두면 안 될 정도로 유약한 아기 꽃사슴이란 건 인정하기 힘들었다. 강한 모습만을 보여 주려 부담감이 있다는 것 정도야 이해하겠지만, 그건…… 여린 거랑은 다르지 않나.

무심하게 피에르를 보는 냉기 어린 카일의 푸른 눈동자는 보면 볼수록 꽃사슴과는 전혀 연결되지 않았다.

"조를 데려와라. 직접 물어보지. 근처에서 자고 있으면 깨워서라도 데려와."

용병 샘에게 명령했지만 샘은 주춤거리며 물러나지 않았다. 카일은 되묻지도 않고 그를 빤히 보기만 했다. 시선 자체가 명령이었다. 빨리 조를 데려오지 않고 뭐 하냐는.

손을 꼼지락대며 난처해하던 샘이 겨우 입을 열었다.

"아까부터 계속 찾고는 있었는데 조가 보이지 않습니다."

"뭐?"

"……진짜입니다, 전하. 조가 전혀 안 보입니다. 그리고 스, 스노우 님이 마지막으로 보셨는데요."

카일의 날카로운 시선이 스노우를 찌를 듯 향했다.

아니, 그러니까 저게 어딜 봐서 혼자 두면 안 될 꽃사슴이냐고. 스노우가 두 손을 들어 절레절레 흔들었다.

"저와 창고에서 잠깐 얘기하긴 했지만, 건방지게도 저를 기절시키고,"

"스노우를 기절시켰다고요?"

듣고 있던 다른 장군들이 깜짝 놀라 눈을 휘둥그레 뜨고 말을 끊었다. 그도 그럴 것이, 스노우는 평생 동안 전장을 누빈 장수이자 빌테온 제국의 기병 장관이었다. 불리한 전투에서도 매번 살아 돌아오며 반드시 이기고야 마는 괴물인데. 은퇴하고도 남을, 아니, 죽었어도 이상하지 않을 나이에 전쟁에 참전해도 아무도 그의 생존을 걱정하지 않는, 그런 실력자였다. 그 스노우를 기절시켰다니.

장군들이 서로 눈치를 보며 말을 아꼈다. 조라는 그 어린놈이 그저 개망나니에 남색인 마구간지기인 줄로만 알았는데.

다른 장군들이 눈치를 살피는 동안 스노우는 생각에 빠져들었다.

'그 망할 자식이 갑자기 왜 나를 기절시켰더라. 내가 카일을 욕해서?'

"……기절시키지 않으면 내가 말릴 거라고……. 찾지 말라고……?"

작게 읊조리는 스노우의 말을 듣지 못한 카일이 그에게 물었다.

"전쟁에서 공을 세운 것은 사실이니 조의 행방을 아시면 말하십시오. 스노우."

미간을 좁히던 스노우가 번쩍 감았던 눈을 뜨며 테이블을 주먹으로 내려쳤다.

"이, 미친!"

"스노우!"

"전하! 당장 사람을 풀어서 조를 찾아와야 합니다!"

"그게 무슨 소립니까."

"그 멍청하고 대책 없는 놈이 혼자 로타이스 요새로 쳐들어갔을 게 분명하니까!"

"예?"

카일은 자리를 박차고 일어났다.

"갑자기 그게 무슨 소립니까!"

카일이 버럭 소리를 지르자 다른 장군들 역시 술렁거렸다.

혼자서 로타이스 요새를?

지가 진짜로 뭐라도 된 줄 아나.

죽으러 간 건가.

멍청한 마구간지기가 자살이라도 하려나 보군.

어수선해진 분위기에 더 이상 얘기가 진행이 되질 않았다. 카일은 흥분을 가라앉히기 위해 떨리는 손을 겨우 말아 쥐며 심호흡을 천천히 내뱉었다. 그가 겨우 진정하고 자리에 앉자, 장내 또한 잠잠해져 갔다. 카일은 스노우를 오래도록 바라보다가 제 것이 아닌 것처럼 이물감이 느껴지는 혀를 움직여 겨우 말을 전했다.
"……스노우. 왜 그렇게 생각하시는지, 말씀해 보십시오."
"나를 기절시키면서 그 바보 같은 놈이, 본인이 해결하겠다고 했습니다."
이를 악물고 주먹을 만 채 바들바들 떨던 카일이 더는 참지 않고 칼을 잡고 자리에서 일어섰다.
"전하. 어딜 가십니까."
다른 이들이 말렸지만 이미 귀에 들리지 않는지 그는 의자를 박차고 문을 향해 성큼성큼 걸어갔다.
"전하!"
스노우의 낮고 묵직한 목소리가 유일하게 카일의 발길을 붙잡았다. 그의 말아 쥔 손에서 피가 주륵 흐르는 순간에도 눈치 없는 이들은 함부로 입을 놀렸다.
"전하의 명령도 없이 부대를 이탈한 멍청한 놈을 왜 직접 구하려 하십니까. 진짜로 무슨, 천한 것과 친구라도 되신 건지."
그 순간 함부로 말을 던진 놈의 앞머리가 짧게 잘려 나갔다. 알아챌 틈도 없이 검을 꺼내 든 스노우가 험담을 한 그의 눈앞에 칼을 들이대고서 스산하게 읊조렸다.
"내 제자에 대해 함부로 말하면, 그 혀를 도려내 고깃국을 끓여 주마."
"이, 이보시오! 공작! 거 말이 너무 심하지 않,"
"조용."
카일의 한 마디에 적막이 내려앉았다. 소란스럽던 사방이 겨우 조용해지자 카일이 입을 열었다.
"……모두 나가라. 아직 정확히 밝혀지지 않은 일에 소란을 떨어선 안 되며, 헛소문을 퍼뜨려 기강을 어지럽히는 자들도 군법으로 엄히 다스릴 것이다. 그리고…… 스노우는 남으시오."
방 안을 가득 채우던 이들이 수군거리며 겨우 빠져나가자 카일은 아랫입술을 덜덜 떨며 스노우에게 다시 물었다.
"정말로…… 정말로 조가 그리 말했습니까."

"제가 왜 그런 거짓말을 하겠습니까. 전하께 가려는 걸 붙잡고, 벤지가 인질이 된 경위에 대해 말했더니 나를 기절시켰습니다."

카일의 다부진 턱이 덜덜 떨리며 벌어졌다. 손을 들어 입을 틀어막은 카일이 믿지 못하겠다는 듯 고개를 절레절레 흔들었다. 눈꺼풀 위로 주름이 질 정도로 강하게 눈을 감았다 떴지만 깨지 않았다. 현실이었다. 조가 사라졌다. 힘겹게 인정한 카일이 눈동자를 이리저리 굴리며 입을 열었다.

"내가, 내가 가서……. 아니, 지금은 밤이니 대군을 움직일 수 없고, 로타이스로 갔으면…… 어떻게 구해 내야. 벤지가 지켜 줄 수 있을지, 그도 갇혀 있을 텐데. ……조가, 지금 조까지……."

횡설수설하던 카일이 들끓는 감정들을 가라앉히려는 듯 길게 숨을 내쉬었다. 카일은 스노우를 바라보지 않고 그에게 명령했다.

"……로타이스가 혼자 움직여서 인질을 빼 올 수 있는 군세가 아닌 것은 오늘의 전투로 잘 아실 겁니다. 일단 지금은 밤이니 날이 밝는 대로 군사들을 이끌고 쳐들어가는 게 최선입니다."

좀 전까지 당장이라도 달려갈 기세였던 카일을 흘겨본 스노우가 물었다.

"밤새도록 괜찮으시겠습니까?"

이죽거리는 말투였지만 카일에게 제대로 닿지 않았다.

"지금 가 봤자 구할 수…… 없습니다."

"……대단하십니다. 친구도, 사랑하는 사람도 죽으러 간 이 와중에도 이성적일 수 있어서."

스노우의 말에 기어이 카일의 눈에 불꽃이 튀어 올랐다.

"나를 이리 만든 건 당신들입니다!"

긴 테이블을 옆으로 내던지며 일어난 카일이 넓은 보폭으로 스노우에게 다가왔다.

"당신의 그 딸이! 내 어미가! 당신이 일궈 낸 벨로이스트가! 매 순간 내 목줄을 조이고! 나를 이런 괴물로 만들었습니다!"

울분을 터뜨리던 카일이 터지는 제 감정을 참지 못하고 뒤돌아섰다가, 다시 스노우에게 몸을 돌렸다. 커다란 두 눈은 촉촉하게 젖어 들었지만 결코 눈물이 맺히진 않았다. 어릴 때 그리 방실방실 잘 웃던 소년은 이젠 남 앞에서 울지 못하는 괴물이 되어 있었다.

"낮까지만 해도! 내게 뭐라 했습니까. 나 혼자만 친구를 잃은 것이 아니니 이성적으로 판단하라 했지 않습니까!"

카일이 고개 숙여 오른손으로 두 눈을 짓눌렀다. 다시 얼굴을 들어 올렸을 때는 실핏줄이 터져 흰자위가 붉게 변했다.

"내일은 이겨야 합니다. 반드시 이겨서 무사히 다시. 아아. 이젠 목소리도 들리지 않는데, 어떻게……. 독화살은 오늘 많이 썼을 테니 일단 무조건 진격해서……."

혼잣말을 중얼거리는 카일을 향해 스노우가 작은 목소리로 그의 말을 끊었다.

"내가 기절한 후부터 지금까지 벌써 반나절은 넘게 지났습니다. 어쩌면 이미……."

카일의 투명한 눈동자에 분노가 서렸다. 스노우의 앞으로 바싹 다가선 카일이 낮게 으르렁거렸다.

"조는, 나를 두고 가지 않습니다."

내게 돌아올 겁니다. 약속했으니까요. 스스로에게 하는 다짐처럼 말한 카일은 더는 듣지 않겠다는 듯 스노우에게서 등을 돌리고 멀어졌다.

의미 없는 회의가 아침부터 이어졌다. 군사를 돌려 로타이스를 쳐야 한다는 카일의 명령에 동의하는 장군들은 없었다. 모두 이래저래 눈치를 보며 핑계 대기에 급급했다.

"지금 군사들의 사기가 바닥인데 이대로 진격해 봤자 질 것입니다."

"군수 물자도 부족합니다."

"지금 우리 숫자로는 로타이스 요새에 있는 로테나군을 상대할 수 없습니다."

"피셔 경을 빼 올 수 있다면 좋겠지만, 인질로 잡힌 이상은 사실상 무리입니다."

그들이 하는 말은 '이성적으로' 판단했을 때는 맞는 말이었다. 다만 카일에게 이성이 얼마 남지 않았다는 것만 빼면.

"……내가 그대들의 의견을 모두 수용할 필요가 있나. 전쟁에 만장일치라는 까다로운 룰이 있는 줄은 몰랐군."

갑옷을 갖춰 입은 카일이 꽤 길어진 머리카락을 차분하게 쓸어 넘겼다. 테이블에 둘러앉은 수하들을 하나하나 눈에 담는 카일에게서 냉기가 흘러나왔다.

흠, 하고 헛기침을 한 콜린 후작이 입을 열었다. 벨시리스 장군이 죽은 뒤 콜린 후작은 비교적 얌전하게 굴었다.

"전하. 최소한 전열을 가다듬을 시간이라도 주십시오."

"지난 1년 동안 연달아 전투한 경험이 없는 것도 아니다. 한데 또 시간을 달라? 죽기를 기다리라는 말처럼 들리는군."

"필사적일수록 필승을 위해 만반의 준비를 해야 합니다."

콜린 후의 말이 틀린 것은 아니다. 오히려 그가 한 말이 더 정답에 가까웠다.

"우리가 캐럴 성에 있다는 걸 저들도 알고 있을 테고, 어제의 전투로 인해 군수 물자가 부족한 건 저쪽도 마찬가지다. 그래서 오늘 쳐야 한다는 건데, 대체 내가 몇 번이나 설명을 해야 하지?"

카일의 말에도 장군들은 서로 눈치를 보며 선뜻 찬성하지 않았다. 모두 오늘 움직이는 것에는 회의적인 반응이었다.

"……무기가 부족한 상황이야 비슷하다 해도, 우리는 군사들의 수가 한참이나 모자랍니다."

"전쟁은 숫자 싸움이 아니라고 말했잖나."

"그래도…… 이렇게 차이가 나는데 어쩌겠습니까. 당장 어제 참패를 겪은 군사들에게도 휴식이 필요합니다."

어떻게든 오늘 당장은 진격할 수 없다는 장군들의 말에 카일은 눈을 감았다. 질끈 감은 눈꺼풀 사이로 조가 피를 뒤집어쓰고 죽어 가는 모습이 보였다. 말에서 떨어지고 적들에게 둘러싸이던 오래된 친구 벤지의 모습까지도.

카일의 미간이 찌푸려지자 말을 더 얹으려던 다른 장군이 도로 입을 다물었다. 아무것도 결정되지 않은 채 계속되던 회의가 점심나절에 겨우 끝이 났다.

불만스러운 얼굴로 뒤돌아 나가는 장군들 틈새로 스노우가 카일을 바라보고 있었다.

"뭡니까."

"전하."

"……하. 몇 시간 동안 들었던 얘기를 또 하실 거라면 나가 주십시오. 스노우까지 거들지 않아도 됩니다."

"그게 아니라,"

"당장에라도 달려가고 싶은 걸 참는 걸로는 부족합니까."

"나는 다른 장군들처럼 전하의 말에 고개를 조아리지 않습니다. 전하께 충언할 뿐입니다. 이제 겨우 하루가 지났습니다. 만약 인질이 풀려났거나, 신변에 문제가 생겼다면 진작 알게 됐을 겁니다. 일단은 차분히,"

"스완넬우드 벨로이스트 공."

"……예, 카일 황자 전하."

카일은 잘 벼려진 검을 꺼내어 스노우를 겨눴다가 그대로 부드럽게 곡선을 그리며 밖을 가리켰다.

"나 역시 바보가 아닙니다. 조바심이 나는 건 사실이지만."

"그럼……."

"많은 수의 군사를 잃었지만, 스노우도 봤다시피 독화살만 뚫으면 로타이스를 공격하는 것은 큰 무리가 아닙니다. 그러니 저들이 방심한 지금이 기회입니다."

카일의 말도 아주 틀린 건 아니었다. 전투에서 승리한 직후에 가장 풀어지는 건 사실이었으니까. 입을 달싹이던 스노우가 늘어졌지만 단단한 목소리로 말했다.

"……카일 전하를 가르쳤고, 이후에도 몇 놈 더 가르쳤지요. 하지만 조가 내 마지막 제자가 될 겁니다."

뜻 모를 소리에 스노우를 바라보던 카일이 몸을 돌려 테이블 위에 놓인 커다란 지도를 바라봤다. 여기서 로타이스까지 군사를 이끌고 가면 반나절이 걸리지만, 혼자 있는 힘껏 말을 타고 달리면 3, 4시간이면 충분할 텐데. 입구를 지키는 병사들은 어떻게 뚫고 들어갔지. 로타이스에는 몰래 통하는 비밀 입구가 없을 텐데. 신에게 계시 받은 거라도 있었나. 골머리를 싸매며 고민하는 카일의 반응은 상관없다는 듯 스노우가 말을 이었다.

"조는 여태 가르쳤던 그 어떤 놈보다 강합니다. 타고난 기백과 끈기가 있고, 포기하는 법을 모릅니다. 수세에 몰려도 어떻게든 틈을 파고들고, 승리를 위해서라면 잔꾀도 부립니다. 정공법만을 파던 전하와는 많이 다르지요."

그제야 카일의 시선이 다시 스노우를 향했다. 스노우는 손을 들어 제 가슴을 두드렸다.

"내가 그 아이의 스승이라 단언할 수 있는 겁니다. 조는, 반드시 살아 있을 겁니다. 그 아이는 그렇게 약하지 않습니다."

카일이 눈을 내리깔았다.

"외조부님. ……저는, 이제 조가 없으면……."

"고백은 직접 하시고요, 우리 변태 페티시 외손주님."

애써 입꼬리를 올려 웃은 스노우가 어깨를 살짝 다독이자 굳어 있던 카일의 얼굴이 겨우 미소를 띠었다.

하지만 카일이 그 고백을 조에게 건넬 기회는 금방 오지 않았다.

여명이 돋아 오는 푸른 새벽, 매캐한 탄내가 캐럴 성 전체를 가득 채웠다. 바람을 타고 넘어온 건지 진한 탄 내음에 모두가 고개를 빼 들고 주변을 두리번거렸다. 망루에 올라가 있던 병사 하나가 지평선 너머를 가리켰지만 적들의 함정일지도 모르는 상황에서 무작정 군사를 이끌고 갈 수는 없었다. 결국 카일이 기마병 몇을 보내 동태를 살피라 일렀지만, 그들보다 강을 타고 떠내려온 작은 배의 소식이 더 빨랐다. 성 입구에서 강을 살피던 병사가 노도 없이 흘러온 나룻배를 향해 외쳤다.

"누구냐!"

뭍에 뱃머리가 걸쳐져서야 멈춘 낡은 배 안에는 오렌지색 곱슬머리의 젊은 기사가 다리에 붕대를 감은 채 곱게 뉘어져 있었다.

"……벤지 님?"

오렌지색 머리의 주근깨 기사 말고도 나룻배의 자리를 차지한 이가 있었다. 로타이스 요새를 지키던 영주 노엘의 머리가 면포에 싸인 채 나룻배 바닥을 굴러다니며 제 존재감을 표했다.

적군 수장의 머리가 여기 왜.

부하에게서 면포를 받아 열어 본 카일의 얼굴에 당혹감이 서렸다. 감지 못한 두 눈을 부릅뜬 채 으스러질 정도로 이를 악문 것으로 봐서 영주 노엘에게는 제 죽음을 마주 볼 시간도 없었던 듯했다. 무얼 노려보고 있었던 거지. 이리 갑작스럽게 죽을 만한 일이 있었나. 적군 내부에 변절자라도 있었던 건가. 수급을 벤지와 함께 실어 보낼 만한 인물이 있었는지 아무리 생각해도 모든 것이 불분명했다. 만약 벤지가 그를 죽이고 돌아온 것이라면 왜 아직 눈을 못 뜨는 거지. 그 전에 요새에서 탈출은 어떻게 한 거고. 카일은 자연스럽게 돌아오지 못한 제 연인을 떠올렸다.

수급을 누가 보냈는지도 모르는 상태에서 로타이스로 무작정 쳐들어갈 수는 없다며 신중을 기하는 장군의 수가 반, 적들의 수장이 죽은 지금이 절호의 기회라는 수가 반이었다. 오후가 넘어가고서야 동태를 살피기 위해 떠났던 기사들이 말을 타고 다급하게 돌아왔다. 그들은 모두 하나같이 입을 모아 말했다.

"로타이스 요새가 불에 타고 있었습니다."

"전하, 지금 출발해야 합니다."

아직 눈을 뜨지 못한 벤지를 놔두고, 콜린 후작에게 캐럴 성을 지키라 명한 카일은 군사들을 데리고 로타이스로 떠났다. 전해 받았던 대로 로타이스 요새를 지키던 군사들은 불길을 잠재우는 데 급급했다. 성문이 열려 있는 데다가 정신이 반쯤 나가 있는 적을 해치우는 건 그리 어려운 일이 아니었다. 게다가 성 곳곳에 적들의 시체가 널브러져 있었다. 거품을 물고 쓰러진 그들은 이미 죽은 지 몇 시간은 지난 것 같았다.

"……대체 이게 무슨……."

너무나도 간단한 정복이었다.

카일은 로타이스 요새에 걸려 있던 로테나의 국기를 내리고 란티모스 공국과 빌테온 제국의 연합군 깃발을 올렸다. 승리를 알리는 봉화를 피워 올리고 북도 울렸지만, 카일의 얼굴은 내내 굳어져 있었다. 그가 애타게 찾아 헤맨 조는 그 어디에도 보이지 않았다.

그녀만이 없었다.

목숨을 부지하고 있던 로테나의 병사 몇을 붙잡은 카일이 친히 그들을 독대했지만, 그들 역시 정확한 화재의 원인을 모르는 듯했다.

"갑자기 사람들이 픽픽 쓰러지고! 데려왔던 의사까지 모두 죽어 나가는 와중에 온갖 곳에서 불길이 피어올랐잖습니까!"

"너희 연합군에서 무슨 간교한 흑마법을 썼는지는 모르겠지만, 정정당당하지 못한 일은 반드시 죗값을 치르게 될 것이다!"

"기필코 네놈들을 죽이고,"

마지막 병사의 말까지 들을 필요는 없었다. 어차피 다 비슷한 소리만 떠들어 대니.

카일은 단칼에 셋을 베어 버렸다. 더 쓸모 있는 증언이 필요했다. 검에 묻은 피를 닦아 낸 카일은 심장에 가장 가까이 두었던 흰 천을 꺼냈다. 예전에 사냥을 나가기 전, 조가 건넸던 넝마 같은 손수건이었다.

'카일♡'

손수건을 물끄러미 내려다보던 카일은 마른 입술을 꾹 다물며 손수건을 고이 접어 다시 품에 넣었다.

어디 간 거야, 조. 살아 있어? 왜 나한테…… 돌아오지 않아?

❈ ❈ ❈

그로부터 이틀 뒤 벤지가 깨어났다.

"……으. 으윽……."

"벤지. 정신이 드나."

"……전하?"

탈골됐던 어깨를 끼워 맞춘 고통이 큰 것인지 어깨에 손을 올리고 신음을 흘리던 벤지가 겨우 기력을 짜내 카일에게 질문했다.

"여긴, 으윽…… 여긴 어딥니까."

"캐럴 성이다. 너 혼자 나룻배를 타고 여기까지 강을 따라 내려왔어."

"혼자였다니. ……조는 어디에 있습니까."

카일의 낯이 파리하게 굳어졌다.

"같이 있었던 게 아니었나."

"……보긴 했습니다만, 제가 갇혀 있는 동안 조는……."

"……조가 정말로 흑마법이라도 부린 건 아니잖아. 무슨 일이 있었던 건지 자세히 말해라. 벤지, 대체 어떻게 노엘을 죽이고 도망쳐 온 거지. 노엘을 죽인 게 너야?"

벤지가 하얗게 튼 입술을 열자 바싹 마른 입술이 찢어져 핏방울이 송골송골 맺혔다. 며칠 새 피골이 상접할 정도로 말라 버린 낯을 가로저은 벤지가 놀라운 이야기를 시작했다.

"노엘을 죽인 건, 조입니다. 혼자서 로타이스로 들어왔고, 노엘의 목을 제게 건넨 후 저를 기절시켰습니다. 그 이후는, ……모르겠습니다."

카일의 푸른 눈이 일순간 떨리는가 싶더니 빛을 잃은 것처럼 가라앉았다.

조. 나를 버리지 않겠다고 했잖아.

❖ ❖ ❖

"크로우. 너는 일단 여기 있어. 누나가 안 돌아오면 고삐 풀고 도망가라. 느슨하게 묶었으니까. ……그래도 우리 지내 온 정이 있는데 이틀은 기다려 줄 수 있지?"

알아듣지도 못할 말에게 주절거린 후 나는 크로우의 옆에 뜯어 온 풀을 가득 쌓아 두곤 두 손을 탈탈 털었다. 그러곤 옆구리에 차고 있던 검을 바닥에 내려놓았다. 이렇게 큰 검을 차고 들어가는 건 자살쇼나 다름없으니까. 누가 봐도 '저는 스파이입니다, 사람을 죽이러 왔죠.' 라고 소개하는 거잖아. 크로우 옆에 얕게 땅을 파고 검을 구덩이 안으로 집어넣었다.

"……나 초등학교 때 타임캡슐 묻을 때도 이렇게 해 놓고 못 찾았는데."

이번엔 정말 죽을지도 모른다는 생각이 들었다.

"편지나 써 볼까. 내가 무사히 돌아오면 어차피 아무도 안 볼 테니까 좀 쪽 팔린 내용 써도 되잖아."

나는 바닥에 주저앉아 크로우가 매고 있던 짐 가방을 내려 뒤적거렸다.

종이 한 장이 없네. 하긴, 누가 전쟁터 오는데 종이를 챙겨 오겠냐. 결국 또 옷에 적어 내려가야 했다. 이때를 위해 틈틈이 글공부도 더 했지. 보람차다.

"……옷 하나 버리는 짓 아닌가 싶지만, 뭐. 추억이니까."

소매 끝만 살짝 튀어나오게 해 두면 나중에 찾기도 쉽겠지. 콧노래를 부르며 편지를 쓰고 땅에 묻었다. 나만의 타임캡슐이었다.

정말로 죽을지도 모르니까, 죽는다는 각오로 반드시 살릴 거야. 주인공이고 나발이고 간에 내가 있으면 내가 주인공이지. 알 게 뭐냐고. 주먹을 말아 쥐고 길게 심호흡을 한 뒤, 입고 있는 옷을 찢어 누더기처럼 만들었다.

이 정도면 떠돌이 전쟁 난민처럼 보이려나. 로테나 새끼들 인심이 딱 우리 빌테온 제국 정도만 되길 바란다.

"괜찮아, 할 수 있어. 난 강하다. 나는 존나 강하다. 나는 왕 쎈 늙은이에게 직접 무술을 하사받은 왕 쎈 젊은이니까. 나는 강하다."

긴장되는 마음을 애써 감추며 무거운 발걸음을 옮겼다.

어제 있었던 전쟁의 여파 때문인지 로타이스 성 근처에는 아직 우리 군사들의 시체가 남아 있었다. 땅에 묻어라도 주고 싶었지만 지금 당장은 여유가 없어 할 수 없었다.

나는 반대편으로 길게 돌아가 성의 반대쪽 입구로 향했다. 살아남은 빌테온 병사처럼 보였다간 바로 화살이 날아올 테니까. 타고 올라가서 잠입하기엔 벽이 너무 높아 천생 문으로 들어가는 수밖에는 없다.

나는 요새가 보일 즈음부터 비틀대며 걸어가다가 근처까지 갔을 때 풀썩 쓰러졌다. 최대한 전쟁 난민처럼 보여야 했다. 불쌍하게 쓰러지기. 그거 하나만큼은 자신 있었다. 입구를 지키던 병사가 뛰어와 누구냐 묻는 말소리가 들렸지만 엎드린 채 대답을 하지 않았다.

"누구야. 야! 너 어디서 나타난 거야!"

"……여자인가?"

"남자 아냐?"

"몸이 상처투성이인데. 이거 봐."

찢어진 옷 사이로 드러난 흉터와 생생한 상처를 본 로테나의 병사 둘이 나를 두고 수군거리다가 툭툭 건들기 시작했다.

"남자 아니야? 확인해야 하나."

병사가 내 옷을 잡자마자 눈을 뜨고 벌떡 일어서서 상대가 옆구리에 차고 있던 칼을 뽑아 들었다. 비명 한번 내지르지 못하고 두 사람이 피를 흘리며 고꾸라졌다. 갑옷이 크게 베이지 않은 놈의 옷을 벗겨 내 옷 위에 걸쳐 입었다. 사방에 널린 게 시체니 조금 떨어진 이곳에 누가 죽어 있다 한들 크게 이상하진 않겠지. 곧 해가 질 테니 어차피 보이지도 않을 터였다.

잔인한 로테나 군사들은 시체들을 정리조차 하지 않았다. 아마도 쳐들어오는 빌테온 군사들의 기를 꺾으려는 심산이겠지.

……후회할 텐데. 네놈들 목이 떨어지면 적인지 아군인지 구별하기 힘들 테니.

로테나 병사의 갑옷을 입고 무거운 검을 옆구리에 차고 로타이스 성으로 향했다. 로타이스 요새의 주 무기가 독화살이라는 얘기는 성안에 독이 있다는 얘기겠지. 그것부터 구하자.

성문을 자연스럽게 통과한 후 최대한 자연스럽게 행동하려 노력했다. 그때 누군가 내 어깨에 팔을 둘러 왔다.

"소년병?"

"……."

대답을 하지 않고 가만히 고개만 끄덕였다. 로테나와 사용하는 단어들은 대충 비슷했지만 문장의 높낮이가 아예 달랐다. 괜히 입을 열었다간 들통날 게 뻔했다.

"너 말 못해?"

내가 대답을 하지 않고 묵묵히 노려보고만 있자 그가 씩 웃으며 내 머리를 툭 쳤다.

“꼬나보긴. 건방진 새끼. 말 못하는 거야 뭐, 그럴 수 있지. 이번 전쟁에 처음 참전한 거야?”

고개를 끄덕였다.

“오, 제법이네. 용케 살았다. 하긴, 오늘은 간단했지. 저쪽 놈들이 다 멍청했으니까. 데뷔전으로 나쁘지 않았겠는데. 너 오늘 몇 명 죽였냐.”

데뷔전? 사람이 몇 명이나 죽어 나갔는데 그걸 장난처럼 얘기하는 걸 이해할 수 없었다. 1년여간 수많은 전투에서 이기고도 몇 날 며칠을 죄책감에 떨며 신에게 기도까지 했었다.

죄송하다 해야 할지, 어쩔 수 없었다 하는 게 맞을지, 오늘 죽은 이들을 좋은 곳으로 보내 달라고 하는 게 맞는 건지. ‘적’이라는 이유로 사람을 무참히 죽이는 것에 무뎌지지 않도록 얼마나 빌었던가. 그러다 결국에는 차라리 무감해지게 해 달라고 빌었는데. 얼마 지나지 않아 몰아치는 전쟁터에서 가장 우선시되는 게 적의 고통이 아니라 나의 안전이고, 우리의 승리가 됐을 때. 그걸 문득 깨달은 새벽에 혼자 얼마나 떨었는지.

……그런데 몇 명을 죽였냐니. 이가 아드득 갈렸지만, 티 낼 수 없었다. 오늘 직접 죽인 로테나 군사만 수십이었다. 대충 한 손을 펼치자 놈이 껄껄 웃었다.

“다섯 명? 그래, 아직 어리니까. 그럴 수 있지. 그래서 그렇게 쫄아 있었구나. 이리 와. 술 한잔 해. 소년병이라곤 해도, 전쟁터까지 왔으면 어른이지.”

손목이 붙잡힌 채 질질 끌려갔다. 모닥불을 가운데 두고 둘러앉은 기사들은 그들은 오늘 낮에 있었던 전투의 승리를 축하하는 것 같았다. 모두 한 손에 술잔을 들고 기분 좋게 웃어 댔다.

“와, 진짜 시커먼 개미 떼처럼 몰려오더라고.”

“아무 데나 쏴도 아무나 맞더라.”

“처음엔 방패 때문에 당황했는데, 문을 못 여니까 결국 앞에서, 아. 생각하니까 또 웃기네. 우왕좌왕하면서 대형 흐트러지던 거 봤냐.”

갑옷을 벗은 놈들 중 하나가 일어나 우스꽝스러운 동작을 취했다. 아마 오늘 참패한 빌테온 연합군을 따라 하는 모양이었다. 다들 깔깔 웃으며 배를 잡고 넘어가기에 나도 입꼬리를 올려 웃었다. 어찌나 다들 기분이 좋으신지 갑자기 자리에 끼어든 나를 의심조차 하지 않는 분위기였다. 슬슬 내가 일어나도 이상하지 않을 만큼 취기가 오른 듯했다. 나를 잡아 온 놈도 내게 흥미를 끄고 웃긴 무용담에 귀를 기울였다. 자리에서 일어나려는 찰나, 벤지에 대한 이야기가 들려왔다.

"아까 전에 인질로 잡아 온 주황 머리 있잖아."

"아. 그 건방진 기사. 하도 시건방지게 굴길래 내가 기 좀 죽여 줬지. 본 사람 있어?"

심장이 덜컹 내려앉는 것 같았다. 누군가 함박웃음을 지으며 손을 번쩍 들었다.

"나! 내가 봤지! 너 그놈 양손을 묶어선 말고삐에 연결시키고 말 궁둥이를 발로 찼잖아. 질질 끌려다니는 게 볼만하던데!"

모두 웃음이 터졌다. 나도 입을 벌렸다. 눈물이 터지려는 걸 꾹 눌러 참고 겨우 입꼬리를 올렸다.

"처음엔 조금 달리다가 속도를 못 따라가니까 결국 자빠지고! 하하하. 온 흙바닥을 다 쓸고 다니더라고. 그거 잉게트만, 네가 한 거였어? 난 누가 그런 깜찍한 짓을 했나 했어."

"그 얼굴 다들 봤어야 했는데. 노엘 님이 보셨으면 나한테 포상금이라도 줬을 거라고."

잉게트만이 술잔을 내려놓고 두 눈을 질끈 감더니 어푸푸푸 소리를 내며 고개를 절레절레 흔들었다. 그리고 고통스러운 얼굴로 두 손을 앞으로 내밀어 온몸을 떨어 댔다. 말에 끌려다니던 벤지가 떠올라 온몸에 소름이 끼쳐 왔다.

"짐승 새끼들 우리 옆에 던져뒀는데 정신도 못 차리더라고! 크하하!"

"죽어 나가던 놈들 표정도 진짜 웃겼다고. 독화살에 눈알이 뚫린 놈 봤어? 눈 깜빡일 때마다 화살이 이렇게 움직였잖아!"

왼팔을 앞으로 곧게 뻗어 위아래로 뻣뻣하게 흔들자 다른 놈들이 낄낄거리며 웃어 댔다. 나는 떨리는 손을 감추려 팔짱을 끼고 한참 미소를 짓다가 자리에서 일어섰다.

너희만큼은 반드시 내 손으로 죽일 거다. 편하게 죽진 못하게 해 주마.

당장이라도 모두 죽이고 싶었지만 사방에 깔린 적을 나 혼자 힘으로 모조리 처치하고 벤지를 무사히 빼 오는 건 현실적으로 불가능했다.

술자리에서 빠진 나는 커다란 수레에 가득 실린 무기를 끌고 사라지는 말단 병사의 뒤를 따라갔다.

"……뭐야, 너."

나는 말없이 미소 지으며 수레를 끌었다.

"말 못해? 내 동생도 그런데……. 도와주는 거면 고맙네. 하여간 이겼다 하면 다들 술 처먹느라 바빠서 뒷정리라곤 안 해요. ……아, 참. 방금 그건 기사님들한테 비밀이야. 알았지?"

나는 고개를 끄덕이며 싱긋 웃었다. 응, 비밀로 할게. 어차피 알기도 전에 다 죽을 텐데.

이후 무기고 안으로 들어가 엉망이 된 무기들을 하나하나 정리했다.

"그거 조심해! 화살촉에 독이 있어서 스쳐서 상처 나면 바로 죽는다고."

나는 화살이 가득 담긴 통을 옆으로 옮기며 걱정 말라는 듯 손을 뒤흔들었다.

"말도 못하면서 여기까지 와서 고생이네. 돈 벌려고 온 거야? 아니면 너도 부모가 없어? 나도 그래."

재잘재잘 떠드는 놈을 등진 채 나는 화살을 정리했다. 그러면서 옷소매를 빼내 상처가 나지 않도록 손바닥을 감싸 화살촉을 뽑아 챙겼다.

"오늘 전투에서 이겨서 진짜 다행이야. 안 그랬으면 로테나는 끝장이라고, 그치? ……화살 대충 정리했으면 나가자. 난 무기고에서 피 냄새가 너무 많이 나서 싫더라. 근데 너 못 보던 얼굴이다? 어디 출신이야?"

숙이고 있던 허리를 세우고 문을 바라봤다. 굳게 닫혀 있었다.

"……마구간."

"뭐? 어? 너 말할 수 있, 읍!"

놈의 목 한가운데로 화살촉을 실험 삼아 던졌다. 목과 쇄골이 만나는 가운데 움푹 팬 곳에 화살촉이 박힌 놈은 짧은 신음을 흘리다가 바닥으로 쓰러졌다. 터져 나오는 피를 막으려는 듯 두 손을 올려 상처를 움켜쥐었지만 그것보다 독이 퍼지는 속도가 더 빨랐다.

"끄, 으, ……침, 침입……."

목을 꿰뚫은 덕인지 말 한마디 제대로 하지 못하고 놈은 바닥을 절절 기었다. 문으로 향하는 놈의 뒷덜미를 밟아 체중을 실었다. 꿈틀대던 놈이 얼마 가지 않아 그대로 죽어 버렸다.

"……15초."

급소를 공격한 경우에만 이 정도 속도인 건지, 살짝 스쳐도 15초인지, 독을 탄 물을 마시게 되면 얼마나 걸리는지 궁금한 게 많았다. 어차피 곧 알게 되겠지만. 이런 생각을 다 하게 되다니. 전쟁이 사람을 이렇게 변화시키는 거구나. 이제 지켜보는 사람도 없으니 화살촉을 많이 빼내서 주머니 곳곳에 챙겼다. 많을수록 좋겠지.

"저 병은 독인가."

희석하지 않은 독인지 주먹만 한 크기의 병이 여러 개 찬장에 진열되어 있었다. 닥치는 대로 챙기자. 다다익선이니까.

죽은 놈을 질질 끌어 구석에 숨겨 놓고 무기고에서 조심스레 빠져나왔다. 공용 수통과 술을 보관하는 곳에 들어가자 턱수염을 기른 놈이 꾸벅꾸벅 졸고 있었다.

"어…… 뭐야. 나 안 잤어! 술은 알아서 가져가고 난, 아야! 뭐야!"

"아이고. 죄송해요. 베이셨어요?"

"……너 말투가,"

"쉿."

덩치 큰 놈의 명치를 주먹으로 힘껏 후려친 뒤 가운데 급소를 발로 차 쓰러뜨렸다. 비명이 터지려는 놈의 머리채를 잡아 바닥에 내리꽂았다. 엎어진 놈이 소리를 지르려는 듯 입을 벌리는 순간, 놈의 등 위로 올라타 벌어진 입새로 수건을 밀어 넣고 있는 힘껏 뒤로 당겼다. 활어처럼 펄떡대며 놈이 계속해서 발버둥 쳤다.

"으으읍! 으브! 으그그!"

"10, 11, 12, 13."

"으읍!"

"……23, 24, 25."

움직임이 멎었다.

"25초."

스치면 25초구나. 너무 길다. 그럴 바에야 바로 죽이는 게 더 낫겠어.

술이 가득 들어 있는 오크통과 술병들, 공용 수통에 독을 모두 쏟아부은 후 술병을 하나 챙겨 들었다.

밖은 아직도 술자리가 한창이었다. 술 창고에서 나오는 순간 로테나 군사들이 우르르 들어가 오크통과 물을 챙겨 들고 나왔다. 금방 다 죽겠네.

조금 더 서둘러야 했다. 성 곳곳에 내가 직접 죽인 놈들이 있으니 들키는 건 금방이었다. 성 외곽을 돌며 횃불 근처에 놓인 기름을 툭 쳐서 바닥에 쏟기도 하고, 아예 줄줄 흘리며 다니기도 했다. 밤이라 다행이다. 아무도 어린 병사가 무슨 짓을 하는지 관심이 없어 보였다. 그때, 누군가 내 어깨를 붙잡았다.

"야!"

아까 맨 처음 내게 말을 걸었던 놈이었다. 뭐 하는 짓이냐고 물을까 봐 순간 간이 쪼그라들었지만 정작 놈의 입에서 나온 말은 다른 주제였다.

"너…… 여자 맞지?"

곧바로 내 엉덩이를 만지작거리던 놈이 누런 이를 보이며 웃었다.

"그럴 줄 알았어. ……노엘 님한테 가자."

노엘은 로타이스 요새를 지키는 로테나의 영주라고 들었는데. 그놈한테 내가 왜. 팔을 뿌리치려 몸을 흔들자 놈이 내 옆구리를 주먹으로 휘갈겼다.

"얌전히 따라와."

시간이 얼마나 지났지. 노엘이 얼마나 대단한 작자인지는 모르지만 사람들이 술을 마시고 죽어 나가면 이상한 걸 알아챌 텐데. 그 전에 벤지를 빼 와서 도망쳐야 했다.

지나는 길목마다 사람이 많아서 이놈을 죽일 수도 없었다. 하나를 죽여서 소란스러워지면 나까지 붙잡히게 될 테니까.

로타이스 성의 3층까지 끌려 올라가자 노엘의 방 문 앞을 지키는 기사가 내 뒷덜미를 잡은 놈에게 말을 걸었다.

"뭐야, 그건."

"말 못하는 소년병인데, 여자야. 노엘 님한테 인사라도 시켜 주려고 왔지, 좋은 맘으로."

킬킬 웃은 놈이 내가 들고 있던 술을 뺏어 들었다.

"안에 들어가면 어차피 술 있으니까 걱정 말고, 들어가 봐."

술병을 짤랑이며 두 사람이 이죽거렸다.

"맬티움. 이건 우리가 마시자."

"좋아. 짜식, 멋진 선물을 챙겨 왔는데."

내 등을 밀며 나를 노엘의 방으로 집어넣은 놈들이 술병을 열었다. 열린 문 안에는 백발의 중늙은이가 앉아 있었다.

"……넌 뭐냐."

"……."

내가 대답을 하지 않고 그를 바라보자 아직 닫히지 않은 문 너머에서 밖에서 있는 놈들의 목소리가 들렸다.

"노엘 님을 위해 데려왔습니다!"

노엘의 기름진 얼굴에 미소가 번졌다. 역겨워 돌아가시겠네. 네놈들 전부 사지 멀쩡하게 저승길 건너는 일은 없을 거다.

노엘이 손을 팔랑이며 내게 가까이 오라 명령했다.

"이리 와 봐."

밖에서 술병을 열었으니까 지금쯤 마셨겠지. 나는 고개를 도리도리 저었다.

"갑옷을 입고 있는 걸 보니 소년병으로 입대한 모양이네. 머리는 직접 잘랐나."

백발 머리를 쓸어 넘긴 노엘이 부드럽게 말하던 목소리를 갑자기 차갑게 굳혔다.

"여태 살아남은 게 용하지만 너 같은 계집애가 전쟁터에서 할 수 있는 일이라고 해 봐야 고작해야."

그때 밖에서 쿵! 하는 소리가 들렸다. 노엘이 자리에서 벌떡 일어서는 순간 나는 놀란 척 벽으로 바짝 붙어 섰다. 굳게 닫혀 있던 문이 반쯤 열리며 문 앞을 지키던 기사가 파랗게 질린 얼굴로 파들파들 떨었다.

"노, 노엘 님…… 독……."

"뭐? 독이라니, 그게 무슨, 윽!"

시야에서 벗어난 틈에 빠르게 노엘의 뒤로 접근해 독을 바른 단도를 그의 목덜미 아래에 꽂아 넣으며 대신 답했다.

"이거."

밖에 서 있던 놈은 말을 끝맺지도 못하고 까무룩 죽었으니 친절한 내가 답해 줘야지.

전쟁터에서 굴러먹던 장수라 그런지 한 방에 쓰러지진 않았다. 노엘이 몸을 휘청거리다 내 쪽으로 돌렸다. 단도가 몸에 박히고도 그의 두 눈은 형형하게 빛났다.

"이……."

"피 나와, 입 닥쳐."

그의 악문 입 사이로 피가 주룩 흘러내렸다. 비틀대던 노엘이 옆구리에 차고 있는 검을 간신히 뽑아 들고 내게 달려들었다.

긴 검이 있었으면 단박에 가슴에 꽂아 넣었을 텐데. 노엘의 방에 끌려 들어오느라 눈에 띄는 검을 챙길 수가 없었다. 내 손에는 단 한 자루도 검이 없었다. 화살촉을 맨손으로 쥘 수도 없고. 나는 테이블을 발로 차 노엘의 앞으로 넘어뜨렸다.

"몹쓸 계집이,"

"말할 힘이 남아 있나 보네."

독으로 사람들을 죽일 때 자기가 죽을 생각은 한 번도 안 했나 봐. 비꼬는 말에 노엘이 긴 검을 내 머리에 겨냥하고 큰 궤도로 휘둘렀다. 간신히 피하긴 했지만 내 앞머리가 잘려 나갔다.

……땀인가. 이마에서부터 흐르는 땀을 닦아 내자 피가 그대로 묻어 나왔다.

짬밥은 무시할 게 못 되네. 독이 온몸으로 퍼지는 중인데도 이 정도라니. 그때, 밖에서 비명 소리가 들리기 시작했다. 술이나 물을 마신 놈들이 하나둘씩 쓰러지는 중인 듯했다.

"……무, 무슨 짓을 한…… 거냐."

"계집애가 전쟁터에서 할 만한 일을 했지."

"……무슨, 쿨럭!"

"몰살."

내가 친절히 답해 주는 사이 노엘이 칼을 마구잡이로 휘두르며 테이블을 발로 차고 달려들었다. 도망가는 거 하나는 이골이 났다. 저쪽 벽에 검이 하나 더 걸려 있으니까 저거만 잡으면……. 벽에 걸린 검에 손이 닿으려는 순간, 노엘의 입에서 분수처럼 피가 터져 나왔다. 누런 두 눈을 희번덕거리며 부릅뜬 노엘이 앞으로 쓰러지는 순간, 벽의 검을 빼 들었다. 검을 손에 쥐자마자 왼발에 체중을 실어 허리를 꺾으며 힘껏 팔을 휘둘렀다. 노엘의 큰 머리가 단번에 뎅강 떨어졌다. 그의 육중한 몸이 쿵 소리를 내며 바닥으로 쓰러졌다.

"헉…… 으헉, 15초 더럽게 기네."

눈도 감지 못한 채 굴러다니는 노엘의 머리를 두고 갈까 싶었지만, 이걸 안 들고 가면 또 조가 죽였을 리 없네, 어쩌고저쩌고 떠들 모양이 눈에 선했다. 카일과 스노우의 안목이 틀리지 않았다는 걸 증명하려면 적군 수장의 수급 정도는 있어야지. 면포에 고이 싸서 꽁꽁 묶어 보자기에 넣고 어깨에 둘러맸다.

문밖으로 나서 보니 쓰러졌던 병사 둘 역시 피를 토하며 죽은 뒤였다. 그때 계단 아래에서 목소리가 들려왔다.

"노엘 님에게 알려!"

상황이 다급해지자 벽 옆에 걸려 있던 횃불을 들고 맬티움과 내 엉덩이를 만진 놈에게 갖다 댔다. 시체에 불이 화르륵 붙더니 불길은 금세 바닥에 떨어진 기름을 따라 복도 전체로 퍼지기 시작했다. 이곳까지 끌려오는 와중에도 기름을 흘려 놓은 덕분에 불은 더욱 빠르게 번졌다.

"불! 불이야!"

조금 전 계단 아래의 그놈이 뛰어 내려가는 소리가 들리자마자 반대쪽으로 뛰었다. 원통형으로 생긴 성이니까 반대로 뛰어도 길은 나오겠지. 어쨌든 아래로 내려가서 마구간 옆에 있다는 벤지를 구하기만 하면 돼.

수건으로 코와 입을 막고 빠르게 내려가는데 바닥에 쓰러진 놈 중 하나가 활과 화살을 들고 있었다. 활은 검만큼 익숙하진 않았지만 어쨌든 쏠 순 있었다. 온 바닥이 기름이니까 아무렇게나 쏴도 돼.

아무 데나 쏴도 아무나 맞아 죽는 거, 너희도 겪게 해 줄게.

창문을 활짝 연 나는 활촉에 불을 붙여 밖을 향해 쏘고, 내가 지나온 길의 복도에도 쏴서 불을 퍼뜨렸다. 1층까지 내려가자 이미 죽어 있는 병사들의 시체가 지천에 깔려 있었다. 정신없이 뛰는 병사 하나를 잡고 외쳤다.

"뭐 해! 인질부터 챙겨!"

갑자기 일어난 사태에 정신을 차리지 못한 멍청한 병사가 아, 맞아! 하며 방향을 바꿔 그쪽으로 뛰어갔다. 달리는 와중에도 불길은 점점 번져 가 어느새 낮처럼 환해진 뒤였다. 덕분에 죽어 나자빠진 병사들 사이로 헐레벌떡 뛰어가는 병사의 모습이 지나칠 정도로 선명히 시야에 들어왔다.

그놈의 뒤를 따라가자 묶인 채로 마구 날뛰고 있는 여러 마리의 말들과 그 옆, 임시로 만들어 놓은 감옥에 갇힌 벤지가 보였다.

"열쇠는 챙겨 왔어?"

뒤돌아보며 묻는 놈의 말에 답하는 대신 옆구리에서 칼을 빼내 그대로 베자 놈은 뭐라 대답할 틈도 없이 쓰러졌다. 열쇠 같은 소리 하네. 그거 찾을 시간에 부수면 되지. 나는 긴 검을 들고 감옥 앞으로 가서 그대로 자물쇠를 내려쳤다. 힘이 부족했는지 한 번에 부서지진 않았다.

"……쌰."

"쿨럭, 나를…… 어디로, 데려가려는……."

"집에 가야죠, 벤지."

진흙 바닥에 쓰러져 있던 벤지가 쇠끼리 부딪치는 소리에 기침을 하며 깼다가 내 대답을 듣고 눈을 동그랗게 떴다. 하늘을 불태울 듯 타오르는 불길을 등지고 선 채 나는 검을 들어 올려 다시 한 번 있는 힘껏 내려쳤다. 깡— 하는 소리와 함께 자물쇠가 떨어져 나갔다. 문을 열어젖히자 벤지가 나를 올려다보며 멍청한 눈으로 내 이름을 불렀다.

"……조."

"걸을 수 있어요?"

"너는 대체……."

"감상은 나중에 하고, 걸을 수 있냐고요."

고개를 도리도리 젓는 벤지의 어깨를 붙잡고 겨우 끙끙거리며 데리고 나왔다. 하늘이 도왔는지 적당히 부는 바람 덕에 불길이 사그라들 새 없이 더 강하게만 불타올랐다. 온 성을 집어삼킬 것처럼.

……방금 내가 하늘이 돕는다고 했냐. 취소다. 이렇게까지 타면 우리가 나갈 만한 길이 없잖아.

"벤지. 말 탈 수 있어요?"

"……다리를 다쳐서 말을 몰 순 없어. 올라탈 수야 있겠지만."

"정말 깜찍해 죽겠네. 알았어, 기다려요."

묶여 있는 줄을 모조리 풀어 말들을 성 중앙 방향으로 몰았다. 십수 마리가 떼 지어 우르르 달리자 비명 소리가 더 크게 들려왔다.

"으아악! 악! 누가 좀, 잡! 아악!"

"말한테 불이 붙었어!"

"물! 물을 가져와!"

"불이 안 꺼져, 끄아악! 살려 주세요!"

"노엘 님은 어딜 가신, 악! 내 쪽으로 오지 마!"

넘실거리는 불의 그림자를 따라 벤지의 얼굴이 붉게 변했다. 나를 돌아보는 벤지의 얼굴이 놀라움으로 물들었다.

"조, 뭘 하고 온 거야……. 아니, 애초에 어떻게 들어온,"

"약해 보이니까 아무도 신경 안 쓰더라고요. 자, 이제 잡담 그만."

보내지 않고 붙잡아 놓았던 말 한 마리에 먼저 올라탄 뒤 아래에 서 있는 벤지에게 손을 내밀었다.

"집으로 갑시다, 벤지."

"……응."

내 손을 잡은 벤지가 고통 어린 신음을 흘리며 겨우 내 뒤에 올라탔다.

"자세 잡았어요?"

"응."

"내 허리 잡고요. 나가는 길 어딘지 알아요?"

"정문은 저쪽."

"내가 달려오면서 불을 내서 그쪽으론 못 나가요."

"하지만 뒤로 나가면 강밖에 없어."

"잘됐네."

말 머리를 돌리는 순간 뒤에서 가래 끓는 소리가 우리를 붙잡았다.

"거기 서!"

아까 술자리에서 벤지에게 모욕을 줬던 놈들 중 하나였다. 이름이 잉게트만이었나.

"인질을 데리고 어디로 가는 거냐! 너, 연합군이지!"

"이제 알았냐, 쪼다 새끼야."

반쯤 타 버려 너덜거리는 옷을 입고 내 쪽으로 오던 잉게트만이 검을 빼 들었다.

"정정당당하게 결판을 내자! 그럼 네가 그 인질을 빼돌린 것도,"

나는 기다릴 것 없이 곧장 활을 빼 놈의 이마 한가운데를 쏴 맞혔다.

"바빠 죽겠는데 뭐라는 거야."

방해꾼이 사라지자 다시 고삐를 고쳐 쥐고 로타이스 성 후문으로 달렸다. 그때쯤 눈치를 챈 건지 우리를 쫓아오는 군사들의 발소리가 들려오기 시작했다. 더 빨리 움직였어야 했어. 노엘의 방에 잡혀 들어간 게 생각보다 시간 지체가 길었다.

"벤지. 고삐 잡아요. 후문 쪽으로 방향만 잡으면 돼요. 어차피 얘도 살아 보겠다고 뛰고 있으니까. 똑바로 허리만 세우고. 아파도 참아요."

"알았어."

말 위에서 몸을 돌려 벤지를 끌어안다시피 하자, 벤지의 가슴팍이 움찔 떨리는 게 느껴졌다. 다리로 벤지의 허리를 감아 떨어지지 않으려 중심을 잡고 몸을 옆으로 조금 기울여 활시위를 당겼다. 말을 타고 따라오는 기마병 말고, 말의 목을 꿰뚫었다. 풀썩 다리가 꺾이며 쓰러지는 말 위에서 떨어진 기마병이 그대로 바닥으로 구르자, 뒤에서 쫓아오던 다른 놈도 연달아 넘어졌다. 달리는 말에서 활을 쏘는 건 쉬운 일이 아니었다. 몇 개는 땅으로 꽂히기도 했다. 쫓아오는 쪽에서 짜증 섞인 고함이 들렸다.

"왜 활촉이 없냐고!"

내가 챙긴 걸 제외하고는 무기고에 있는 화살들의 활촉을 모조리 빼놓은 덕분에 적들은 나무 막대만 쏴야 했다. 놈들이 화내는 걸 보니 속이 시원했다.

"내가 뺐다, 이 새끼들아. 하하하!"

겨우 한 번 더 명중시키고 거리를 벌렸지만 벤지와 나 둘 다 무사히 도망치는 건 불가능해 보였다. 강가에 도착한 후, 빠르게 말에서 내려 벤지를 끌어 내렸다. 움직일 때마다 이는 통증에 벤지가 이를 악물고 신음을 참았다.

"이제 진짜 다 됐어요. 거의 다 왔어요. 조금만 더 참아요."

강가에 놓여 있는 낡은 나룻배 안으로 벤지를 밀어 넣었다. 첨벙대며 강물 속으로 들어가 뱃머리를 끌어당기고, 다시 강가 모래로 가서 배의 후미를 밀어내기만 하자 벤지가 손을 뻗어 나를 붙잡았다.

"왜 나만 타! 너는!"

"일단 먼저 가요! 나중에 따라갈 테니까!"

"배는 이거 하나뿐이고, 정문은 막혔잖아. 혼자서 어떻게 돌아올 건데!"

"에이씨, 말 더럽게 많네! 이거나 챙겨 가요!"

등에 매고 있던 보자기를 배 안으로 집어 던졌다.

"이게 뭔데."

"노엘의 목."

"뭐?"

아연실색하던 벤지의 표정이 갑자기 경직됐다. 어느새 다 따라잡혔는지 적들의 발소리가 가까이에서 들려왔다.

"일단 먼저 가요!"

"하지만,"

검의 손잡이로 벤지의 뒷목을 있는 힘을 다해 후려치자, 약해져 있던 벤지가 그대로 뒤로 쓰러졌다. 강이 흐르는 방향대로만 가면 캐럴 성까지는 무사히 갈 수 있을 거야.

뒤를 돌아보자 성이 활활 불타고 있었다. 몸을 숨기기 위해 물속에 잠긴 채로 머리만 살짝 빼고 활을 수평으로 들어 활시위를 조용히 당겼다. 물살이 세지 않아 말 위에서 쏘는 것보다 안정적이었다.

할 수 있어, 난 할 수 있어.

마침내 내 손에서 활이 떠나갔다. 눈 깜짝할 새 날아간 화살에 쫓아오던 병사 중 하나가 앞으로 고꾸라졌다.

"뭐야! 어디서 날아온 거야!"

"그 인질은 어디 갔어!"

"저기 나룻배 하나 지나가잖아!"

배를 잡으러 가게 둘 것 같냐.

한 발 더.

이번엔 목을 뚫었다. 맥없이 적이 쓰러지자 그 옆에 있던 놈이 검을 들고 마구잡이로 휘둘렀다.

"나와! 나오라고! 귀신인지 사람인지, 나와서 결판을 보자고!"

내가 미쳤냐. 쪽수 딸리는 싸움에 정정당당하게 덤비게. 그다음으로 쏜 건 다른 놈 다리였는데, 활 맞은 놈이 난리를 치며 휘두르는 눈먼 검에 옆에 서 있던 놈의 목이 그대로 떨어져 내렸다. 너희 왜 팀 킬을 하고 그러니.

"뭐 하는 짓이야, 인마! 록튼이 죽었잖아!"

"모, 몰라……. 귀신에라도 홀린 거 같아. 어디서 쏘는질 모르겠다고!"

그나저나 나 검보다 활에 더 소질 있는 거 같은데.

또다시 화살을 잡으려 등 뒤로 손을 돌렸지만 허공을 휘저을 뿐이었다. 물살에 쓸려 갔는지 남은 건 딱 한 발뿐이었다. ……어쩌지. 어디를 쏴야 효율적이지.

"당장 안 나오면 그 오렌지색 머리 놈도, 네놈들의 그 황자도 잡아서 까마귀 먹이로."

쓸데없이 고민이 길었지, 내가.

곧바로 내 손아귀를 벗어난 화살이 후문을 고정시키는 줄을 끊었다. 저기까지 저렇게 잘 날아갈 줄도 몰랐고, 이렇게 명중률이 좋을 줄은 더더욱 몰랐다. 후문이 쿠구궁 소리를 내며 내려앉아 퇴로를 막자 놈들이 우왕좌왕대며 허공에 소리를 질렀다.

"뭐야! 뭐냐고! 문 좀 당겨 봐!"

"안 되잖아! 시리즌, 야! 뭘 보고 있는 거야!"

놈들 중 하나가 버럭 소리를 지르자, 멍하니 뒤쪽을 돌아보고 서 있던 시리즌이 뻣뻣하게 굳은 입을 힘겹게 열었다.

"……괴물이…… 오고 있어."

"뭐?"

시리즌의 손가락이 가리키는 끝에는 물에서 천천히 걸어 나오는 내가 있었다.

"셋이구나."

나는 주머니에 들어 있던 활촉을 꺼내 그들을 향해 힘껏 던졌다. 어두운 밤이라 제대로 막지 못한 놈들 중 하나가 눈을 감싸 쥐었다.

"으아악! 내 눈! 눈에! 악!"

피를 줄줄 흘려 대던 놈이 몇 초 뒤 고목처럼 바닥으로 쓰러졌다.

"이제 둘이네."

"으, 으아악! 살려 주세요! 문 열어! 거기 누구 없어! 후문! 후문 쪽으로 와! 여기 귀신이 있어! 도와줘!"

그래. 기꺼이 너희들의 귀신이 되어 줄게.

❖ ❖ ❖

카일은 수색조를 보내 로타이스 성 근처를 샅샅이 뒤졌다. 조가 발을 디뎠을 법한 모든 곳과 그녀가 혹시라도 스쳤을지 모르는 근처의 민가까지.

수색조를 보냈던 처음엔 장군 몇 명이 대체 왜 말단 졸병의 안위를 확인해야 하냐며 군소리를 해 댔다. 하지만 깨어난 벤지의 입에서 죽은 노엘의 목을 따 바친 사람이 조라는 게 확인되는 순간 모두 조용히 카일의 뜻을 따라야 했다. 전쟁의 중요한 전환점이 될 수도 있는 거점 로타이스를 혼자 힘으로 잠입하여 쑥대밭을 만들어 놓고, 귀족인 인질까지 무사히 탈출시킨 건 사실상 기적에 가까운 공적이었다. 당장 작위를 줘도 부족하지 않을 정도의.

"전하! 조의 흔적을 찾았습니다."

요새와 조금 떨어진 곳의 오래된 고목 아래에 깊이 팬 말의 발자국이 발견되고, 아마도 말이 먹었을 것이 분명한 풀이 흩어져 있었다. 적군 로테나의 기사가 도망친 자국이라기엔 굳이 로타이스 성 바깥에 말을 매어 둘 이유가 없었다.

불에 탄 재가 휘날리는 벌판 한가운데 서 있던 카일은 천천히 고개를 들고는 그곳으로 향했다. 조가 사라진 이후로 카일의 말수가 확 줄었다. 죽지 않았다는 확신이 반드시 필요했다. 스노우가 찾아와 조는 쉽게 죽을 애가 아니라 계속 말하긴 했지만 그녀가 사라진 후로 한 번도 편히 잠든 적이 없었다.

살아 있다면, 왜 안 돌아오는 건데. 혹 적군의 손에 죽기라도 한 건지. 아님 강에 수장이라도 된 건 아닌지. 그도 아니라면, 네가 목을 베어 바친 노엘처럼 너도 잡혀서……. 아니야. 그럴 리 없지. 강한 네가 그렇게 쉽게 날 떠날 리 없잖아. 카일은 입술을 일자로 굳게 다물며 고개를 가로저었다.

톰이 찾아낸 커다란 나무 그늘 아래에는 말 발자국이 아직 선명하게 남아 있었다. 말이 뜯어 먹던 여물 역시.

"저건…… 뭐냐."

하얀 천이 나무뿌리 부분에 보일 듯 말 듯 묻혀 있었다. 가까이 다가간 톰이 흰 천을 손가락 끝으로 잡아 올리자 소매가 주욱 올라왔다. 사람의 옷이었다.

혹시 누가 조를 묻어 놓고, 여기 묶여 있던 말을 타고 도망친 거면……?

톰의 얼굴이 하얗게 질렸다. 순간, 카일이 손을 들어 그를 막았다.

"잠깐."

질질 끌듯 발을 움직여 다가온 카일이 톰의 어깨를 밀었다.

"……내가 하겠다."

"전하, 그래도 전하의 손으로 직접 흙을 파헤칠 수는 없으니 제가,"

"……내가, 한다고 했다. 모두 물러나. 아무도 보지 마라."

카일 역시 조의 죽음을 생각한 건지 목소리가 덜덜 떨려 왔다. 밀려난 톰이 뒤에 서 있던 나머지 수색조들과 함께 카일에게서 멀어졌다. 흙바닥에 얕게 묻힌 하얀 소맷자락을 보는 순간 카일은 심장이 덜컹 내려앉는 느낌에 눈을 깜빡이지도 못했다.

"……조."

그녀의 이름을 불렀지만 대답은 돌아오지 않았다. 카일은 바들바들 떨며 손가락을 흙 사이로 밀어 넣어 조심스럽게 파냈다. 조의 신체 일부라도 나온다면 견뎌 낼 자신이 없었지만, 그걸 남의 손에 맡길 수도 없었다. 아래턱이 저절로 진동하듯 떨려 왔다. 자기도 모르게 벌어진 입새로 카일은 계속해서 애원했다.

"제발, ……조. 제발. 부탁이야. 제발……. 살아만 있어. 그냥, 아무것도 아니길……."

넓게 빙 둘러 흙을 파내자 하얀 옷이 모습을 드러냈다. 다행히 발견된 건 흰 옷과 아래에 깔린 검뿐이었다. 카일은 그제야 숨을 몰아쉬며 옷을 꺼내 들었다. 옷에는 글귀가 적혀 있었다.

'카일♡'

익숙한 글씨와 기호였다.

"하트……."

조용히 읊조린 카일은 옷에 묻은 흙을 털어 내고 아래에 개발새발로 적힌 글을 읽어 내려갔다.

'내가 수거할 거지만, 혹시 이걸 남이 발견한다면 내가 죽었거나 급하게 도망쳤거나 둘 중 하나예요. 물론 나는 죽어도 우리 카일의 수호천사♡'

"그딴 상황에서 잘도 이런 말을 했군."

죽음을 목전에 둔 위급한 상황에서도 특유의 장난기를 가득 담아 옷에 편지를 써 놓았을 조가 떠올랐다. 카일의 얼굴에 은은하게 번졌던 쓰라린 미소는 아래의 문장을 읽으며 점점 굳어 갔다.

'힘들 때 기대라고 해 놓고 아무 도움이 못 돼서 미안해요. 내가 카일한테 힘이 됐으면 좋겠다. 내 예쁜 섹시킹갓제너럴 카일, 혹시 내가 못 돌아가도 나 찾지 말아요.'

"왜. 내가 왜 그래야 돼. ……너를 찾는 것도, 내가 황자라서 안 되는 거야?"

옷을 쥔 채로 카일의 얼굴이 일그러졌다. 스노우가 선물한 검을 지극히 아꼈던 그녀가 이 검을 두고 갔을 리 없다. 이 예의라곤 밥 말아 먹은 황족 모욕을 가득 담은 편지 또한 아무 의미 없이 여기 두고 갔을 리 없었다. 조는 그가 발견하길 바라고 이곳에 두고 갔을 거라 카일은 확신했다. 그게 아니고서야…….

"이게 네가 나한테 하는 마지막 말이야? 찾지 말라는 게? 그게 하고 싶던 말이었어? ……정말?"

흙을 손에 쥔 카일이 어깨를 잘게 떨었다.

"날 떠나지 않는다고 했잖아, 조."

자신이 무심했다. 조와 친하다는 이유로 무시당하는 저를 보며, 조가 어떤 감정을 느끼고 있었을지 미처 헤아리지 못했다. 로타이스에서의 첫 전투가 참패한 것에 대해 얼마나 심적 부담감을 느끼고 있었는지 그런 건 생각도 못 하고…… 우둔하게 굴었다.

처음 찾아온 감정은 미안함과 죄책감이었다.

'너한테 내 옆에 있어 달라고 하고서 네 자리를 마련해 놓지도 않았네.'

그다음으로 찾아온 건 원망이었다.

'떠나지 않겠다고 한 건 너였잖아. 사랑한다고, 절대로 놓지 않을 거라며. 사람을 이렇게 길들여 놓고, 짐이 될 것 같으니 떠난다는 게 말이 돼? 어떻게 이렇게 잔인할 수가 있어. 네가 나한테 어떻게 이래.'

마지막은 자책이었다.

'……결국 네가 날 떠난 건, 내가 널 제대로 지키지 못했기 때문이겠지. 결국 내 부족함에 널 놓친 거야.'

조가 두고 간 옷과 검을 들고서 카일은 나무 그늘 아래에서 한참을 홀로 주저앉아 있었다. 자리에서 일어나지 않는 황자를 걱정한 수색조가 결국 그의 외조부인 스노우에게 가서 알리자, 얼마 지나지 않아 스노우가 숲속으로 찾아왔다. 목석처럼 굳어 있는 카일의 뒤로 다가서자, 기척을 느낀 그가 거짓말처럼 자리에서 일어섰다.

"……스노우."

"예, 전하."

카일이 천천히 뒤돌았다. 보석처럼 영롱한 푸른 눈동자가 결연한 빛으로 가라앉았다.

"조의 생사부터 확실히 밝혀야겠습니다."

"……저 역시 알고 싶지만, 이 이상 깊이 조사하게 되면 다른 귀족들의 반발이 심해질 겁니다."

"그런 것 따위 중요하지 않습니다. 애초에 조가 탈영을 하게 된 건, 군대 내 귀족 중심주의적인 사고 때문에 생긴 차별이 원인입니다. 제 한몫을 해내겠다고 홀로 적진으로 쳐들어가 수장의 수급을 가져온 자가 고작 유치한 차별 때문에 탈영을 해선 안 되지요. 능력이 뛰어난 인재니까요. 귀족들의 반발은, 제가 잡겠습니다."

카일의 입에서 줄줄 나오는 소리에 스노우가 피식 웃었다.

"핑계가 뛰어나십니다."

"거짓이 아니잖습니까. 스노우도 아까운 인재라고 몇 번이나 말씀하셨으니까요."

"……그렇지요."

스노우는 고개를 끄덕였다. 카일은 손에 들고 있는 조의 옷을 더욱 강하게 말아 쥐며 낮은 목소리로 말했다.

"반드시 찾아내서, 다신 떠날 수 없도록 내 옆에 눌러앉혀야겠습니다."

카일의 의지가 결연하자, 어색하게 웃으며 스노우가 조심스럽게 물러났다. 애가 원래 이런 성격이었던가. 묘하게 일그러졌는데.

오후부터 로타이스 성 안팎의 모든 시체를 조사했다. 불에 타 얼굴을 알아볼 수 없는 시체들은 모두 건장한 체격의 남자거나 깡마른 몸의 잡부였다. 말의 발자국 또한 쫓았지만 그것도 어느 순간 흐려져 더는 찾을 수 없었다. 길이 난 곳을 따라가 민가에 목격자가 있는지 물어보라는 명령까지 내리자 예상대로 귀족들이 참다못해 일어났다.

"대체 그 마구간 놈에게 왜 그렇게 신경을 쓰시는 겁니까, 전하!"

"공을 세웠다고는 하나 제 발로 나간 놈입니다!"

카일은 얼어붙을 듯 차가운 시선으로 말한 자들의 눈을 하나씩 노려봤다.

"조가 로타이스 성에 잠입하여 적들에게 독을 먹이고, 성에 불을 지른 후, 인질을 빼 오는 동안 자네들은 뭘 했나."

머리를 천천히 쓸어 넘긴 카일이 아래로 내리깔았던 눈을 고개와 함께 들었다.

"콜린 후, 리카르도 백. 그대들이 처음 원하던 대로 캐럴 성을 가졌고, 이제는 로타이스도 우리 손에 들어왔는데 뭐가 그리 불만이지? 조가 로테나 왕의 목이라도 가져와야 인정할 건가 보군."

"……전하, 그게 아니라."

"작게는 내 친구를 살린 은인이지만, 크게는 패전이 될 뻔했던 전쟁의 운명을 뒤바꾼 제국의 공신이다. 내가 전쟁의 총사령관이자 제국의 황자로서 그를 찾는 것이 잘못됐나."

"……아닙니다."

"귀족들이 싼 똥을 마구간 놈이 치워 줬으니, 그 공은 쳐 주어야지. 안 그래?"

날카롭게 쏴 대는 카일의 언어가 전에 없이 공격적이었다. 결국 귀족들이 고개를 숙였다.

"……예, 전하."

카일은 흡족하게 웃었다.

"이제야 말이 통하는군."

그러나 다리의 상처가 다 나은 벤지까지 조의 흔적을 찾아 국경 지대를 뱅뱅 돌았지만 어찌나 꽁꽁 숨었는지 찾기가 쉽지 않았다. 시체는 없었지만 살아 있다는 확신도 없었다. 카일은 갈수록 날카로워졌다.

"벤지."

"예, 전하."

"……내가 버려진 건가."

"아닙니다, 전하. 그게 아니라, 조도 분명 사정이 있을 겁니다."

"사랑한다고 고백했던 나를 버릴 만한 이유가, 뭐가 있을까."

"전하께 짐이 되지 않으려고 그런 거겠죠. 전하도 아시잖습니까."

그 말에 카일은 우수에 찬 얼굴로 찰랑이는 술을 내려다보며 미소 지었다.

"……이만 나가 봐."

난처한 듯 망설이는 벤지에게 대충 손을 휘휘 젓자, 결국 벤지가 꾸벅 고개를 숙인 후 방을 나갔다. 홀로 남은 카일은 조가 선물했던 작은 손수건을 품 안에서 꺼냈다. 조가 사라진 지 벌써 한 달이 지났는데 소식 하나 들을 수 없다. 카일의 하얗고 긴 손가락이 손수건 위에 적힌 조의 글씨를 따라 더듬거렸다. 이제는 많이 흐려지고 번져 글자를 알아보기 어려웠다. 하트가 그려진 곳 위를 검지로 툭툭 두드리던 카일이 낮게 가라앉은 목소리로 조용히 읊조렸다.

"내가 유약한 탓에 널 잃은 거지. 그럼 더 강해지면 네가 돌아올까."

사라지기 전에 진작 너한테 믿음을 줄 수 있었으면 좋았을 텐데. 너를 내 옆에 두기 위해서라면 난 뭐든 됐을 거야. 설령 그게 괴물이라도 말이야. 황태자 자리는 이젠 아무 상관 없는데.

나는 그냥 네가 필요해, 조. 너만 필요해.

이후로 카일은 국경 지대를 모조리 쓸어 담을 기세로 전장을 쓸고 다니며 완승을 거뒀다. 덕분에 카일이 이끄는 군사들의 기세가 하늘을 찌를 듯 높아졌다. 하지만 국경 지대를 아무리 이 잡듯 뒤져도 반년 가까이 조의 흔적을 찾을 수 없었다. 작은 목격담조차도.

결국 카일은 국경 지대 곳곳에 현상 수배를 걸기에 이르렀다. 조는 그렇게 현상 수배범이 됐다.

WANTED
이름 : 조
생김새 : 짧은 은발에
연한 황금빛 호박색 눈동자. 호감형 얼굴.
팔다리가 길고 마른 근육. 피부는 하얀 편.
특징 : 검술 및 각종 무술, 위장술,
처세술 등에 능함. 언변 특출.
현상금 : 1만 테랑
주의 사항 : ONLY ALIVE

14. 운명

"야, 맥스!"

"……."

"이봐, 맥스! 야, 이 자식아! 네 이름 부르고 있는데 왜 멍때리고 대답을 안 해!"

"……아! 나요. 네."

"란티모스군에서 용병 모집하더라. 너 저번 전투도 참전해서 돈깨나 벌었다며. 그렇게 안 보여선 꽤나 솜씨가 좋나 보지."

"하하! 네, 그렇죠. 하하!"

"오늘따라 손님이 없네. 한창 전쟁 중이라 그런가."

"그렇죠, 뭐. 이에트란도 술집 접고 도망가세요. 다들 전쟁을 피해 떠났는데 여기만 술을 팔잖아요."

"짜식아, 그러니까 돈이 모이는 거야. 근데 오늘은 정말 손님이 없군. …… 은발이 보이기만 하면 신고를 할 텐데. 걘 대체 무슨 죄를 지었길래 1만 테랑이나 걸렸지. 맥스 넌 아냐? 전쟁터에서 꽤 굴렀잖아."

"아하하핫! 잘 모르겠네요! 아, 란티모스 군대에 용병 신청하러 가 봐야겠다."

맥스라 불린 청년은 술집을 나서기 전 거울을 슬쩍 확인했다.

"아 씨, 머리 또 길었네."

밝은 은빛의 뿌리가 올라오기 전에 서둘러 검은색으로 덮어야 했다.

카일 이 미친놈은 로타이스 성 차지하면 협약 맺고 다시 빌테온으로 돌아간다고 해 놓고, 왜 안 가고 계속 국경을 쓸고 다니는지 모르겠다. 지가 불도저야, 뭐야. 전생에서 회사 잘 다니다가 환생한 이후로 마구간 일에 재미를 붙였다가, 어쩌다 보니 싸우는 일에 눈뜨고 재능을 발휘하긴 했다. 하지만 별안간 현상 수배범이라니.

모르긴 몰라도 이게 다 카일로 인해 비롯된 일이라는 확신이 들었다. 카일, 날 감방에 보낸 거로는 부족했던 거니. 인상을 찌푸리며 옷을 염색하는 약을 사 들고 여관 안으로 들어가 머리에 치덕치덕 처발랐다. 두피에 안 좋았지만 이 망할 중세 시대에서 달리 염색약을 구할 수 없었다. 은발로 다니다간 꼼짝없이 카일한테 잡혀가게 생겼으니까.

"황자인 카일에게 폐가 될까 봐 도망 나왔는데 잡혀갈 순 없지. 난 그냥 전쟁 끝날 때까지 용병이나 하면서 내가 할 수 있는 최선을 다해 전쟁을 승리로 이끄는 게 맞아."

현상 수배까지 걸린 도망자 신세지만 완전히 카일의 곁을 떠날 수도 없었다. 전투에서 계속 이기면 줄거리가 달라지는 줄 알았는데 그건 아닌 듯했다. 벤지가 로타이스 전투에서 인질로 잡혀 버렸고, 거기서 수난을 겪던 걸로 봐선 정말 곧 죽었어도 이상하지 않을 정도였다.

그러니까, 책의 원래 줄거리대로 말이야. 그럼 카일도 전투의 승패와는 관계없이 운명대로 왼팔을 잃을 수도 있다는 거잖아. 그건 안 된다고.

나는 침대에 앉아 손톱을 까드득 물어뜯다가 물에 머리를 감았다. 다시 완벽하게 검은 머리로 변했다.

"에이, 돈 열심히 벌어서 염색값으로 다 나가네."

그래도 어쩔 수 없었다. 전쟁에서 수세에 몰렸을 때 카일의 왼팔이 잘리는지, 승리한 후 방심할 때 왼팔이 잘리는지 모르기 때문에 나는 전쟁이 잦은 지역으로 가 매번 전투에 참전했다. 한 놈이라도 더 무찔러야 한다고 생각했다. 살려 보낸 놈들이 카일에게 칼을 휘두를지도 모른다고 생각하면 자다가도 울화가 치밀어 올랐다.

"무소속이 편하긴 하다. 여기 갔다가, 저기 갔다가 할 수도 있고. 아무도 신경도 안 쓰고."

어느 때에는 존이었다가, 또 언제는 데리고 다니는 말의 이름을 따 크로우라고 소개하기도 했다. 요즘은 맥스였고. 소속도 없는 용병으로 혼자 행렬의 끝자락에 끼어들었다가 전투가 시작되면 최전방에서 적들의 목을 베고 다녔다.

좋은 스승을 만나서 스파르타로 가르침을 받은 것도 사실이지만, 이 정도면 사실 재능도 있는 거지. 엄마, 아빠. 그러게 날 운동을 시켰어야지. 왜 되도 않는 공부를 시켰대.

전쟁터에선 가끔 근처에 앉은 다른 용병들이 수군대긴 했지만 아무도 말을 걸진 않았다. 오늘 얘기했던 술집의 이에트란도 오늘 처음 말을 튼 사람이었다.

……왜 아무도 나한테 말을 안 걸까. 나 그 정도로 인상이 사납나. 아닌데. 거울을 봤지만 난 역시 흑발도 소름 돋게 잘 어울리는 미인이었다. 물론 카일에는 못 미치지만.

아, 카일 보고 싶다.

"안 돼! 정신 차리자! 내 예쁜 카나리아의 행복을 위해!"

나는 뺨을 짝짝 후려치며 검을 챙겼다. 며칠 쉬었으니까 다시 전쟁터로 가야지.

마을 외곽의 용병 모집소로 향했다. 소속이 없는 용병들은 개인으로 가서 등록하면 마차가 와서 실어 갔다. 어느 마을을 가나 비슷비슷했고, 란티모스 공국 중에서도 시골인 여기에선 벌써 세 번째의 출전이었다.

이번 전투 갔다 오면 슬슬 마을 옮겨야지. 한 곳에 오래 있으면 덜미가 잡히니까. 사무실 안으로 들어가자 내 얼굴을 본 검사관의 얼굴이 환해졌다.

"용병 맥스입니다. 소속은 없어요."

"자네 왔군! 그래, 뭐. 이름, 그래. 그런 걸로 하고. 알았어. 저기 가서 대기하면 마차가 올 테니 그걸 타고 이동하면 된다."

"전 말이 있어서요."

"그럼 이걸 들고 바로 테리븐 협곡으로 가면 돼."

"……예."

대답을 하고 확인지를 받았지만 뭔가 미심쩍었다.

'이름, 그래. 그런 걸로 하고?'

그게 무슨 소리야. 내 이름이 뭐가 됐든 신경 안 쓴다는 뜻 같잖아. 크로우의 안장을 점검하며 말에 올라타는 순간 검사관이 굉장히 뿌듯한 얼굴로 사무실 밖으로 나왔다.

"자네처럼 죄를 씻기 위해 이름을 바꾸고 용병이 된 사람들이 있지."

"……뭐라고요?"

간담이 서늘했다. 내가 조라는 걸 알아챈 건가. 용병 모집소의 외벽 게시판에 붙어 있는 내 수배지가 눈에 들어왔다. 위에 다른 수배지도 겹쳐 붙어 내 초상화는 살짝 가려졌지만 특징과 현상금은 분명히 보였다. 하지만 검사관의 눈은 1만 테랑을 노리는 눈이 아니었다. 아직 내가 조인 걸 모르는 눈치였다.

"자네처럼 우리 란티모스를 향한 충성심이 높은 자들이 많았으면 좋겠어!"

"아?"

"젊은 무소속 용병이 매 전투에서 크게 활약한다는 얘긴 전해 들었어! 근데 항상 이름이 다르다지. 난 그 소문을 듣자마자 단박에 자네일 거라 생각했지."

"……왜 그게 저일 거라고 생각하세요?"

"다들 유명한 빌테온 연합군으로 지원하지, 란티모스 공국 용병으로는 잘 지원 안 하니까! 자네밖에 없거든!"

아, 제기랄. 이 짓도 못 해 먹겠네. 꼬리가 너무 길었다. 너무 눈에 띄어도 문제구나. 하지만 카일에게 해가 될지도 모를 적들을 눈앞에서 뻔히 보고도 살려서 보낼 수는 없었다. 빌테온 연합군으로 들어갈 수는 더더욱 없는 일이고. 나는 악수를 건네는 검사관의 손을 잡고 능청스럽게 활짝 웃었다.

"란티모스를 위해 힘내겠습니다!"

"그래! 자네 진짜 이름이 맥스건 아니건 우리 란티모스 공국이 이기면 장땡이지!"

나는 검사관에게 미소를 지은 뒤 출발했다. 사무실 안으로 들어가지도 않고 검사관은 손을 휘휘 저으며 나를 오래도록 배웅했다. 길어진 전쟁 탓에 인적이 드문 텅 빈 길을 걸으며 머리를 긁적였다.

"그딴 소문이 퍼졌다니……. 설마 카일이 소문을 듣는 일은 없겠지. 고작 란티모스의 용병 정도의 소문까지는……. 에이, 설마."

불안한 예감을 애써 억누르며 전쟁터로 향했다. 저 멀리 주둔지가 보일 정도까지 가까워지자 나는 품에서 검은 천을 꺼내 얼굴을 가렸다. 전투를 하다가 혹시라도 얼굴을 아는 사람을 마주칠까 싶어 전쟁터에선 검은 천으로 눈 아래를 모두 가리곤 했다.

허리 아파 죽겠네. 아무 데나 드러누워 있어야지.

크로우를 데리고 막사가 줄줄이 있는 란티모스 군대 주둔지를 걷고 있는데 두 명의 병사가 주춤거리며 다가왔다.

"……이름이……?"

"맥스."

"……지내실 막사를 따로 준비해 드릴까요? 혹시 소속이?"

갑자기 왜 그러지. 항상 소속이 없는 용병은 있어도 그만 없어도 그만인 것처럼 대했는데. 나는 의아한 얼굴로 확인지를 내밀었다. 너무 말을 많이 하는 것도 안 좋을 거라 판단했다. 하필 수배지에 적힌 특징에 '언변에 능함' 같은 게 있어서.

용병 사무실의 확인지를 받아 든 병사가 흠칫 놀라더니 꾸벅 고개를 숙이고 사라졌다. 그의 옆에 있던 병사는 먼저 도망치듯 사라지는 친구와 나를 번갈아 보더니 내게 꾸벅 인사했다.

"……감사합니다! 그, 그럼, 편히 쉬십시오!"

감사? 왜 내게 감사하다는 거지. 영문을 몰라 의문투성이였지만 중요한 건 전쟁의 승리지, 저들의 태도가 아니었다. 피곤한데 이것저것 신경 쓰기도 싫었고.

……아무래도 내가 잘못 생각한 거 같은데. 신경을 좀 써야 했나.

크로우를 타고 행렬의 맨 뒤에서 조용히 진군하고 있는데 시선이 따끔따끔 느껴졌다. 아예 말을 걸어오면 뭐라 대답이라도 할 텐데, 다들 눈이라도 마주치면 화들짝 놀라 앞을 보며 모른 척을 하니 먼저 물을 수도 없었다.

이번엔 아군의 수가 저번 전투보다 훨씬 적었다.

란티모스 공국 자체가 빌테온 제국보다 훨씬 작은 나라고, 인구수도 적으니 그럴 법하지. 근데 여기 국민들은 원래 사람을 이렇게 힐끔힐끔 쳐다보나. 궁금한 게 있으면 대놓고 물어보던가. 결국 눈칫밥을 먹다 먹다가 참지 못한 내가 먼저 다가갔다.

"저기."

"악! 죄송합니다! 안 봤습니다! 제발! 먼저 가셔도 됩니다!"

바다가 갈라지듯 앞이 갈라졌다. 왜 사람을 전염병 취급하고 난리야. 애초에 왜 존댓말을 하냐고. 인상을 찡그린 채 행렬의 중심으로 걷자 양옆으로 길이 갈라졌다. 검사관 아저씨의 말이 생각났다.

'젊은 무소속 용병이 매 전투에서 크게 활약한다는…….'

그냥 전쟁터에서 활약하는 젊은 용병을 대하는 태도가 아니잖아. 이건 뭔가 이상한데. 하지만 다들 나와 눈만 마주쳐도 설설 피하는 탓에 누굴 붙잡고 물을 수도 없었다.

벌판에서 적들과 마주치는 순간 이름 모를 어느 장군이 진격하라고 외쳤다. 그의 명령이 채 끝나기도 전에 나는 무섭게 앞으로 달려 나갔다. 전쟁터에서 근 2년 가까이 있으면서 크로우와는 호흡이 꽤 잘 맞아졌다. 잘 먹이고 키워서 그런가, 처음보다 덩치도 더 커졌고.

크로우의 등 위에서 검을 빼 들고 달려가 가차 없이 적들의 목을 벴다. 단 한 놈도 살려 보내지 않겠다는 각오를 다진 이후라 그런지 전보다 훨씬 가벼웠다. 스노우가 봤으면 박수갈채를 치며 양자로 들어오라 했겠지.

사방을 가득 채운 적들의 비명 소리 가운데 이상한 말소리가 들렸다.

"사신이야!"

"도망쳐! 으아악! 검은 사신이 있어!"

어마어마한 별명을 가진 놈이 있나 보다. 잡생각을 길게 하면 허점이 잡힐 수 있으니까 지금은 내 검에만 집중해야지.

비교적 짧은 전투가 끝난 후 로테나 군사들이 물러났다. 이긴 아군의 함성 소리가 전장을 꽉 채웠다. 전투에서 이긴 게 어지간히 기뻤는지 란티모스의 장군이 병사들에게 고기를 나눠 주며 치하했다.

안 그래도 배가 엄청 고팠기에 내 몫의 고기를 들고 구석에 가서 조용히 뜯고 있는데 근처에서 말소리가 들려왔다. 나뭇등걸에 기댄 탓에 저쪽에선 내가 보이지 않는 것 같았다.

"……사실 같은 편이지만 너무 무서웠어."

"사람이 아닌 것 같아. ……진짜 아니라는 얘기도 있어."

"눈이 마주치면 죽게 된다더라."

"아냐. 아군은 안 죽인다던데. 대신 한 번이라도 마주친 적은 살려 보내는 법이 없대."

"아까도 진짜……. 혼자 죽인 적군만으로도 벽을 세우겠던데."

"야, 하이즈 장군님 입이 귀에 걸린 거 봤냐."

"당연하지, 고작 오백 정도 되는 아군이 사상자도 없이 이기고 왔는데."

"혼자서 군대 하나 몫을 하는 거 같아. 그 사람 저주받아서라는데 사실일까."

"아무튼, 검은 사신만 있으면 우린 무적이야."

진짜 별명만큼 무시무시한 놈이네. 눈만 마주치면 모조리 죽인다니. 피도 눈물도 없는 전장의 사신이라니.

자리에서 일어나 크로우의 머리를 쓰다듬었다. 옆에서 풀을 뜯어 먹던 크로우가 꼬리를 팔랑팔랑 흔들어 댔다.

"맛있냐. 오늘 고생했어."

크로우의 머리를 쓰다듬으며 미소 짓는데 갑자기 주변이 적막에 휩싸였다.

아까까지만 해도 잘 떠들던 놈들이 왜 갑자기 조용해졌지. 고개를 돌리자 뒤편에 앉아 있던 병사들의 얼굴이 사색이 돼 있었다. 한 명은 고기를 뜯다가 바닥에 툭 떨어뜨렸다. 일시 정지 버튼이라도 눌러 놓은 것처럼 모두들 바짝 굳어 한 마디도 하지 않았다. 어색한 침묵이 몇 분간 이어졌다. 크로우가 별안간 침을 후드득 튀기며 투레질을 했다. 덩달아 연한 갈색 머리카락의 병사 하나가 히끅거리며 딸꾹질을 시작했다.

이 심상치 않은 분위기가 전하는 바는 딱 하나였다. ……설마 그 검은 사신이 나였나.

"……저기, 음, 그거 바닥에 떨어진 육포 안 먹을 거면 나 줄래?"

정말 달라는 건 아니었다. 어색한 분위기를 깨려고 아무 말이나 꺼낸 거였다. 그를 알 리 없는 갈색 머리카락의 병사가 파들파들 떨며 육포를 주워 들고 잔뜩 몸을 움츠린 채 다가왔다. 겁에 질려 발을 질질 끌면서도 착실히 가까이 다가오는 게 안쓰러울 정도였다. 무거운 분위기를 풀어야겠다는 생각에 최대한 부드러운 얼굴로 넌지시 말을 던졌다.

"눈이 파란색이네, 예쁘다."

고기를 건네던 병사는 결국 그 자리에서 뒤로 쓰러지며 기절했다. 그의 기절을 신호로 주변에 있던 다른 병사가 그릇을 내던지며 벌떡 일어나 소리를 질렀다.

"워터를 살려 내! 이 악마!"

"……지금 그거 나한테 하는 말이야?"

나 아무것도 안 했는데 왜 나한테 난리야. 정작 그놈도 호기롭게 외친 말과는 달리 제 눈을 가리고 벌벌 떨고 있었다. 옆에 있던 다른 병사가 두 눈을 질끈 감고 흙바닥에 무릎을 꿇었다.

"사, 사신님. 워터의 혼을 돌려주세요."

"나한테 하는 말이냐고."

한 놈이 무릎을 꿇자 옆에 있던 다른 사람들도 하나둘 무릎을 꿇기 시작했다.

"사신님, 저는 고향에 아내가 있습니다. 무사히 돌아가기로 약속했어요. 저,

여태 죄짓지 않고 착실히 살았습니다."

"……사, 사, 사신님. 저는 다시는 도박에 손대지 않겠습니다."

"워터, 흑, 워터를 살려 주시면…… 앞으로는 절대 술을 입에 대지 않겠습니다."

승리를 축하하던 오붓한 저녁 식사 자리는 어느새 의문의 참회로 번져 갔다.

고자에 이어 이제는 사신. 사신이요. 아까 로테나군이 후퇴할 때 사신이라며 도망치던 것도 내 얘기였다니. 좀 조용히 살자. 살벌하게 전장을 누빈 건 어느 정도 인정하기야 하겠지만 그런 별명이 붙을 정도였나. 적군들 사이에서만 사신으로 불리는 게 아니라 란티모스 기사들에게도 그 흉악한 별명이 퍼졌다는 게 더 충격이었다.

그 와중에 게거품을 물고 쓰러진 워터의 다리 사이가 축축해졌다. 아무래도 지린 것 같았다. 놀라서 까무러친 거면 찬물이라도 부어서 깨워야 하는 거 아닌가. 이러고 있을 시간이 아닌 거 같은데. 너무 진지하게 자신의 죄를 고백하며 용서를 바라는 기사들의 정수리를 보며 말했다.

"나 안 죽였어."

갑작스레 살인자로 몰린 걸 부인해 봤지만 씨알도 먹히지 않았다.

"무, 물론 사신님께서는 공명정대하시고 죄 많은 놈을 데려가시겠지만, 워터는 아직 어리니까 이번 한 번만 살려 주시면 안 될까요."

"그러니까! 그게 아니라! 아오!"

답답해 돌아 버릴 지경이었다. 그때, 크로우가 히힝 울며 앞으로 다가왔다. 워터의 발목을 밟아 찌그러뜨릴 기세라 크로우의 고삐를 잡아 뒤로 당기며 워터의 이름을 크게 불렀다.

"워터!"

삐비빅— 삣삣!

근처 나무에 앉아 있던 새가 고함 소리에 놀라 푸드덕 날아갔다. 놀라운 타이밍으로 때마침 워터가 눈을 떴다.

"어, 으으……."

정신을 차리고 내지르는 워터의 신음 소리를 들은 다른 병사들이 기꺼운 마음에, 무릎걸음으로 기어 와 워터의 팔을 잡고 뒤로 끌었다. 그 와중에도 착실하게 눈은 바닥만을 향했다. 대체 왜 나랑 눈도 안 마주치는 거냐고.

"있잖아, 나는."

뭐라 해명이라도 해 보려고 했지만 그들은 깨어난 워터를 부축하며 거듭 고개를 숙이며 사라졌다.

"감사합니다! 워터를 살려 주셔서 감사합니다! 열심히 살겠습니다! 진짜 감사합니다!!"

"……잠깐만……."

멀어지는 놈들의 뒤통수에 대고 아련하게 손을 뻗어 봤지만 아무도 뒤돌아보지 않았다.

하하. 하하하하. 됐다, 그래. 맘대로 생각해. 아무도 말 안 거니 편하긴 하다. 좋게 생각하자.

하하하. 헛웃음이 나왔다. 놈들이 내던진 음식을 주섬주섬 챙겼다. 이 근처는 다 전쟁터니까 란티모스 군대가 있는 다른 곳으로 옮기면 이 꼴을 안 보겠지. 대충 짐을 싸고 크로우를 데리고 숲길을 걸었다.

그렇게 사라지면 소문 따위야 잠잠해질 줄 알았다. 설마 그것마저 '사신님께서 잠깐 들러서 전장을 휩쓸며 승리한 후 흔적도 없이 사라졌다. 진짜로 사람이 아니었어.' 따위로 신격화될 줄은 정말 상상도 못 했다고. 란티모스 공국 놈들은 소설 쓰는 게 취미인가.

하루를 꼬박 걸어 냇가를 발견했다. 크로우가 마른 목을 축이는 동안 나도 수통에 물을 채우려 허리를 숙이는 순간 발소리가 들렸다. 순식간에 칼을 빼 뒤로 다가오는 놈의 목을 겨눴다. 란티모스의 군사가 벌벌 떨다가 칼을 떨어뜨렸다.

"사, 사, 사, 사, 사,"

"사, 뭐."

"사신님, 거, 검은 사신……."

"……차라리 진짜 사신이면 좋겠네."

그럼 억울하진 않겠지. 머리를 마구 헝클어뜨렸지만 놈의 귀에는 그것도 들리지 않는 것 같았다. 감격한 얼굴의 어린 병사가 내 앞으로 불쑥 다가왔다.

"저번 전투 때 지고, 여신님께 정말 간절히 빌었는데! 검은 사신님께서 와 주셨군요!"

"사신 아니라니까!"

"그럼 로테나 놈들의 말대로 전쟁의 악령이십니까?"

"……가지가지 한다."

한숨을 쉬며 나는 검을 다시 검집으로 넣었다.

"근처에 군대가 있나 본데 안내 좀 부탁할게. 용병 확인증은 있으니까 걱정 말고."

"……안내를 안 하면 저를 죽이시겠죠. 저 물만 마저 뜨고 가면 안 될까요."

진짜 확 그냥 죽일까 보다. 눈에 보일 정도로 두 다리를 달달 떨며 물은 뜨게 해 달라고 비는 어린 친구를 한심하단 듯 바라봤다. 짜증이 나서 머리를 벅벅 긁다 보니 뒤에 묶어 놓은 매듭이 풀려 버렸다.

얼굴을 가리던 검은 천이 흘러내리자 어린 병사가 손에 들고 있던 수통 열 개를 모두 바닥에 떨어뜨리며 바닥에 바짝 엎드렸다.

"눈, 눈 안 봤어요! 얼굴도! 안 봤어요! 진짜로! 살려 주세요!"

이 패턴 익숙하네. 내가 아니라고 해 봤자 듣지도 않겠지. 헛웃음을 터뜨리며 나는 검은 천을 주워 들어 다시 얼굴을 가렸다.

"살려 줄게. 수통에 물을 가득 채울 때까지 기다려도 주마. 대신 너희 군대로 가는 동안 네가 들은 나에 대한 소문을 다 말해."

"네, 네! 알겠습니다!"

"네 이름도."

"……이름이요?"

작은 뒤통수가 바르르 떨렸다. 되묻는 목소리에 울음기가 가득했다.

"하……. 안 죽여. 안 죽인다고. 뭐라 불러야 할지 모르겠어서 그래."

"……하지만 사신님께 이름을 불리면 죽는다고 했잖아요."

“그딴 소문은 대체 누가 내는 거야. 야. 내가 신이랑 잘 쇼부 봐서 안 죽게 해 줄 테니까 이름 대. 겁쟁이라고 부르기 전에.”

안심시키려 한 말이 효과가 있었는지 이마를 바닥에 대고 있던 병사가 슬쩍 일어섰다.

“……그거라도 괜찮아요. 어차피 다들 겁쟁이라고 부르니까…….”

설마 겁쟁이라 불리고 있을 줄이야. 하도 겁을 먹고 떨어 대기에 몇 발자국 떨어지는 중이었던 나는 머쓱해져 물리던 걸음을 멈췄다. 힘없이 일어선 소년은 터덜터덜 냇가로 걸어가 수통에 물을 채웠다.

“제 이름은 도레스인데 다들 그냥 겁쟁이라고 불러요. 이젠 익숙해져서…… 괜찮아요. 사신님도 그렇게 부르셔도 돼요.”

“……지랄하고 있네. 귀한 이름 놔두고 왜 겁쟁이라고 불러.”

어쩐지. 왜 수통을 줄줄이 들고 와서 물을 채우나 했네. 남들 몫까지 죄다 자기가 떠 주는 거였구만. 나는 도레스의 옆으로 가 그가 들고 있던 수통을 뺏어 들었다.

“뭐 하세요.”

“같이 떠야 더 빨리 갈 거 아냐. 나 피곤해.”

“……사신님, 소문과 달리 친절하시네요.”

진짜 골 아프네. 그러니까 그 소문이 대체 뭐냐고. 도레스는 주둔지로 걸어가며 내 소문에 대해 말해 줬다. 그 와중에도 필사적으로 눈을 마주치지 않으려고 앞만 보고 정직하게 걸어가는 게 보기 딱할 정도였다.

나를 부르는 별칭은 다양했다.

로테나에서는 주로 ‘전쟁의 악령’, 또는 ‘전쟁의 악몽’이라는 무시무시한 별명을 붙여 불렀고, 아군인 란티모스라고 특별히 유한 별명을 붙인 건 아니었다. 지금껏 그랬듯이 대부분 ‘검은 사신’이라 통칭하고 있으니 말이다.

“너무 오글거리잖아. 왜 그딴 별명이 붙은 거야.”

“……하지만, 사신님이 사신님이니까 사신이라 부르는 건데 그걸 왜 사신이라 하냐고 하시면,”

“너 대장금 알아?”

"아니요?!"

왠지 반가운 대사에 도레스의 어깨를 짚으며 물었지만, 칼에 찔리기라도 한 것처럼 펄쩍 뛰며 파닥거리는 도레스를 보니 앞으로는 접촉도 말아야겠다는 확신이 들었다.

그 외에도 눈을 마주치면 죽는다, 맨얼굴을 봐도 죽는다, 이름이 불리면 죽는다, 로테나 군사면 무조건 죽는다, 전쟁의 신이 보냈다, 죽음의 신이 보냈다 등등 소문의 내용은 다양했다. 이름 모를 용병으로 참전하여 전투가 끝나면 사라지며, 금세 동에 번쩍, 서에 번쩍 다른 전투에 참전하여 셀 수 없이 많은 적을 죽인다는 것까지 더해지니 누가 들어도 신이 보낸 저승사자 같았다.

사정상 한곳에 오래 있질 못해서 옮겨 다닌 건데, 그렇게 들으니 홍길동 뺨치는 신출귀몰의 귀재네. 근데 홍길동은 민중의 영웅이었는데 나는 사신이 됐네.

검은 사신이라니. 차라리 카일의 군대에 있을 때 전쟁의 신으로 불렸던 게 더 나을 정도였다. 주둔지에 가까워져 오자 도레스가 내가 들고 있던 수통을 받아 들곤 고개를 숙였다.

"수통을 기사분들께 갖다주고 올게요! 사, 사신님, 잠깐만 기다려 주세요!"

열심히 뛰어가는 도레스의 뒷모습이 안쓰러웠다. 원치도 않게 벌어진 전쟁에 참전해서 겁쟁이라고 놀림까지 받다니. 크로우를 근처 나무에 묶어 두고 도레스의 뒤를 밟았다. 어느 막사 근처까지 다다랐을 즈음, 가래 끓는 목소리가 크게 들렸다.

"물을, 썅, 한 방울씩 모아서 왔냐! 왜 이렇게 느려!"

"이 겁쟁이 새끼는 검도 하나 못 들고! 잘하는 거 하나 없고! 어!"

소리를 지르는 기사들 앞에 서 있는 도레스는 아까보다 훨씬 초라해 보였다.

"……사신님을 만나서요……. 길을 안내하라고 하셔서, 조금 늦었어요."

"사신 같은 소리 하고 있네, 새끼야. 네가 사신을 만나고 왔으면 내가 빌테온의 카일 황,"

"감히 누가 황자님의 존함을 입에 올리나."
천천히 놈들의 앞으로 모습을 드러내자 수통에 든 물을 마시던 기사가 눈을 휘둥그레 뜨고 나를 바라봤다. 이 건방진 기사 놈이 감히 누구 이름을 들먹거려. 나는 눈을 매섭게 뜨고 삐딱하게 선 채로 한쪽 다리를 건들거렸다.
'내 카나리아의 이름을 함부로 부르지 마라.' 라는 말은 속으로만 했다.
서슬 퍼런 낯빛으로 그늘에서 나타난 내 모습은 검은 사신이라는 별명에 딱 맞는 모습일 게 분명했다. 나를 본 기사 중 하나가 파드득 떨더니 앉은 자리에서 스르륵 눈을 감고 옆으로 쓰러졌다. 나는 목소리를 나직이 깔고는 또박또박 다시 물었다.
"누가 카나, 카일 황자님을 모욕했냐고 물었을 텐데."
"아……. 검은 사신이…… 어? 어라……. 진짜였어?"
도레스가 어깨를 잔뜩 올린 채 고개를 빠르게 끄덕거렸다. 순간, 긴장해 있던 덩치가 제일 큰 붉은 장발의 기사가 얼굴을 일그러뜨리며 큰 소리로 웃었다.
"흐핫핫! 거짓말이지! 옷만 비슷하게 입으면 다 검은 사신,"
그에 내가 단도를 꺼내 던지자 놈의 씻지 못해 얼기설기 엉킨 붉은 긴 머리카락이 조금 잘려 나가 뒤에 있던 나무에 꽂혔다.
"어라, 빗나갔네."
주위의 공기가 얼어붙었다.
"내가 묻잖아. 누가 황자님의 존함을 입에 올렸냐고."
몇 개의 손가락이 허공에 붕 뜨더니, 앞다투어 작은 키에 수염을 기른 병사에게로 향했다. 그의 앞으로 다가가자 그가 위협을 느꼈는지 두 눈을 질끈 감고서 주절거렸다.
"죄송합니다! 다시는 화, 황자님의 이름, 아니, 존함을, 다시는 거론하지 않겠, 컥!"
놈의 목을 틀어쥐고서 손에 한껏 힘을 주자 금세 갈색 수염의 얼굴이 붉게 물들었다.
"잘, 크헉! 잘못!"

"……카일 황자님은 너처럼 안 생겼다고. 개자식아."

내 분노 트리거를 당기다니. 으깨진 감자같이 생긴 게 사람 빡치게 하고 있어. 우리 카일의 눈은 햇볕에 반사된 지중해의 바다처럼 반짝거리고, 뽀얀 피부는 수염 자국이라곤 찾아볼 수도 없는 데다가, 오똑한 콧날은 키스할 때마다 걸리적거릴 정도고, 입꼬리가 살짝 올라간 도톰한 붉은 입술은 언제나 촉촉하다고.

반년이 넘도록 카일의 얼굴을 보지 못했지만 아직도 생생하다. 예술 작품의 감동은 오래가는 법이니까. 한데 감히 이런 놈이 카일의 이름을 올리다니. 쳐 죽일 놈.

"죄송……."

갈색 수염의 눈이 뒤로 돌아가기 일보 직전이었다. 이러다 정말 병사를 죽일 지경이라 나는 손에 힘을 풀었다. 거의 매일을 전쟁터 최전방에서 보낸 보람이 있구나. 바닥에 쓰러진 갈색 수염 놈이 콜록대며 헛구역질을 해 대는 걸 힐긋 보며 무시한 후 나는 도레스에게 손짓했다.

"도레스. 이리 와."

금방이라도 죽을 것처럼 온몸을 떨던 도레스가 움찔거리며 놀랐다. 지금 누가 봐도 내가 괴롭힘당하는 너를 구했는데, 당연히 내 쪽으로 튀어와야 하는 거 아냐? 이 상황에도 기사가 나올지 사신이 나올지 생각하는 거냐고. 나 사신 아니라니까.

답답해 죽을 지경이었지만 지금 와서 '사실 저는 멀쩡한 사람입니다, 짜잔!' 할 순 없는 노릇이었다. 도레스가 한 발짝도 움직이지 않자 머리카락이 잘린 붉은 머리 기사가 내 눈을 피하며 도레스의 등을 툭 밀었다. 초식 동물마냥 떠밀려 온 도레스를 내 쪽으로 잡아당겼다.

"이제 도레스 부르지 마. 얜 내가 데리고 있을 테니까."

"저, 저요? 저를, 저를…… 죽이신다는 뜻인가요."

저놈들한테서 떼어 내려고 한 말인데 정작 겁은 도레스가 집어먹었는지 울먹거리며 커다란 눈물방울을 아래로 후드득 떨어뜨렸다.

"너 안 죽는다고 했잖아."

도레스의 정수리에 꿀밤을 먹이고 뒤도는 순간, 붉은 머리가 입을 열었다.

"검은 사신도 별거 없네. 겁쟁이나 감싸고 말이야."

나는 미소 지으며 뒤돌았다. 어차피 입이 가려져 있어 내 백만 불짜리 미소를 보진 못하겠지만 휘어진 눈을 볼 수는 있겠지.

"뭐 그런 하나 마나 한 소리를 해? 명색이 사신인데 오래 살 애를 지키는 게 당연하잖아. 너처럼 주둥이 함부로 놀리다 죽을 놈 말고."

내 말에 담긴 경고를 확실히 알아들은 붉은 머리의 얼굴이 파랗게 질렸다.

아직도 내 얼굴을 쳐다보지도 못하는 도레스와 함께 묶어 두고 온 크로우를 데리러 갔다.

엥, 내 말을 둘러싼 쟤네는 뭐야. 보폭을 크게 해서 그쪽으로 다가가려는 찰나, 익숙한 이름이 그들에게서 튀어나왔다.

"이거 조가 타고 다니던 그 말이랑 닮았는데."

"에이, 갈색 말이야 흔하잖아."

"여기 갈기만 검은색인 거랑 털 사이에 땜빵 있는 거 완전 똑같은데? 카일 전하한테 알려야 하는 거 아냐? 거의 1년이 다 되는 동안 조 머리털 하나 못 찾았잖아."

"그럼 네가 말해."

"……싫어, 무서워. 아니면 어떡해. 요새 전하 너무 무서워져서 말 걸었다가 잘못되면 죽을 거 같다고."

쟤들이 왜 저기 있어. 그들은 나와 친하게 지내던 장미 기사단 소속의 기사들이었다. 우뚝 멈춰 선 채 돌처럼 굳어 버린 나를 의뭉스레 쳐다본 도레스가 아무렇지 않게 목소리를 키웠다.

"왜 그러세요, 사신, 읍!"

나는 도레스의 입을 틀어막고 나무 뒤로 몸을 숨겼다. 입이 막혀 발버둥 치는 도레스에게 조용히 대답하라는 신호를 한참 보낸 후 고개를 끄덕이는 걸 확인하고서 입을 풀어 줬다.

"……그런 눈에 띄는 별명으로 부르지 말고. 맥스라고 불러. 그, 근데…… 여기 란티모스 군대 아니야? 왜 빌테온의 기사들이 있어?"

도레스는 처음으로 나와 눈을 마주치며 생긋 웃었다.

"전쟁 막바지라 빌테온 제국군과 연합하여 공격하기로 했거든요!"

아, 젠장. 제 발로 호랑이 굴에 들어오다니. 이렇게까지 운이 없을 수가 있나. 투르가 여신님. 거기 계신가요. 운명이 나를 죽이려 한다는 말 있잖아요, 그거 혹시 제 발로 카일의 옆까지 찾아와서 그의 손에 죽는 오늘을 위한 조언이셨나요. 나 잡히면 죽어.

나는 급하게 도레스를 둘러업고 근처 빈 막사로 들어갔다.

"야. 묻는 말에 똑바로 대답해."

아까까지만 해도 생글거리며 웃던 도레스는 내 험악한 말투에 다시 창백한 얼굴로 더듬거렸다.

"느, 네, ……네, 알겠어요."

"빌테온 제국군은 로테나 국경의 동쪽 부분을 맡고 있던 거 아냐?"

"그, 그런데, 네, 그게 맞긴 한데……"

"너 한 번만 더 더듬거리면 내 손으로 투르가 여신 곁으로 보내 버린다."

"그게 아니고, 그……."

오들오들 떨며 몸을 동그랗게 만 도레스가 겨우 떨림을 가라앉히고 작은 입술을 열었다.

"원래는 그랬는데, 빌테온 제국의 연합군이 국경을 다 장악해 버렸어요. 혀, 협, 협약이라도 맺을 줄 알았는데, 황자님이 협약도 안 맺고 로테나를 다 정복할 기세로 계속 전쟁을 하셨잖아요. 로테나의 3분의 1을 빌테온 군대가 싹 다 쓸어버린 거죠. 그래서 이번 전투를 마지막으로 해서 로테나를 완전히 꺾어 버린다고……."

"대체 누가 그딴, 젠장! 누가 그랬어! 혹시 빌테온의 황제가 로테나를 정복하기 전까지는 카일 황자보고 돌아오지 말라고 한 거야?"

어느 포인트에서 놀랐는지 눈을 동그랗게 뜬 도레스가 나를 바라봤다가, 버티지도 못하고 곧장 고개를 돌려 버렸다.

"사, 사신님은 전쟁터에 오래 계셨으면서 정말 모르시네요."

"맥스. 인마. 맥스라고."

"……맥스 님. 로테나 측에서 제안한 협약을 거부한 건 카일 전하라고 들었습니다."

"……왜 그랬대."

혼이 나갈 것처럼 떠는 도레스의 어깨를 잡고 짤짤 흔들었다. 왜 그랬대, 왜. 왜 안 돌아가고 로테나를 모조리 정복할 것처럼 전쟁터를 누빈대! 울상을 한 도레스가 개미처럼 작은 목소리로 우물쭈물하다 대답했다.

"잃어버린 걸 찾기 전까지는 돌아갈 수 없다, 라고 하셨대요. 아마 제국의 영광이나 자존심 같은 거겠죠. 빌테온 제국의 공국인 란티모스를 침략당했으니까요. 제국에 대한 도전으로 받아들여질 수도 있고……."

도레스의 말처럼 새삼스레 제국의 영광이나 자존심 때문은 아닐 것이다. 그렇다면 카일이 대체 뭘…….

……나겠지. 이건 내가 아무리 눈치가 없어도 알겠다. 달리는 사륜마차 안에서 브레이크 댄스를 추면서 스피드 게임을 해도 맞출 수 있다고. 카일이 찾는 건 무엇일까요? 짜잔, 저랍니다. ……젠장.

두개골을 가로로 빠개는 것 같은 두통이 찾아왔다.

"란티모스 군사들 중에 혹시 은발인 사람 있니?"

"왜요."

나로 위장해서 죽여 버리게. 라는 섬뜩한 대답이 머릿속을 스쳤지만 곧장 입을 다물었다. 나 때문에 죄 없는 사람을 끌어들일 순 없지. 아무것도 아니라며 대답을 미루려는 순간, 도레스가 뽀얀 얼굴로 밝게 웃으며 답했다.

"사, 맥스 님도 조를 찾으시는군요!"

"……조를 알아?"

"알다마다요! 은발에 황금색 눈 남자를 찾기만 하면 1만 테랑인데 당연히 욕심나죠! 다들 찾고 있어요!"

염색 안 했으면 밖에 얼굴 내미는 순간 잡혀갔을 수도 있었다는 생각에 등골이 아찔해졌다.

"이번 전투는 정말 기대돼요!"

"왜, 이 겁쟁이 시키야."

비뚤게 대답하는 내 말에도 도레스는 신난 기색을 감추지 못했다.

"빌테온의 카일 황자님은 도망치는 적들을 살려 주지 않으신대요! 전쟁하시는 스타일도 엄청 공격적이시고, 작전도 치밀하고! 그리고 과묵하신 데다 엄청 무서우시대요."

"……카일이, 아니. 카일 황자 전하가 무섭다고?"

그럴 리가. 궁 안에 일하는 사람들에게까지 다정하게 웃어 주고, 시종과 시녀들의 이름들을 다 외우던, 얼굴에서 미소가 떠나질 않는 사람이었는데. 고개를 갸웃거리자 도레스가 나를 따라 고개를 기울였다.

"맥스 님은 카일 황자님을 보신 적 있으세요?"

"……없어. 다정하다는 소문을 예전에 들은 적 있어서 의문이 생겼을 뿐이야."

"거짓말! 적에게 자비를 베풀지 않는다고 들었는데!"

내 소문도 어디 가서 내밀지 못할 정도의 막장을 달리지만 카일도 만만치 않구나. 어마어마하게 부풀려졌네. 우리 카일이 말이 없고 자비가 없다니. 그럴 리 없잖아. 대체 왜 그렇게 엉터리로 소문이 난 거지.

"다른 황자님이랑 착각한 거 아냐?"

팔짱을 끼고 미심쩍다는 얼굴로 노려봤지만 도레스는 강경했다.

"이번 전쟁에 참전한 황자님은 카일 황자님이잖아요! 피도 눈물도 없는 분이라고 들었단 말이에요!"

그럴 리 없어. 우리 큐티 아기 꽃사슴, 볼따구 양쪽에 수줍 뷰티 꽃물 두 방울씩 떨어뜨려 물들인 나의 천사 카일은 절대 그럴 리가 없다고.

입을 삐죽거리며 도레스가 막사를 나가려고 하던 찰나, 나는 그의 어깨를 붙잡았다.

"부탁 하나만 하자, 너 아까 줄에 매여 있던 그 갈색 말 봤지? 걔를 남들 몰래 아까 우리 만났던 시냇가까지 데려와 줘."

"……왜요. 설마, 사신님이 그 소문의 1만 테랑……,"

"내 말 안 들으면 네 목숨을 가져갈 거니까 네 마음대로 해."

"히익!"

딸꾹질을 하며 발작하던 도레스가 급하게 막사를 나갔다가 다시 얼굴만 삐쭉 안으로 집어넣었다.

"……지금 당장 가요?"

"응, 늦어지면 안 되니까."

아까 기사들이 얘기하던 걸로 봐선 금방이라도 카일에게 크로우에 대해 고할 것 같았다. 도레스의 머리를 밀어 보낸 후 나도 채비를 했다. 카일이 여기 있다는 걸 알게 된 이상 빨리 도망쳐야 했다.

……근데 만약 원작 이야기 속 카일의 왼팔이 잘리는 전투가 이번 전투면 어쩌지. 내가 여기 남아야 하는 거 아닐까.

불안한 예감이 엄습했지만 그래도 계속 남아 있을 수는 없었다. 내 존재 자체만으로 카일이 위험해지는 걸 로타이스 요새의 첫 번째 전투에서 참패를 겪으며 알았으니까.

나는 느슨해진 검은 천을 힘주어 다시 묶었다. 그래도 얼굴의 반을 가린 걸로는 부족했다. 막사 밖으로 나가 갑옷을 입고 돌아다니는 병사 한 명을 기절시켜 그의 갑옷과 투구까지 빼앗아 썼다. 이러면 머리털 하나도 안 보이니까 괜찮겠지. 차분한 마음으로 막사를 빙 둘러 시냇가로 향했다. 먼저 와 있던 도레스가 고삐를 내게 내밀었다.

"사신, 아니 맥스 님. 그냥 가시는 거예요?"

"그래, 여긴 내가 필요 없어."

"왜요! 저는 사신님이 와 주셨으면 좋겠다고 빌었는데."

"괜찮을 거야. 간다."

고삐를 거머쥐고 단숨에 크로우의 등 위 안장으로 올라타려는 순간 갑자기 내 머리 옆으로 화살이 스쳐 지나갔다. 깜짝 놀랐지만 얼른 다시 자세를 고쳐 잡으며 안장에 올라탔다. 앞으로 박차며 나가려는 찰나, 그리운 목소리가 찌를 듯이 고막을 파고들었다.

"투구를 벗어라."

돌아보지 않아도 알 수 있었다. 지난 반년 동안 한 번도 잊은 적 없던 목소리.

어느새 주변을 둘러싼 최정예 장미 기사단 기사들도 보였다. 도레스가 두 손을 흔들었다.

"저, 저는 아니에요! 누가 쫓아오는 줄 몰랐어요! 전 진짜 아니에요! 맥스님!"

"……맥스? 자네 이름이 맥스인가. 자네의 말이 내가 아는 말인 것 같은데 투구 벗고 얘기 좀 해 보지."

낮고 무거운 목소리가 투구 안으로 파고들었다. 잠깐 멈칫거리던 나는 순식간에 옆에 있던 도레스를 들어서 기사들에게 집어 던졌다.

"으아악!"

대형이 흐트러져 무너진 틈을 타 그쪽으로 달렸다.

"으, 으아악! 오지 마!"

깔릴까 봐 머리를 감싸 쥐는 기사들 위를 뛰어넘었다.

저 뒤로 숲길만 가로지르면 돼. 그러면 다시 숨을 수 있어. 민가에 도착해서 크로우를 다른 곳에 숨기고, 나는 여장을 해서 빠져나가자. 여장을 하면 대부분 그냥 지나치곤 했으니까.

뒤에서 빠르게 쫓아오는 말발굽 소리가 땅을 울렸다.

"거기 서!"

카일이었다. 커다란 검은 말을 타고 내 뒤를 바짝 쫓아오는 금발을 확인하자마자 나는 더 속력을 올렸다. ……잡히면 정말 죽겠는데.

적막한 숲길이 말발굽 소리로 가득 찼다. 강을 가로지르는 다리 위를 빠르게 달려 건넜다. 맞은편 숲에 도착하자마자 곧바로 다시 속도를 올리려던 중, 뒤에서 카일이 외쳤다.

"언제까지 도망만 칠 거야!"

고장이라도 난 것처럼 멈춘 채 뒤로 돌았다. 다리 위에 서 있는 카일이 보였다. 검은 말을 탄 카일이 흐트러진 노란 머리칼을 흩날리며 나를 원망스레 바라봤다.

반년 사이 카일은 좀 더 성숙해져 있었다. 처음 만났을 때에도 어른이라 생각했는데 지금 모습이 보다 완성형 미남이었다. ……내 물건 챙겨서 나올 때,

카일을 제일 먼저 챙겼어야 했는데. 아니, 무슨 소리야. 카일한테서 멀어지려고 나온 거잖아. 오랜만에 심장을 뒤흔드는 미인을 봤더니 머리가 정신을 못 차리네. 나대지 마, 심장아.

살이 얼마나 빠진 건지 안 그래도 갸름했던 턱선이 이제는 베일 만큼 선명했다. 깊은 두 눈으로 나를 지그시 바라보던 카일의 붉은 입술이 열렸다.

"나한테서 도망가지 마."

"……."

대답할 수가 없었다. 조금이라도 입을 열면 못 참고 달려들어 그를 껴안을 것 같았다. 말 머리를 다시 잡고 돌리려는 순간, 카일이 말에서 내려와 다리 위로 발을 디뎠다.

"네가 필요해."

"……."

"네가 없으면 안 돼."

"……."

"네가 없는 하루를 더 버틸 자신이 없어."

카일이 다리의 끄트머리로 한 발자국 내디뎠다.

지금 뭐 하는 거야.

소리도 지르지 못하고 내가 몸을 움찔 떨자 멀찍이 다리 위에 서 있던 카일이 살포시 미소 지었다.

"나는 네 거라고 했잖아. 도망가지 마. 너무 아파."

"……."

"……조."

내 이름을 부르는 카일의 음성이 더없이 고통스럽게 들려왔다. 멀뚱히 말 위에 앉아 있는 나를 물끄러미 바라보던 카일이 그대로 기우뚱 강가로 몸을 기울였다. 손을 뻗었지만 턱없이 먼 거리였다. 이윽고 풍덩 하는 소리와 함께 물거품이 피어올랐다.

"카일!"

말에서 뛰어내렸다가 고삐를 손에서 놓지도 못하고 망설였다.

황자인데, 그래도 설마, 수영 배웠겠지. 연기하는 거겠지. ……아니지. 카일이 언제 이런 연기를 하는 사람이었나. 카일은 싫을 때엔 그냥 가지 말라고 말하는 스타일이지, 이렇게 간계한 수를 쓰진 않았던 거 같은데.

내가 발을 동동 굴리는 와중에도 수면은 잠잠했다. 간간이 올라오던 물거품도 더 이상 올라오질 않았다.

“젠장!”

투구와 위에 걸치고 있던 철제 갑옷을 벗어 던지고 곧장 강으로 뛰어들었다. 헤엄을 치며 물속으로 들어가 손을 휘젓다가 겨우 눈을 떴다. 볕이 닿지 않을 만큼 깊은 수면 아래, 별처럼 빛나는 푸른 눈동자가 나를 바라보고 있었다.

‘푸읍!’

깜짝 놀라 참고 있던 숨이 터져 버렸다. 뭐야, 저게! 물귀신도 아니고!

다시 뭍으로 올라가려 몸을 세우려는데 발목이 잡혔다. 이어서 손을 붙잡은 카일이 나를 잡아당기며 함께 위로 올라왔다.

“푸하! 뭐, 뭐예요! 카일!”

“……잡았다.”

단단한 팔로 내 허리를 감싸 안은 카일이 무표정한 얼굴로 나를 바라봤다.

“이건 반칙, 읍.”

대답할 틈도 없이 카일의 입술이 겹쳐 왔다. 차가운 물의 온도와 달리 몸에 맞닿은 카일의 체온은 데일 듯 뜨거웠다. 우리 사이의 물이 미지근하게 덥혀져 찰랑였다. 잠시 입술이 떨어진 사이에 카일의 어깨를 밀어 내려 했지만 어찌나 강하게 나를 안고 있는지 떨어지지도 않았다. 카일은 물기 어린 푸른빛 두 눈동자 가득 나를 담고서 입술을 떨며 물었다.

“……또 나를 밀어 낼 거야?”

완벽한 얼굴에 홀려 대답을 망설이는 사이 카일의 입술이 다시 다가왔다. 말캉하고 뜨거운 혀가 입 안으로 밀려들었다. 왼손으로 내 뺨을 감싸 쥔 카일이 조심스레 각도를 틀며 키스를 이어 갔다. 입맞춤일 뿐인데도 그간의 그리움이 전해지는 것처럼 절절했다. 뜨거운 숨이 몇 번이나 오갔다. 카일의 심장 소리가 내게 들릴 정도로 거세게 뛰고 있었다.

……와, 그동안 빵빵이 돌면서 전쟁 나다닌 보람을 여기서 느끼네요. 저는 조국을 위해 싸웠습니다. 카일이 저의 조국입니다. 사람이 태어난 데에는 다 이유가 있다지요. 나는 지금 이 순간 카일과 입술을 부비기 위해 인생을 2회차나 뛴 게 틀림없어요.

나를 놓지 않을 것처럼 붙잡고 입맞춤을 이어 가는 카일, 좋죠. 너무 좋은데. 근데 누가 보면 어떡하냐고.

어깨를 아프지 않도록 툭툭 치자 카일이 불만스럽다는 듯 미간을 찌푸리며 입술을 뗐다.

"왜."

"왜? 왜에? 지금 왜라고 했어요? 누가 보면 어쩌려고 이 숲 한가운데에서 딥키스를 하세요?"

"괜찮아. 아무도 따라오지 말라고 했어. 만약 누가 보면……"

"보면?"

"눈을 뽑아 봤자 봤던 걸 잊진 못할 테니 혀를 뽑아야겠지. 그럼 떠들고 다니지 못하잖아."

"오 마이 갓."

진짜 오 마이 갓이다. 투르가 여신님. 여기 캐릭터가 2차 전직을 잘못한 거 같아요. 제가 알던 아기 고양이가 왜 사자로 자란 거죠. 캐릭터는 사랑으로 키우라면서요. 전 고단백 고영양 순도 100% 금자표 사랑으로만 키웠단 말입니다.

경악한 내 표정을 보던 카일의 입꼬리가 호선을 그리며 올라갔다.

"넌 너무 걱정이 많아."

"아니, 이건 타당하게 해야 할 걱정 아닐까요. 카일이 너무,"

"네가 날 두고 갔잖아. 나는 정말 괜찮았는데. 나는 너만 있으면 됐는데……."

카일이 눈을 아래로 내리깔며 내 어깨에 기대 왔다. 얼굴 각도를 틀어 내 아래턱에 짧게 키스하며 카일이 조용히 읊조렸다.

"이젠 안 놓쳐."

아니 저기요. 카일 벌써 두 번이나 반칙 썼어요. 레드카드 들려 주고 빨리 퇴장시켜요. 안 그러면 제 심장이 퇴장당하거나 카일의 옷만 퇴장시킬 것 같으니까.

"내 깅깅자."

글쎄 그 발음 아니라니까! 항변하려는데 몸에 이질감이 들었다. 어느새 내 두 손목을 꽁꽁 묶은 카일이 나를 데리고 물 밖으로 빠져나왔다.

"이게 뭐예요! 언제 묶었어!"

꽥꽥 소리를 지르자 카일은 살짝 웃으며 내 입술에 짧게 입 맞췄다.

"검은 머리도 예쁘지만 난 네 원래 머리가 더 좋아."

"뭐야! 너 내 카나리아 아니지!"

"난 언제나 네 카나리아였어. 우리 그러기로 했잖아."

나를 안고서 검은 말 위에 올라탄 카일은, 내가 한숨을 푹 내쉬는 것과 달리 만족스러운 미소를 그리며 천천히 주둔지로 말을 몰았다.

집착 남캐가 없었는데요, 짜잔. 있었습니다.

이게 바로 되로 주고 말로 받기, 뿌린 대로 거두기. 그런 거구나. 한 손으로 나를 강하게 끌어안고서 오른손으로 고삐를 쥔 채 앞으로 가던 카일은 5초에 한 번씩 입을 맞춰 댔다.

"잠, 잠깐만! 그만! 왜 이래요!"

"오래 못 봤어. 보고 싶어서 너무 힘들었어. ……너는 싫어?"

강아지 귀가 달려 있었으면 아래로 분명 축 처졌을 텐데.

"……싫다기보다는……."

"그럼 괜찮잖아."

그림처럼 웃으며 카일이 다시 내 입술에 입을 맞췄다.

디에프, 네 주인이 나 없는 사이에 뭔가 잘못 먹은 게 아닐까. 앞으로 가지만 말고 대답 좀 해 봐, 이 말 자식아.

자그마한 틈도 없이 카일에게 안긴 채—비록 포박당해 있었지만—주둔지 근처까지 다다랐다.

“타임! 타임, 이건 진짜 아니에요. 정말 아닌 것 같아요. 이렇게 무슨 연인처럼 끌어안고 뽀뽀하면서 막사까지 가는 게,”

“연인이잖아.”

쪽.

“아! 뽀뽀 그만!”

발버둥을 치자 디에프가 투레질을 하며 제자리에서 땅을 신경질적으로 긁었다.

“카일. 전하. 황자 전하. 이성을 찾으세요, 이건 진짜.”

“널 잃고 내가 제일 많이 들었던 말이 그거였어.”

카일이 다시 내 목덜미에 얼굴을 묻고 짙은 한숨을 들이쉬었다가 천천히 내뱉었다.

“‘이성을 찾으십시오, 전하.’, ‘제발 좀 주무십시오.’, ‘이제 그만 포기하십시오.’ 그런 거.”

“……카일.”

“이성적으로 판단하기엔 난 너무 지쳐 버렸고, 매일 밤 네가 사라지는 악몽을 꿨어. 그렇다고 포기할 수도 없었지.”

카일의 도톰한 입술이 내 목덜미에서 움직일 때마다 뜨거운 숨결이 닿았다가 떨어지길 반복했다.

“내가 널 어떻게 포기해.”

어느새 빨갛게 달아오른 내 볼에 짧게 키스한 카일이 입꼬리만 올려 웃었다.

“찾아서 다행이야. ……정말로 다행이야.”

“나는, 카일을 버린 게 아니라, 카일한테 내가 짐이 될까 봐,”

“이번 전투가 끝날 때까지도 널 못 찾으면 온 대륙에 현상 수배를 내릴 뻔했잖아. 물론 그 전에 콜린 후의 목이 성문에 걸렸겠지.”

“……저기요. 그건 좀.”

착한 얼굴에 그렇지 못한 태도. 햇살처럼 따스하게 웃으며 카일은 강아지처럼 물에 젖은 머리카락을 내게 부볐다.

"널 다시 만나서 정말 다행이야. 이제 다신 놓치지 않을 거야."

"……알았는데 지금만 좀 놔줘요. 남들이 보면 뭐라고 생각하겠어요. 탈영병이랑 정분난 미친 황자라고 할 거 같아요."

"괜찮아. 이미 다들 나를 반쯤 미쳤다고 하더라고."

주둔지 근처까지 왔을 즈음 다른 병사들의 목소리가 들리기 시작했다. 카일이야 괜찮다고 하지만, 남들 위에 올라서는 분이 그런 난잡한 소문에 휩싸여서야 되겠냐고. 나는 몸을 비틀어 미끄러지듯 말 등 위로 늘어진 빨래처럼 엎드렸다.

"……조, 왜 그래."

카일의 질문에도 대답하지 않고 그대로 엎어져 꼼짝도 하지 않았다. 이렇게 있으면 묶인 손도 잘 보이겠지. 죽은 시체를 달고 온 것마냥 두 다리가 흔들리자 병사들이 입을 틀어막는 소리가 어렴풋이 들렸다.

"헙……."

"아까 급히 누구 잡으러 가시더니 결국 죽여서 데리고 오신 건가."

"……불쌍해라. 찔러도 피 한 방울 안 나올 만큼 잔인하신 분이야."

"듣던 대로 가차 없으시네."

남들이 웅성거리는데도 카일은 아무런 말 없이 주둔지 한가운데를 거닐었다.

"전하! 조를 잡으셨습니까!"

"……아니, 이놈은 검은 머리잖습니까!"

"……홧김에 다른 사람을 죽이신 건 아니죠, 전하."

친했던 기사들의 익숙한 목소리가 들려왔다. 이제 일어나도 되려나, 싶었는데 위에서 카일의 음산한 목소리가 울렸다.

"아무도 내 조에게 가까이 오지 마라."

왜 그래요, 카일. 나 정말 쪽팔려서 일어나질 못하겠네. 꼼짝도 않고 엎드려 있다가 말이 멈춘 뒤에야 슬쩍 고개를 들었다. 그때, 나를 번쩍 들어 올린 카일이 내 얼굴을 꽁꽁 가린 채 제 품에 안고는 막사 안으로 성큼성큼 들어갔다. 카일은 입구에서 슬쩍 뒤로 돌아 밖에 서 있는 기사들에게 명령했다.

"아무도 들어오지 마. 가까이 오지도 마라. 누가 나를 부르면 없어졌다 해. 내가 나오기 전에 이곳으로 들어오는 이들은 나갈 때 사지를 따로 내보낼 것이다."

……아까 도레스가 한 말이 전부 사실이었던 걸까.

침대에 걸터앉은 카일은 나를 제 무릎 위에 올려 두고 뚫어질 듯 노려봤다.

"왜 날 버렸어, 조."

"버렸다기보다는……"

"나한테 한마디 말도 없이 가 버렸잖아. 찾지 말라고도 했잖아. 그 와중에 왜 사랑한다고 했어. 나한테 왜 자꾸 잔인하게 굴어, 응?"

이렇게 아련한 눈으로 애절하게 애원하는 걸 보면 여전히 내가 알던 카일인데. 조금 날이 서고 초췌해졌지만 변함없이 미모가 빛을 발하며 열일하는, 마이 큐티 뷰티 프리티 카나리아. 근데, 아까 밖에서 사지를 갈라 버린다던 그 사람은 대체 누구냐고요.

"이제 없어지지 않을 거지. 나만 두고 가 버리지 않을 거지, 조."

"알았, ……아, 거기에 키스할 거면 손이나 풀어 줘요."

"도망가지 마."

아기 새처럼 목덜미와 쇄골에 쪽쪽 입 맞추던 카일이 손목을 묶어 두었던 밧줄을 풀었다. 자유로워진 두 팔로 카일을 끌어안고 그대로 뒤로 쓰러뜨렸다.

에라, 모르겠다. 얼마나 그리워한 내 카나리아인데. 나중은 나중이고, 이왕 잡힌 김에 사랑이나 해야겠어.

"하……. 아까부터 안고 싶어서 혼났네. 좋은 건 자기만 다 해. 알았어요. 이제 도망 안 가고 옆에 있을게요. 됐죠."

"너도 내가 보고 싶었어?"

"당연하죠. 내가 얼마나 카일 보고 싶었는지 알면 깜짝 놀랄걸요."

"글쎄. 갑자기 주인 잃어버린 카나리아만 할까."

피식 웃은 카일이 상체를 세워 웃옷을 벗어 던지고 셔츠 단추를 풀며 내게 몸을 겹쳐 왔다. 전쟁터에서 구른 탓인지 약간의 잔상처가 늘었긴 했지만 여전히 말갛게 물오른 하얀 피부가 드러났다. 셔츠마저 벗은 카일이 내 위에서 그림처럼 웃다가 짧게 키스했다.

툭 불거진 목젖과 그 아래에 물이 고일 것처럼 움푹 팬 쇄골, 든든하고 넓은 가슴과 갈래갈래 찢어진 복근, 갈비뼈에 선명하게 자리 잡은 육각 모양의 외복사근까지. 너 왜 갈비에 축구공 가죽을 박고 다니는 거니. 저 사실 비상시에 볼링 치려고 머리 달고 다녔어요. 제 머리는 머리카락 키우는 화분입니다. 반성문 쓰겠습니다. 이걸 두고 왜 그리 먼 길 고생하며 살았는지. 아이고, 조상님. 다 먹고살자고 하는 짓인데 내가 왜 그랬을까요. 이런 등신이 또 어디 있겠어.

단단한 어깨에 홀려서 손을 뻗는데 얄밉게도 카일이 몸을 떼며 경고해 온다.

"조. 내가 확실히 말하는데,"

"지, 지, 지금, 그걸 꼭 지금 확실히 말하셔야 돼요? 다 끝나고 하면 안 되나. 세상에. 내가 미쳐도 단단히 미쳤지, 이걸 두고 어딜 쏘다닌 거야."

"다행이다. 너한테 통하는 게 있어서."

"그걸 지금 말이라고 해요? 너무 통해서 탈이지. 와! 진짜 신이야. 갓 빌테온 전하. 당신 이름으로 된 신전이 아직 없어요? 말도 안 돼. 나 앞으로 카일 가슴에다 기도한다. 카일 가슴 근육님, 당신이 이 중세 시대를 밝히시는 단 하나의 빛이며, 제국의 무궁한 영광과 발전과 가슴이 너무 좋아요. 사랑해요."

날 만나고도 좀처럼 음울한 기색을 지우지 못하던 카일의 얼굴이 그제야 밝아졌다. 전에는 내가 헛소리 길게 하면 도망갔으면서 이젠 좋아하네. 이게 바로 짬에서 나오는 바이브라는 건가. 카일은 부드럽게 미소 지으며 내게 말했다.

"내 옆에 있어. 내가 어딜 가든."

"예, 항상. 예. 당연하죠. 그러니까 빨리 이리 와요."

"대답 똑바로 해. 그 전엔 못 안아."

"아, 알았어요. 알았어요. 나한테 고삐라도 채우시든가. 빨리. 응? 와, 세상에. 언제 이렇게 혼자 무럭무럭 크셨어요. 세상에나, 복근이 왜 이렇게 갈라졌어? 가뭄이야? 너무 안됐다. 제가 달래 줄게요. 이리 와요."

"투르가 여신을 걸고 맹세하면,"

"아, 알았다고요. 투르가 여신께 맹세할게요. 앞으로 평생 카일 옆에 있을 거고, 절대로 도망 안 간다. 우리 둘이 애 낳고 손자 볼 때까지 카일 옆에 있을게요. 평생이 다 뭐야, 다음 생까지 쭉. 알았죠? 무덤도 옆에 같이 해요. 투르가 여신 걸고 맹세. 나 여신 걸었다! 어? 하늘땅 별땅 퉤퉤퉤. 됐죠!"

몸을 반 바퀴 돌려 카일의 몸을 아래로 내리깔고서 재빠르게 옷을 벗어 던졌다. 놀란 카일의 눈동자가 내 몸 곳곳을 향했다.

"왜 이리 상처투성이야."

"나중에! 다 나중에! 이제부터 한마디만 더 해, 가만 안 둬."

기분 좋게 울리는 카일의 웃음소리가 짙은 키스에 묻혔다.

❖ ❖ ❖

"아, 잠깐만. 나 허리 두 동강 난 거 같은데."

이불 속에서 끙끙거리며 옆을 짚었지만 카일이 누워 있었던 자리는 미지근하게 식어 있었다. 눈을 번쩍 뜨고 옆을 봤지만 정말 침대 위엔 나뿐이었다.

이 프리티 댄저러스가 또 나만 두고 전쟁 나갔나 보네. 어제는 떠나지 마, 혼자 두지 마, 버리지 말아 줘, 하면서 신파를 대하드라마로 찍더니. 하여간 위험한 건 자기 혼자 다 하지.

침대에서 일어나려는 순간 무언가에 휙 당겨졌다.

"뭐야."

손목이 침대 헤드에 꽁꽁 묶여 있었다. 것도 쇠사슬로.

"어쭈, 이런다고 못 나갈 사람인가, 내가."

우리 예쁜이가 그렇게 겪고도 아직도 날 모른다. 엎드려 기다시피 몸을 일으켜 세웠다. 그 와중에 손목에 상처 날까 봐 천으로 감아 두고 묶었네.

"징하게도 묶었다, 정말."

쇠사슬을 끊을 순 없었다. 당겨 보니 꿈쩍도 안 한다. 곁에 내려칠 검이나 도끼 따위가 있는 것도 아니고. 그럼 침대를 부숴야지. 발로 있는 힘껏 침대 헤드를 걷어찼다. 옆으로 돌아누워서 오른발로 계속해서 걷어차자 얼마 뒤 우지끈 소리와 함께 침대가 부서졌다. 그런데 부서진 침대 너머로 땅에 커다란 못으로 사슬이 박혀 있었다.

이런 미친. 잡히면 죽어, 진짜. ……공평하게 카일도 침대에 묶어 둬야지.

침대가 부서진 소리를 들었는지 밖에서 목소리가 들렸다.

"괜찮으세요!"

"……도레스?"

"……사신, 아니, 맥스, 아! 조 님?"

"하나만 하고, 도레스! 일단 들어와 봐!"

"안 돼요!"

"왜!"

"황자님이 조 님을 도우면 고향까지 마차에 눕혀서 보낸다고 했어요."

"……영구차에 싣겠다는 거잖아!"

"네! 그래서 안 도울 거예요! 지키기만 하라고 하셨단 말이에요!"

"야! 내가 투르가 여신님이랑 좀 아는데, 너 안 죽어! 진짜야. 지금 묶인 내 양손 걸고 말한다."

"지, 진짜요?"

"그래. 지금 네가 날 안 도우면 전쟁에 큰 문제가 생겨서 너 죽을지도 몰라. 그러니까 얼른 튀어와!"

우물쭈물하며 들어온 도레스는 손목을 묶어 놓은 쇠사슬을 풀어 줬다.

"……조 님, 그런데…… 여자예요?"

아. 참. 가슴을 동여매지 않은 상태였다. 거봐. 내가 가슴만 안 묶어도 이렇게 훤히 여자인 게 보이는 사람인데. 나는 도레스에게 돌아서라 명령한 뒤 가슴을 붕대로 칭칭 동여맸다.

"어, 원래 사신은 성별이 정해진 게 없어. 스위치처럼 왔다 갔다 할 수 있단다."

"……스위, 스위치요? 아니, 세상에. 그건 악, 악마나 다름없잖아요."

"……선과 악은 종이 한 장 차이야. 됐어. 이제 비켜. 가야 되니까."

입고 왔던 검은 옷을 챙겨 입고 검을 집어 드는데 도레스가 허리춤을 붙잡고 늘어졌다.

"전쟁터까지 가시면 저 진짜 죽어요! 갑옷도 없잖아요!"

"놔! 너 안 죽는다니까! 그리고 나 원래 갑옷 없이 싸웠잖아!"

"안 돼요! 가지 마세요! 카일 황자님은 진짜 하신다면 하시는 분이라고요!"

"지금 나한테 죽을래? 아니면 나중에 도망칠 기회라도 얻을래?"

"으아앙!"

도레스를 잡아 뜯다시피 떼 낸 후 나는 텅 빈 막사들 사이로 뛰어다니며 말을 찾았다.

"크로우!"

히힝—

어제 강가에 두고 왔는데도 따라온 건지 크로우의 울음소리가 근처에서 들려왔다. 나는 뛰어가 그대로 크로우의 등에 올라탔다.

"가자!"

저 멀리 날붙이 부딪치는 소리가 웅장하게 전해졌다. 대군이 싸우는 중인 듯했다. 오늘이 정말 마지막 전투라면, 내게는 카일을 지킬 마지막 기회였다. 휘날리는 바람에 눈이 시릴 정도로 빠르게 달려가 단칼에 적들을 벴다.

"카일—!"

결혼하자고 옷 벗고 꼬실 땐 언제고, 약혼자를 침대에 묶어 놔? 첫날밤에는 애인을 황궁 감옥에 가두더니 전쟁터에서도 이러기야? 너는 오늘 살아도 죽었다. 침대에서 죽어.

마구잡이로 적들을 베며 전장을 누비자 적들의 비명이 점차 커지는 게 느껴졌다.

"검은 사신이다!"

"사신이 왔어! 도망쳐!"

대충 봐도 우리 쪽이 우세했다. 나는 앞으로 달려 나가며 눈앞에 거슬리는 적들을 단칼에 썰었다.

"여신의 곁으로 보내 주마!"

"아악! 사신이다!"

소문의 사신이라는 말에 아군들의 눈이 내 쪽을 향했다. 그중엔 나를 알고 있는 사람들도 많았다. 시선 끝에 경악으로 물든 장미 기사단 친구들이 보였지만, 뭐. 나중에 차차 설명하자. 자서전이라도 쓰지 뭐.

'마구간지기였던 나, 용병이 되어 사신으로 거듭나기까지.'

적들과 합을 주고받을 것도 없이 모두 단번에 황천길 하이패스 끊어 주던 중, 저 멀리 카일의 빛나는 금발이 눈에 들어왔다.

"카일!"

적과 대치 중이던 카일이 그를 처치하고서야 나를 돌아보며 벌컥 소리를 질렀다.

"여길 왜 와!"

"내가 왜 못 와!"

당장에라도 그에게로 달려가고 싶었지만 최전방인지라 적이 밑도 끝도 없이 계속 밀려들었다. 눈앞의 적과 싸우는 와중에도 버럭버럭 소리를 지르며 서로 싸워 댔다.

"기다리라고 쪽지까지! 남겼는데!"

"침대 부수느라 못 봤다! 왜!"

"그걸 왜 부숴!"

"웃기시네! 묶어 놓고 갔잖아!"

굳이 알고 싶지 않았던 황자의 TMI(Too Much Information)에 근처에 있던 기사들의 표정이 파랗게 질려 갔다. 하지만 나도 카일에게 너무 화가 나서 주변을 살필 여유가 없었다.

"하여간, 전쟁 끝나면 죽었어!"

적의 목을 바닥으로 떨군 뒤 검으로 카일을 겨냥하며 소리를 질렀는데 뒤에서 창이 날아왔다.

"넌 황족한테 말버릇이 왜 그래!"

"스노우?! 지금 나한테 창 날렸어요?"

"네 앞에 있는 놈 모가지 뚫은 거 안 보이냐!"
"아! 정신없어! 제발 나중에 싸우세요, 여러분!"
벤지의 눈물 섞인 외침과 함께 마일리지마냥 로테나 병사들의 시체가 차곡차곡 쌓여 갔다.

"항복해라."
카일의 한 마디에 얼마 남지 않은 적들이 후들후들 떨리는 다리로 우리를 노려봤다. 로테나의 처참한 참패였다. 도망을 갈 수도 없었다. 그 정도의 전력조차 남지 않았으니까. 결국 로테나의 사령관이 고개를 숙이고 칼을 내려놓았다. 2년간 이어졌던 긴 전쟁의 끝이었다.
온 땅을 뒤흔드는 함성이 고막을 가득 채웠다. 창으로 땅을 두드리는 창병들도 있었고 지쳐 버려 바닥에 주저앉는 병사들도 있었다. 나는 피가 튄 턱을 닦으며 숨을 몰아쉬었다. 입 다물고 칼 휘두를 땐 괜찮았는데 카일이랑 싸우면서 전투까지 하니 체력 소모가 심각했다.
이래서 바보는 몸이 고생하는구나. 검을 들고 있던 팔을 아래로 축 늘어뜨리며 안도의 한숨을 길게 내쉬던 중, 누군가 내 뒤통수를 후려쳤다.
"악!"
"넌 대체 뭐 하는 놈이야!"
"할배!"
"머리가 새카매서 너 아닌 줄 알았는데 카일한테 소리 지르는 거 보고 넌 줄 알았다, 이노무 자식아!"
"그렇다고 전쟁 중에 창을 던져요?"
"네 앞에 있는 놈 대신 치워 준 거래도 아직도 큰소리네!"
말은 험악하게 하면서도 스노우의 얼굴엔 미소가 만연했다.
"그나저나 검은 어디서 배운 거냐. 막 싸우는 거 같으면서도 부드럽고, 무지하게 빨라."
"비밀인데, 사실 엄청난 사람한테 배웠거든요……."
스노우에게 다가가 손짓하자 그가 몸을 내게 기울였다. 스노우의 귀에 조용히 속삭였다.

"스노우."

"뭐?"

눈살을 찌푸리며 다시 되묻는 스노우를 향해 장난스럽게 낄낄 웃었다.

"백발 영감이 하나 있는데, 그 사람한테 배웠다고요. 그게 다예요. 나머진 뭐, 내 재능 아니겠어요."

"허허, 이놈은 건방진 건지, 기특한 건지."

뿌듯하게 웃던 스노우가 팔을 들어 내 어깨를 두드렸다.

"……돌아오니 기쁘다, 조."

"할아버지. 내 이름 부른 거 처음이에요. 그거 알아요?"

"……몰라, 이 자식아."

"또 이 자식이라네. 아까처럼 사랑과 애정을 가득 담아서 조, 라고 불러 봐요."

"꺼져, 인마!"

"아앙, 할아버징."

"혀는 용병 하다가 팔아먹었냐! 썩 안 꺼져!"

스노우와 장난치는 동안 카일은 로테나의 사령관에게 무어라 말하고 있었다. 하……. 진짜 끝이네. 모두 무사하고, 카일의 왼팔도 멀쩡하다. 전쟁이 끝난 걸 축하하는지 오늘따라 하늘도 맑았다. 하늘을 보던 시선을 내려 망연자실로 주저앉은 적들을 바라봤다. 승리했지만 우리 역시 수많은 전투 중에 패배를 겪어야 했고, 죽은 병사들의 숫자들도 만만치 않았다.

전쟁은 필연적으로 무언가를 잃게 되는 것 같아. 그때, 멀지 않은 곳에서 벌떡 일어선 로테나의 병사가 눈에 들어왔다. 병사의 손에는 긴 창이 들려 있었다. 뭐 하는 거지, 라고 자각할 새도 없이 그가 온몸을 뒤로 젖혔다가 힘껏 창을 집어 던졌다. 남자의 시선 끝에는 무릎 꿇은 사령관 앞에 고고히 선 카일이 있었다.

"안 돼!"

카일을 향해 몸을 날렸다. 모든 것은 느리게 흘러갔다. 내 눈에는 그랬다.

짠 것처럼 나 혼자 병사를 발견한 것 하며…… 이게 바로 관성인가. 소리 지르며 제게 달려드는 나를 엉겁결에 안아 든 카일의 큰 두 눈이 잠깐 당황으로 물들더니, 금세 휘둥그레 커졌다. 놀라는 그의 얼굴이 내 시야에 가득 들어찼다.

무언가에 맞은 것과 같은 극심한 고통과 함께 내 허리가 휘어지듯 앞으로 꺾였다. 충격으로 온몸에서 힘이 빠지며 천천히 아래로 무너졌다. 미끄러지는 내 몸을 부둥켜안은 카일이 소리를 지르는 모습이 보였지만, 잠깐 동안 귀가 먼 것처럼 아무 말도 들리지 않았다. 아, 나 죽는구나. 이렇게 쉽게.

"조! ……아, 안 돼. 제발, 조. 이게…… 아니야. 조, 제발."

카일의 벌어진 입 새로 내 이름이 쉴 새 없이 흘러나왔다. 우는 얼굴 보고 싶어 한 적은 있지만 이런 건 아니었는데.

울지 마요. 카일.

벌벌 떠는 카일이 고개를 가로저었다.

"……안 울어, 안 우니까…… 조, 제발. 응? 정신 잃지 마. ……의사! 의사를 데려와!"

의사는 무슨 의사야. 내가 봐도 알겠네. 나 죽잖아요. 지금.

"네가 왜 죽어! 네가, ……네, 네가 왜 죽냐고! 아냐, 별일 아니야. 살짝 스친 거야, 괜찮아! 응? 조. 제발. 가지 마."

피가 콸콸 흐르는 게 뻔히 보이는데 안 죽긴. 아, 그러고 보니 나 말 안 했는데. 다시 내 생각이 들리는구나. 이야기가 제대로 진행되고 있어서? 아니면 신의 마지막 자비인가. 그래도 이건 말로 해 주고 싶어요, 카일.

"카일을…… 행복하게 하려고…… 왔는데……. 우, 울지 마요."

말을 하는 도중에도 입에서 피가 계속 터져 나왔다.

"조, 말하지 마. 응? 피, 피가 계속……. 흐, 제기랄. ……의사를 데려오라고 했잖아!"

카일이 고개를 들어 소리 질렀지만 모두 꼼짝도 하지 않고 굳은 채 나를 바라만 봤다. 다들 알고 있는 거지, 이미 틀렸다는 걸. 손끝이 차갑게 식어 가는 게 느껴졌다. 팔다리가 내 것이 아닌 것처럼 멀게만 느껴졌다. 나는 덜덜 떨리는 손을 들어 카일의 얼굴에 갖다 댔다.

"……웃어 줘요."

그게 제일 예쁘니까. 카일의 커다란 눈에서 눈물방울이 뚝뚝 떨어져 내렸다. 꾹 다문 입술이 파르르 떨리다가 벌어졌다.

"싫어……. 나중에 보여 줄게. ……옆에 있어 달라는 부탁 하나도 안 들어주잖아. 너는…… 항상, 다 네 마음대로잖아……."

대답을 해 주려고 했다. 그래도 웃어 달라고. 당신 웃는 걸 보기 위해서 아주 먼 곳에서 왔다고. 당신 곁에 남아 있으려고 꽤 많은 위험한 고비를 넘겼다고. 그러니까 내 마지막에 웃는 얼굴을 보여 달라고.

하지만 더 이상 입을 벌려서 말할 힘이 없었다. 숨을 쉬는 것조차 버거웠다. 별수 없네. 나라도 웃어야지.

피에 젖은 몰골이겠지만 그래도 카일은 나 예뻐할 거죠. 나 좋아하잖아요. 그것도 엄청 많이. 입꼬리를 올려 미소 지었다.

나 너무 피곤하다, 잘 테니까 깨우지 마요. 이번엔 옷 벗어도 안 돼.

❈ ❈ ❈

"조……? 조, 일어나. 왜 그래. 왜 아무 말이 없어. 조, 눈 떠. 일어나라고, ……조."

카일이 조의 뺨을 두드려 깨웠지만 그녀는 미동도 없이 눈을 감고 있었다. 마치 잠이라도 자는 것처럼 편안한 얼굴로 미소를 띤 채였다.

"……제발, 응? 조. 일어나. 가지 마."

"……전하."

"오지 마!"

벤지가 한 걸음 다가오자 카일이 신경질적으로 언성을 높였다. 아무도 카일에게 다가가지 못했다.

"……조. 눈 좀 떠 봐. 넌 항상 장난기가 많아서 탈이야. 자, 이제 속았어. ……다들 아주 깜짝…… 속았어. 그러니까 그만 일어나."

목구멍 아래에 커다란 쇠구슬이라도 박힌 것처럼 울렁거렸다. 목울대가 시큰거리는 감각에 점점 말끝이 흐려졌다.

"조……. 그만해, 응? 이런 장난은 재미없으니 그만해. 제발……. 눈 좀 떠, 제발!"

조의 작은 얼굴을 품에 끌어안은 카일이 터져 나오려는 비명을 안으로 집어삼키며 흐느꼈다.

어제 네가 도망가게 그냥 둘 걸 그랬어. 그럼 전쟁이 끝나고 난 후에 만났을 텐데. 아니야, 스노우한테 검을 배우지 못하도록 막을걸. 그도 아니면 처음부터 전쟁터에 따라오지도 못하게 막을 걸 그랬네. ……내가 마구간에 조금 덜 가고, 너에게 덜 의지했으면 좋았을 텐데. 네가 사랑한다고 고백했던 수많은 말들을 계속 무시할 걸 그랬나. ……아냐, 내가 어떻게 그럴 수 있었겠어. 나한테는 다 네가 처음이었는데.

카일은 조의 등에 박힌 창을 뽑고 그녀를 안아 들었다. 자리에서 천천히 일어서자 카일의 갑옷에 검붉은 피가 질척하게도 묻어났다.

"……조."

넋을 잃은 얼굴로 멍하니 손을 뻗어 오며 스노우가 조의 이름을 불렀지만 카일은 무심하게 지나쳐 걸었다.

"……모두 죽여라."

이젠 다 필요 없으니까. 등을 돌려 걸어가는 카일의 등 뒤로 적들의 비명 소리와 질척한 피 냄새가 겹겹이 쌓였다.

카일은 침대에 조를 누이고 그 옆에 앉아 조의 얼굴을 가만히 내려다봤다. 얼굴에 묻은 피를 닦아 내고 보니 정말로 잠을 자는 것처럼 평온해 보였다. 묵묵히 조를 바라보고 있는 것뿐인데도 고장 난 것처럼 눈에서 눈물이 계속해서 흘러내렸다. 들이마시고 내쉬는 모든 숨들에 불이라도 붙은 것처럼 뜨거웠다. 카일은 조의 손에 묻은 피를 조심스럽게 닦아 냈다. 닦은 자리를 계속해서 닦고, 흐트러진 머리카락을 정리했다.

시간이 얼마나 지났을까. 막사 밖에서 누군가 카일을 불렀다. 먹먹하게 가라앉은 목소리였다.

"전하. ……전쟁이 끝났으니 이제 본국으로 돌아가셔야 합니다."
카일은 조에게서 눈을 떼지 않은 채 대답했다.
"……오늘은 피곤하니 내일 떠나지. 모두 쉬라고 해."
"……예."

카일에게 대답을 들은 벤지가 막사 앞에서 발길을 돌렸다. 저 먼 언덕 나무 아래 굳은 얼굴로 엉망이 된 전쟁터를 등진 채 서 있는 스노우가 보였다. 벤지는 천천히 스노우에게 걸어갔다.
"……스노우 님."
"……벤지냐. 그래, 고생했다."
"아닙니다. ……제가 전하를 지켰어야 했는데."
스노우는 한참 대답이 없다가 눈을 휘며 웃었다. 두 손을 바르르 떨면서도 장난기 가득한 예의 그 얼굴이었다.
"역시, 내가 가르친 제자라 그런지 무지하게 빠르지."
벤지가 고개를 숙이자 그의 가지런한 턱선을 따라 눈물방울이 흘러내렸다.
"……도움만 받고, 정작 저는 아무것도 해 주지 못했습니다. 은혜를 갚겠다고 마음먹었는데……."
"하……."
스노우는 벤지를 물끄러미 보다가 한숨을 내쉬며 고개를 쳐들었다.
"사람 일이라는 게 뜻대로 되지 않는 법이지."
"……."
마른 입술을 달싹이던 스노우가 검을 쥐고 있는 제 오른손을 망연히 내려다봤다.
"……내가 전쟁터에 너무 오래 있었군. 이렇게 감성적이 되다니."
"아끼셨잖습니까. 유독."
"……아꼈지, 많이 아꼈지."
한숨처럼 말하며 스노우는 먹먹하게 막혀 오는 목 때문에 입술을 다물었다. 그 시건방진 꼬맹이가 '할배!' 하며 달려들던 게 불현듯 떠올라 스노우는 두 눈을 질끈 감아 버렸다.

"카일은 좀 어떻더냐."

"내일 환국하겠다 하셨습니다."

"……그래. 나도 쉬어야겠다. 자꾸 잡생각이 들어서……."

벤지를 지나쳐 걸어가는 스노우의 어깨가 전에 없이 축 처져 있었다. 건방진 녀석이 은색 머리칼을 찰랑이며 덤비던 게 아직도 눈에 선했다.

'영감! 아, 아프다고요! 그만 때리라고!'

'너 방금 반말했지, 이 자식아!'

'했다! 왜! 머리 좀 때리지 마요!'

'하여간 이놈은 위아래가 없어! 검 들고 오랬더니 흔들지도 못할 철퇴를 들고 와서 냅다 던지는 놈이 세상천지에 어디 있냐!'

'그 무거운 걸 고생해서 던졌으면 예의상 좀 맞아 주지!'

'그걸 말이라고 하냐!'

매일같이 싸우면서도 히죽거리며 웃곤 했다. 순한 얼굴을 보면 잔뜩 열이 받았다가도 허허 웃음이 터졌었다.

"……멍청한, 멍청한 놈. 이 바보 같은 놈……."

뜨끈하게 달아오르는 두 눈가를 왼손으로 짓눌렀다. 검을 들고 있는 오른손이 이렇게 거추장스럽게 느껴지는 건 매우 오랜만이었다. 언덕에서 내려다보니 전쟁에서 완승을 거둔 군대치곤 환국을 앞둔 분위기가 영 구렸다.

"이 콩알만 한 게 어지간히도 많은 사람들 속을 뒤흔들었구나."

카일은 굳게 닫힌 조의 눈꺼풀을 보다가, 견디지 못하고 시선을 내리깔고는 그녀의 손을 맞잡았다.

"못 본 새 살도 많이 빠졌네, 조. 밥을 잘 먹고 다녔어야지. ……손에 굳은살도 엄청 박였잖아. 검을 매일 잡았나 보네. 그래, 아까 보니까 잘 싸우더라고. 호위 기사로 임명했어도 될 뻔했어. ……아, 참. 그거 알아? 스노우가 너를 귀족으로 만들려고 혈안이 돼 있더라고. 네가 집안만 잘 타고났어도 출세했을 거래. 어찌나 칭찬을 하던지. 날 가르칠 때도 하지 않던 칭찬을 다 너한테 하더

라. 꼬장꼬장한 할아버지 마음에 어떻게 그렇게 쏙 든 거야. 하긴…… 네가 뭔들 못 했겠어. 그렇지?"

뒤늦게 웃음을 지어 봤지만 봐 줄 이는 좀처럼 눈을 뜨지 않았다. 넌지시 던진 다정한 질문에 대답할 입 또한 차갑게 식어 굳게 닫혀 있을 뿐이었다. 카일의 입술이 덜덜 떨렸다. 애써 웃던 눈가가 다시 축축하게 젖어 들었다. 카일은 바닥으로 무너지듯 주저앉아 끅끅거리며 숨도 제대로 쉬지 못하고 울었다.

"……가지 마. 모, 못 찾겠어. 그렇게 멀리 가면 못 찾아, 조…… 돌아와. 내가, 흑. 찾을 수 있는 곳으로 가라고 했잖아…… 사라지지 말아 달라고 빌었잖아."

돌처럼 굳은 조의 손을 붙잡고 오래도록 흐느꼈다. 하지만 떠나간 온기는 다시 돌아오지 않았다.

❖ ❖ ❖

"일어나! 몇 시까지 잘 거야! 회사 안 가!"

"아, 나 좀만 더……."

이불 안에서 애벌레마냥 꿈지럭거리다 겨우 눈을 떴다.

"그 나이 먹고도 아직도 내가 깨워야 되니!"

"엄마! 좀! 나 엄청 중요한 일 있, 어……? 뭐더라. 아니, 잠깐만. 여기…… 우리 집인가."

내 방이었다. 이상하다, 뭔가 엄청 중요한 걸 잊은 기분인데. 뭐더라.

일단 회사나 가야겠다. 지각할라.

어벤져스 놈들. 왜 타노스를 무찌른 거야. 사람이 반은 사라져야 할 텐데. 2호선 사람 너무 많아. 숨 쉬는 것도 불쾌하다.

"내릴게요. 아, 잠깐만요! 내린다고요!"

꾸깃꾸깃 구겨져 있던 몸을 겨우 움직여서 지하철에서 내렸다.

"……뭐야. 내 우산 어디 갔어."

아이고 우리나라 우산 업계 내가 다 먹여 살리네. 비 올 때마다 새로 사고, 비 그치면 잃어버리고. 매일 그랬지만 오늘따라 유독 회사 가기 싫어 죽겠다. 월급을 1주일에 한 번씩 받으면 회사 잘 다닐 거 같은데. 하긴, 1주일마다 통장에 돈 찍히면 회사 안 다니고 백수나 하겠지. 집에 드러누워서 로맨스 소설이나 맨날 보고. 그러면 얼마나 좋겠냐고.

오전 회의를 하는 동안 이상하게 반쯤 넋이 나가 있었다. 실장이 하는 말이 하나도 귀에 들어오지 않았다.

"……금자 씨!"

"예?"

"듣고 있어요?"

"예, 예. 내일까지 정리해서 드릴게요."

"방금 거래처 일정 때문에 오늘 오후까지 달라고 했잖아요."

"……네. 오늘 오후까지 드릴게요."

이상하다. 왜 이렇게 멍하지. 원래 일하는 거 싫어했지만 이 정도는 아니었는데. 돈값은 하려고 나름 고군분투하며 살았는데. 왜 이렇게 낯설지. 그중에 엑셀 이놈이 제일 낯설어.

"……선배. 이거…… 수식 뭐였죠."

"……금자 씨. 어디 아파? 신입도 아니고 왜 그래."

"그게 아니라 진짜 갑자기 생각이 하나도 안 나서요. 죄송해요."

"……그래. 알았어."

고개를 갸웃하던 사수가 내게 엑셀을 다시 가르쳤고 그마저도 새로워서 나는 포스트잇을 꺼내 열심히 필기했다. 진짜 이상하네. 꼭 몇 년 쉬다 온 것 같아.

책상 앞에 가지런히 앉아 있는 것도 어색해서 몸을 이리저리 비틀다가 결국 맞은편 사수의 눈총을 받고서야 얌전히 앉았다. 온종일 정신을 차리지 못하는 내가 걱정됐는지 사수가 커피를 사다 내밀었다.

"감사합니다. ……뜨왑!"

"금자 씨?"

"아메리카노가 원래 이렇게 썼던가요?"

"오늘 진짜 이상하네. 몸이 많이 안 좋아? 퇴근 시간 얼마 안 남았으니까 정신 차리고 일하자."

"……예."

키보드에 손을 올리는데 문득 위화감이 들었다. 내 사수가 원래 남자였나. 고개를 들어 맞은편 자리를 봤지만 안경을 쓴 채 미간을 살짝 찌푸리고 일하는 사람은 아무리 봐도 남자였다. 기억이 묘하게 어긋나 있었다. 최동현이라는 저 사람에게 업무를 배웠던 기억과 동시에 최현수라는 다른 이름의 여자 사수가 있었던 기억이 떠올랐다. 나 현수 선배랑 같이 밥 먹고 커피 마시고 그랬는데. ……적응 못 하겠다고, 힘들어 죽겠다고 할 때마다 친구들이 일이 좆같아도 같이 일하는 현수라는 사람이 좋으니 얼마나 다행이냐고. 좀 참다가 경력직으로 이직하라고 했는데.

그럼 내 앞에 저놈은 누구지. 난 분명히 여기가 첫 직장인데.

생각을 거듭할수록 앉아 있는 이 자리에 이질감이 더해졌다. 결국 퇴근 시간까지 업무를 다 끝내지 못해 8시가 넘어서야 회사를 나설 수 있었다. 비가 억수같이 내려 도저히 우산 없이 지하철역까지 갈 수 있는 상황이 아니었다.

"……금자, 금자. 이상하다. 내 이름인데 왜 이렇게 낯설지."

오늘따라 낯선 것들투성이였다. 편의점까지 뛰어가서 우산을 사 들고 나오다가 쇼윈도에 비친 내 얼굴을 바라봤다. 가슴께에서 찰랑이는 검은색 긴 머리가 내 것이 아닌 것 같았다. 충동적으로 미용실로 향했다.

"머리 잘라 주세요. 단발, 아니. 그거보다 더 짧게요. 턱선 보일 정도로요."

숍 벽면에 붙어 있는 모델들의 얼굴을 무심코 보다가 나도 모르게 툭 내뱉었다.

"우리 카나리아만 못하네."

"네? 손님, 뭐라고요?"

"……예? 제가 뭐라고 했어요?"

의아하게 나를 바라보는 디자이너와 거울을 통해 눈을 맞추다가 시선을 피해 버렸다.

내가 뭐라고 했더라.

완성된 머리 스타일은 마음에 쏙 들었다. 디자이너가 손이 아주 야무지네. 뿌리에 살짝 볼륨을 주자 전체적으로 부드러운 느낌이 살아났다.

"그 머리는 탈색하신 거예요?"

거울로 눈을 마주치며 묻자 얼굴에 주근깨가 조금 있는 남자 디자이너가 깔끔하게 미소 지으며 대답했다.

"네, 이 색으로 하고 싶어서 두 번 탈색했어요."

"아, 잘 어울려요."

내 말에 남자 디자이너가 씨익 웃으며 내 머리카락을 빗어 넘겼다. 곱슬거리는 밝은 오렌지색 머리카락이라니. 오렌지가 잘 어울리네. 웜톤인가 보다.

나는 잘린 머리카락이 조금 붙어 있는 콧잔등을 긁적였다.

"저희 숍에 회원 등록돼 있으세요?"

"아뇨, 오늘 처음 왔어요. 여기 언제 생겼어요? 저 이 앞에 회사 다니는데 지나다니면서 한 번도 못 봤거든요."

"저희 여기 5년째 있는데. 손님이 바쁘게 다니셔서 못 보셨나 보다."

"아……. 그래요? 근데 왜 한 번도 못 봤지. 제가 정신없이 다녔나 보네요."

친절하게 웃으며 카드를 받아 든 직원이 결제한 후 영수증과 함께 카드를 내밀었다.

"감사합니다. 다음에 또 오세요."

밖으로 나가니 짧아진 머리카락 사이로 바람이 송송 들어왔다. 소나기였는지 어느새 비가 그친 상태였다. 우산을 손에 쥐고 걷다 나도 모르게 손잡이를 힘 있게 쥐고 놓기를 반복했다. 꼭 무슨 검이라도 잡고 있는 것처럼. 결국 지하철에서 내린 후, 아무도 없는 길을 지나다 남몰래 슬쩍 우산을 휘둘렀다. 우산에 있는 물방울이 후드득 내 얼굴로 떨어졌다.

"에퉤퉤!"

"이봐요! 뒤에 사람이 가는데 우산을 왜 휘둘러!"

고개를 뒤로 돌리니 백발의 영감이 잔뜩 노여운 얼굴로 옷에 묻은 물방울을 탈탈 털어 댔다.

"헉, 죄송합니다."

"검도가 하고 싶으면 검도장을 가셔야지."

"아……. 검도. 아. 예."

"나 저기 길 건너 건물주인데, 우리 건물에 검도장 있으니까 생각 있으면 와 봐요."

"예, 생각해 볼게요."

이참에 운동이나 해 볼까. 하루 종일 앉아 있으니 나날이 몸이 무너지기도 하고, 왠지 검도 재밌을 거 같아.

"아까 우산 휘두르는 폼이, 딱 보니까 검도에 재능이 있어. 응? 생각 있으면 꼭 와요."

"하하, 할아버지. 건물주라면서 뭔 검도장 홍보를 그렇게 열심히 하세요. 알겠어요, 생각 있으면 가 볼게요."

깔깔 웃다가 할아버지에게 대충 고개를 꾸벅했다. 초면에 왜 저렇게 가열차게 검도장 홍보를 하시지. 좀 있으면 손자 소개시켜 주겠다고 명함 내밀 기세네.

백발의 영감이 머쓱한지 한 걸음 뒤로 멀어졌다.

"내가 오바했구만."

"아니에요. 물 튀겨서 죄송했어요. 그럼 안녕히 계세요."

"그래요, 정말 생각 있으면 오시고. 젊다고 운동 안 하고 그럼 안 돼."

"알았다니까요."

말을 싹뚝 잘라먹으면서 걸어가다 나도 모르게 웃음이 피어났다. 왜 웃기지. 저 할아버지 처음 본 사람인데 뭐가 웃기고 즐겁다고. 건널목에서 신호등 신호를 기다리다 정신을 차려 보니 어느새 파란불이었다. 뭐야, 언제 바뀌었지. 오늘 정말 이상하네. 발을 앞으로 내딛는 순간, 택시가 클랙슨을 울리며 눈앞에서 멈춰 섰다.

"앞에 보고 건너!"

벙쪄서 대답도 못 하는 사이에 택시가 출발했다.

"파, 파란불이잖아!"

혼자 꽥 소리를 질렀지만 놀란 가슴이 잠재워지지 않았다. 오만상을 찌푸리며 신호등을 봤다. 빨간불이었다. 어라, 잘못 봤나. 등줄기에 소름이 오소소 돋았다. 순간, 나도 모르게 작게 읊조렸다.

"근데 왜 택시지, 트럭이 아니라?"

누가 내 우산을 뒤로 잡아당겼다. 나보다 약간 작은 소년이었다.

"누나, 조심하세요. 차에 치여요."

"……아, 고마워."

밝은 갈색 머리의 소년이 살갑게도 웃었다.

"죽으면 어떡하려고 그래요."

죽으면 안 되지, 그래. 맞아. 고작 차에 치여서 죽기엔 나는 너무 젊고, 내일채움공제 신청한 것도 열심히 채워야 되는데.

"……맞아, 난 죽으면 안 돼."

내가 뱉은 말임에도 괴리감에 혓바닥이 까슬했다.

난 죽으면 안 되는데, 왜 죽었지. 그것도 '그 사람'을 두고 왜 죽었을까.

나는 멍하니 앞을 바라보던 고개를 돌려 옆에 서 있는 소년을 내려다봤다. 아는 얼굴이었다.

"……도레스."

"절 아세요?"

태연하게 묻는 얼굴은 순진했지만 묘하게 기시감이 들었다. 그러자 의식하기도 전에 말이 먼저 튀어나왔다.

"야. 개소리하지 말고 불어. 이거 뭐야. 너 투르가 님이야?"

거의 확신하고 있음에도 외모가 주는 영향이 크다 보니 저절로 반말이 흘러나왔다. 그건 상대도 마찬가지인 듯했다.

"그런 모습으로, 그렇게 불리기도 하죠."

"이게 돌았나."

도레스의 멱살을 잡아 틀어쥔 순간, 주변의 소음들이 순식간에 가라앉았다. 고개를 들어 차가 사라진 도로를 바라보다 문득 옆을 봤지만, 내 앞에 있던 도레스는 보이지 않았다. 대신 뒤에서 도레스의 목소리가 들려왔다. 이제는 숨길 생각도 없는지 본래 말투 그대로였다.

"난 분명히 경고했잖아. 넌 죽게 될 거라고. 내 마지막 아량으로 환상 속에서 떠돌 수 있게 해 줬는데 쓸데없이 눈치만 빨라선."

뒤로 돌자 도레스의 손에 쇠사슬이 들려 있었다. 전쟁이 터지던 그날 아침 도레스가 풀어 준, 내 손에 묶여 있었던 쇠사슬.

"야! 약속이랑 다르잖아! 내가 만드는 선택에 안 끼어들겠다며!"

손에 들고 있던 가방을 도레스에게 집어 던졌지만, 날아간 가방은 그의 작은 몸을 그대로 통과해 버렸다.

"던진 보람도 없게 왜 통과해!"

"……이 작은 아이의 몸을 빌렸을 뿐, 내가 아니니까."

"뭔 잡소리야. 그럼 시발 죽이고 말지, 왜 이딴 환상을 보여 줘서 사람 복장 터지게 해!"

"……내 자비란다."

그가 손가락을 가리켜 건널목 너머를 가리켰다. 모델 같은 남자가 건너편에서 날 향해 미소 지으며 손을 흔들었다.

"여기에도, 너의 카일이 있어."

커다란 눈이나 오똑한 콧날, 길쭉한 팔다리는 모두 카일의 것과 같았다. 하지만, ……저 남자는 모르는 사람이다. 얼굴만 똑같으면 다 되는 게 아니라고. 내가 하는 말에 얼굴이 빨개지고, 싸우고 지지고 볶던 와중에도 깨물어 주고 싶을 만큼 사랑스러운 그 남자가 아니잖아.

나는 도레스에게 한 발짝 다가섰다.

"네가 만든 가짜랑 사랑하고 싶은 마음 없어. 되돌려 놔."

"전에는 '언니, 언니' 하며 잘 따랐잖아, 조."

"그땐 언니였으니까 그렇지. 지금은 콩만 한 모습 주제에 언니 소리가 듣고 싶냐. 말장난 치지 말고 빨리. 난 애초에 네가 날 왜 여기 데려다 놓은지도 모르겠어. 짝퉁 카일을 데려다 놓는다고 뭐가 달라지냐고."

손에 들고 있던 우산을 도레스에게 휘둘렀지만 역시나 그의 작은 몸을 통과

할 뿐이었다. 도레스가 난처한 얼굴로 한숨을 내쉬더니 나를 뚫어질 것처럼 노려봤다.

"……네가 이상한 맹세를 했잖아! 난 분명히 죽는다고 미리 경고도 했는데, 왜 그런 맹세를 해선!"

"……맹세? 내가 무슨 맹세를 했다고……?"

도레스가 그걸 왜 나한테 묻느냐는 듯 대답도 않고 팔짱을 낀 채 노려봤다. 나는 혼자 곰곰이 기억을 더듬었다.

'우리 둘이 애 낳고 손자 볼 때까지 카일 옆에 있을게요. 평생이 다 뭐야, 다음 생까지 쭉. 알았죠? 무덤도 옆에 같이 해요. 투르가 여신 걸고 맹세.'

"헉, 설마 그거?"

"그래! 죽을 걸 아는 애가 왜 함부로 내 이름을 걸어!"

이게 다 내 맹세 때문이라고? 신도 피곤하구나. 자기 존재를 걸고 한 맹세는 무조건 들어줘야 되고.

"야, 너희 세상 사람들은 장수하려면 무조건 너 걸면 되겠다."

"너 빼고는 아무도 나를 함부로 걸지 않아! 운명보다 일찍 죽는 사람도 없고, 어떤 맹세를 해도 그 또한 자기의 운명에 맞게 흘러가는 법이니까. 너는…… 내 세계의 인간이 아니라 그런 거잖아."

뭐래. 더럽게 헷갈리게 말하네. 그러니까 지금, 내가 자기 세계의 인간이 아니라서 지 맘대로 처리 못 한다 이건가. 그래서 내 맹세를 지키기 위해 임의로 이 가짜 세계를 만들었고? 이게 그 빌어먹을 세계의 관성을 지키기 위한 방법이란 말이야? 외부인인 내 맹세에 세계의 관성이 흔들릴까 봐 친히 여신까지 나서다니. 구성 한번 옴팡지게 탄탄하네. 아니, 잠깐만. 그렇다면……

"결론만 정리해 보면, 내가 지금 이 가짜 세상을 거부했으니까 어쩔 수 없이 원래 있던 그 중세 시대로 돌아가야 한다는 거지? 널 걸고 한 맹세 때문에. 맞지?"

도레스의 얼굴을 한 투르가의 얼굴이 분하다는 듯 구겨졌다.

"넌 여기서 사는 게 더 행복할 수도 있어."

"헛소리하지 마. 난 내 카일 옆으로 가야겠어."

"되살아난다고 해서 운명이 네 편이 되는 건 아냐."

"상관없어. 내 편이었던 적도 없잖아. 난 내 힘으로 여기까지 왔고, 앞으로도 그럴 거야."

"……고작 네 의지로 해결할 수 없는 일이 생길 거야. 그땐 이 환상에서 깬 걸 후회하게 될지도 모르지."

"언젠가 후회하게 되더라도 그게 오늘은 아냐. 난 카일 곁으로 가야겠어. 되돌려 줘."

사실, 다시 돌아갈 수 있다는 걸 알게 된 순간 안도감에 웃음이 필 뻔했지만, 아직 투르가에게 아무런 확답을 받지 못했기에 일부러 딱딱하게 말했다. 나를 죽일 듯 노려보던 투르가가 발로 땅을 박차며 뒤돌아섰다. 그 순간 갑자기 지진이라도 온 것처럼 땅이 흔들리더니 내 발 밑이 쑥 꺼지기 시작했다.

❊ ❊ ❊

이제는 출발해야 한다는 벤지의 재촉 아닌 재촉에 카일은 파리하게 굳은 얼굴로 느릿느릿 막사를 나섰다.

"……흰 천을 가져와라. 몸을 감싸야 하니."

그때였다. 창공을 가르고 커다란 붉은 매가 진영으로 날아들었다. 매는 태양을 닮은 붉은 날개를 펄럭이며 괴이한 소리로 길게 울었다. 공중을 맴돌던 붉은 매는 카일의 막사에 잠깐 앉는가 싶더니 금세 다시 날개를 펼쳐 날아갔다. 모두 홀린 듯 멀어지는 매의 뒷모습을 보고 있던 중, 막사 안에서 천막을 찢어발길 듯 커다란 음성이 번개처럼 터져 나왔다.

"카일—!"

너무나도 익숙한 목소리에 모두의 고개가 카일의 막사를 향해 돌아갔다. 스노우가 바닥에 털썩 주저앉음과 동시에 곳곳에서 병사들이 눈을 까뒤집으며 혼절했다. 분명 어제 카일 대신 그 자리에서 창에 관통당해 죽는 걸 봤는데. 시체를 끌어안고 울던 카일이 본인의 막사로 들어가는 걸 확인했는데.

카일 또한 온몸을 굳힌 채 막사 안을 바라봤다. 새벽 내내 다시 듣길 간절히 빌었던 그 목소리가 울린 건 꿈이 아니었다. 카일의 손끝이 벌벌 떨려 오기 시작했다. 발그레하게 물들어 있던 조의 뺨에서 색이 빠져나가 푸르게 식어 가는 걸 가만히 지켜보아야 했던 지옥 같던 밤이 그의 머릿속에서 천천히 되풀이되었다.

한 걸음 떼어 내는 게 두려웠다. 다시 한 번 네가 내 곁을 떠난 걸 확인하게 될까 봐. 하지만 전쟁터에서 감히 황자의 이름을 그토록 우렁차게 외칠 미친 망아지는 한 명뿐이었다.

잠깐 멈춰 있던 카일은 빠르게 막사 안으로 뛰어 들어갔다. 아까까지만 해도 눈을 감은 채 차갑게 굳어 있던 그녀가 황금빛 눈을 반짝이며 카일을 향해 손을 뻗어 왔다.

"내 카나리아, 아직도 울상이네."

장난스럽게 웃은 조는 오른손을 들다 말고 인상을 찌푸렸다.

"윽, 다 나은 상태로 되돌려 주지. 나 다시 죽는 거 아냐?"

말라 가던 검붉은 핏자국 위로 다시 붉은 핏물이 젖어 들었다. 상처는 여전히 낫지 않은 채로 몸속의 생명력을 밖으로 흘려보내는 중이었다. 카일은 침대 위에 누워 투덜대는 조를 멍청히 보다가 꿈에서 깨어난 듯 화들짝 놀라며 뒤돌아 외쳤다.

"의사! 의사를 불러와!"

시간이 멈춘 것처럼 고요하던 바깥이 일순간에 다시 소란스러워졌다. 이윽고 머리가 산발이 된 의사가 다급하게 막사 안으로 들어왔다.

"저, 전하! 부름을 받고,"

카일은 곧장 막사 입구의 천이 흐트러지지 않도록 고정시켜 가린 뒤 의사의 앞에 섰다. 그의 커다란 몸에 가려 침대에 누워 있는 환자가 보이지 않았다. 싸늘하게 굳은 얼굴로 카일은 제 검을 만지작거리며 의사에게 말했다.

"……입을 무겁게 해라. 그 무게만큼 살려 둘 터이니."

"……예, 예! 여부가 있겠습니까!"

바짝 기가 죽은 의사가 카일의 눈치를 보며 침대로 주춤주춤 다가갔다. 분명 죽었다고 들었던 사람이 멀쩡히 눈을 뜨고, 그것도 꽤 혈색이 도는 환한 낯으로 씩 웃으며 인사를 건넸다.

"안녕하심까."

"……이, 이게 무슨……."

의사가 손을 떨며 뒤에 서 있는 카일과 침대 위 환자를 번갈아 봤다. 그의 입이 느리게 벌어졌다. 경악에 물든 의사와 달리 카일은 누워 있는 이에게서 시선을 떼지 않은 채 의사에게 단호히 명령했다.

"치료해."

의사는 제가 보고 있는 것이 환상이 아님을 확인하기 위해 몇 번이나 제 눈을 비볐다.

시체가 살아 움직이다니.

의사야 충격을 받든 말든 태연히 '끙' 하는 신음을 흘리며 뒤돌아 누운 조는 제 등을 보였다. 창에 뚫린 부위에서 피가 흐르고 있었다. 의사는 떨리는 손으로 천천히 옷을 걷어 올렸다. 조용히 지켜보던 카일이 한 발자국 가까이 다가왔다. 조의 하얀 등 한가운데에는 창에 관통당했다고는 믿기 어려울 정도의 작은 상처만이 존재했다.

"……이건, 그냥…… 날카로운 꼬챙이에 찔린 자상 정도인데……."

"치료하라 했지, 네 감상평을 듣고자 한 게 아니다."

말은 그렇게 했지만 카일 역시 믿기지 않는다는 듯 조의 상처를 물끄러미 바라봤다. 어제 주먹만 한 구멍이 있었던 곳이라고는 도저히 보기 힘들었다.

"이게 어떻게 된 일이지. 어제의 그 큰 상처가 하루 만에 이렇게 되는 게 가능한가. 아니, 그 전에…… 죽었던 사람이 살아나는 게……."

생각에 골몰하느라 턱을 감싸 쥐며 카일이 의사에게 물었다. 조의 상처 위로 지혈제를 뿌리던 의사는 떨리는 입술을 열어 대답했다.

"불가능합니다. 관통상이 하루 만에 이렇게 작게 자가 치유되는 건 어떤 의학서에서도 보지 못했습니다. 게다가 죽은 지 하루가 지난 사람이 다시 살아난다는 것 또한 어디서도 들은 적이 없습니다."

깨끗한 흰 천을 환부에 갖다 대고 지혈한 의사가 조에게 정중히 말했다.

"붕대를 감아야 하니 윗옷을 벗어 주시지요."

"안 돼!"

카일이 질겁하며 말린 탓에 조는 가슴 아래까지만 옷을 들어 올렸다. 가슴을 칭칭 감은 붕대 끄트머리가 살짝 보이는 정도였다. 의사가 혀를 끌끌 차며 안타까움을 표했다.

"……이미 상처가 많으신 분이, 또 황자 전하를 보호하시다니. 정말 대단하십니다."

"……아, 그, 그렇죠."

말끔한 얼굴로 웃는 조의 얼굴에선 살아 있는 사람 특유의 생기가 넘쳤다. 어젯밤의 얼음장처럼 차갑게 굳어 버렸던 그 얼굴이 아니었다.

"치료는 끝났나? 나을 수 있는 상처인가? 죽지는 않겠는가? 감염이 됐다거나, 다른 병은 없는가? 몸에 다른 이상은 없나?"

카일이 질문 공세를 퍼부었다. 그 정신없는 와중에도 의사는 조의 눈동자를 찬찬히 살피고, 맥이 뛰는 것을 확인했다. 분명히 살아 있는 사람이었다.

"예, 붕대를 제때 갈아 주고, 무리하지 않으면 금방 나으실 겁니다."

의사는 확신 어린 말투로 말했다.

"기억은 온전한지, 움직이는 데 문제는 없는지 지켜봐야 하겠지만 지금으로서는 큰 문제가 없습니다. ……전하, 기적입니다."

입을 달싹였다가 그대로 다문 카일은 뭐라 말로 설명하기 어려운 벅찬 감정에 손을 들어 뜨거워지는 눈가를 가렸다.

"카일 전하를 지킨 용맹한 장수를 위해 전쟁의 신이 다녀갔다고밖에는 설명할 수 없습니다. 신의 뜻입니다. 전하."

감정을 겨우 억누른 카일의 무거운 목소리가 뚝뚝 끊어 울렸다.

"……이동은, 할 수 있는가. 이곳에 오래, 남아 있을 수 없다."

"이동까지는 아무래도 무리입니다. 범위가 작게 남은 상처고 주요 장기를 다 피하긴 했지만, 그래도 관통상이라 최소 2주는 안정을 취해야 할 것 같습니다."

카일에게 정중하게 말한 의사가 갑자기 조의 앞에 무릎을 꿇었다.

"위대한 투르가 여신의 손길이 닿은 분을 뵙게 되어 영광입니다."

평민인, 그것도 마구간지기인 앳된 청년에게 무릎을 꿇고서도 의사는 그저 감격에 찬 얼굴이었다. 카일 역시 붉게 달아오른 눈으로 조를 멍하니 보고 있었다. 어쩔 줄 몰라 안절부절못하는 사람은 조뿐이었다.

"선생님, 일어나세요. 예?"

위대한 투르가 여신의 손길 그딴 게 아니라 그냥 한 판 하고 억지로 빡빡 우겨서 돌아온 거라고요. 영광 그런 게 아니라 맞다이 까고 왔다니까요.

마음의 소리를 할 수가 없어 조는 당황한 얼굴로 카일에게 손짓하며 도와 달라 요청했다. 카일이 울먹이는 의사를 진정시켜 내보냈지만 곧장 밖에서 '살아 있는 기적' 이라는 말과 함께 탄성이 들려왔다. 밖의 소란에도 카일은 눈앞의 살아 숨 쉬는 조에게만 집중했다. 눈앞에서 목도하고 있음에도 좀처럼 이 기적을 현실로 받아들이기가 어려웠다. 조심스럽게 침대 끄트머리에 걸터앉은 카일이 넌지시 질문했다.

"……정말 너 맞아?"

"그럼요."

"……신이라도 몸에 들어온 게 아니고서야 어떻게,"

"에이, 우리 카나리아가 왜 이럴까. 주인도 몰라보고."

슬그머니 웃으며 자리에서 일어난 조의 손이 카일의 가슴팍으로 향했다. 변함없이 애정을 빙자한 난잡한 손길에 그제야 카일이 안도의 숨을 내쉬며 조의 손을 잡아 내리고는, 다른 한 손을 마저 끌어다 모아 쥐었다.

"확실하군."

맞구나, 정말 너구나.

넋두리처럼 중얼거리던 카일이 조의 손을 들어 그녀의 손바닥에 경건히 키스했다. 조에게서 확답을 듣고서야 안심한 카일의 투명한 눈물이 말간 볼을 타고 흘러 조의 손을 축축하게 적셨다.

"……두려웠어. 정말로 혼자 남은 줄 알았으니까. 나는 이제, 네가 없으면 안 된다고 했잖아……."

"그래서 다시 왔잖아요, 응? 울지 마요."

조가 고개를 기울이며 카일의 이마에 다정히 입 맞췄다. 그 따뜻한 체온에 감사하며, 우는 사람 같지 않은 낮고 진중한 목소리로 카일은 흔들림 없이 말했다.

"네가 악마에게 영혼을 팔아서 돌아왔다면 내 영혼이라도 나눠 줄 수 있어. 살아난 네 목숨을 대신해야 할 인간이 필요하다면 얼마든지, 만들어 내서라도 제단에 올릴 수도 있어. 시간을 되돌려서 내게 이 긴 전쟁을 한 번 더 치르라 한다면 그 또한 할 수 있어. ……하지만,"

잠깐 숨을 끊었다가 다시 내쉰 카일이 다짐이라도 하듯 낮게 속삭였다.

"널 잃는 일은 다신 못 해."

상상조차 버거워 카일은 잘게 고개를 흔들다 이내 두 눈을 질끈 감았다. 도저히 견딜 수 없는 고통이었다. 절절 끓는 목소리로 애원했다. 다신 나를 버리지 말라고.

"제발, 제발 나만 여기 두지 마……. 날 혼자 두고 가지 마."

카일은 아래로 내리깔았던 눈을 천천히 뜨고 푸른 눈 가득 조를 담았다.

내 곁에 있다. 피에 물들어 안녕을 말하던 어제와는 달리, 이제는 정말 손에 잡히는 내 곁에 있다. 생생하게 반짝이는 조의 황금빛 눈을 보며 카일은 고백했다.

"사랑해. 그 무엇보다."

멍한 눈으로 카일의 얼굴을 바라보던 조가 별안간 아, 하는 짧은 탄식과 함께 한쪽 입꼬리만 비스듬히 올려 웃었다. 영문을 몰라 카일이 살짝 웃으며 바라보자 조가 대뜸 여신의 이름을 거론했다.

"투르가 걸고?"

"뭐?"

"여신이요. 투르가 여신 걸고 날 사랑한다고 맹세해요. 어떤 결혼 서약보다 그게 더 강력하니까."

"결혼 서약? ……나랑 결혼해 줄 거야, 조?"

"나 어차피 카일이랑 애 낳고 손자 보기 전까진 못 죽어요. 아무튼 빨리 투르가 여신 걸고 맹세해요, 나 사랑한다고."

눈 아래를 발그레 물들인 카일이 환하게 웃으며 대답했다.

"위대한 여신 투르가의 이름을 걸고 맹세합니다. 평생 조만을 사랑하겠습니다."

"나랑 애도 낳겠다고 해."

"……그걸 신의 이름을 걸고 맹세하라고? 그건 좀, 그렇지 않나."

"난 여자애 둘, 남자애 하나 정도가 좋겠어요."

"벌써 거기까지 생각했어?"

"아, 빨리!"

"……여신 투르가의 이름을 걸고 맹세하건대, 조를 닮은 아이를 낳고, 그 아이가 낳은 손주를 안아 보고, 조와 함께 늙어 죽는 그 날까지 조만을 사랑하겠습니다. 됐어?"

"네! 아, 잠깐만! 애가 왜 나를 닮아. 카일을 닮아야지."

"난 널 닮았으면 좋겠는데."

"지금 좀 감성적인 거 같은데, 잘 생각해 봐요. 정말로 날 닮았으면 좋겠어요? 양심에 손을 얹고 다시 말해 봐."

만연한 미소를 띠고 있던 카일이 움찔 떨며 잠깐 얼굴을 굳혔다.

"……아이는 차차 생각해 보자. 교육……을 잘 시키면……."

"나 4년제 대학 잘 나왔고, 가정 교육도 잘 받았어요. 근데 나도 내가 이런 변태일 줄 몰랐거든. 우리 애는 나보다 더할 거 아냐. 자기 아빠가 이렇게 미남인데 진짜 조각을 데려오지 않는 이상은 평생 연애도 못 할 거야."

벌써부터 미래를 걱정하는 조가 사랑스러운지 카일은 생기가 도는 그녀의 장밋빛 뺨을 감싸 쥐고 살짝 키스했다. 언제 한숨 쉬었냐는 듯 생글거리며 야살스레 웃은 조가 카일의 입술에 쪽 소리가 나게 입술을 마주 댔다 떨어졌다. 카일은 아직도 그녀의 온기가 믿기지 않는지 깨질 것처럼 조심스레 조를 끌어안고서는 안도의 한숨을 내쉬었다.

얼마 후, 밖에서 절절 끓는 스노우의 음성이 들렸다.

"……전하. 정말로 조가 살아 있습니까."

스노우의 목소리를 들은 조가 카일을 보며 고개를 끄덕였다. 카일의 부축을 받으며 조는 막사 밖으로 걸음을 옮겼다. 입구의 천을 천천히 거둬 내자 대답을 기다리던 스노우를 비롯한 수많은 시선들이 조에게로 향했다. 조가 앞으로 조금씩 걸어갈 때마다 흠칫 놀라며 기사들이 물러났다. 스노우가 손에 들고 있던 검을 떨어뜨리고는 발을 질질 끌며 조의 앞으로 걸어왔다. 주름진 두 손을 앞으로 뻗어 조의 얼굴을 감싸 쥔 스노우는 떨리는 목소리로 물었다.

"……정말 너냐, 조."

"할배는 꼭 자기 감동했을 때만 조라고 부르더라."

일자로 꾹 다문 입술을 바르르 떨던 스노우는 이내 두 눈을 질끈 감으며 툭툭, 조의 어깨를 두드렸다. 먹먹해진 목소리에 울음기가 섞였다.

"……이 멍청한 자식…… 이 천하의 바보가……."

"아, 영감님. 다시 살아나고서도 내가 욕을 먹어야겠어요?"

"……하하, 수고했다. 수고했어, 조……."

자글자글한 눈가의 주름 아래로 투명한 물방울이 흘러내렸다. 장내 분위기가 찬물이라도 끼얹은 듯 조용했다. 그때 누군가 적막을 깨트리며 소리를 질렀다.

"신께서 살렸다!"

"우워어어어!"

"투르가의 손길이 닿은 분이다!"

"우아아아아!"

"전쟁의 신은 우리 편이다!!"

사람들의 함성을 들은 카일이 조를 보며 꽃처럼 환하게 미소 지었다. 과도한 열광에 난처한 빛을 띠며 눈동자를 마구 굴리던 조가 끝내 어색하게 웃으며 왼손을 살짝 들었다. 그러자 우레와 같은 박수갈채와 환호가 열광적으로 울려 퍼졌다. 하지만 카일이 오른손을 들자 군대가 순식간에 조용해졌다.

"신께서 살린 몸이나, 아직 상처가 다 낫진 않았다. 먼 길을 떠나기 위해 회복하는 데에 최소 2주일이 필요하다. 나는 내 은인을 두고 먼저 떠날 생각이 없다. 대군들도 함께 이곳에 머물며 승리를 축하하겠는가!"

"우어아악!!"

말만 하면 우렁차게 터져 나오는 환성에 조가 머쓱하게 웃으며 막사 안으로 다시 들어갔지만, 기적을 목도한 이들의 흥분은 쉽게 가시질 않았다. 밖에서는 '조' 와 '투르가' , 그리고 '전쟁의 신' 을 번갈아 연호하는 함성이 한동안 계속 이어졌다.

※ ※ ※

고작 2주 쉬었을 뿐인데도 죽었다가 살아 돌아온 나에 대한 이야기는 점점 더 와전되었다.

죽음의 신을 죽이고 돌아왔다며 '운명을 거스르는 자' 라는 얘기까지 돌았다. 어쨌든 죽었다 살아난 건 사실이고, 운명을 거스른 것도 사실이긴 했지만 이렇게 많은 사람들의 입으로 들으니 기분이 영 이상했다.

전쟁의 신, 죽음의 신을 죽인 인간, 운명을 거스르는 자.

타이틀만 모아 놓으니 그럴듯한 전쟁 영웅 설화처럼 들렸다. 남의 말로 들었으면 나라도 솔깃하겠네. 미치겠다. 그러고 보니 이상했다. 소속도 없는 일개 용병이 감히 황자의 막사에 누워 있는데도 아무도 내게 딴지를 거는 사람이 없었다. 그 까탈스러운 콜린 후작마저도.

대체 전쟁터에서 어떻게 구했는지 모를 싱싱한 과일을 가져다준 스노우가 그 의문을 풀어 줬다.

"콜린 그놈이 신학을 따로 공부할 정도로 독실하거든."

……그럼 날 어떻게 생각할지도 뻔했다. 남들처럼 전쟁의 신이나 투르가의 숨결이 닿은 신성한 인물이라 여기겠지. 공감성 수치 딸려요. 살려 주세요. 추앙받으면 편하긴 하겠지만 좀 조용히 살 순 없나.

궁으로 돌아가는 날 아침, 거의 다 나은 상처의 붕대를 직접 갈아 주는 카일과 간만에 분위기 좀 잡아 보려는데 밖에서 카일을 찾는 목소리가 들렸다.

"전하. 황궁에서 칙서가 당도하였습니다."

"분위기 파악 더럽게 못 하네. 거의 다 벗겼는데. 시발."

투덜대는 내 입술에 짧게 입 맞춘 후, 칙서를 받기 위해 옷을 추스르고 밖으로 나간 카일이 황제의 명령이 담긴 문서를 받아 들었다. 카일의 표정이 일순간에 굳어졌다. 절뚝이며 따라 나와서 슬쩍 곁눈으로 훔쳐보니 꼬부랑글자들 사이에 내 이름이 보였다.

'금지된 흑주술로 황궁의 기강을 어지럽힌 제1황자 궁 소속 마구간지기 조를 즉결 처형하라.'

15. 귀환

"금지된 흑주술로…… 황궁의 기강을 어지럽힌 제1황자 궁 소속 마구간지기 조를…… 즉결 처형하라……."

나도 모르게 글자를 따라 읽다가 입을 틀어막으며 뒤로 물러났다.

"처형?! 내가 언제 흑주술을 썼다고! 그거 쓸 수 있었으면 뼈 빠지게 검술도 안 배웠지!"

펄쩍 뛰어오르며 길길이 날뛰자 옆에 서 있던 벤지가 내 팔을 잡으며 말렸다.

"조, 상처가 덧날지도 모르니 일단 진정해…… 이건, 이건……."

벤지는 나를 진정시키려고 했지만 그 역시도 많이 놀랐는지 말을 끝마치지 못했다.

"이건 날 죽이라는 거잖아요!"

흥분한 내가 소리를 지르자 주변에 있던 다른 병사들이 곁으로 몰려들었다.

"누가 감히 우리 기적을 건드립니까!"

"여신의 힘으로 지옥에서 살아 돌아온 분을 감히 어떤 놈이!"

덩치 큰 기사들이 금방이라도 상대를 때려죽이러 갈 기세로 나섰다.

"……황제라는데요."

눈꼬리를 축 늘어뜨리며 대답하자 다들 한 걸음씩 뒤로 물러났다.

"아, 그건 좀……."

"황제 폐하께서 왜 그러시지."

"거참 곤란한 일에 엮이셨네."

어수선한 분위기 속에서 한 마디 말도 없이 칙서를 보고 있던 카일은 이내 그것을 다시 돌돌 감았다. 칙서를 들고 온 자가 고개를 갸우뚱 꺾었다.

"황제 폐하의 명이 내려진 자가 저자입니까."

젊은 기사가 내게 한 발자국 다가오려는 찰나, 카일이 그의 앞을 막아선 채 싸늘하게 식은 눈으로 물었다.

"자네 이름이 뭐지."

"마크 오셀론입니다."

"그렇군."

고개를 끄덕인 카일이 살짝 몸을 틀어 칙서를 내게 내밀었다. 엉겁결에 날 죽이라는 내용이 담긴 종이를 받아 든 나는 카일의 손짓에 한 발자국 뒤로 물러났다. 내가 칙서를 받아 드는 걸 본 기사가 버럭 소리를 질렀다.

"칙서를 왜 네가 가져가! 전하! 폐하의 명령이 담긴 저 중요한 문서를 왜 저 간악한 흑주술사에게 주십니까! 그리고 제 이름은 왜 물으시는 건지, 제가 이유를 좀 알아야겠습니다!"

당당하게 으름장을 놓는 기사 앞에서 카일은 느긋하게 미소를 지었다. 그러곤 당연한 걸 묻느냐는 듯 어깨를 가볍게 올렸다 내렸다. 그의 손이 자연스럽게 옆구리에 꽂힌 검으로 향했다.

"죄인의 이름을 알아야 유가족에게 공문이 갈 테니."

"저요? 죄, 죄인이라뇨. 제가 무슨 죄를 지었다고 죄인입니까. 게다가, 황, 황제 폐하의 명령을 이리 무시하셔도 되는 겁니까! 저는 폐하의 말씀을 전하러 온 사람이고! 전하께서는!"

"그래, 나는 황족이다. 그런데 자네는 아까부터 내게 겁 없이 소리를 지르는

군. 그대에게는 내가 황족으로도 보이지 않는가. ……내가 이리 위엄이 없어서야."

아, 나왔다. 나 없는 동안 묘하게 흑화했다던 피도 눈물도 없는 모습의 카일.

축 처지는 목소리로 느릿하게 말한 카일은 뽑아 든 검을 기사의 목에 겨눴다.

"황제의 명령을 무시한 것이 아니다. 무고한 자를 죽일 순 없으니 보류한 것이지."

"하지만 황제 폐하의…… 명령이……."

"폐하의 명령을 어긴 것이 아니라 했다. 하지만 너는 지금 황족을 모욕하고 있구나."

카일이 오른손을 높이 들어 놈의 목을 치려는 찰나, 나는 황급히 카일의 허리춤을 끌어안았다. 쟤가 싸가지가 없었던 건 맞지만 죽이면 어떡하냐고. 이미지 관리 안 할 거냐고.

"즈언하—!"

"……조?"

"제게 죄가 없다는 건 함께 전쟁터에서 동고동락하신 카일 황자 전하께서 제일 잘 아시지 않습니까."

"그래. 네가 주술을 쓸 수 있었다면 내게서 도망갔다가 그리 어이없게 잡혔을 리 없지."

"그, 그때는……!"

저기요, 그때는 전하가 물에 빠진 척하면서 날 붙잡고, 키스하고, 묶어 놓고, 맨 마지막엔 옷 벗고 유혹하셨잖아요. 그게 왜 어이없이 잡힌 거예요. 난 미인계에 함락당한 건데!

목구멍 바로 아래까지 차오르는 말을 하나도 하지 못하고 입만 달싹이며 버벅거리자 카일이 나를 부드럽게 내려다보며 피식 웃었다.

"어찌 됐든 이자가 내게 건방지게 군 것은 맞고, 나는 그냥 넘어갈 생각이 없어."

카일이 가볍게 내 뒷덜미를 잡아 사뿐히 내려놓고 다시 검을 높이 올렸다.

어느새 눈물이 맺힌 기사는 차마 도망갈 생각도 못 하고 잔뜩 몸을 움츠렸다.

이렇게 된 이상 나도 최후의 수단을 쓰는 수밖에.

"으아악! 카일 전하가 방금 저 들었다가 내려놓은 게! 아악! 상처가 터졌나 봐요! 등이 아파요! 흐아아아! 살려 줬더니 사람 죽이네!"

의사가 황급히 달려오며 소리를 질렀다.

"신의 사자께서 아프시다니, 이 무슨 소리입니까!"

카일의 눈살이 묘하게 찌푸려졌다.

서당 개 삼 년이면 풍월을 읊는다더니, 카나리아 삼 년이면 속임수를 간파하네요.

짜증스레 굳은 카일의 입매는 당장 자빠뜨리고 싶을 정도로 섹시했지만, 지금 나는 저 기사를 살려야 했다. 건방진 건 맞지만, 쟤 입장에선 그저 명령을 따랐을 뿐이고, 게다가 황제가 보낸 사람을 죽일 순 없었다. 분명 카일이 나보다 더 이성적이었는데 왜 갑자기 내가 이 군대의 이성을 맡고 있는 거죠. 다들 안 말려?

"아아악! 나 다시 죽네!"

"……하."

얕은 한숨을 쉰 카일이 손을 들어 달려오는 의사의 접근을 막고는 흙바닥에 마구 뒹구는 나를 가볍게 안아 올렸다.

"오지 마라. 내가 치료할 테니. 기사는 일단 돌아가지 못하게 잡아 둬."

나를 데리고 막사 안으로 들어간 카일은 내 손에 들린 칙서를 가져가 사정없이 찢어 버렸다.

"그! ……그걸, 찢으시면 어떡해요……."

급하게 소리를 낮춰 카일만 들을 수 있게 속삭였지만 그는 목소리를 낮출 필요성조차 느끼지 못하는 듯했다.

"이따위 헛소리는 중요하지 않아. 네가 흑주술사가 아닌 건 내가 제일 잘 아니까."

"그래도…… 황제 폐하의 칙서인데."

"신경 쓰지 마. 해명을 해도, 가서 직접 하면 돼."

카일의 단단한 눈동자가 올곧게 나를 향했다.

"다신 널 잃지 않는다고 분명히 말했잖아. 그리고 투르가 여신께 우리의 미래까지 약속했고. 여신의 이름을 걸고 맹세한 이상, 내겐 그걸 지켜야 될 의무가 있는 거야."

투르가 그 양반 생각보다 이름난 양반이었구만.

손목을 잡아당겨 내 이마에 짧게 키스한 카일이 그림처럼 미소 지었다.

"허리 아파? 어제 무리해서 그런가. 등 쓸릴까 봐 앉아서 했는데, 왜 그러지."

"……아, 그, 그게 그쪽 문제가 아니라……."

내 빨개진 두 뺨을 감싸 쥔 카일이 사랑스럽다는 듯 웃더니 내 입술에 쪽 소리가 날 정도로 입을 마주 댔다가 떨어졌다.

"예전에 내 얼굴이 빨개질 때마다, 네가 날 보면서 이런 기분이었을까."

아무래도 외계인이 카일 껍데기를 쓰고 카일인 척하는 거 같은데. 내 카나리아는 이렇게 능글맞고 뻔뻔하지가 않았거든요. 불타오르는 고구마가 된 나를 두고 나간 카일은 곧장 군대를 정비하여 출발한다는 환국 명령을 내렸다. 아직도 얼이 빠진 내게 다시 돌아온 카일이 나를 번쩍 들어 날랐다.

"잠, 잠깐만요! 저 어디로 가요!"

"날 살려 준 은인인 데다가, 방금 상처도 덧났다며."

카일은 밖에 서 있는 벤지에게 짧고 간결하게 전달했다.

"조는 나와 같은 마차를 타고 간다."

이게 바로 궁녀였다가 황후까지 올라간 역사서 속 경국지색의 기분인가. 올 때는 카일의 꽁무니를 쫓아서 어렵게 보급 마차 얻어 타고 왔는데, 돌아가는 지금은 황자의 마차를 함께 타고 가네요. 그것도 황자 무릎 위에서.

"……저 내려갈래요."

"안 돼. 마차가 덜컹거려서 위험해."

"지금 카일 사타구니가 제일 위험한 거 같아요. 내려갈래요."

빌테온으로 돌아가는 내내 카일과 아웅다웅 실랑이를 했다. 어쩐지 전에 비해 더 나를 혼자 두지 못하는 것 같았다.

"아이고, 이 사람아! 이러다 화장실까지 쫓아오겠네!"

"……네가 화장실 가는 걸 쫓아가는 사람이 있으면 어쩌지."

"……진심으로 그런 사람 아무도 없으니까 걱정 마세요."

하지만 카일은 굳이, 정말 굳이 3주간 이어지는 행렬 내내 야영할 때마다 내 전용으로 쓸 수 있는 화장실을 만들라 명령했다.

뭐랬더라. '신의 손길이 닿은 신성한 사람' 이라는 이유였나. 물론 너무 민망한 나머지 화장실 땅 팔 때 같이 삽을 들고 판 건 당연한 일이고.

"……조, 출세했다. 난 네가 그 유명한 검은 사신일 줄은 꿈에도 몰랐어."

"나도 내가 그따위 별명으로 불리는 줄 몰랐다."

전쟁터에 따라온 잡부라고 해 봐야 모두 내가 아는 사람들이었다. 나랑 비슷한 일을 했었으니까. 열심히 삽질을 하고 있으면 어디선가 나타난 카일이 나를 둘러멨다.

"위험하게 자꾸 어딜 돌아다니는 거야."

"위험? 내가 걸어가면 사람들이 홍해 갈라지듯 쩍 갈라지는데 대체 무슨 위험이요."

잠깐 멈칫하던 카일은 내 말을 못 들은 척 넘겨 버렸다.

"신께서 노하실라, 험한 일은 하지 마."

"내가 노하는 건 신경도 안 써요?"

금이야 옥이야, 쥐면 터질세라 불면 날아갈세라 카일이 나를 아끼고 먹이고 재운 덕에 제국에 도착할 때쯤에는 상처가 모두 나은 건 물론이고, 빠졌던 살까지 다시 보기 좋게 쪄 있었다.

"누가 날 전쟁의 신, 검은 사신이라 하겠어요."

"……그러게, 그럼 투르가의 현신이라고 할까. 날 지켜 줬으니 내겐 위대한 여신인데."

"진짜 미쳤나 봐. 기름통에 빠졌다 오셨어요?"

"네 얼굴 빨개지는 거 보는 게 이렇게 재밌는 줄 몰랐네."

달려들려는 카일의 어깨를 필사적으로 밀어 내는 순간, 마차 바깥에서 사람들이 웅성거리는 소리가 들려왔다. 드디어 제국이구나. 호기심에 창문을 살짝 열었더니 마차 행렬을 구경하러 나온 제국민들이 보였다. 모두 하나같이 환하게 웃고 있었다.

"카일! 카일! 카일!"

황자의 이름을 연호하며 응원하는 국민들의 열기가 뜨거웠다. 카일을 환영하는 국민들의 외침은 수도에 당도할 때까지 쭉 이어졌다.

"네가 아니었다면 이루어 내지 못했을 거야."

"……아니에요, 뒤에 반년 정도는 같이 있지도 못했잖아요."

"널 찾겠다는 마음으로 불타올랐으니 그것도 어찌 보면 네 덕이지."

카일이 작은 창을 살짝 열자 함성 소리는 더욱 거세졌다. 황궁으로 입성하는 순간까지 온 백성들이 카일의 이름을 연호했다. 지금 이 순간 황태자의 자리에 가장 가까운 건 제1황자, 카일이었다.

하지만 황궁 안 분위기는 그렇지 못했다. 적어도 황제만큼은 그를 그다지 환영하지 않는 듯 보였다.

⁂ ⁂ ⁂

황제의 알현실에서 카일이 제일 먼저 들은 말은 너의 종이 흑주술을 이용해 황녀를 조종한 것이 밝혀졌다는 말이었다. 수고했다거나, 전쟁을 통해 적국 로테나와 공국인 란티모스에서 얻어 낼 공물에 대한 이야기 같은 것이 아니라.

"폐하. 그 사람은 흑주술 따위는 듣도 보도 못한 사람입니다."

"그리 순진하고, 출신도 불명확한 자가 어찌 단번에 황궁에서 일할 수 있었겠는가."

"황족을 직접 모시는 직업이 아니고서야 일꾼은 부족한 대로 알음알음 채워지곤 합니다."

"시에나의 말에 의하면 그런 게 아니라던데."

시에나 황녀. 그녀 짓이었군.

그간에도 카일에게 짓궂다는 말로도 부족한 장난들을 치곤 했는데 돌아오자마자 이 난리였다. 카일이 주먹을 불끈 쥐고 황제를 똑바로 올려다봤다. 항상 마주칠 때마다 알 수 없는 죄책감과 두려움에 시달리게 했던 그의 붉은 두 눈을.

"전쟁에서 공을 세우고 돌아온 제게 하실 말씀이 그것뿐입니까."

"네가 전쟁에서 공을 세웠기에 기다려 준 것이다. 감히 황녀를 우롱한 네 종의 죄를 바로 벌하지 않은 것에 대해."

"한없이 평범한 사람입니다."

카일에게는 이번 일에 관해 어떤 정보조차 없었다. 왜 시에나가 흑주술에 의해 조종당했다는 주장을 펼치는지조차. 아무런 전후 사정을 모른 채 카일은 황제의 질문에 필사적으로 변호했다. 턱수염을 만지작거리던 황제가 말했다.

"그래서, 조라는 그놈은 어디 있지."

"……제 궁의 객실에 있습니다."

마구간에 가서 자겠다는 조를 겨우 제 궁 안의 객실에 데려다 놓고 나오는 길이었다.

"죄인을 객실에 둔 이유는."

"제 목숨을 살려 준 은인이며 더불어 이 전쟁을 승리로 이끈 공신이기도 합니다."

"고작 마구간에서 일하던 자가 전쟁터에 따라가 멀쩡히 살아 돌아왔다? 황자가 생각하기에도 이상하지 않나."

"아무런 접점도 없는 시에나 황녀를 그가 머나먼 전쟁터에서 조종했다는 것은 타당한 주장입니까."

날카로운 두 눈이 공중에서 부딪혔다. 잠시 카일을 노려다보던 황제가 입을 열었다.

"그럼 내일 다 모아 보면 되겠군. 황자를 도왔다는 그 흑주술사와 시에나 황녀, 전쟁에 참전했던 기사들 몇몇까지 모두 부르면 되겠구나."

"……좋습니다."

"그때까지 도망가지 못하도록 하라. 그렇지 않으면 그 모든 죄를 네가 다 책임져야 할 테니."

황제에게 꾸벅 고개를 숙인 뒤 카일은 알현실을 나왔다. 조가 잠들어 있는 객실까지 가는 동안 많은 시종들이 웃으며 인사를 건넸지만, 카일은 미소 짓는 법을 잊은 사람처럼 그저 등을 펴고 앞만 바라보면서 걸었다. 객실 문을 열자 그렇게 싫다고 발버둥 치던 모습은 어디 갔는지, 조는 침대에 편하게 드러누워 잠들어 있었다. 다행이야. 걱정으로 어두워진 얼굴은 너한테 보여 주고 싶지 않으니까.

너는 예쁜 나만 봐야지.

이불을 목 아래까지 덮어 주며 카일은 그녀의 흐트러진 앞머리를 정리했다.

"아무 걱정 말고, 푹 자."

집무실로 돌아온 카일은 왜 시에나 황녀가 조를 흑주술사로 몰아갔는지에 대해 알아보기 위해 시종 펠을 불렀다. 펠은 요 며칠 동안의 일을 최대한 상세하게 얘기했다. 이사크 황자가 머무는 방의 향초에서 독이 발견되었다는. 아무런 향도 나지 않지만 몇 시간 내내 가까운 공간에서 맡다 보면 기도가 막혀 죽음에 이르게 하는 독이었다.

향초를 켠 시녀부터 황자의 방을 관리하는 시종까지 모두 조사했지만 평소와 같았다고 얘기했다. 어디선가 독초를 갈아 만든 향초로 바꿔치기 된 것일 텐데 그 경로를 알 수 없었다. 그러던 중 델로아 알베니스가 조사하다 시장에서 독초의 구매처를 발견했으며, 누가 사 갔는지 또한 알아냈다.

페기 블란트. 시에나 황녀의 시녀였다. 독단적으로 행한 범행이라 우기던 페기는 가족에게도 죄를 묻겠다는 얘기에 순순히 시인했다. 시에나 황녀님이 명령하신 대로 했을 뿐이라고. 곧장 시에나 황녀에 대한 조사가 진행되었다. 황제 앞에서 억울하다며 눈물짓던 시에나는 모든 범행을 부인했다.

'폐하, 저는 그런 말을 한 적이 없습니다. 제가 무슨 이유로 이사크 황자를 독살하려 했겠습니까.'

그녀의 억울하다는 호소와 다소 모순되게 이유는 충분했다. 최근 황제가 이사크 황자에게 우호적으로 굴었으니. 제 오라비 헤론의 입지가 흐려질까 독살했을 것이 분명했다. 본래 이루어지지 않았을 적안의 황녀에 대한 재판이기에, 황제가 황녀를 심문한다는 것만으로도 황제가 바라는 다음 황태자가 이사크 황자가 아니냐는 얘기가 나돌았다. 혹은, 적안인 시에나 황녀를 아끼기 때문에 그녀의 무죄를 밝히려 황제가 직접 그녀를 심문하는 것이라는 말도 나왔다. 이유가 어찌 됐든 간에 시에나는 계속해서 모르쇠로 일관했다. 황제는 계속해서 황녀에게 물었다.

'모든 증거들이 네가 범인이라 말하고 있는데 어찌 부인하느냐.'

황제의 말처럼 모든 증거들이 시에나를 향하고 있었다. 그런 것치고 황제는 퍽 다정한 말투였지만. 훌쩍이던 시에나가 가슴을 두드리며 억울하다 성토했다.

'그런 명령을 내린 기억이 나질 않습니다. ……실은 꼭 누구에게 조종이라도 당한 듯 그날의 일이 기억나질 않고 내내 머리가 멍합니다, 폐하.'

알현실 안에 있던 사람들이 동시에 술렁거리기 시작했다. 주술에 걸린 것 같다는 황녀의 증언은 터무니없었다. 하지만 황녀는 봇물 터지듯 누가 자신을 조종한 것이라고 증언했다.

'제가 꼭 제가 아닌 것처럼 정신이 멍했습니다! 억울합니다. ……그러고 보니 머릿속에서 들리던 목소리가 있었습니다. 제게 명령을 따르라 했습니다. 자기 이름은 조……라고.'

황제의 고개가 갸우뚱 꺾였다.

'그자가 누구냐.'

'저도 그것을 알 수 없어 페기에게 알아보라 했습니다. 그러나 이사크 황자를 암살하라는 명령은 결코 내린 기억이 없습니다! 설령 제 입에서 나온 말이라고 해도, 그것은 제 의지가 아닙니다, 폐하!'

잔혹한 심문을 받던 페기가 지하 감옥에서 황제의 알현실로 올라왔다. 제대로 무릎을 꿇지도 못하는 페기에게선 살 탄 내음이 진동했다.

'조가 누구냐.'

황제는 아랑곳 않고 페기에게 질문했다. 시종이 황제의 말씀을 페기에게 전했다.

'조에 대해 폐하께서 물으시니 시녀는 얼른 답하라.'

파르르 떨던 페기는 겨우 입을 열어 대답했다.

'카일 황자 전하의 궁 소속 마구간에서 일하는 자입니다.'

시에나는 덜덜 떨다가 아무도 보지 않을 정도로 살짝 미소 지었다. 계획이 틀어지기 시작하던 그때에 입궁한 놈은 그자뿐이었고, 이미 그의 마구간에서 그럴듯한 증거를 찾은 뒤였다. 덮어씌우면 간단하게 끝날 일이었다. 설마 폐하가 붉은 눈인 황녀를 죽일 리 없으니.

황제는 곧장 마구간으로 사람을 보내 그를 조사했다. 엉망이 된 마구간 안에서 알 수 없는 문자로 빼곡히 채워진 노트와 나무 벽 틈에 낀 문서 한 장을 발견했다. 계약서처럼 보였지만 황궁 내에서 그걸 해독할 수 있는 사람은 아무도 없었다. 피가 묻은 천도 발견되었다. 피를 이용하여 간악한 주술을 걸어 이사크 황자를 암살하려 했을 거라는 대사제의 의견에 황제는 고개를 끄덕였다.

기묘한 일은 한 번 더 일어났다. 암호를 풀기 위해 조사 중이던 조의 계약서에서 새빨간 불꽃이 솟아오르더니 그대로 모두 타 버렸다. 눈앞에서 계약서가 불타는 것을 확인한 황제는 조의 행방을 찾았고, 카일을 따라 전쟁터로 갔음을 확인한 뒤 그를 처형하라는 칙서를 내렸다.

여기까지 얘기한 펠은 고개를 숙이며 난처한 티를 냈다.

"그러고 보면…… 그 어린 애가 어떻게 황궁에서 그리 오래 무리 없이 일했나 싶기도 합니다."

카일은 싸늘하게 식은 눈으로 펠을 바라봤다.

"자네는 그보다 어린 나이에 입궁했다 들었는데."

"……그래도 마구간은 일이 험하잖습니까."

"조는 그런 자가 아니다."

"만약 전하께서도 그자의 흑주술에 당해,"

"다 들었으니 이만 나가라."

"……예."

고개를 숙인 펠이 카일의 집무실에서 물러났다. 혼자 남은 카일은 긴 한숨을 뱉어 냈다. 조에게 설명 못할 구석이 많은 것은 알고 있다. 저 역시 아직 듣지 못한 것들이 많았다. 미래를 아는 것부터 해서 불과 며칠 전엔 죽었다가 살아나기까지. 하지만 단언할 수 있는 건, 조는 흑주술 따위로 누구를 조종할 사람이 아니었다. 인정하기엔 부끄럽지만 그녀가 관심 있는 건 오직 제 얼굴뿐이니까.

"이사크를 죽일 거면 가서 칼 들고 덤볐겠지. 조는 그런 치사한 수를 쓰지 않아."

게다가 아는 사람은 없지만 조는 이사크와 단둘이 오두막에서 술을 나눠 마실 정도로 막역했는데, 죽일 이유가 없었다. 아, 그래. 둘이 나 몰래 술도 마셨지. 참.

……죽었으면 좋았을 텐데.

잠깐 험악한 생각을 하던 카일은 이내 생각을 털어 버렸다. 새벽이 밝아 오기 시작하자 카일은 자리에서 일어나 조가 자고 있는 객실로 향했다.

이른 새벽, 조의 객실 앞에서 노크했지만 대답이 없었다. 어찌나 곤히 잠들었는지. 시종에게 열 보는 뒤로 물러나라 한 후 조심스레 문을 열고 들어가자 간밤에 덮어 준 이불은 발로 찼는지 바닥에 떨어져 있었다. 카일은 상체를 숙여 이마에 짧게 키스하며 그녀를 깨웠다.

"조, 일어날 수 있겠어?"

"……아, 나 잠 더……."

침대를 짚은 카일의 팔을 끌어안고 웅얼대는 조를 바라본 카일이 부드럽게 말했다.

"……조. 이젠 네 비밀을 말해 주면 안 될까. 난 들을 준비가 돼 있는데."

갑자기 정신이 든 듯 반짝 눈을 뜬 조가 카일의 얼굴을 올려다봤다. 가만히 카일의 표정을 살피던 조가 눈을 비비며 달라붙는 잠을 떨치더니 조심스럽게 물었다.

"……나 오늘 죽어요? 황제가 날 죽인대요?"

"안 죽어. 내가 죽게 안 둬. 그러니까 네 비밀을 말해 줘. 네 힘이 될 수 있게."

"……알았어요. 다 미친 소리처럼 들리겠지만, 그래도 믿어 줘요."

창밖을 바라보며 조는 부끄러운 듯 입을 열었다. 소설책에서 당신을 처음 봤노라는 이야기부터 이 세계로 오고 나서부터의 엉키게 된 일들까지. 마치 동화를 읽어 주듯 나붓하고 부드럽게 차근차근.

"저는 카일 눈동자가 푸른 새벽 같은 눈동자라길래, 저런 서늘한 느낌의 하늘색인 줄 알았어요. 실제로는 좀 더 투명하게 파랗고 맑았네요."

카일은 가만히 그녀의 말을 듣고만 있었다. 조곤조곤 얘기하던 조가 투르가 여신이 얼마나 쪼잔하고 이기적인 신인지 흥분하며 얘기할 때는 같이 웃어 버렸다. 말을 다 마치고 난 후, 조는 카일을 슬쩍 보며 손가락을 만지작거렸다.

"내 말 다 믿어요? ……이상하죠."

"네가 하는 말은 다 믿어. 다만 여신 투르가의 맹세가 그렇게 강력한 건 줄은 몰랐군."

"그러니까요. 그 짭 얼굴을 카일도 봤어야 했는데. 묘하게 다르더라니까요. 난 여기 있는 이 카일이 좋은데."

"미안해."

"뭐가요."

"……내게 오는 바람에 아픈 죽음을 두 번이나 겪게 했네."

씁쓸하게 웃는 카일을 보던 조가 해사하게 웃으며 카일의 목에 팔을 두르고는 안겨 왔다.

"그래도 난 후회 안 해요. 세 번 죽어도 괜찮아."

"그건 내가 싫어."

조의 등을 토닥이던 카일이 조를 떼어 내고 물었다.

"그럼 그 불탔다는 계약서는 투르가 여신과 쓴 거야?"

"네. 왜 탔는지는 모르겠지만 그것도 여신님이 태웠겠죠."

"알 수 없는 문자로 쓴 노트는 줄거리를 적은 노트라고 했고, 그럼 피 묻은 천은 뭐야."

아. 짧은 신음을 터뜨린 조가 머쓱하게 웃으며 대답했다.

"생리 샌 거요……. 냇가 가서 빨았는데 타이밍을 놓쳐 가지고 자국이 안 지워지더라고요."

"……아."

"마구간에는 뜨거운 물도 없고, 비누는 샤워장에 있는데 갈 때마다 남자들이 씻고 있길래 훔치기가 영 번거로워서."

"……그렇군."

카일이 어색하게 얼어붙은 얼굴로 눈을 이리저리 돌리던 중, 누군가 문을 두드렸다.

"전하. 이제 출발하셔야 합니다."

"카일. 먼저 나가 계시면 제가 얼른 옷 갈아입고 나갈게요. 잠옷 입고 황제를 보러 갈 순 없잖아요."

"여기서 갈아입어."

"그럼 잠깐 창밖으로 나가 계실래요?"

"……문 앞에서 기다릴게."

황제와의 대면을 앞두고 있는 것답지 않게 조는 태연하게 장난을 쳐 왔다. 진지하지 않은 것처럼 보여도 저 작은 머리로 위기에서 벗어날 온갖 방법을 고민하고 있을 거라 생각하니 그것마저 사랑스러웠다. 카일은 웃음기를 거두지 못하고 문밖에서 그녀가 나오기를 기다렸다. 시종이 카일의 행동을 이해하지 못해 가지런히 모은 두 손을 이리저리 꼼지락거렸다.

"……전하. 조는 왜 나오지 않는지."

"옷을 갈아입고 있다."

"……그럼 왜 전하께서 나와서 기다리시는 겁니까. 감히 황자 전하를 여기 세워 두다니 이 몹쓸."

분에 찬 펠이 당장 문을 열기 위해 손잡이에 손을 갖다 대자 카일이 그를 막아섰다.

"신이 살려 낸 몸에 큰 흉이 남았다. 남에게 보이는 걸 원치 않아."

"……아……. 아! 아, 기사들이 계속 수군거리던 그 검은 사신이 조였습니까!"

휘둥그레 커진 눈으로 입을 다물지 못하던 펠이 눈꺼풀만 깜빡거렸다. 그때 닫혔던 문이 열리고 깔끔하게 차려입은 조가 나왔다.

"펠 아저씨. 안녕하세요! 너무 오랜만이에요. 잘 지내셨어요?"

사형을 앞둔 놈답지 않게 밝은 인사였다. 펠은 얼떨결에 웃으며 그의 인사를 받았다. 카일의 말대로 흑주술을 부리는 것 같진 않았다. 펠은 카일에게 끊임없이 말을 걸며 장난치는 조의 뒷모습을 바라보며 울상을 지었다.

내가 왜 저 순하고, 착하고, 예의 바른 애를 의심했을까. 늙으니 정신이 나간 게지. 저렇게 전하께 충직한 신하를.

❖ ❖ ❖

어째 하루도 편할 날이 없네.

여차하면 바로 나를 죽일 심산인지 심문은 알현실이 아니라 야외에서 이뤄졌다. 카일은 야외 재판장 앞까지 데려다준 뒤 시종을 따라 황제의 옆자리로 가야 했다. 그곳이 황자인 그가 있을 곳이었다. 카일이 떨어지자마자 옆에 있던 병사가 다가와 내 손을 잡고 등 뒤로 돌렸다. 밧줄로 묶으려는 것 같았다.

"야, 넌 뭔데 내 몸에 손을 대."

병사의 팔을 뒤로 꺾어 목뒤를 잡아 내리니 모두의 시선이 내게로 쏠렸다. 앞으로 몇 발자국 걸어가던 카일이 일어나는 소란에 빠르게 뒤돌아 다시 다가왔다.

"……조, 저 앞에는 폐하께서 계신다. 그분의 변덕에 죽을 수도 있어. 재판을 받는 동안 네 결백을 주장하려면 일단 살아 있어야지. 소란 피우면 안 돼."

카일은 병사의 손에 들린 밧줄을 건네받고는 물러나게 했다.

"묶지 않아도 된다. 도망칠 사람이 아니니."

"……전하, 그래도 흑주술을 부리는 자인데 손으로 무슨 수를 쓸지 어찌 압니까."

"마음먹으면 방금 손이 닿았을 때 너도 죽였을 사람이다. 걱정 말고 가 봐."

적잖이 놀랐는지 흠칫 떤 병사가 황급히 사라졌다.

……카일이 내 편이 맞는 걸까. 지금 사람을 살인 병기로 만든 것 같은데.

일단 손이 묶이지 않은 상태로 재판장으로 들어섰다. 저 멀리 잘 보이지도 않는 의자에 앉아 있는 저 노란 머리가 황제인가. 내가 있는 돌바닥 근처로는 사람들이 즐비하게 서 있었다. 흑주술사의 사형을 구경하러 온 궁 안의 사람들인 듯했다. 아는 얼굴이 많았다. 그중에는 온 얼굴을 찌푸리고 발을 동동 구르며 손톱을 물어뜯는 친구들도 있었고, 옆에 선 사람에게 뭔가를 수군거리는 놈들도 있었다. 오늘 아예 내 목을 썰어 버릴 작정인지 검을 든 기사 역시 대기하고 있었다. 황제가 앉아 있는 높은 층계의 제일 아래에 선 시종으로 보이는 사람이 묵직한 목소리로 장내에 퍼지도록 말했다.

"죄인은 자신의 죄를 인정하고 벌을 달게 받으라."

어이가 없네. 내가 인마, 전쟁에서 인마, 댐도 뚫고, 적군 목도 썰고, 요새도 함락하고 인마, 느그 황자랑 잠도 자고, 다 했어 인마. 아, 마지막 거는 취소.

"지은 죄가 없는데 왜 벌을 받으라고 하십니까."

"네 흑주술에 조종당했다는 황녀 전하의 증언이 있었다."

고개를 들고 항변하자 황제가 아닌 그 아래의 자가 내 말에 대답했다. 황제는 의자에 고고히 앉아 아래를 내려다보기만 했다.

"제가 흑주술이란 걸 썼는지부터 확실히 밝히셔야죠. 전 그게 정확히 뭔지도 모릅니다. 왜 한쪽의 이야기만 들으십니까."

"감히 어느 안전이라고 입을 함부로……!"

"그만."

분에 찼는지 한 걸음 앞으로 다가선 남자가 황제의 목소리에 우뚝 멈춰 섰다.

"……건방지구나."

황제가 꺼낸 말은 고작 한 마디인데도 등줄기에 소름이 돋았다. 야외인데도 황제의 굵직한 목소리가 징징 울리는 것 같았다. 소장 융털까지 곤두서는 기분이 이런 거구나.

"황녀가 네 목소리를 들었다 했다."

"거짓말입니다."

"붉은 눈의 황녀가 왜 거짓말을 하겠나."

도저히 황제와 말이 통하지 않았다. 적안 빠돌이 새끼. 눈만 빨간색이면 아주 그냥 나라도 팔아먹을 놈이네. 황제가 손짓하자 시에나 황녀가 기사들의 호위를 받으며 재판장에 나타났다. 죄인답지 않은 아주 깔끔한 꼴이었다.

"이자가 맞느냐."

황제가 직접 질문하자 시에나 황녀가 나를 힐긋 내려다본 뒤 고개를 빳빳이 세우고 대답했다.

"예, 정확히 이 목소리가 제 머릿속에서 울렸습니다. 폐하, 저는 조종당한 것입니다. 너무 억울하고 원통합니다."

내가 언제 그랬냐고. 억울하고 원통한 건 나잖아.

"황녀 전하. 저는 흑주술 같은 고위 기술은 부릴 줄 모릅니다. 저같이 하찮은 자가 그런 것을 어찌 알겠습니까."

나는 무릎을 꿇은 채 내 앞에 서 있는 시에나를 향해 이죽거리듯 말했다. 그때, 뒤에 서 있던 병사가 날 향해 커다란 채찍을 휘둘렀다.

"악!"

"전하께서 하문하지 않으셨는데 감히 말 걸지 마라. 이 건방진 놈."

바닥에 엎드려 끙끙거리고 있자 저 멀리 황제가 앉아 있는 층계 한 칸 아래에 자리한 카일이 벌떡 일어서는 게 보였다.

"폐하! 아직 누구의 죄도 밝혀지지 않은 상황에서 저리 대하는 것은 불공평합니다!"

황제의 시선이 카일을 향했다. 물끄러미 그를 바라보던 황제는 다시 정면을 향해 명령했다.

"……황자가 주술사에게 현혹됐군. 그놈에게 채찍을 한 대 더 쳐 주술을 멈추게 하라."

곧장 채찍이 날아왔다.

"아악!"

고통이 심한 것이 등의 상처가 도로 터진 것 같았다. 곧이어 다른 병사가 달려와 앞으로 쓰러진 내 몸을 일으켜 밧줄로 꽁꽁 묶고는 다시 무릎 꿇렸다. 카일은 어떤 말도 하지 못했다. 다시 내 편을 들었다가 내가 또 채찍으로 맞을까 봐 걱정하는 것 같았다.

이를 악물고 정면을 노려봤다. 황제 이 새끼. 가만 안 둔다.

내 비명 소리를 들은 시에나 황녀가 관자놀이를 짚으며 휘청거렸다.

"폐하, 이자의 비명을 들으니 제 머리가 깨질 것 같습니다. 이자의 입을 막아 주십시오."

이번에는 기사가 검은 천을 들고 다가왔다. 더는 참을 수가 없어 꿇고 있던 오른발을 세워 기사의 다리를 걷어차려던 찰나, 카일이 황제를 불렀다.

"폐하! 심문을 해야 하니 조의 입을 막지는 마십시오!"

황제는 이번에도 카일의 말을 들은 체 않고 오른손을 들어 대충 휘휘 저으며 말했다.

"내가 명할 때까진 입을 막아 두어라. 저것이 황녀를 해칠지도 모르니."

저것? 나한테 지금 저거라고 했어? 그 즉시 기사가 다가와 검은 천으로 내 입에 재갈을 물렸다.

"보기 흉하구나."

시에나가 인상을 찌푸리며 투덜거리자 다른 기사가 곧장 뛰어와 내 얼굴 아래쪽을 검은 천으로 묶어 아예 가려 버렸다.

너 진짜로 내가 죽일 거다. 검은 천에 얼굴의 반이 가려진 채 황녀를 죽일 듯 노려봤다. 그때, 사람들 사이에서 술렁이는 소리가 들리기 시작했다.

"아, 나 저 사람이랑 부에탄에서 같이 싸운 적 있어."

"……검은 사신이다."

"전쟁터에서 봤을 때랑 똑같아. 진짜로 전쟁의 악몽이잖아."

"조가 검은 사신이라느니, 전쟁의 악몽이라는 거 솔직히 안 믿었는데, 이젠 믿을 수밖에 없잖아. 너무 똑같아."

"마지막 전투에선 얼굴을 안 가려서 헷갈렸는데, 이렇게 보니 확실하군."

"……눈이 마주치면 죽잖아. 나, 나는 나갈래. 여기 있기 싫어."

술렁거림이 점점 커지자 황제가 고개를 갸웃했다.

"저들이 뭐라 하는 거냐."

황제의 종이 고개를 꾸벅 숙이더니 아래로 도도도 내려와 그들이 하는 말을 열심히 전해 들었다. 경악에 물들어 떡 벌어지는 입이라거나, 나를 돌아본 뒤 잠깐 하얗게 질리는 시종의 얼굴이 볼만했다. 종은 황제의 옆으로 다가가 열심히 속살거렸다. 무심한 듯 이야기를 듣던 황제가 드디어 입을 열었다.

"내 듣자 하니 전쟁에서 꽤나 활약을 했다고?"
입을 막아 놓고 질문을 하면 어쩌자는 거야.
가만히 노려보기만 하자 채찍을 들고 있던 병사가 한 걸음 가까이 다가오는 게 느껴졌다. 또 때릴 심산이었다. 한 대는 맞아 줬지만 두 대는 안 봐준다. 왼쪽 무릎을 세워 축으로 삼은 뒤, 그대로 돌아 오른쪽 발을 휘둘러 병사의 종아리 부분을 힘껏 걷어찼다. 채찍을 들고 있던 병사가 그대로 중심을 잃고 쓰러졌다. 나는 다시 앞으로 돌아 얌전히 무릎 꿇고 앉으며 황제를 똑바로 노려봤다.
이게 내 대답이다, 시발 놈아.
"으으윽……."
돌바닥에 쓰러진 병사가 신음을 흘리는 걸 흥미롭게 지켜보던 황제가 보일 듯 말 듯 미소 지었다.
"그렇군."
뭔가를 깨달은 것처럼 고개를 끄덕이던 황제가 입을 열었다.
"흑주술을 부려 검술을 익힌 건지 아닌지부터 확인을 해 봐야겠군. 저자에게 나뭇가지를 쥐여 주도록 하라."
밧줄을 푼 뒤 내 손에 나뭇가지를 쥐여 준 병사가 나와 눈을 마주치지도 않고 주춤거리며 뒤로 물러났다. 내 앞을 막아 세운 여러 명의 기사들은 모두 검을 들고 있었다. 모두 로테나의 갑옷을 입은 걸 보니 잡아 온 포로인 것 같았다. 웃음기를 머금은 황제가 명령했다.
"저들이 겁먹지 않도록 얼굴을 가린 검은 천을 벗어라. 그딴 나뭇가지를 들고도 로테나의 기사 열 명과 싸워 이긴다면 실력을 인정해 주지."
나는 재갈을 푼 뒤 황제를 똑바로 보며 말했다.
"……제가 검은 사신이라 불린 이유가 이딴 천 때문이 아님을 곧 아시게 될 겁니다."
"건방 떨지 마라! 네까짓 게 무슨 사신이냐!"
내 뒤에서 기사 하나가 기습적으로 달려들었다. 고개를 숙여 피한 뒤 그의 뒤로 돌아가 목구멍 한가운데에 나뭇가지를 꽂아 넣었다. 본인한테 말한 것도 아닌데 왜 끼어들어선. 쓰러지는 놈의 손에서 검을 뺏어 들고는 바짝 얼어 있는 아홉 명을 보며 말했다.

"이제 공평해졌네. 그치?"

곧장 달려들려는 순간 황제가 손을 들어 멈춰 세웠다.

"너무 빨라 보지 못했군. 다시 나뭇가지를 들어라."

어이없다는 내 시선에도 그는 태연했다. 카일이 의자에서 일어나려는 순간 나는 검을 집어 던졌다. 돌바닥에 부딪힌 검이 챙그랑 소리를 내며 울었다.

"……예, 폐하. 기꺼이 명령을 따르죠."

나뭇가지를 꺾어 오려는지 기사 하나가 잽싸게 튀어 갔다.

"손에 익은 걸로 쓸게요."

나는 쓰러져 있는 기사의 몸을 발로 차 똑바로 눕힌 뒤 그의 목에 꽂힌 나뭇가지를 뽑았다. 피가 분수처럼 튀어 내 얼굴을 적셨다. 주변이 물을 끼얹은 듯 조용해졌다. 넓은 재판장에 죽어 가는 기사가 헐떡이며 피를 토해 내는 소리만이 가득했다.

"형들아, 존나 피곤하겠지만 우리 다시 잘 해 보자."

내 말이 신호탄이라도 된 건지 로테나의 기사 중 하나가 괴성을 지르며 달려들었다. 그는 겁에 질린 눈을 하고 있었다. 넌 거기서부터 틀려먹었어. 나한테 검술 가르쳐 준 할배가 귀에 딱지가 앉도록 한 말이 있었는데, 전투에서 제일 중요한 건 기백이랜다. 기백.

검날이 아닌 부분을 주먹으로 힘껏 내려쳤다. 끊어 치듯 검을 치지 않으면 손이 베이기 때문에 빠르게 쳐야 했다. 그의 검이 웅웅 소리를 내며 공중에서 흔들렸다. 기사가 잠깐 주춤하는 틈을 타 그의 눈앞까지 다가갔다. 나뭇가지를 손에 꽉 쥐고 단숨에 눈에 박아 넣을 듯 휘두르자 기사가 두 눈을 질끈 감았다. 넌 기백에서 졌다. 기사가 그게 뭐냐. 그러니까 전쟁에서 지지. 곧장 손을 거두고 뒤로 돌아 검을 뺏어 들고는 기사의 목을 겨눈 채 황제를 향해 똑바로 섰다.

"이번엔 잘 보셨습니까, 폐하."

"……보았다."

이번에도 보지 못했다고 하면 노안이 왔냐고 한껏 이죽거릴 판이었다. 황제는 시큰둥한 얼굴로 고개를 끄덕이며 답했지만, 그의 붉은 눈에 짜증이 서린 걸 멀리서도 알 수 있었다. 상황이 마음대로 흘러가지 않는 것을 참지 못하는 듯했다.

나는 황제의 대답을 듣고 난 뒤 검으로 로테나 기사의 목을 벴다. 그 뒤 곧바로 왼손에 들고 있던 나뭇가지를 가까이 있던 놈에게 던지자 놈이 피하느라 몸을 젖혔다. 빠르게 가까이 다가가 검으로 활짝 열려 있는 놈의 몸을 벴다. 한 명이 더 쓰러지자 황제가 지루한지 하품을 하며 투덜거렸다.

"……로테나는, 검술을 저렇게밖에 못 배운 건가."

조국을 들먹거리자 패국의 기사들이 이를 악물고 내게 한꺼번에 달려들었다. 하나씩 쳐 내며 죽이긴 했지만 몇 번의 합을 받아 내다 보니 순간 힘에 부쳤다. 날카로운 검이 내 왼쪽 허벅지를 베고 지나갔다.

"윽!"

한쪽 무릎을 꿇자 덩치 큰 사내가 내 목에 검을 박아 넣으려 달려들었다. 놈의 누런 눈깔이 코앞에서 이글거렸다. 다급해진 나는 모래를 집어 놈의 얼굴에 뿌렸다.

"악!"

놈이 두 눈을 감자마자 검을 아래에서부터 쳐올리듯 휘둘렀다. 피가 수도꼭지를 튼 것처럼 내 위로 쏟아졌다. 이제 세 명이 남아 있었다. 놈들은 두 다리를 덜덜 떨며 물러나 황제를 향해 무릎 꿇고 검을 내려놓았다.

"살, 살려 주십시오! 위대하신 빌테온의 황제 폐하! 빌테온에서 폐하께 충성을 다하겠습니다!"

나는 가쁜 숨을 몰아쉬며 그들을 내려다보다가 황제를 향해 돌아섰다. 그는 기꺼워하는 낯이 아니었다. 흥미로운 결투가 갑자기 끝난 것이 마음에 들지 않는 듯했다. 미간을 찌푸린 황제가 내게 명령했다.

"네가 흑주술사가 아닌 나의 국민이라면 저 적국의 병사들을 베라."

"살려 주십시오, 폐하! 항복하겠습니다! 제발 부탁입니다! 조국으로 돌아가지 못해도 좋습니다!"

"그것도 이상하군. 조국을 잃고서 살아갈 의미가 있나. 혹시 자네들도 주술에 당했나. 정신에 문제라도 생긴 게 아니고서야, 쯧."

관자놀이를 툭툭 두드리던 황제가 한쪽 입꼬리를 올리더니 밝은 목소리로 말했다.

"그럼 세 놈 중 한 놈만 살려 주지. 셋이 검을 겨눠라. 검은 사신의 유능함은 잘 봤으니 더 볼 것 없다."

미친놈. 그냥 살육이 보고 싶은 것뿐이잖아. 손이 부들부들 떨렸다. 무릎을 꿇은 로테나의 기사들이 서로의 눈치를 보며 아래턱을 딱딱 부딪쳤다. 눈에 눈물을 머금은 기사 하나는 이미 포기했는지 고개를 푹 숙이고 있었다. 잔뜩 겁먹은 기사 하나가 땅을 짚고 있던 손을 슬금슬금 옆으로 움직여 아까 떨어뜨린 검을 쥐었다. 그가 막 검을 움직이려는 순간, 나는 그의 검을 밟고서 황제를 향해 외쳤다.

"폐하! 재판에도 순서가 있는 법인데, 제 쪽 먼저 해결해 주십시오. 제가 오늘 저녁 약속이 있습니다."

황제를 도발하며 호기롭게 외치자 그의 시종 얼굴이 불타오를 듯 시뻘겋게 변했다.

"저, 저 무엄한……!"

눈을 동그랗게 뜬 황제가 허리를 접으며 별안간 큰 웃음을 터뜨렸다.

"하하하! 피에 젖어 빨간 얼굴로 그리 말하니 정말 지옥에서 올라온 사신 같군. 꽤 깜찍한 별칭이로고."

적막이 흐르는 재판장에서 황제의 호쾌한 웃음소리만 가득했다.

"그래, 재판을 재개하지. 증언할 사람이 있으면 말해 보라."

카일이 몸을 들썩이려 하자 황제가 덧붙였다.

"이미 주술에 당한 1황자는 빼고 말이야. 객관적이지 못하니."

저 염병할 황제 놈. '이미 주술에 당한' 이라는 말은 잠정적으로 나를 흑주술을 부린 사람으로 정해 놓았다는 뜻이었다. 황제의 뜻에 누가 반(反)할 수 있을까. 아무도 나서지 못하는 와중에 누군가 하얀 손을 들어 올렸다.

델로아였다. 애초에 시에나의 이사크 독살 작전을 제때 막을 수 있었던 건, 내가 델로아에게 미리 말하고 갔기 때문이었다. 물론 이사크는 주인공이라 원작 스토리에서도 죽지 않는다. 멀쩡히 살아나긴 하지만, 독 때문에 혼수상태로 며칠을 보내야 했고 그 때문에 헤론 황자가 로테나와의 협상에 대신 참여하게 된다. 황제가 그녀에게 손짓하며 증언하라 명령했다.

"저는 현재 이사크 황자 전하의 궁에 기거하고 있는 델로아 알베니스입니다."

간략하게 자신을 소개한 델로아는 나를 바라보지도 않고 황제를 향해 공손히 말을 올렸다.

"……저자가 출정 며칠 전에 제게 찾아왔습니다. 시에나 황녀가 이사크 황자를 죽이려 할 테니 자기가 말한 대로 대처하라고 말입니다."

……사실이었다. 사실이긴 한데, 지금 그렇게 말하면 내가 미래를 알고 있는 거 자체가 이상하잖아. 해석하기에 따라선 내가 시에나를 시켜 이사크를 죽이라고 명령한 것처럼 들리기도 했다. 역시나 조용하던 사람들이 웅성거리기 시작했다. 눈치 없는 시에나가 눈을 커다랗게 뜨고 델로아에게 한 발짝 다가갔다.

"난 조종당한 거라니까!"

시에나를 힐긋 본 델로아가 그녀의 말을 가뿐히 무시하고 오로지 황제만을 보며 말을 이었다.

"저자가 이사크 황자 전하의 신임을 얻기 위해 시에나 황녀 전하를 이용한 거라 생각됩니다."

나는 망연자실한 채로 델로아의 아름다운 옆얼굴을 바라보았다. ……난 우리가 친구인 줄 알았는데. 델로아는 나를 바라보지 않았다. 그녀의 선명한 녹안은 애써 나를 피하기라도 하는 것처럼 정확히 정면만을 바라보고 있었다. 예전에 그녀가 내게 했던 말이 생각났다.

'우린 친구가 되지 못할 거야. 지금은 가능해도, 앞으로는 아닐 거야.'

그때 했던 말이 이런 거였구나.

카일이 온 국민의 환대를 받으며 황궁으로 돌아온 지금, 델로아에게 나는 거슬리는 적일 뿐이었다. 전쟁 영웅이 된 카일과, 그를 돕는 나.

목소리는 전혀 떨리지도 않았고, 꼿꼿이 서 있는 자태도 여전히 아름다웠지만 드레스를 잡고 있는 델로아의 손끝은 새하얗게 질려 있었다. ……그래, 카일을 위해 무고한 사람 수백 명을 베고 온 나와, 지금의 너는 어쩌면 닮았을 수도 있겠다. 우린 너무 닮았기 때문에 친구가 못 되는 거구나.

황제는 비릿하게 웃으며 답했다.

"그렇군."

당황해 아무 말도 하지 못하는 내 앞으로 낡은 노트가 하나 떨어졌다. 내가 〈킹메이커〉 스토리를 적어 뒀던 노트였다.

"죄인은 여기 적힌 문자에 대해 말하라."

"이건……."

일기를 썼다거나 마구간에서 일하며 일지를 쓴 거라 변명하자니 이 문자에 대해 설명할 자신이 없었다. 이 세계엔 한글이 없으니까. 카일은 이걸 이해해 줬지만, 여기 있는 이 많은 사람들은 날 미친 자 취급할 게 분명했다. 아니면 정말로 흑주술을 부리는 주술사로 확정 짓고 내 목을 치겠지. 입을 달싹이며 말을 못 하는 사이, 카일이 끼어들었다.

"조는 신이 보낸 사자입니다! 저건 투르가 여신의 언어를 옮겨 적은 묵시록입니다."

완전한 거짓말은 아니었지만 사람들은 카일의 말을 비웃기 바빴다. 황제 역시 비슷했는지 조소를 지으며 카일에게 말했다.

"저자가 자기 입으로 신의 사자라 하더냐. 다 자란 줄 알았더니, 황자는 아직도 동화 속에 사는군."

카일을 무시하는 태도에 주먹이 벌벌 떨렸다. 저 사람은 전쟁터 안 가나. 그럼 실수인 척 죽일 텐데. 카일이 허리를 꼿꼿이 세우고 황제를 똑바로 바라봤다.

"흑주술사라는 이야기는 쉬이 믿으시면서 신의 사자라는 말은 터무니없는 것처럼 들리십니까."

카일의 말에 힘을 입었는지 뒤편에 서 있던 기사들이 웅성거리다 하나가 앞으로 튀어나왔다.

"조는 전쟁터에서 카일 전하를 대신해 창에 맞아 죽었다가 살아났습니다!

신이 살려 낸 사람입니다, 폐하!"

"신의 기적입니다!"

주변에 있던 사람들이 더욱 크게 술렁거리기 시작했다. 황제가 얼굴을 찡그렸다.

"……콜린 후가 대답하지. 자네도 전쟁터에 있었으니."

일부러 카일을 무시하는 콜린에게 물은 것이 분명했다. 황제한테서 짠 내가 나요. 쪼잔한 짠 내가 난다고요.

갑옷을 입고 있던 전쟁터와는 달리 멀끔하게 차려입은 콜린 후작이 한 걸음 앞으로 나와서 정중히 황제의 물음에 대답했다.

"폐하. 모두 사실입니다. 저자는 마지막 전투에서 황자 전하께 날아드는 창을 대신하여 맞고 죽었습니다. 분명히 숨을 거두는 것을 그 자리에 있던 모든 이들이 지켜봤습니다. 모두 그의 뛰어난 용기와 기개를 칭찬하고, 안타까워했습니다."

예상치 못한 콜린의 두둔에 황제가 눈살을 찌푸렸다. 하지만 콜린 후작은 두 눈을 반짝이며 여신을 직접 목도하기라도 한 것처럼 쉬지 않고 주절거렸다.

"저자가 죽은 다음 날 아침, 맑은 하늘에 신묘하게도 붉은 매가 날아들었습니다. 커다란 날개를 펄럭이며 공중을 돌던 붉은 매는 저자의 시체가 놓인 막사 위 지붕에 앉아 길게 소리 내 울었습니다. 그러자 분명 죽었음이 분명한 저자가 살아나 황자 전하의 존함을 크게 외쳤습니다! 의사도 분명히 말했습니다. 이건 기적이라고! 창에 뚫렸던 관통상이 하루 만에 송곳 크기로 줄어 있었다 합니다. 폐하, 이것이 위대하신 투르가 여신님의 은총이 아니고 무엇이겠습니까. 이…… 이분은 흑주술사가 아니고, 신의 사자임이 분명합니다."

……아, 맞다. 저 아저씨 엄청 독실하다 했지. 무슨 사이비 교주 같네. 그나저나 붉은 매가 왔었다고? 그건 몰랐네. 붉은 매는 제국을 상징하는 되게 중요한 영물 아니었나.

얼굴을 굳히고 내려다보던 황제가 나를 가리키며 명령했다.

"그대가 진짜 신의 사자라면 지금 붉은 매를 불러 보라."

억지였다. 그게 오란다고 오나. 그때도 온 줄도 몰랐는데.

뒤를 돌아봤지만 콜린 후작은 눈을 반짝거리면서 날 보며 두 손을 활짝 폈다.

"신의 사자시여! 다시 기적을 보여 주시오!"

저 영감은 도움이 되는 건지 아닌지 모르겠네. 카일이 한 걸음 앞으로 다가서며 다급하게 외쳤다.

"폐하! 위대한 여신의 결정을 어찌 함부로 의심하십니까!"

"황자는 입을 다물라. 방해되니."

제기랄. 이렇게 된 이상 모 아니면 도였다. 신의 사자로 신분 상승하거나, 흑주술사로 인생 종 치거나. 다행히 나는 원작을 외전까지 읽었다. 현 황제, 차이베른 드 빌테온 당신의 이야기까지 말이야. 지금 이 얘기를 꺼내는 건 위험하지만, 황제의 비밀이 아니면 상황을 바꿀 방법이 없었다.

나는 천천히 황제를 향해 다가섰다. 얘들아, 누나 대학 때 연극 동아리 했잖니. 배에 힘을 팍, 주고 단전에서부터 목소리를 끌어내어 연극하는 톤으로 근엄하게 말했다.

"붉은 매는 신과 같아 인간의 몸으로 함부로 부를 수는 없습니다. 대신 폐하만이 알고 계신 붉은 눈에 관한 이야기를 할까 합니다."

"……붉은 눈?"

황제가 한쪽 눈썹을 올리며 신경질적으로 되물었다. 나는 목소리를 깔고 음산하게 말했다.

"제가 이곳에서 모두에게 '그 사실'을 말해도 되겠습니까, 폐하."

"이 건방진 놈! 감히 폐하 앞에서 이 무슨 불충한 태도냐! 당장 사실대로 고하라!"

아까 내게 소리 질렀던 놈이 버럭 화내며 눈을 부라렸지만 황제가 손을 들어 그를 막고서 내게 천천히 다가왔다. 높은 계단에서 한 칸씩 내려오던 황제는 어느새 내 앞에 섰다.

"허튼소리 하면 네 장기를 꺼내 까마귀밥으로 주마."

"……제 장기는 붉은 매가 거둬 갈 것이니 걱정은 마시지요."

황제를 향해 따듯하게 웃다가 살짝 앞으로 다가가 귓가에 작게 속삭이며 물었다.

"폐하. 아버님이 보고 싶진 않으신가요."

돌아가신 선황에 대한 얘기가 아님은 황제가 제일 잘 알고 있을 터. 그 역시 자기가 선황의 소생이 아님을 알고 있었다. 붉은 눈이 아니면 황제가 될 수 없다는 걸 알고 있던 선황후가 밖에서 아이를 가져 태어난 자. 그게 차이베른 드 빌테온. 현 황제였다.

붉은 눈에 대한 비정상적인 집착은 자기 출생에 대한 혐오에서 비롯된 것이었다. 아버지에 대한 얘기를 꺼내자 황제가 흠칫 놀라며 뒤로 물러났다. 어지간히 놀랐는지 두 팔을 덜덜 떨던 황제가 내 어깨를 아프도록 움켜쥐었다.

"너, 이……! 그걸 어찌……!"

죽은 선황후와 현 황제만이 아는 내용이었다. 선황후가 죽음으로써 완벽해진 비밀. 나는 다정하게 내 어깨에 올라간 황제의 손을 마주 잡았다.

"제국을 밝히시는 태양께서 어찌 이리 떠십니까."

비록 가짜 태양이지만.

"이자를 묶고, 아니 당장 목을……!"

"폐하. 어찌 신의 사자인 저를 죽이려 하십니까. 여신께서 노하시면 어쩌려고요."

그의 귀에만 들릴 정도로 작게 덧붙였다.

"진짜 태양은 이미 쇠한 지 오래잖아요. 근데 여신의 미움까지 사시게요?"

한겨울인 것처럼 오들오들 떨던 황제가 비틀거렸다. 사람 죽인다고 설칠 땐 언제고, 왜 저렇게 악역한테 협박당한 비운의 주인공처럼 굴지. 나는 입을 일자로 꾹 다문 채 황제를 가만히 응시했다. 치욕스러운 듯 하얗게 질린 낯으로 떠는 황제의 등 뒤로 사람들이 가만히 나를 지켜봤다. 힘이 빠진 황제에게서 한 걸음 뒤로 물러난 나는 사람들과 하나하나 눈을 맞추며 넓은 보폭으로 재판장을 나른하게 어슬렁거렸다. 마치 무대 위를 누비며 독백을 하는 연극배우처럼.

"나는 위대한 투르가 여신의 가호를 받고 다시 태어났다. 내가 죽으면 내 영혼은 여신님께 돌아가 영원한 안식을 받겠지."

발성 좋다. 대학 때 선배들이 봤으면 기립 박수를 쳤겠어. 다시 황제를 향해 뒤돌았다. 그는 제자리에 굳은 듯 서 있었다.

"……태양 아래 한 치의 두려움도 없는가."

그때 서 있는 사람들 사이에서 번쩍이는 빨간색 머리칼과 빛나는 붉은 눈동자가 시야에 들어왔다. 마치 진짜 태양처럼 선명하게 붉은 그 눈과 마주쳤다.

……투르가?

"앗!"

손가락질하며 꽥 소리를 지르자 그녀가 앞으로 나섰다.

"감히 내게 손가락질이라니!"

"그럼 안 하게 생겼어요! 이보세요, 작가님! 내가 지금 죽게 생겨 가지고 생쇼를 하고 있는데 사람들 사이에 숨어서 키득거리면서 구경이나 하고 있어요?"

투르가 여신이었다. 도레스의 모습이 아닌, 제일 처음 봤던 그 모습으로 나타났다. 전쟁이 끝났으니 다신 못 볼 줄 알았는데 이렇게 태연하게 구경이나 나오다니.

"애초에 네가 계약서를 두고 가서 이 사달이 난 거 아니니!"

투르가가 두 손을 허리에 짚고 사람들 사이로 헤쳐 나왔다. 할 말이야 나도 있었다.

"어차피 태워서 없앨 거면 다른 사람들이 발견하기 전에 없애지, 그걸 딱 황제 눈앞에서 태우니까 이 사달이 난 거 아니에요!"

"타이밍이 딱, 내가 너 살린 그때 태운 거라고! 전쟁이 끝나 모든 계약이 종료됐으니까! 근데 너 전에도 그렇고, 왜 자꾸 반항하니!"

"화 안 나게 생겼…… 어라?"

여신과 이렇게 목소리를 높여 싸우는데도 주변이 조용했다. 주변 사람들이 모두 멈춘 것처럼 가만히 서 있었다. 눈조차 깜빡이지 않았다. 삿대질을 하며 한바탕 대거리를 벌이다 내가 말을 멈추자 여신이 픽 웃었다.

"이제 알았니. 눈치도 없긴."

말하는 거 봐. 알미워 죽겠다. 아무리 친해지려 해도 정이 안 가. 여신은 싱글거리며 나를 약 올렸다.

"너 참 팔자 사납다, 얘. 어쩜 가만둬도 이리 죽을 길을 찾아가니. 내가 두 번은 없다 했지? 이번에 죽으면 못 살아나. 황제가 널 살려 두겠니, 자기 비밀을 알고 있는데."

여신만 아니었으면 확 그냥 머리채를 잡아 뜯어 버리는 건데. ……그냥 지금 뜯을까.

그때 불타 없어진 계약서가 떠올랐다.

"근데 우리 했던 그 계약 말이에요. 투르가 님이 먼저 어겼잖아요."

"……뭐?"

"내가 그때 살아나기 바빠서 말 못 했는데 계약 위반 아니에요? 내 삶에 관여하지 않겠다면서요. 운명의 관성에 맡기겠다고. 근데 저번에 도레스의 모습으로 나타났잖아요."

"……도, 도레스 모습으로 나타나긴 했지만 그 아이의 선택이,"

"그때 내 손을 묶은 쇠사슬을 푼 게 정말 도레스의 판단이었어요? 투르가 님이 이미 들어가 있었잖아요."

"나 아니야."

"그럼 도레스 데리고 와서 물어보자고요. 그때 기억나냐고. 네가 풀어 줬냐고. 근데 내가 살아나고 나서 그 새끼 잡아서 짤짤 터니까 기억 하나도 안 난다던데. 연락할 방법이 없어서 화도 못 냈다고요."

"……그 아이였어도 그때 풀어 줬을 거야."

"그래요, 착하고 겁 많은 애니까 내가 소리 지르면 풀어 줬겠죠. 하지만 어쨌든 그때는 여신님이 내 손을 푼 거잖아요. 운명에 관여한 거지. 내가 하는 선택에는 터치 안 하겠다고 해 놓고서. 신이 약속을 안 지켰네."

투르가가 눈을 부라리며 나를 노려봤다. 나는 어깨를 으쓱하며 입술을 삐죽거렸다.

"빙의해서 나를 죽음으로 모는 건 너무 편법 아닌가요. 공명정대하시고 세상의 균형을 위해 힘쓰시는 여신님?"

공평하고 '올바르게' 세상의 균형을 지키는 여신의 자존심을 건드렸다. 어찌 됐든 도레스의 모습으로 나타난 건 정말로 편법이었으니까. 내 선택에 끼어들지 않겠다고 해 놓고서.

"어쨌든 그 덕에 카일을 살렸잖아!"

"그리고 전 죽었죠. 당신이 제일 처음 원하던 대로. 균형을 위해, 굉장히 치사한 수법으로."

"이……."

어지간히도 얄미운가 본데, 지저분한 농간에 죽은 건 나라고.

"사실만 놓고 말하자고요. 여신님은 계약을 어겼고, 그것 때문에 난 죽었어요."

"다시 살려 줬잖아!"

"살려 주려고 죽였냐고요. 애초에 내가 안 죽었으면 그럴 일 없었을 거 아닙니까."

나를 보던 여신이 한숨을 내쉬며 내게 한 걸음 다가왔다.

"그래서. 뭐 어쩌자고."

"계약을 어겼으면 위약금이란 게 발생하거든요, 고객님. 그게 제가 있던 세상의 규율이라는 겁니다."

내가 해사하게 웃자 여신의 얼굴이 파리하게 질렸다. 억지라는 건 안다. 빙의했지만 도레스의 의지대로 움직였을 테고, 어쨌든 나는 그 덕에 카일을 살렸으니까. 그저 좀 더 가까이서 구경하고 싶었겠지. 이 호기심 많은 여신님은. 하지만 지금 내가 붙잡을 트집은 계약 위반뿐이었다. 나는 여신에게 한 걸음 다가서며 말했다.

"어쨌든 나도 이제 이 세상 살게 된 사람인데, 나도 균형감 있게 지켜 주셔야죠, 여신님. 예?"

"너 그 깡패같이 말하는 버릇 좀 고쳐. 사채업자도 아니고 그게 뭐니. 전생의 네 기억 속에 대부업체에서 일한 경험은 없던데."

나도 지금 악역처럼 말하는 거 알지만 곱게 빈다고 들어줄 양반이 아닌 거 아니까 그렇지. 내가 기도했을 때 언제 한 큐에 들어준 적 있었냐고.

"……나 한 번 죽였으니까 이번에 나 살려 주는 걸로 우리 퉁쳐요. 투르가 여신님 명예를 더럽히지 않을게요. 그리고 그 이후론 정말 다시는, 진짜로 다시는 나한테 신경 쓰지 말아요."

"이 상황에서 어떻게 살리란 거야. 황제가 이미 널 죽이겠다고 마음을 먹었는데."

"그러니까 그 살의를 없애 줘요. 황제가 날 죽이지 못하도록. 날 진짜로 당신의 사자로 만들든지 뭐."

"너 같은 심부름꾼은 필요 없어. 줘도 싫다, 얘."

나를 잠깐 흘겨본 투르가는 곧장 황제의 앞으로 걸어가 그의 이마에 손을 대고 중얼거렸다. 잠시 후 손을 떼어 낸 그녀는 어깨를 으쓱 올렸다 내리며 태연하게 말했다.

"됐지? 그래도 오래는 안 가. 죽이고자 하는 열망이 강할 테니까."

"지금 당장이라도 면하면 됐어요. 그리고 하나만 더요. 델로아의 기억 중에 내가 여자라는 기억, 없애 줘요."

"그것까지? 너무 바라는 게 많잖아."

나는 멈춰 버린 사람들 가운데 굳은 얼굴로 내가 있던 자리를 지켜보는 델로아를 바라봤다. 나를 주술사라 고발하던 원래 이야기의 주인공. 친구가 되고 싶었던 사람.

"……이젠 델로아와 친구가 아니니까요. 내 약점을 알고 있는 사람이에요."

델로아를 보고 있던 시선을 돌려 다시 여신을 바라봤다.

"델로아 기억은 우리 그간 쌓은 정으로 도와줘요. 그 정도는 간단하잖아요, 여신님."

"너 다음 생에는 꼭 사채업 해라. 생돈도 뜯어낼 놈이네, 천직이다."

"덕담 감사해요. 위대하신 여신님, 이번엔 꼭 편법 없이 약속 지켜 주시길."

과장해서 오른팔로 크게 반원을 그리며 허리를 숙이고, 왼발을 살짝 뒤로 뺐다.

이게 신사들이 하는 인사라면서요. 난 신의 사자니까.

내 장난에 어지간히 짜증이 났는지 참다못한 여신이 내 머리를 툭 쳤다. 두개골이 쪼개지는 것 같은 고통에 이마를 부여잡았다. 질끈 감고 있던 두 눈을 뜨는 순간 갑자기 사람들의 소란스러운 말소리가 다시 들리기 시작했다.

"부, 붉은 매다!"

모두의 고개가 하늘을 향했다. 커다란 날개를 펼친 붉은 매가 태양을 가리며 하늘 위를 빙글빙글 돌았다. 창공을 날아다니던 매는 느닷없이 황제를 사냥할 것처럼 빠르게 달려들었다.

"꺄아아악!"

"폐하!"

경악하며 소리를 지르거나 두 눈을 질끈 감은 이들도 더러 있었다. 금방이라도 황제의 눈을 파먹을 것처럼 가까이 날아온 매는 황제의 코앞에서 멈춰서는 발톱을 세워 날갯짓을 두어 번 하더니, 급격히 방향을 꺾어 다시 하늘로 날아갔다. 마치 경고라도 하는 것처럼.

잠시 내 머리 위에서 원을 그리며 맴돌던 매는 어느새 저 멀리로 날아가 시야에서 사라졌다.

"붉은 매가 진짜로 나타났어."

"정말이었나 봐."

"진짜로 신의 말씀을 전하는 사자인가 봐."

"……신께서 저자를 살린 거야."

"……그런데 매가 왜…… 폐하께 달려들었지?"

수군대던 사람들이 하늘을 올려다보던 시선을 내렸을 때, 황제는 어느새 자리에서 벗어나 천천히 앞으로 걸어가고 있었다. 축 처진 두 어깨로 터덜터덜 걸어가 계단 위에 올라선 황제는 느리게 뒤돌아섰다.

"……이사크 황자를 암살하려 하고, 무고한 자를 범인으로 몰아간 시에나 황녀를 서쪽 탑 꼭대기에 가둬라."

시에나가 소리를 질렀다.

"억울합니다! 저자가 무슨 술수를 쓴 것이 틀림없습니다! 저는 아무런 잘못이 없습니다!"

하지만 사람들의 반응은 싸늘했다.

"……뻔뻔스럽기도 하지."

"하마터면 투르가 여신님의 기적을 죽일 뻔했잖아."

표독스럽게 눈을 희번덕거리며 시에나가 주변을 향해 소리쳤다.

"닥쳐! 나는 이 제국의 황녀다! 저딴 더러운 살육자 새끼의 간계한 수에,"

"황녀!"

황제가 노기 띤 음성으로 시에나를 불렀다. 그의 시뻘건 두 눈이 시에나를 죽일 듯 노려보았다. 황제의 눈 아래 늘어진 살이 경련을 일으켜 꿈틀거렸다.

"여신의 뜻을…… 거스르지 마라. 태양이…… 보고 있으니."

말을 마친 황제는 마치 죄인처럼 목을 움츠러트리고 그늘로 숨어들었다.

"서쪽 탑 꼭대기에 하루 두 번 식사를 가져다주는 이 말고는 아무도 출입할 수 없다. ……영원히."

"폐하! 거긴 감옥이나 다름없습니다! 그런 생이 무슨 의미가 있습니까! 차라리 죽여 주십시오!"

그 짧은 몇 분 사이에 늙어 버리기라도 한 것처럼 기력 없는 눈으로 황녀를 바라본 황제가 낮게 읊조렸다.

"……감옥에 가두는 것이다. 그런 생이 마음에 들지 않으면 스스로 결정하라."

마음에 안 들면 자결이라도 하라는 말투였다. 경악에 물든 시에나 황녀가 제 팔을 붙잡는 기사들의 손을 거세게 뿌리쳤다.

"놔라! 감히 어딜!"

나를 힘껏 노려보는 그녀의 붉은 두 눈에 원망만이 가득했다. 시에나는 울분에 가득 찬 눈으로 뒤돌아 직접 걸어갔다. 뭘 째려봐. 내 손으로 죽이고 싶은데 언니가 한 번 참아 줬다. 찬물을 끼얹은 것처럼 조용한 분위기 속에서 콜린 후작이 갑작스럽게 목소리를 얹었다.

"투르가 여신님 만세! 신의 기적 만세! 황제 폐하 만세!"

아저씨, 거 순서가 잘못된 거 아니요. 적어도 황제가 두 번째여야 할 텐데.

하지만 열성적인 투르가 광신도 아저씨는 두 팔을 쳐올리며 열심히 외쳤다.

"신의 기적 만세!"

사람들이 함께 외치며 나를 경외의 눈으로 바라봤다. 황제는 그대로 시종의 부축을 받고 다른 곳으로 사라졌다. 사람들의 시선이 닿지 않는 자신의 궁 안으로.

저 멀리 보이는 카일은 그제야 안심한 듯 자리에 털썩 주저앉았다.

……귀여워. 지친 얼굴 잘생겼어. 성숙한 낯으로 하얗게 질려 버린 거 가까이서 보고 싶어. 널브러진 다리 너무 길어. 당신 골반에서 발목까지 가려고 택시 잡았는데 30만 원에 쇼부 보자 했더니 기사님이 부족하다 해서 아직도 못 갔잖니.

내 뜨거운 정염의 시선을 느꼈는지 카일이 자세를 고쳐 잡았다. 내가 죽던 날 이후로는 다시 내 텔레파시를 듣지 못했으니, 아마 저건 위험을 감지한 카일의 생존 본능이겠지. 내가 또 너무 변태같이 봤나 봐.

구석에 있던 로테나의 포로 세 명이 다시 병사들에게 잡혀가며 내게 인사했다.

"……고맙다는 말은 하지 않겠다. 내 전우들을 죽였으니."

"예, 저도 들을 생각 없습니다."

"하지만……"

망설이던 기사 하나가 입을 꾹 다물었다가 천천히 열었다.

"……내 손으로 전우를 죽이는 치욕을 피하게 해 준 자네의 그 태도가 알량한 아량이라 해도…… 잊지는 않겠다."

말라비틀어져 하얗게 된 입술을 달달 떠는 기사를 보며 말했다.

"……그쪽들이 밥 잘 드시고, 물 잘 마시고 싸웠으면 제가 졌을지도 몰라요. 애초에 저한테 유리했어요."

물론 구라다. 1대 10이었으니 당연히 내가 불리했다. 게다가 난 나뭇가지를 들고 있었으니. 이 아저씨도 그걸 알고 있을 테지. 로테나의 기사는 아무런 대답도 없이 고개를 푹 숙인 채 내 앞을 지나갔다.

아직도 사람들은 신의 기적 만세를 외치고 있었다. 그 와중에 기사들 몇몇이 내 눈을 보지 않는 게 이상했다. 심지어 나랑 같이 전쟁터에 있었던 소년병 조슈아까지.

"조슈아! 너 왜 날 안 봐!"

조슈아에게 다가가자 그의 주변이 같은 극끼리 만난 자석처럼 내게서 거리를 벌리며 멀어졌다. 고개를 돌리고 있는 조슈아는 가까이서 보니 못 본 새 나보다 훌쩍 커져 있었다. 제국 애들이 키가 참 크긴 크구나. 내 상큼한 감상평과는 달리 그는 눈을 내리깔고 바들바들 떨며 대답했다.

"조, 조가…… 검은 사신이라고 하는 거 그동안 안 믿었는데……. 사신은 눈이 마주치면 다 죽이잖아."

그 소문이 여기까지 났단 말이니. 누나는 골이 아프구나.

"그걸 믿냐!"

애써 태연하게 웃으며 어깨를 툭 치자 조슈아가 울상이 되어 손가락으로 시체가 된 로테나의 패잔병들을 가리켰다.

"……그렇게 장난치지 마, 조. 너 방금…… 나뭇가지로 일곱 명을 죽였잖아."

"……정확히 말하면 나뭇가지로 죽인 건 한 명뿐이야."

"나뭇가지로 시작해서 일곱 명을 죽인 건 맞잖아. 어쩌, 어쩌다가 그렇게 된 거야. 정말로 투르가 여신님께 영혼을 바치는 지옥의 사자가 된 거야?"

"……내가 보기에 넌 기사보다 소설가가 더 잘 맞을 거 같은데."

조슈아와 수다를 떨고 있는 내 옆으로 카일의 시종인 펠 아저씨가 다가왔다.

"카일 황자 전하께서 찾으십니다."

"펠 아저씨, 저한테 존댓말 쓰지 마세요. 편하게 해 주세요. 평소처럼."

앞서 걷는 펠의 뒤에서 웃으며 말을 걸었는데 펠은 안절부절못하며 나를 힐긋거렸다. 주변에 사람이 좀 뜸해졌을 때 펠은 품에서 손수건을 꺼냈다.

"얼, 얼굴에 묻은 피를 좀 닦으십시오."

아차. 아까 사람 죽였지. 참. 전쟁이 이렇게 무섭다. 사람을 이만큼이나 무감하게 만들다니. 앞으로 콜린 후작 따라다니면서 신전 가서 기도 열심히 해야겠다. 아니, 그런데 투르가 여신한테 두 번 다시 보지 말자고 했는데 그럼 난 누구한테 가서 빌지.

"조! 잠깐만!"

잡생각을 하며 펠을 따라가던 중, 누군가 내 이름을 부르며 달려왔다. 이사크였다.

나는 펠의 팔을 붙잡고 잠깐만 기다려 달라 부탁했다. 고개를 끄덕인 펠이 약간 떨어지자 이사크가 망설이며 다가와 사과했다.

"……델로아가…… 그런 말을 할 줄은 몰랐어. 하지만…… 델로아를 너무 미워하진 말아 줘. 미안해, 내가 미안해. 그러니까 제발 그녀에게,"

"아유! 저도 대충 알아요! 그게 델로아 아가씨다운 길이었겠죠. 오로지 목표만 보는 거."

이번 일로 확실해졌다. 델로아의 말처럼 나와 그녀는 이 황궁 안에선 결코 친구가 될 수 없었다. 애초에 알베니스를 떠나오며 진창에 구르기를 각오한 그녀에게 나의 순진함이 통할 거라 생각했던 게 오판이었다. 나는 지금 델로아가 주인공으로 활약하는 책의 독자가 아니다. 어쩌면 델로아가 가는 길이 맞을지도 모르지. 황좌는 모든 걸 버리지 않고서는 가질 수 없는 자리이니까. 마치 내가 전쟁터에서 카일을 위해 '나'를 버리고 검을 쥐었던 것처럼.

하지만 델로아의 방식이 통했던 건 '킹메이커'에서뿐이었고, 이젠 모든 게 달라질 것이다. 내가 그렇게 만들 테니까. 원작에서 본인을 최대한 드러내지 않는 선에서 움직였던 델로아가 전면에 나서서 나를 모함한 것만으로도 충분히 승산이 보였다. 그만큼 초조했다는 거니까. 그녀가 갖고 있는 내 약점에 대한 기억도 지웠으니 이제 다시 원점이다. 우린 다른 방식으로 같은 곳을 향해 나아갈 것이다. 이 이야기의 결말은 끝에 가서야 알게 되겠지.

이사크는 연신 어쩔 줄 몰라 하다 날 보며 조심스럽게 말했다.

"너 많이…… 바뀌었더라. 전쟁터 가서 살아남겠냐고 걱정했었는데…… 그렇게 어마어마해질 줄은 몰랐어."

"아이고, 전하도 목숨 걸고 매일 살아 보세요. 실력이 쑥쑥 늘어요."

내 너스레에 이사크는 씁쓸한 듯 머리를 긁적였다.

"……형이라고 불러 달라는 건 이제 무리겠지."

예, 왜냐하면 제가 여자거든요. 나는 넉살을 떨며 이사크에게 말했다.

"나 형이 준 단검 잃어버렸어."

"……뭐?"

숙였던 머리를 들자 이사크의 곱슬한 검은 머리카락이 곰실거렸다. 거참, 탐스럽게도 곱슬거리네요. 나는 씩 웃으며 이사크의 어깨를 툭 쳤다.

"미안. 형이 준 단검으로 댐 뚫었거든. 기절했다 정신 차려 보니 없더라고."

"……어?"

"그리고 크로우는 그냥 나한테 주면 안 돼? 2년 동안 너무 친해져서 못 돌려주겠는데. 이제 내 말밖에 안 들어. 응? 형. 나 주라."

놀랐는지 몇 번 눈을 깜빡이던 이사크는 환하게 웃더니 옷소매를 쭉 꺼내 내 턱을 붙잡고 이마를 벅벅 문질렀다.

"칠칠치 못하게 왜 얼굴에 피를 묻히고 다니냐."

"아까 사람 도륙 내서 그래. 형. 나 크로우 가진다."

"그런 얘기 상큼하게 하지 마. 미친놈아. 그래, 크로우는 네 거 해."

"고맙다. 나 이제 간다."

"그래, 가."

손을 흔들며 배웅하는 이사크를 뒤로하고 나는 카일에게 갔다. 침실에서 마주하자마자 나를 끌어안고 몇 번이나 막힌 숨을 몰아쉬듯 내쉰 카일은 나를 품에서 떼 내고 말했다.

"벗고 기다리고 있어."

지금?

"……음. 제가 이래 봬도 채찍을 맞고, 허벅지가 검에 베여서요. 생산적인 활동을 하기는 조금…… 불편한데요."

카일의 얼굴이 빨갛게 물들었다.

"그게 아니라! 상처를 치료하려면 닦아 내야 하니까! 그걸 남을 시킬 순 없잖아! 나 말고 누가 널, 그, 그러니까! 아, 아무튼! 나 그 정도는 아니야."

"나 등에 구멍 뚫려서 살아 돌아왔을 때는 그 정도셨는데."

나를 흘겨보던 카일이 침실 옆에 딸린 욕실에서 커다란 대야와 깨끗한 물수건을 들고 나왔다.

"진짜야. 상처를 치료할 약도 저기 있다고."

불퉁하게 솟아오른 카일의 뺨을 콕콕 찌르며 놀리다가 손에서 피가 나는 걸 발견하고 손부터 그에게 맡겼다. 내 등과 허벅지, 그 외의 자잘하게 난 상처들을 치료하며 카일은 몇 번이나 한숨을 퍽퍽 쉬어 댔다.

"나한테 실망하진 않았어요?"

"왜."

"잔인했잖아요, 나."

붕대를 감던 카일은 내 눈을 똑바로 보며 말했다.

"오늘부로 내 이상형은, 10대 1로 싸워도 이기는 사람이 됐어."

……진짜 너무 귀엽다, 우리 자기.

16. 원치 않은 신분 상승

내가 카일의 궁에서 유유자적 드러누워서 상처를 치료하고 쉬는 동안 밖에선 재밌는 소문이 돌았다.

'그' 양아치가 사실은 신의 목소리를 전하는 사자라더라.

'그' 생양아치가 사실은 전쟁의 신의 현신이라더라.

'그' 깡패가 사실은 사신이라더라.

내 밥을 가져다주던 일리나가 내 눈을 마주치지도 못하고 옆의 협탁 위에 트레이를 내려놓았다.

"식, 식사하세요……."

"왜 그래, 일리나. 내 얼굴 벌써 까먹었어?"

내가 전쟁 갔다 오기 전까지는 서로 농담도 하고 장난도 치고, 인사도 했었는데, 왜 이렇게 서먹하게 굴지. 나보다 작은 일리나에게 맞춰 고개를 숙이고 허리를 숙였다. 고개를 갸우뚱 꺾으며 일리나와 눈을 마주쳤다.

"왜 날 안 봐."

"……이, 이러지 마세요. 살려 주세요. 아니, 저한테 이러시면 안 돼요. 저는, 저는…… 남편이 있어요."

"나 아무것도 안 했잖, 잠깐만! 일리나! 결혼했어? 축하해!"

일리나의 어깨를 짚자 그녀가 갑자기 '으아악!' 하며 뿌리치고 도망을 가 버렸다.

왜 사람을 똥 취급을 하지. 무시당한 기분에 입술을 삐죽이다가 일단 갖다준 식사를 양껏 먹었다. 조금 있으면 누군가 치우러 오겠지만 하루 종일 침대에 누워 있으려니 좀이 쑤셨다. 결국 내가 트레이를 들고 카일 궁의 주방으로 천천히 걸어갔다. 그런데 전에는 반갑게 인사했던 사람들이 나만 마주치면 힐긋 쳐다보곤 흠칫 떨며 대충 고개만 숙이고 지나갔다.

주방에서도 비슷했다. 같이 전쟁터 갔다가 돌아온 헬릿이 내가 주방에 들어온 줄도 모르고 신나게 떠들고 있었다.

"대단했다니까! 직접 보지 않은 사람은 아마 짐작도 못 할 거야! 커다란 말 위에서 검을 들고, 하늘을 가르듯 달려 나가는데! 한 번 휘두르면 열 명씩, 진짜! 아, 정말로! 로테나 놈들 목이 빗방울처럼 우수수 떨어져 나가고!"

"누가?"

"으아악!"

깜짝 놀란 헬릿이 들고 있던 주방 칼을 공중으로 내던졌다. 허공을 핑핑 도는 칼에 누가 맞아서 다칠까 싶어 얼른 잡고서 되물었다.

"칼은 잘 잡아야지. 위험하잖아. 자, 여기. 근데 누구 얘기하고 있었어?"

"……아니, 아닙니다."

"이상하네, 왜 다들 나만 보면 피하지. 나 왕따당하는 거야?"

울상을 하며 물었지만 헬릿은 고개만 도리도리 저었다. 다들 내 눈을 피하며 자리에서 벗어나는 모양이 여간 불편해 보이는 게 아니라서 계속 있을 수 없었다. 기사들에게 갔을 때는 그나마 사정이 나았다. 훈련장에서 열심히 훈련을 하고 있던 톰에게 인사하자 그는 눈을 피하긴 했지만 도망가진 않았다.

"톰."

"아, ……안녕하십니까."

"톰까지 왜 그래요. 전에는 형이라 부르라고 해 놓고. 날 빼고 무슨 소문이 돌길래 그래. 편하게 해 줘요."

어깨를 툭 치며 장난스럽게 말하자 톰이 그제야 뒷머리를 긁적이며 넌지시 물었다.

"……그럼 일단 하나만 확인하겠는데, 눈이 마주치면 죽는다는 거 진짜야?"

"그럴 리가 있겠어요. 그럼 황자님도, 황제 폐하도 다 상 치렀겠네. 아무도 안 죽어요."

"……그럼 네가 직접 죽여?"

"……톰은 안 죽일 테니까 걱정 말고 나 보라고요. 그딴 소문 때문에 아무도 날 안 보는 거였구만."

사신도 아니고, 아무도 안 죽인다는 해명을 한참 했지만 톰은 나름대로 강건했다.

"그래도 검은 옷을 입고 전쟁터를 누빈 건 맞잖아. 재판 날에 나뭇가지로 로테나 병사들을…… 죽인 건 내 눈으로 봤고."

그 부분에 대해서야 할 말 없지만.

"아니, 전쟁 같이 갔다 와 놓고 그렇게 겁을 집어먹어서야 쓰나. 기사 훈련도 받으신 분이."

"그렇, 긴 하지."

그제야 톰은 고개를 돌려 날 바라봤다.

"거봐요, 안 죽죠?"

"그러네. 신의 사자라는 건 어떻게 된 거야?"

"아. 그건 진짜예요. 지금은 여신님이랑 뭐, 돌아섰지만. 한때는 서로…… 잘 지냈죠."

"위대한 여신님을 두고 무슨 이혼한 듯 말하지 마. 이거 진짜 정신 나갔네."

톰과 깔깔대며 웃고 난 후 장미 기사단과는 며칠 지나지 않아 모두 풀었다. 하지만 다른 사람들과는 여전히 서먹했다. 나를 보며 고개를 꾸벅 숙이는 건 며칠이 지나도 적응이 되질 않았다.

"제인, 왜 고개를 숙여!"

"까악! 죄송합니다!"

"나 아무도 안 죽여!"

"살려 주세요!"

친구를 우르르 잃은 내가 할 수 있는 일은 한량처럼 시간을 보내는 것뿐이었다. 마구간으로 가서 크로우에게 안장을 채우고 평원을 천천히 거닐고 있자 벤지가 다가왔다.

"조, 혼자 뭐 해."

"하……. 혼자 있고 싶어서 혼자 있는 게 아닙니다. 아무도 안 놀아 줘서 혼자예요. 기사들은 훈련하고, 시종이랑 시녀들은 자꾸 도망가고, 하녀들은 소리 지르고……. 나만 친구 없어."

크로우 위에 엎드려서 웅얼거리자 벤지가 부드럽게 웃으며 고삐를 잡고 이끌며 걸었다.

"너 이제 공부라도 해야 할 텐데."

"공부를 내가 왜 해요."

"신학에 대해선 좀 알아?"

"내가 진짜 사제도 아닌데 신학을 왜 공부해요. 그거야 그냥 어쩌다 운 없이 여신이랑 엮인 거죠. ……이렇게 말하면 또 불경하다고 욕먹겠지. 여신과의 불같은 만남 이후, 우리는 끝났답니다."

한숨을 퍽퍽 쉬며 말하자 벤지가 웃으며 나를 바라봤다.

"그 얘기가 아니라, 지금 귀족들이 폐하께 청원을 올리고 있거든."

"뭘요. 무엄하다고 죽이래요? 또 내가 흑주술사래? 흑주술 배우기만 해 봐라. 모조리 찾아가서 멸해 주지."

"……아니, 콜린 후작을 필두로 널 귀족으로 만들어 달라고 하는……."

귀족? 귀이이이조오옥?

두 눈을 튀어나올 듯 동그랗게 뜨고 벤지에게 되묻던 나는 미끄러지며 말에서 내려왔다.

"귀족이라뇨! 내가 무슨, 아니, 이 나라는 종교에 휩쓸려서 평민을 귀족으로 만들고 막, 어? 그래요?!"

내가 마구 되묻자 벤지가 고개를 도리도리 저었다.

"재판장에서의 일 때문만은 아니고. 물론 콜린 후작은 그런 것 같지만. 전쟁에서 공을 세웠잖아. 원래 전쟁에서 큰 공을 세우면 작위가 내려오거든. 네가 한 게 작은 일이 아니니까."

"황자 전하를 살린 거?"

"……그것도 있지만, 잊고 있나 본데, 주요 본거지 요새를 함락한 건 너야. 그 이후로도 매 전투마다 공을 세웠다는 그 검은 용병도 너였잖아. 보통은 무공 훈장만 받겠지만 워낙 독보적이었으니."

아. 그거. 너무 오래돼서 잊고 있었네. 머리를 긁적이다가 벤지에게 물었다.

"저기, 벤지. 이제 와 묻는 게 무슨 소용인가 싶지만, 그때 다친 다리는 좀 어때요? 말에서 집어 던지듯 내려서 미안했어요. 많이 아팠어요?"

걱정해서 한 질문이었는데 벤지는 빙긋 웃기만 하다가 천천히 한쪽 무릎을 꿇었다.

"벤지까지 왜 이래요! 왜 다들 날 어렵게 대하는 거야! 일어나요, 얼른! 피셔 공작가에서 이렇게 종놈 새끼한테 무릎 꿇으라고 가르치진 않았을 텐데!"

내 호들갑에도 벤지는 꿇은 무릎을 펴지 않았다. 그는 얼굴을 들고 나를 바라봤다. 별을 등지고 서 있는 나를 가만히 보던 벤지가 입을 열었다.

"피셔 공작가에서는 은혜를 반드시 갚으라고 가르치지."

"됐어요. 벤지도 제 친구니까 구하러 간 건데 왜 그래요."

결연한 표정으로 숨을 천천히 들이마셨다가 내쉰 벤지가 내게 말했다.

"목숨을 빚졌으니 이제 제 남은 생을 당신을 위해 살겠습니다."

"……갑자기 왜 존댓말을 해요."

"오로지 당신을 지키겠습니다. 저의 평생을 걸고."

떨림을 감추려는 듯 주먹을 꽉 움켜쥔 벤지는 오른손을 심장 위로 올린 후 비장하게 나를 바라봤다.

"……이미 카일 전하께 보좌관 자리를 그만두겠다 말씀드렸습니다. 오직 당신에게 충성을 맹세,"

엥?

"아이고, 이 사람아! 그게 얼마나 귀한 자린데!"

나도 모르게 고개를 숙인 벤지의 등을 철썩 소리가 나게 때렸다.

"세상천지에 카일 전하 보좌관만큼 철밥통 직업이 어디 있다고 그걸 그만둬요! 내가 귀족이 될지 마구간지기 나부랭이로 돌아갈지 아직 정해진 것도 없는데! 그리고 지키긴 누가 누굴 지켜! 벤지 자기 몸이나 지켜요!"

"아야, 조! 잠깐만, 나 지금, 아야! 등! 아, 너무 아픈데!"

"당장 가서 다시 열심히 일하겠다고 해요! 아이고, 땅을 파 봐라, 1테랑이라도 나오나. 카일 보좌관이면 월급이 얼만데 그걸 덜컥 그만둬요! 아주 정 때문에 보증 설 양반이네, 이거!"

"아니, 조, 악! 네가 내 목숨을, 아야!"

등을 몇 대나 맞던 벤지가 벌떡 일어서서 내 양 손목을 잡고서 말했다.

"카일 전하한테 이미 말했다니까!"

손목 잡으면 못 때릴 줄 아나. 다리로 정강이를 걷어차자 벤지가 으악 소리와 함께 주저앉았다. 이 순진한 꼴을 보자니 내 골이 아플 지경이었다. 나는 관자놀이를 짚었다가 머리를 쓸어 넘기며 벤지를 혼냈다.

"날 지키고 싶으면 내가 가장 아끼는 카일을 지켜요. 그게 날 지키는 거예요, 알았어요? 생명의 은인인 내 명령이니까 들어요. 당장 돌아가서 카일한테 뼈를 갈아서 열심히 일하겠다고 하시고. 응? 내 몸은 내가 지키니까 걱정 말아요."

"……그래도 만약의 경우라는 게 있잖아."

"죽었을 때도 여신이랑 쇼부 쳐서 살아 돌아온 나예요. 내가 뭘 못 하겠어."

"……그렇긴 하지."

머쓱하게 자리에서 일어선 벤지가 몇 번이나 돌아보며 시무룩하게 어깨를 늘어뜨렸다.

"……나 그래도 믿을 만한 기사인데……."

"아이고, 그럼요. 알죠. 제가 벤지를 믿으니까 카일 맡기는 거잖아요. 그러니까 보좌관 그만두지 말고 가서 일하세요. 아이고, 시대 잘못 타고났으면 의리 때문에 회사 때려치우고 퇴직금으로 친구랑 사업할 양반아."

뒤의 말은 알아듣지 못했지만 대충 욕처럼 들렸는지 벤지는 축 늘어져서 다시 카일의 궁으로 돌아갔다. 걱정 말아요, 내 몸은 내가 지켜.

황제가 멍하니 정신을 놓고 있는 날이 많다는 이야기가 황궁에 돌기 시작했다. 하지만 그런 와중에도 콜린 후작을 비롯한 다른 귀족들이 전쟁의 판도를 바꾸고 지속적으로 전투에 참전하여 공을 세운 나를 치하하라고 간절하게 청원한 모양이었다. 여유롭게 말이나 타던 중 칙서가 내려왔다. 옷을 화려하게 차려입은 사람들이 우르르 마구간 앞으로 찾아왔다.

"마구간지기 조는 황제 폐하의 말씀을 받들라."

말에서 내려 앞에 어정쩡하게 서 있었더니 눈이 마주친 시종이 손짓을 휘적거렸다. 대충 앉으라는 뜻 같아서 전에 벤지가 했던 것처럼 왼쪽 무릎을 꿇고 앉았더니 앞에 서 있던 배불뚝이가 목소리를 가다듬었다.

칙서는 생각보다 길었다. 내가 세운 공을 하나하나 읊어 가는 걸 듣고 있으니 새삼 많이도 날뛰었다 싶었다.

테이비톤 강에서 지략을 발휘하여 작전을 세우고, 스스로 희생하여 승리로 이끌었으며, 이후에도 많은 작전에 참가하였고, 결정적으로 로타이스 요새를 홀로 함락하여 큰 공을 세웠으며, 피셔 공작가의 공자를 구해 냈고, 이후에도 펠리돈, 케이른 등등 많은 전투에서 적군을 처치하고 어쩌고저쩌고 목숨을 바쳐 황자를 살렸음에 그 공을 높이 사서 훈장을 수여하고,

음, 네. 훈장 좋지. 가슴에 꽂고 다녀야겠다.

또한 위대한 투르가 여신의 목소리를 전달하는 지대한 임무를 띠고 제국에 영광을 가져온,

음. 그 언니 이기적이고 호기심 많고 세계관 집착 강했지.

"……후작으로 임명한다."

"예, 황은이 망, 뭐라고요?"

머리를 굴려 가며 대답을 준비하다가 고개를 번쩍 쳐들었다. 프릴이 화려한 옷을 입은 곱슬머리 백발 가발을 쓴 할배가 인상을 팍 찌푸렸다.

"이번 전쟁으로 새롭게 넓힌 국경 지대인 로타이스의 후작으로 임명한다! 조 로타이스 후작은 차이베른 드 빌테온 황제 폐하의 충신이자 빌테온 제국의

국민으로서 국경을 수비해야 하는 임무를 띠게 되었으며, 후작으로서 추밀원에서의 발언권을 가지게 되었음을 선포한다."

"제가요?"

멍청한 얼굴로 크게 되묻자 곱슬 백발 할배가 티가 나게 언짢은 낯으로 말을 이었다.

"큼, 로타이스 후작령이 아직 정리되지 않았기에 후작을 카일 황자의 궁에서 기거하는 것을 허한다."

"저를요?"

"큼! 흠! 크흠!"

곱슬 백발이 헛기침을 큰 소리로 하며 턱에 호두 모양의 주름이 질 때까지 입을 꾹 다물었다가 열었다.

"후작은 일어나서 폐하의 칙서를 받드시오!"

"……와, 미쳤다."

곱슬 백발의 눈이 왕방울만 해졌다. 나도 모르게 내 입을 틀어막고는 고개를 도리도리 저었다.

"제, 제 인생이…… 미쳤습니다! 평생 빌어먹고 살 팔자인 줄 알았더니! 아이고. 어떻게 이런 큰 은혜를! 세상에! 황은이 망극하옵니다!"

그제야 늙은이의 표정이 풀어졌다. 말은 태연하게 했지만 등줄기에서 땀이 줄줄 흘러내렸다. 후작이라니. 난 그런 거 바란 적 없어. 기사 작위를 받거나 끽해야 남작일 줄 알았다고. 황제가 진짜로 제정신이 아닌가 봐. 나라를 말아먹으려고 작정을 했나. 날 후작을 시킨다고? 내가 국경 지대 수비 제대로 못 하면 어떡하라고? 아니, 그 전에 이제 진짜 여자인 거 들키면 모가지 날아가는 거 아닌가.

식은땀이 줄줄 흐르는 와중에 내 손 위로 황제가 직접 하사했다는 무거운 검과 칙서, 훈장이 올라왔다. 멍하니 그것들을 내려다보다가 감, 감사합니다, 라고 더듬거리자 뒤에 선 시종이 온 얼굴을 구기며 손을 파닥거렸다. 나는 얼굴을 푹 숙이며 크게 외쳤다.

"황제 폐하의 은덕에 감사합니다! 평생 제국에 충성하겠습니다!"

모두 돌아간 뒤 텅 빈 마구간에 망부석처럼 서 있다가 천천히 뒤돌아섰다. 크로우가 태연하게 풀을 뜯다가 나를 바라봤다.

"크로우. 나 좆됐어."

홀린 듯 중얼거렸지만 크로우는 내 말을 알아듣지 못했다.

❖ ❖ ❖

나는 마구간 앞에서 심신을 가라앉히기 위해 두 다리가 땅에 뿌리 내린 듯 오랫동안 굳어 있었다. 그렇게 멍청히 서 있는 동안에 내가 후작이 됐다는 소문은 빠르게도 퍼져 나갔다.

1시간이나 지났을까, 겨우 정신을 차리고 두 손 위 가득한 것들을 들고 정신을 반쯤 내놓은 채 발을 질질 끌며 카일의 궁 안으로 이동했다.

나사가 빠진 기분. 아니, 나사만 챙긴 기분이야.

어제까지만 해도 내 눈을 피하며 어쩔 줄 몰라 하던 시녀들이 이제는 도망가는 와중에 깍듯하게 인사까지 해 댔다.

"안녕하십니까, 후작님."

인사를 받아 줄 정신이 못 됐다. 내가 왜 후작이에요, 이 사람들아. 나는 그냥 조인데. 로타이스 이제 진절머리 나. 거기 불 지르고 튀었는데 왜 하필 거기야. 그럼 이제 내 성이 로타이스인가. 조 로타이스. 별로인데. 어감이 너무 별로잖아. 이왕이면 처음 갔던 강으로 해 주지. 거기에서도 나름 활약했는데. 조 테이비톤이 더 간지가 나지 않나. 로타이스는 이제 싫어요. 그리고 수도랑 너무 멀어요.

멍청하게 복도를 걷고 계단을 올라 카일의 집무실 앞에 도착했다. 혼이 빠진 내 얼굴을 보고 당황하던 펠 아저씨가 대신 노크를 했다.

"로타이스 후작께서 방문하셨습니다."

"아악! 아니야! 그냥 조라고 해 줘요!"

별안간 꽥 소리를 지르며 발을 구르자 펠이 화들짝 놀라 같이 소리를 질러 댔다.

"후작님! 이제 귀족이 되셨으니 체통을 지키십시오!"

"아니야! 무슨 소리예요! 아니야! 펠 아저씨! 이러지 마세요! 나 그냥 가서 말똥 치울래!"

"후작님! 폐하께서 베푸신 은덕을 거절하시면 안 됩니다!"

"아저씨! 저 집에 갈래요! 으앙! 집에 보내 주세요!"

발을 동동 구르자 문이 벌컥 열렸다. 벤지가 놀란 눈으로 나를 보고 있었다. 열린 문 사이, 벤지의 어깨 너머 의자에 앉아 있던 카일이 벌떡 일어섰다.

"흐으엉—. 나 아주 크게 엿 됐어요."

내가 쪼르르 문 안으로 들어가자 그대로 등 뒤에서 문이 닫혔다.

"이거 봐요. 이게 다 뭐야. 로타이스라뇨."

손에 한가득 들고 있던 걸 후드득 떨어뜨리며 카일에게 걸어가자 벤지가 퍼렇게 질린 낯으로 칙서와 훈장, 검을 주워 들었다.

"조, 황제 폐하께서 하사하신 검을 이렇게 대하면 안 돼. 누가 보면 어쩌려고."

나는 울상을 하고 두 손에 얼굴을 묻었다.

"로타이스? 로타이스라뇨. 이렇게 크게 막, 뭔가를 책임질 생각은 없었는데!"

카일의 표정 역시 복잡해 보였다.

"……로타이스 후작은 아직 후계가 없는데 어떻게 나랑 결혼을 하지."

"……저기요, 황자님. 지금 이 상황에선 제가 여자인 걸 밝히면 바로 모가지예요."

울먹이는 나를 한 팔로 안고서 카일은 곰곰이 생각을 하다가 벤지에게 명령을 내렸다.

"벤지. 역대 후계나 가족이 없는 가주가 황족과 결혼한 선례가 있는지 찾아봐. 입양은 안 돼. 나랑 첫 아이를 만들기로 약속을 했."

"뒤질라고, 진짜. 누구는 목을 걸고 말하는데 이 와중에."

카일의 멱살을 잡아 짤짤 흔들자 벤지가 사색이 되어 달려들려다가 손 위에 들린 황제의 하사품에 어쩔 줄 몰라 발만 동동 굴렀다.

난처해하던 벤지가 사뭇 진지한 목소리로 말했다.

"그런데 로타이스면 수도와 확실히 멀긴 하네요."

"그러니까요! 난 그냥 마구간에서 살면서 가끔 비밀 데이트나 할래요!"

"안 돼! 결혼하기로 했잖아! 귀족인 게 더 나아!"

"지금 그게 중요해요? 이 결혼에 미친 사람아! 내가 …… '여자' ……인 거 밝혀지고 나서 황족 모욕죄로 모가지 썰려도 그 소리 하나 보자!"

밖에 있는 누가 들을세라 '여자' 라는 단어를 속삭이듯 말한 후 카일의 목을 조를 듯 덤볐다. 결국 황족에 대한 불충을 참지 못한 충성스러운 벤지가 카일의 책상 위에 황제의 하사품을 내려놓고 나를 카일에게서 떼어 놓았다.

"진정해! 조, 진정! 전하를 죽여도 작위는 취소되지 않아!"

내가 마구 발버둥을 쳤지만 카일은 태연하게 턱을 매만지며 진지하게 말했다.

"……여신의 목소리를 들었으니 사제로서도 인정해야 했고, 전쟁에서 공도 세웠으니 국가 수비를 맡기자는 건 좋은데, 단순한 귀족 직위에 기사 작위를 내리는 게 아니라 굳이 국경 지대까지 가라고 한 건…… 조의 존재 자체를 밀어내는 거 같은걸."

그거야 내가 황제가 황가의 핏줄이 아니라는 비밀을 알고 있으니까 그렇겠죠. 가까이 두기 싫었나 보지.

"종교에 돌아 버린 귀족들은 나를 대사제로 모시거나, 귀족 작위를 주어야 마땅하다고 달달 볶아 대고, 전쟁에 돌아 버린 귀족들은 내게 기사 작위를 주고 폐하를 지키는 근위대로 임명시키라고 했다면서요. 폐하는 당연히 둘 다 싫었겠죠. 그러니까 둘 다 만족시킬 수 있되, 부담스러운 나를 멀리 내쫓을 수 있는 걸로 했겠지. 와, 멋있다. 국경 수비. 칭찬의 박수 짝짝."

힘 빠진 걸음걸이로 털레털레 걸어가 집무실에 놓인 소파에 털썩 주저앉았다.

"카일, 나 없어도…… 밥 잘 먹고……, 잠 잘 자고……."

"안 보내. 안 죽어. 로타이스는 그 전에 요새만 있던 곳이라 저택도 없으니 지으려면 한참 걸려. 그사이에 여자인 거 밝히고 결혼하면 돼. 괜찮아."

어느새 힘없이 소파에 드러누운 나는 미친 사람처럼 껄껄 웃으며 히죽거렸다.

"어유, 대단하신 계획을 세우셨군요. 황자 전하. 쇤네는 여자인 게 밝혀지면 죽은 목숨이니 이만 하직 인사를 올리겠나이다."

"걱정 마. 죽게 안 둬."

카일의 단호한 대답에 벤지가 덧붙였다.

"그래, 여자의 몸으로 황궁에서 고된 일을 하고, 전쟁에 참전해서 큰 공을 세우고 후작 작위까지 받은 건 엄청나잖아. 역사서에 길이 남겨질 거야."

"……그럴까요."

"그럼."

날 향해 웃으며 단언한 후 벤지는 카일을 돌아봤다가 다시 내게 얼굴을 돌렸다. 소파에 미끄러지듯 드러누운 나는 화려한 무늬의 천장을 바라보며 중얼거렸다.

"……그럼 내 저택 벽은 카일의 초상화로 채울래요."

"……그건 안 돼."

카일이 황급히 나를 말렸다. 내 집인데 왜 내 맘대로 못 해. 아직도 저렇게 부끄러움이 많아서야.

"왜요, 아직도 부끄러워요? 자기가 아름답다는 게 아직도 실감이 안 나요?"

"그게 아니라 넌 남은 평생을 황궁에서 살게 될 거니까. 새로 짓게 될 네 저택은 네 후계가 들어가 살 거야."

무슨 그런 당연한 말을 하냐는 듯 매끄럽게 말한 카일이 나를 보며 눈을 깜빡거렸다. 커다란 눈과 그 위로 팔랑거리는 속눈썹이 부드럽게 움직였다.

프러포즈 한번 거창. 당당하게 함께할 미래를 고백하는 내가 키운 나의 집착남은 너무나 귀여웠지만 하루아침에 후작이 된 여파에 얼떨떨해서 그의 미모를 만끽할 수 없었다. 내 평생 미남을 보고 집중 못 한 적이 없었는데. 통탄스럽도다.

내 얼빠진 모습을 본 카일이 나를 일으켜 세워 등을 토닥였다.

"정신을 차리시죠. 로타이스 후작."

"악! 카일까지 그렇게 부르지 마세요! 나도 황자 전하라고 불러 버리기 전에!"

카일이 해맑게 웃으며 나를 진정시켰다. 내가 펄쩍펄쩍 뛰며 질색을 해 대니 벤지가 나를 말렸다.

"아직 황태자가 정해지지 않은 상황에서 카일 전하의 사람인 네가 후작이 되었으니 이건 어찌 보면 폐하께서 카일 전하에게 힘을 실어 주신 거지."

무슨 말인지는 알겠지만 썩 동의할 순 없었다.

"듣기로는 오르본 백작이 저번에 재무 장관이 되셨다면서요. 그리고 뭐더라, 엘린느 황후마마의 사촌 형제 되시는 분이 란티모스 공국과의 무역 특사가 되셨다 들었는데."

"그런 걸 어디서 들었어?"

"서민들에게도 신문이 있답니다. 제가 전쟁 갔다 오고 친구가 없어서 신문만 주구장창 읽었거든요. 아무튼 그런 걸 생각해 보면 카일 쪽 사람들 중에서는 이번 전쟁으로 덕을 본 게 저밖에 없잖아요. 심지어 총사령관으로 참전해서 큰 공을 세운 황자 본인에게조차 상이 없는 이 상황에서."

카일과 벤지는 말없이 가만히 나를 바라보고만 있었다.

"이사크 쪽은 재무 장관이 나오고, 눈알 빨간 쪽에서는 특사랍시고 남이 고생해서 이긴 전쟁에 룰루랄라 허울 좋게 나다니는데. 정작 여기는, 어라? 애걔? 귀족 작위? 물론 평민에게 후작 작위를 하사하신 게 파격적이고 이례적인 인사이긴 하지만 사실 결과로만 따지고 보면 난 신생 귀족이잖아요. 아무런 힘도 연줄도 없고, 심지어 자본도 없어. 내가 뭘 하겠어요. 지금 당장의 유명세는 점점 쇠할 테고. 힘을 키운다 해도 몇 년은 걸리겠죠. 당장 카일에게 도움이 될 순 없어요. 황제가 구색 갖추고 값싸게 해치운 거죠. ……2년간 사람을 전쟁터에서 좆뺑, 아니, 뺑뺑이 치게 만들어 놓고."

내가 아주 빛 좋은 개살구 패다, 이거예요. 벤지가 놀란 눈으로 나를 바라봤다.

"……그렇긴 하지만. ……신문만 보고 이렇게까지 상황을 내다보는 건 어려울 텐데……."

"전쟁이나 정치나 비슷하잖아요. 사람 머리 굴리는 건."

내 대답에 바람 빠지듯 웃은 카일이 집무실 책상에 살짝 걸터앉으며 팔짱을 꼈다.

"그래, 네 말이 다 맞아. 그 많은 공을 세우고 돌아온 내게 남은 건 힘없는 신생 귀족 로타이스 후작뿐이지."

카일이 음산하게 미소 지었다.

"그래서 최대한 너를 귀족으로서 화려하게 만들 거야. 네 말처럼 이번이 파격적인 인사인 건 맞으니 남들 보기에도 그렇게 각인시켜야겠지. 특별한 상인 것처럼. 결국 여론이란 건 보이는 대로 따라오는 거니까."

나는 다시 소파에 털썩 주저앉았다. 아침부터 여태 어찌나 진을 뺐는지 다리에 힘이 들어가지 않았다.

"마음대로 하세요."

널브러진 나를 보며 카일이 부드럽게 웃었다.

"아무도 널 무시하지 못하게 할 거야."

이후로 벤지가 내게 귀족으로서 받아야 될 교육을 위해 선생을 붙이겠다 말했고 카일과 둘이서 누가 좋겠니, 하며 한참 떠들었다. 가만히 듣고 있자니 영 피곤한 것이 귀족이 썩 좋아 보이진 않았다. 난 그냥 몸 써서 돈 버는 게 더 팔자에 맞는 거 같은데.

"저 그냥 계속 용병 하면 안 돼요?"

"안 돼. 그거 전쟁 없으면 일 없어. 돈 못 벌어."

어느새 나를 완벽히 파악한 카일이 프리랜서의 단점을 콕 집어 얘기했다. 아, 그렇겠네. 일 없으면 돈도 없어. 전쟁 없으면 돈 못 버는 직업이라니. 살육이 업이네.

축 처진 채 나는 내 가정 교사를 고르느라 신난 두 사람을 지나쳐 집무실에서 빠져나왔다. 지나가는 하녀를 붙잡자 그녀가 화들짝 놀라 뒷걸음질 치며 인사했다.

"필요하신 것이 있으시면 말씀해 주세요, 후작님."

"……에이든. 너까지 그러, 하. 됐어. 편하게 대해 달라고 해도 안 들어주겠지."

정리된 방 중 가까운 객실에 가서 자려고 했지만 에이든이 너무 깍듯하게 인사를 해 온 탓에 급격히 우울해졌다. 태양계에서 쫓겨난 명왕성 된 기분이야.

터덜터덜 걸어서 다시 마구간으로 돌아가 대충 침구의 먼지를 털고 이불 속으로 기어들었다. 지금은 아무도 말 안 걸었으면 좋겠어. 나는 그대로 잠에 빠져들었다.

시간이 얼마나 지났을까, 문득 정수리에 누군가 얼음을 비비는 것 같은 싸함이 밀려들었다. 이건…… 강렬하게 엿같은 기운이야. 번쩍 눈을 뜨자 내 앞에서 있던 벤지는 기다렸다는 듯 브리핑을 시작했다.

"바로 눈을 뜨네. 전쟁터에서 더 짐승 같아졌구나, 조. 한 번만 말할 테니 새겨들어. 간단한 예절 교육은 맥레나 부인이 오실 거야. 남자로서 받게 되겠지만 걱정하지 마. 이제 와서 네게 여성으로서의 소양을 가르치는 건 늦지 않았나 하는 것이 카일 전하와 나의 공통된 의견이야. 일단은 남자로서 귀족이 된 거니까. 남들에겐 더더욱 그렇게 보여야지. 그리고 후작령 저택의 시공은 프란코 쪽에 전문가가 있다 하니 그쪽으로 맡기려고 해. 그 외에 로타이스의 세금에 관한 문젠데, 이전에는 국경 수비에 집중된 쪽이었지만 빌테온 제국의 영지가 된 이상 어떤 상품을 세금으로 해야 마땅할지에 대한 토지 조사를 진행해야 하니,"

말 많네. 이거 어째 오늘 낮에 한 번 겪었던 거 같은데. 잠에서 덜 깨서인지 정신이 돌아오지 않았다. 나는 눈을 빼끔거리며 나사를 서른마흔백여덟 개 정도 빼고 벤지의 말을 끄덕거리며 주워 들었다. 언제나 핵심은 뒤에 나왔다.

"약 한 달 후에 귀족이 된 너를 축하하는 데뷔 파티가 열릴 거고, 귀족들이 몰려들 거야."

"한 달? 아니, 잠깐만. 파티?"

시에나 황녀가 불과 며칠 전에 서쪽 탑에 갇혔고, 나는 재판장에서 죽을 뻔했는데! 이 시국에 데뷔 파티? 이 중세 시대 놈들은 파티 못 해서 죽은 귀신이 붙었나. 어처구니를 모두 분실한 내 헐렁한 이목구비를 보던 벤지가 유능하게도 웃었다. 참 지적이고도 음산한 미소였다.

"걱정 마. 네게 딱 맞는 춤 선생이 오실 테니."

"누구요."

"이사벨라 플라반."

"누, 아. 잠깐. 누구? 가는귀를 먹었나. 왜 헛소리가 들리지."

"단 3일 만에 네게 왈츠를 가르친 분이니 보름 정도면 너끈하지. 여러 춤과 파티 매너를 가르쳐 줄 거야."

"벤지 나랑 대련할래요? 지금이면 왠지 한 큐에 이길 수 있을 거 같은 느낌이 들어."

바람 빠진 듯 웃은 벤지는 내일은 옷을 맞추러 가야 하고, 오후엔 맥레나 부인이 오실 테니 바쁘다 했다. 사교계 데뷔 전까지는 벤지가 나를 직접 돌볼 거라나.

"지금 전쟁 지역 없어요? 나 그냥 거기 가서 실수인 척 죽을게요."

내 말에 벤지는 기분 좋게 웃으며 날 일으켰다.

"로타이스 경. 일단 귀족은 마구간에서 잠을 자지 않습니다. 전하의 궁으로 가시죠."

"피셔 경. 한 번만 더 그렇게 거리감 느껴지게 부르시면 돌아가신 조상님들과 차례대로 문안 인사 하게 해 드리죠."

위협만이 아니란 걸 느꼈는지 적어도 그 날은 더 이상 벤지가 나를 로타이스 경이라 부르지 않았다.

낮잠을 너무 길게 자서인지 밤이 되어도 잠이 오지 않았다. 객지 생활을 오래 해서 그런가. 매트리스가 너무 푹신하니까 어색하기도 하고. 술이나 마실까.

슬쩍 침대에서 일어나 기지개 한번 시원하게 켜고 문고리를 잡았다.

"……지금 문밖으로 나가서 술 먹으러 간다고 하면 또 후작 어쩌고 하면서 가만히 앉아 계시라 하고 트레이에 술이랑 안주랑 가득 들고 오겠지."

그런 건 싫은데. 괜히 남 고생시키는 거 같고. 문고리를 잡고 잠깐 고민하던 나는 시선을 창문으로 돌렸다.

"내가 가서 가져오지, 뭐."

황궁은 조용했다. 달빛이 훤하게 비치는 넓은 황궁 곳곳을 둘러보다 창가에서 힘껏 뛰어 반대편 나뭇가지를 잡았다. 반동으로 나무에 얼굴을 박을 뻔했지만 겨우 중심을 잡아 떨어지지 않았다. 술 창고가 어느 쪽이더라. 이사크 궁에서 술 훔친 적은 있지만 카일 궁에선 그렇게 해 본 적이 없는데.

나뭇가지에서 천천히 내려와서 궁 외벽을 돌며 창문 안을 기웃거렸다. 1층 어디에 있을 텐데. 휴대폰 플래시도 없고. 하도 어두워서 잘 보이지도 않네. 창문에 코를 박고서 열심히 지켜보는데 달 위를 지나가던 구름이 걷히자 창에 비친 인영이 드러났다.

내 뒤에 한 남자가 서 있었다.

"누구."

내 질문에도 남자는 말없이 가만히 나를 노려보다가 입을 열었다.

"날 봤으니 살려서 돌려보낼 순 없다."

"창문으로 봤으니까 그냥 못 본 척해 줄게. 뒤돌아서 가면 안 될까. 피차 피곤한데."

내 권유를 무시하고 남자는 동그랗게 휜 팔뚝만 한 길이의 칼을 꺼내 들었다. 또 첩자인가. 나는 그냥 술만 마시려고 했는데. 한숨을 푹 내쉬며 뒤돌아서자 복면으로 얼굴을 가린 남자가 한쪽 발을 뒤로 빼며 자세를 잡았다.

"야. 네가 생각해도 너무 골때리지 않냐. 뭔 첩자가 축하 파티보다 더 빨리 찾아와?"

"……난 의뢰받은 일을 할 뿐이다."

"나 검 없어. 정정당당하지 못하잖아, 아저씨."

"조용히 해라. 짧게 끝내 줄 테니."

남자가 달려드는 순간 돌멩이를 발로 차서 놈의 미간을 명중시켰다.

"으윽!"

소리를 내며 남자가 인상을 찌푸리는 순간 놈의 앞으로 다가가 손목을 비틀었다. 남자가 괴상하게 생긴 검을 떨어뜨렸다. 내 얼굴을 주먹으로 내리찍으려는 놈의 몸 안으로 파고들어 짧게 끊어 치며 복부를 가격했다. 뒤이어 놈의 국부를 무릎으로 차올리자 남자는 그대로 바닥으로 쓰러졌다.

"휴. 정말 짧고 간단하게 끝내 주셨네요, 고객님."

남자의 머리채를 잡아당긴 후 검을 주워서 남자의 목 아래에 갖다 댔다.

"누가 보냈는지 말해."

"……말할 수 없다. 비밀 엄수가 규칙인 걸 모르나."

"알아, 나도 그쪽 업계에서 일하니까. 난 여기 있는 귀하신 분 죽이러 왔는데, 넌 왜 왔냐고. 내 의뢰인이 날 못 믿어서 널 고용한 거면 자존심 상하잖아. 그래서 묻잖아. 누가 보냈냐고."

"너도 조를 죽이러 왔나……."

어? 조? 나? 카일이 아니라 나? 지금 날 죽여 봤자 당장 이득을 보는 사람은 아무도 없는데, 왜지. 머릿속에 엘린느 황후와 서쪽 탑에 갇힌 시에나 황녀가 떠올랐다. 그리고 내게 불리한 증언을 했던 델로아까지도. 놀랐지만 최대한 태연한 척 놈의 턱 아래에 더 바짝 검을 가져다 댔다.

"그래. 별것도 아닌 놈이 후작 작위를 받고 나대는 게 꼴같잖아서 죽이려고 했지."

"……그래. 놈은 세상에 존재하면 안 돼."

망설이던 놈은 눈알을 굴리며 말했다.

"난 사고로 위장해 놈을 죽일 거다. 너 역시 의뢰를 받았다면 알겠지만, '그분'은 그가 죽기만 하면 된다고 하셨다. 어차피 받는 돈에는 차이가 없을 테니 함께 처리하는 건 어때."

"내 의뢰인은 잔인하게 도륙을 내 놓으라고 하던데. 우리 혹시 다른 사람한테 의뢰받은 거 아냐?"

내 꼬임에 넘어갔는지 남자가 눈을 위로 굴리다가 날 힐긋 바라봤다.

"폐하는, 최대한 조용히 처리하라 했는데."

"……너 진짜 멍청하다. 그래 가지고 어디 먹고살겠니."

그대로 남자의 머리를 아래로 처박았다. 턱 아래에 검을 갖다 대고 있었기 때문에 남자는 찍소리도 내지 못하고 순식간에 숨이 끊어졌다.

날 죽이라고 명령한 게 황제라고. 보는 눈이 많아서 대놓고 죽이진 못하겠는데, 제 비밀을 알고 있으니 걸리적거린다, 그건가. 여신의 힘 때문에 직접 죽이는 명령을 내릴 순 없으니까 이렇게 얍삽하게 이용한 거구나.

"황제라……."

이런 기분으론 술도 못 마시겠네. 울 앱얼쥐가 기분 나쁠 때 술 마셔 버릇하면 알코올 중독 된다 그랬다고.

"경비병!"

큰 소리로 경비병을 외치자 기사들 몇몇이 우르르 달려왔다.

"무슨 일입니까."

"오— 파무크 기사님! 오랜만이에요!"

"조, 이게 대체 무슨, 아니……. 후작님. 이게 무슨 일입니까!"

나는 죽은 놈에게서 한 발짝 떨어지며 말했다.

"카일 황자 전하를 암살하려 한 자입니다. 패국 로테나에서 왔다고 하네요."

내 말에 기사들이 인상을 찌푸렸다. 얼마 지나지 않아 카일 역시 아래로 내려왔다.

"로테나에서 침입자가 들어왔다니."

"그냥 앙심을 품고 온 거 같아요. 별일 아니었어요. 전쟁에서 패했으니 그럴 수도 있죠."

카일은 빠른 걸음으로 다가와 내 양쪽 어깨를 붙잡았다.

"다친 곳은 없어?"

시체를 수습하던 기사들이 아연실색한 표정으로 이쪽을 바라봤다.

"아……. 저는 티끌 하나 다치지 않고 멀쩡한데……."

"또 멀쩡한 척하면서 어디 가서 몸에 칼자국이나 구멍 내 오지 말고, 내가 물어볼 때 똑바로 대답해. 정말 안 다쳤어?"

죽은 놈의 머리를 자루에 집어넣은 파무크가 허리를 일으켜 세우고 카일에게 말을 걸었다.

"전하. 후작님은…… 아주 편안하게 침입자를 처리하고 저희를 부르셨습니다."

카일이 파무크를 향해 신경질적으로 홱 돌아섰다.

"조는 날 위해서라면 제 손가락 하나 잘려도 비밀로 할 녀석이다."

틀린 말은 아닌데 느낌 묘하네. 파무크가 또 입을 틀어막았다. 저 감성적인 놈 분명히 지금 충성에 탄복했다고 하면서 뒤돌아서서 헛소문 퍼뜨리겠지.

아니나 다를까. 며칠 후엔 나를 둘러싼 또 다른 소문이 생긴 후였다. 나는 벤지가 가져다준 신문들을 펼치며 머리를 싸맸다.

[속보] 카일 황자, 조만큼 나를 위하는 신하는 없어…….

『조 로타이스, 그는 누구인가. 두 번 없을 충신』

『조 로타이스 후작, "이 한 몸 바쳐 카일 황자님을 지키겠다." 당당한 포부 밝혀』

[인터뷰] 로타이스 후작의 피 끓는 충성. 조국 위해 몸 바치다

"이게 뭐야! 난 이런 인터뷰 한 적 없어요!"

벤지는 태연하게 말했다.

"그거 네 인터뷰가 아니라 전쟁터에서 같이 싸웠다던 다른 기사가 한 인터뷰야."

펼쳐 보니 이름도 기억 안 나는 놈이었다. 당연히 기억 안 나지. 난 거기서 아무와도 말 안 했으니까!

카일이 장갑을 벗으며 문을 열고 들어왔다. 승마복을 입고 있는 걸 보니 말을 타다가 온 모양이었다.

"잘된 일이야. 어쨌든 지금 필요한 건 조에 대한 이미지 메이킹이고, 그 덕분에 로타이스 후작에 대한 이미지가 좋아졌으니까."

황제가 날 죽이려고 했다는 걸 알리면 괜히 시끄러워질까 봐 대충 둘러댄 말이었는데 이게 이렇게 될 줄은 몰랐네. 이게 다 카일의 과민 반응 때문이다. 나는 신문 무더기 속에서 하나를 건져 냈다.

『카일 황자, "조를 잃느니 차라리 전쟁터를 다시 가겠어." 사랑 고백?』

"이게 제일 이상해! 이게 뭐예요!"

카일이 책상 앞으로 다가와 힐긋 보더니 씩 웃었다.

"서민들이 많이 보는 싸구려 신문이야. 내용은 소설이나 다름없군. ……그래도 기자가 꽤 정확한 통찰력을 가진 것 같은걸."

"이 인간이."

이렇게 시끌벅적하게 세상에 알려지다니. 쪽팔려서 접시 물에 코 박고 죽고 싶었다. 신문에 이름이 나올 건 또 뭐야. 머리를 싸매고 끙끙 앓는데 벤지와 카일은 내 속도 모르고 여러 신문을 보며 나름대로 내 이미지 메이킹을 고민하고 있었다.

"제국을 위해 목숨을 거는 맹장으로 이미지를 살리는 것도 좋죠."

"제국 말고 나에게 목숨을 걸었다고 초점을 맞출 순 없나."

"……사실이긴 하지만 국경 수비를 맡게 된 로타이스 후작의 이미지로 봐선 빌테온 제국의 충신인 쪽이 더 낫다고 판단됩니다. 이미 카일 전하와 전쟁터에서 함께 있었다는 사실은 모두가 알고 있으니까요."

"그렇군. 그래도 모두 내 거라고 알았으면 좋겠는데."

심각하게 얘기하는 둘을 보고 있자니 골이 아플 지경이었다. 안 그래도 요새 맥레나 부인이 제국의 역사를 숙지해야 한다고 달달 볶아서 머리 터져 죽겠는데.

흐름을 깬 건, 똑똑 울리는 노크 소리였다.

"플라반 영애께서 도착하셨습니다."

눈알이 튀어나올 뻔했다. 내가 왜 까먹었지. 밀려오는 막대한 공부량과 벤지의 잔소리 때문에 새카맣게 잊고 있었다. 이사벨라한테 잡히면 또 며칠 동안 내내 기 빨릴 거야. 이 구역 집착캐는 하나면 충분하다고. 마중을 가겠다며 카일이 문으로 향하는 순간 나는 창문을 힐긋 바라봤다. 카일 나가면 바로 저기로 튀어야지. 하지만 뒤돌아보지도 않은 채 카일이 벤지에게 명령했다.

"벤지. 조가 도망가지 못하게 붙잡아라."

"예, 전하."

벤지가 창문을 가로막고 섰다.

"로타이스. 자리에 앉아서 손님을 맞이하시든지, 폐하와 함께 플라반 영애의 마중을 가시죠."

"……벤지 당신이 이사벨라 아가씨를 안 겪어 봐서 그래요. 눈이 쎄하다고요. 그 약간, 돌아 버린 그 눈……."

말하면서도 이사벨라의 보라색 눈이 떠올랐다. 집어삼킬 것 같은 눈이라고.

순간 문이 벌컥 열렸다.

"내 귀여운 방울토마토!"

"악!"

화려하게 차려입은 이사벨라가 들이닥쳤다. 뒤에 굳은 듯 서 있는 아실까지.

"오랜만이야, 내 조요!"

두 팔을 활짝 벌린 이사벨라가 가까이 다가오자 나는 다급하게 창문으로 가 벤지를 밀쳤다.

"비켜요!"

창문을 넘어 점프하는 순간 다리가 휙 뒤로 당겨졌다. 건너편 나뭇가지까지 가지도 못하고 나는 그대로 건물 외벽에 처박혔다. 다행히 얼굴을 막아서 코피가 터지거나 앞니가 부러지진 않았다. 언제 묶었는지 모르겠지만 발목에 올가미가 묶여 있었다.

"이게 뭐야!"

외벽에 대롱대롱 매달린 채 다시 창문 안으로 끌어당겨졌다. 나를 올린 카일은 무표정하게 말했다.

"네가 도망가는 건 이제 이골이 나. 올가미 묶고 던지는 법도 연습하니 늘더군."

"사람한테 쓰라고 생긴 기술이 아닐 텐데요."

카일이 옆에 선 이사벨라의 눈을 의식하며 짓씹듯 천천히 말했다.

"내 귀여운 '망아지'를 잡기 위해 열심히 연마했지."

이사벨라가 청아하게 높은 목소리로 깔깔깔 웃었다.

"귀여운 망아지는 이제 제게 맡기세요. 완벽한 귀족으로 댄스 플로어 위로 올려 드리겠습니다. 이리 와, 우리 방울토마토."

보라색 눈을 반짝반짝 빛내며 이사벨라가 내게 다가왔다. 염병하네. 너 같음

순순히 따라가겠냐. 나는 주머니에 찬 단도로 밧줄을 끊고 다시 창문으로 뛰어내렸다. 물론 이사벨라랑 친한 것도 사실이고, 도움받은 것도 많지만……. 본능적인 공포가 있잖아요. 잡히면 잡아먹힐 것 같다는 거. 그땐 정말 진심이었어요.

잽싸게 뛰었다. 지금 잡히면 갇혀서 이사벨라랑 계속 춤 춰야 돼. 썩 나쁠 것도 없고, 데뷔 파티 치르려면 어차피 배워야 할 일이긴 하지만 이왕이면 최대한 뒤로 미루고 싶었다. 너희들이 이사벨라한테 방울토마토 소리 들으면서, 입에 음식 떠먹여 주는 취급 안 받아 봐서 모르는 거야. 분명 귀한 취급이긴 한데 부끄러워서 벽에 머리 박고 세상 하직하고 싶단 말이야.

"잡아! 저자를 잡아라!"

카일이 창밖으로 몸을 내밀고 외치자 근처를 돌던 경비병들의 시선이 나를 향했다. 명을 받자마자 미친 듯이 달려와 내게 몸을 던지며 달려드는 경비병들을 제쳤다.

"크로우!"

마구간 근처에서 크로우의 이름을 크게 불렀다. 말이 개도 아니고, 부르면 오냐는 소리를 많이 들었지만 전쟁터에서 함께 굴러먹은 덕분인지, 크로우는 내 목소리를 기똥차게 알아들었다. 평원에서 풀 뜯어 먹던 크로우가 울타리를 뛰어넘고 나를 향해 달려왔다. 뒤쪽에서 뛰어오던 병사들이 옆으로 구르며 크로우를 피하자 나는 크로우의 갈기를 붙잡고 한 번에 뛰어올랐다.

……안장이 없네. 사타구니 갈려 나가겠구만. 그래도 이사벨라보다는 괜찮아.

"이랴!"

몸을 엎드리자 크로우가 빠르게 달리며 사람들 머리 위를 뛰어넘었다.

"놓치면 안 돼! 이번엔 국경을 넘을지도 몰라!"

카일의 간절한 외침을 뒤로하고 나는 빠르게 말을 몰았다.

"저 마음의 준비 좀 할게요!"

"조! 돌아와!"

"내일 봐요!"

정문으로 나가면 떼거리로 달려들 게 뻔하다. 나는 마구간 옆으로 난 샛길을 통해 시냇가로 향했다. 저기도 기사가 있긴 하지만 정문보다는 통제가 헐렁했다. 내 얼굴을 알고 있기도 하고. 카일의 명령이 전해지기 전에 빠져나가야 했다. 황궁 후문에 서 있던 두 명의 경비병이 알은체를 해 왔다.

"조, 어디 가."

"야, 조라고 부르면 되냐! 이제 후작님인데. 그렇죠, 로타이스 후작님?"

장난스럽게 웃는 두 사람에게 마주 웃어 주며 나는 그들을 재촉했다.

"궁에 있으니 좀 답답해서 잠깐 나갔다 오려고요."

"그래, 알았어. 잘 다녀오십쇼! 축하합니다! 로타이스 후작님!"

장난스럽게 웃으며 크로우의 궁둥이를 탁 때린 기사들이 문에서 비켜섰다. 나는 기사들 사이를 지나쳐 성문을 빠져나갔다.

"근데 왜 안장도 안 얹고 저렇게 급하게 나가지."

뒤에서 호기심 어린 질문이 따라오는 게 언뜻 들렸지만 모른 척했다. 마을 외곽 쪽으로 달려가서 커다란 마구간으로 들어갔다. 제국의 수도다 보니 이렇게 큰 곳에 말을 맡겨 두기도 했다. 아예 수도를 벗어나자니 또 카일한테 잡히면 박살이 날 것 같았다. 마구간 앞에서 한참 망설이고 있으니 안에 있던 놈이 나와서 히죽거렸다.

"이놈 파실려고요? 튼실하니 꽤 나올 거 같은데, 120테랑에 사겠습니다!"

"파는 거 아냐. 맡길지 튈지 고민하는 거야."

"……젊은 놈이 반말을 하네."

"중세 시대면서 유교 따지고 있네. 보관료가 얼마야. 이거면 돼?"

투덜대는 놈에게 은화를 던지자 넙죽 고개를 숙였다.

"옙! 편히 다녀오십쇼!"

도망 나온 거긴 하지만 전쟁이 끝난 후 한 번도 밖에 나와서 논 적이 없었다. 은근히 기분이 들떠서 자꾸만 콧노래가 흘러나왔다. 주점 가서 술을 마실까. 아니면 쇼핑이라도 할까.

"자! 돈 놓고 돈 먹기! 붉은 루비가 들어간 잔을 찾으면, 루비를 드립니다!"

소리가 들리는 곳으로 고개를 돌리자 사람들이 우르르 몰려 있었다. 비집고 들어가자 컵 세 개를 엎어 놓고 야바위가 한창이었다. 화려한 손기술로 컵을 이리저리 옮겨 가며 뒤섞던 야바위꾼이 손을 떼고 박수를 짝 하고 쳤다.

"돈 걸어 보쇼!"

가운데 있는 돈 많아 보이는 어린 남자가 당당하게 오른쪽에 있는 컵에 돈을 걸었다. 내가 보기에도 저쪽 같은데. 하지만 컵을 들어 올리니 그곳엔 아무것도 없었다. 속임수였다. 돈을 잃은 남자가 울상이 되어 자리에서 일어섰다. 그래, 이 젊은 놈아. 자고로 주식, 도박, 보증 이거 세 개는 하는 거 아니랬어. 보다 보니 영 재미가 없어서 돌아서려는 찰나 누군가 돈을 땄다며 소리를 질렀다.

"와아아악!"

솔깃해서 뒤돌아 야바위판을 바라봤다. 내 어깨 위에 손이 올라왔다.

"어이, 동생."

"언제 봤다고 동생이야."

"도련님도 돈 걸어 봐. 지금 저 사람 보이지? 돈 따서 신나서 집에 가잖아."

"바람잡이겠지. 너희 다 한통속이잖아. 보나 마나 너는 힘쓰는 놈이고, 저기 가는 저놈은 바람잡이, 저기 컵 돌리는 쟤가 대가리 아냐? 속임수야 뻔해 봤자 컵 바닥에 끈끈이나 붙였겠지. 컵을 뒤집는 게 아니라 들어서 탁자 바닥만 보여 주잖아. 컵 바닥에 루비 붙어 있을 텐데."

순식간에 분위기가 싸해졌다. 컵을 쥐고 있는 놈이 미간을 살짝 찡그리자 내 어깨에 올라간 남자의 손에 힘이 들어가기 시작했다.

"아야!"

어깨를 움켜쥔 남자가 험악한 표정으로 내게 이죽거렸다.

"무슨 근거로 그딴 말을 하지, 세상 물정도 모르는 놈이."

굉장한 악력이었다. 어깨가 터질 것 같아서 놈을 쳐 내고 벌게진 얼굴로 소리쳤다.

"이 양아치 새끼가!"

주변에 있던 사람들이 어리둥절하게 보고 있다가 야바위꾼에게 소리를 질렀다.

"컵 바닥 보여 줘! 저 사람 말이 맞는 거 아냐?"

"바닥 뒤집어! 내 돈 내놔!"

"이 사기꾼 새끼들아!"

인상을 찌푸리고 난처한 얼굴로 주변을 둘러보던 놈이 주먹으로 탁자를 거세게 쳤다.

"돈 꼴았으면 꺼지든가! 어딜 행패야!"

야바위꾼이 그대로 짐을 싸서 일어서자 사람들이 놈을 붙잡고 몸싸움이 일어났다. 소란스러워지자 주변을 돌던 도시 경비병이 가까이 오고 있었다. 괜히 잡히면 나만 손해지. 슬쩍 빠져나가 다른 골목으로 숨어들었다.

안주 맛있는 술집 가고 싶은데. 어째 점점 걸을수록 외진 곳으로 가는 거 같네. 나 길치 아닌데.

왔던 길을 되돌아가기 위해 뒤돌자 아까의 그 야바위 패거리들과 마주쳤다.

"남의 장사 조져 놓고 어딜 그리 바삐 가시나."

"그 싸구려 클리셰 대사의 원조가 어딘가 했더니 너희였니."

야바위꾼이 히죽거리고 웃으며 주머니에서 칼을 꺼내 휙휙 돌렸다. 손재주가 제법이었다.

"너, 범죄자지?"

"나? 정말 범죄자처럼 보여?"

요 며칠 동안 귀족 소리만 듣던 게 염증이 나던 중이었는데 간만에 범죄자 취급당하니 반가울 정도였다. 해맑게 되묻는 내 얼굴을 보며 야바위꾼이 잠깐 당황했지만 애써 말을 이어 갔다.

"경비병 보자마자 도망가는 꼴이 딱 범죄자던데. 너 경비대한테 넘기기 전에 가진 돈 다 내놔. 너 때문에 오늘 장사 망했으니까."

힘쓰는 놈이 위협적으로 날 향해 천천히 다가왔다. 단도를 화려하게 돌리는 놈의 옆구리를 보니 돈주머니가 두둑하게 달려 있었다. 나는 해사하게 웃었다.

"잘됐다! 나 급하게 나오느라 돈 많이 못 챙겼는데."

"……뭐? 이게 미쳤나."

"경비병한테 너희 넘기기 전에 돈 다 내놔."

그들이 했던 대사를 그대로 읊어 주자 놈들이 한꺼번에 웃음을 터뜨렸다.

"이 미친, 크하하학! 무슨 헛소리, 윽!"

앞에 있는 놈부터 차례대로 해치우고 야바위꾼에게 달린 돈주머니를 빼앗았다. 흙바닥을 뒹구는 놈들의 입에서는 신음만이 흘러나왔다.

"미안. 나 되게 급해서. 가 볼게."

돈을 챙겨서 빠르게 골목을 빠져나왔다. 경비대가 어느새 마을 곳곳을 뒤지고 있었다.

"뿌리 쪽은 밝은 은발이고, 끝은 검은 머리인 젊은 남자를 찾아라! 발견하면 혼자 덤비지 말고 주변에 지원을 요청해! 알았나!"

아우, 제기랄. 나는 빠른 걸음으로 옆의 상점으로 들어갔다.

"여기 기성복 팔아요?"

"예? ……우리는…… 사냥꾼들한테만 파는데."

"저도 사냥꾼이에요."

사람만 사냥해 봤어요.

미심쩍다는 듯 나를 위아래로 훑어보는 상점 주인에게 돈주머니를 펼쳐 보였다.

"얼마인데요, 옷."

"어서 옵쇼, 손님. 손님처럼 마른 체형은 여우 털 조끼를 입으면 보기 좋게 보완되죠."

"아무거나 주세요. 그리고 모자도."

옷을 새로 사서 갈아입은 뒤 원래 입고 있던 옷은 모두 버렸다. 가게에서 나오니 때마침 경비대가 우르르 지나갔다.

"수도를 벗어나게 해선 안 된다! 절대 놓치지 마!"

음, 나는 정말로 내일 돌아갈 생각이었는데. 이사벨라랑 춤 연습하면 편하고 재밌겠지만 묘하게 부담스러웠다. 날 사랑스럽다는 듯 쳐다보는 보라색 눈을 생각하니 등줄기에 소름이 오소소 돋았다.

"어우— 절대 잡히지 말아야지."

매일 이사벨라에게서 춤을 배울 생각을 하니 오장육부가 짜릿해지는 기분이다. 전쟁터는 안 무서운데 이사벨라는 무섭다고요. 그리고 자세 교정해 주는 아실도 무섭고요.

여유롭게 길을 걷고 있었는데 맞은편에서 오는 경비대가 걸어가는 사람들 모자를 하나씩 벗기는 게 보였다. 걸리면 꼼짝없이 궁으로 들어갈 거 같았다. 급한 대로 옆에 있는 아무 가게로나 들어갔다. 입구에 있는 깔끔한 옷을 입은 점원의 눈이 휘둥그레 변했다.

"……길을 잘못 드신 것 같, 같습니다. 여기는 서점인데요……."

사냥꾼처럼 입은 사람이 무기점도 아닌 서점에 들어와 놀란 듯했다. 그렇다고 밖으로 다시 나갈 수도 없어서 나는 천연덕스럽게 웃었다.

"책 좀 보려고요."

"아……. 네."

나는 아무 서가로 깊숙이 들어가 아무 책이나 빼 들었다. 빛도 들어오지 않는 안쪽이었다.

"앗, 거, 거긴!"

서가를 정리하던 안경 쓴 점원이 빠른 걸음으로 다가와 나를 미심쩍은 눈으로 바라봤다.

"정말 이쪽 라인의 책들을 보실 거예요?"

"……네, 네. 이, 이쪽에 있는 거 다 좋아해서요."

아직도 창문 밖에서 경비대들이 돌아다니고 있어서 나는 건성으로 대답하며 밖을 힐긋거렸다. 지금 쫓겨나면 끝장인데. 점원의 두 볼이 빨갛게 변했다.

"요즘 이분들이 인기가 많긴 하죠."

왜 그러지. 나는 내가 빼 든 책 표지에 적힌 제목을 천천히 소리 내서 읽었다.

"금지된 충성……."

아. 잠깐만. 나 뒷덜미 오싹한데. 고개를 들어 책장에 꽂힌 제목들을 천천히 읽었다.

〈황자님, 황자님!〉

〈말만 타려고 했는데요!〉

〈사신을 길들인 황자〉

〈황자님의 발등에 맹세의 키스〉

온몸이 굳었다. 나는 고장 난 것처럼 목을 삐걱거리며 점원을 향해 고개를 돌렸다.

"……이거 혹시……."

"네! 요즘 최고 인기를 누리고 있는 황자님과 전쟁터의 사신 조 님의 러브 스토리예요."

"그, 그게 어떻게!"

아니, 어떻게 알았지. 내가 황자랑 그렇고 그렇다는 걸 진짜로 아는 사람은 벤지랑 이사벨라뿐일 텐데. 나머지는 다 반쯤 농담이겠거니 생각하고 있단 말이야.

깜짝 놀라서 책을 넘겼다. 점원이 신난 목소리로 덧붙였다.

"그게 어떻게 이렇게 빨리 나왔나 싶으시죠! 저희 서점은 전국 최고로 빠른 스피드로 책을 찍어 낸답니다! 전속으로 계약하신 작가님도 있고요! 일단 이 신간부터 읽어 보실래요?"

"……이거 다 허구죠?"

손을 벌벌 떨며 물어보자 점원은 상큼하게 웃으며 어깨를 으쓱 올렸다 내렸다.

"그거야 모르죠. 얼마 전 '일 테랑 신문' 못 보셨어요? 거기 보면 황자님이 조를 다시 잃느니 차라리 전쟁터를 가겠다고 했다던데요."

"그런 말 침대 위에서 말곤 한 적 없을 텐데."

무심코 툭 튀어나온 말이었는데 점원의 귀가 새빨개졌다. 내 어깨를 퍽퍽 소리 나게 치며 점원이 함박웃음을 지었다.

"어머! 당연히 그렇겠죠! 사냥꾼님 보기와 달리 감수성도 상상력도 풍부하시네요! 원하시는 책 골라서 읽어 보세요! 구매하시면 더더욱 좋고요! 저는 이게 좋더라고요!"

한껏 텐션이 올라간 점원이 건넨 책 제목은 〈침대 위 전쟁〉이었다. 제목 한번 살벌하네.

"이건 신간이에요. 오늘도 다 나가서 이제 이거 한 권 남았거든요. 다다음

주나 돼야 물량 들어와요."

"……그렇군요."

어쨌든 이 많은 책이 다 카일이랑 나를 대상으로 쓴 책이란 거지. 쓸데없는 호기심이 마구 들끓었다. 이 넓은 책장이 다 카일이랑 내 얘기란 말이야? 그것도 다 허구로 쓴 소설로? 진짜 굉장한 열정이시네요. 이름 모를 여러분들아.

경외인지 경악인지 구분이 안 갈 정도로 얼이 빠진 채 책장을 훑는 내 시선을 보던 점원이 은밀하게 미소 지었다.

"밑에 칸에 있는 건 좀 마이너 한 커플링인데, 괜찮으시면 읽어 보시겠어요?"

"뭔데요?"

책 제목이…….

〈검은 황자와 검은 사신〉

"윽. 아니요. 싫어요. 천년의 욕정이 말라비틀어지네요. 얘네 서로 그런 식으로 생각한 적 한 번도 없을걸요. 지금 완전 바짝 식어서 고목 될 뻔했네요. 으, 너무 싫어요."

이건 적폐다.

점원은 아쉽다는 듯 고개를 대충 주억거리며 다시 내게 신간을 내밀었다. 아까의 그 〈침대 위 전쟁〉이었다.

"……추천 감사합니다."

음흉하게 웃은 점원이 고개를 끄덕인 후 천천히 멀어졌다. 그녀가 다시 카운터에 앉은 걸 확인한 후 조심스럽게 책을 펼쳤다. 첫 장에만 삽화가 그려져 있었다. 침대 위에 걸터앉은 카일의 앞에 은발의 남자가 한쪽 무릎을 꿇은 채 그의 발등에 키스하는 장면이었다. 검은 옷을 입은 은발의 젊은 남자는 어깨 덩치가 매우 커 보였다.

"나 이렇게 크진 않은데."

그림 속의 조를 살짝 내려다보는 카일의 얼굴이 발그레 달아올라 잘 익은 복숭아 같았다. 나는 점원을 향해 소리쳤다.

"삽화만 모은 건 없나요!"

그림 속 카일의 소름 돋게 매혹적인 눈빛이 그림 밖으로도 느껴져 뇌세포까지 짜릿할 지경이었다. 내 물음에 점원이 화색이 되어 달려왔다.

"삽화만 있는 거 찾으세요?"

"네, 네."

"손님, 그건 책으로 따로 나오진 않아요."

"왜요. 이, 이…… 그림 그리신 작가님 작품으로 사고 싶은데요."

눈을 동그랗게 뜬 점원이 배시시 웃으며 헛기침을 했다.

"그거 제가 그렸답니다."

"예?"

깜짝 놀라 책에 그려진 삽화를 보고 다시 점원을 봤다. 의기양양한 표정으로 씩 웃은 점원이 카운터로 가서 책 한 권을 들고 왔다.

"좋은 실력은 아니지만…… 이렇게 책을 펼치면 나오는 첫 번째 장에 그림을 그려 두면 책을 사 가는 분들이 많더라고요."

"실력이 정말 대단하시네요."

"틈틈이 그리고 있어요."

겸손하게 대답한 점원이 각 책마다 삽화를 보여 주며 줄거리를 설명해 줬지만 대충 비슷했다. 마구간에서 사랑하고, 전쟁터에서 사랑하고, 싸우다가 사랑하고, 죽었다가 깨어나서 사랑하고, 헤어졌다가 다시 만나서 사랑하고. 시간 가는 줄 모르고 각 책의 줄거리를 듣다 보니 어느새 배가 고파 왔다. 나는 돈주머니에서 금화 하나를 꺼내 점원의 손에 쥐여 줬다.

"헉, 이 책 다 사시게요?"

"아뇨. 제가 사정이 있어서 책을 사지는 못해요. 아마 들고 들어가다가 들키면 박살 날 거라……. 작가님 작품 활동 응원합니다."

점원이 두 손으로 주먹을 꼭 쥐며 투지를 불태웠다.

"감사합니다! 열심히 할게요!"

"예, 힘내세요."

서점에서 나와 대충 근처의 식당으로 들어갔다. 고기와 맥주 하나를 주문해서 열심히 먹고 있는데 갑자기 오른손에 수갑이 채워졌다.

"므, 므어야!"

입에 고기를 물고 물어보자 경비대가 험악한 낯으로 대답했다.

"네가 무고한 시민들 돈을 훔쳤다며!"

"……내가요?"

경비대 뒤를 보니 아까 그 야비하게 생긴 야바위꾼이 서 있었다.

"네, 기사님! 저놈이 돈을 훔쳐 갔어요! 저랑 제 친구들을 두들겨 패고요!"

"야! 네가 다른 사람들 돈 노름으로 따 갔잖아!"

"증거 있냐고, 이 깡패야!"

"이게 뒈질라고."

자리에서 벌떡 일어서자 경비대가 내 왼손에 마저 수갑을 채웠다.

"넌 감옥으로 가서 마저 얘기해."

"……잠깐만요. 나 이렇게 가면 안 돼요. 저 급하게 가 봐야 할 곳이 있는데."

궁으로 돌아가야 하는데. 감옥을 가면 어떡해요. 당황해 마구 몸부림치자 경비대가 내 목뒤를 강하게 후려쳤다. 그대로 의식이 흐려졌다.

"……아, 나 진짜…… 가야 되는데……."

눈을 뜨니 축축하고 딱딱한 땅에 얼굴을 처박은 채였다. 겨우 몸을 일으켜 창살 쪽으로 낑낑거리며 이동했다.

"야! 나 집에 가야 된다고! 나 진짜 급해!"

"닥쳐!"

커다란 봉을 들고 온 간수가 창살을 두드리며 내게 윽박질렀다.

"야, 나 진짜로 돌아가야 돼. 지금 황자님이 나 찾고 있어."

"웃기시네."

뒤에서도 피식거리는 웃음소리가 들렸다.

"나 지금 안 열어 주면 너 후회해."

"개소리하지 말고 뒤로 가서 얌전히 앉아 있어. 곧 있으면 네 차례니까."

"……내 차례라니?"

간수가 혀를 쯧 차고는 뒤로 물러나 다시 앉아서는 신문을 착 소리가 나게 펼쳤다. 고개를 뒤로 돌리니 잔뜩 떡진 머리를 한 소년이 대신 대답했다.

"여기는 잠깐 가둬 두는 거고요, 수도의 담당 재판관한테 형을 받으면 노역장으로 가거나 감옥으로 가요."

"나 진짜 죽었다."

머릿속이 새하얬다. 잠깐만 놀다가 들어가려고 했는데. 이사벨라가 나을까. 감옥이 낫냐고 하면 당연히 전자, ……아니, 그냥 한 번 갔다 올까. 잠깐 감옥살이를 상상하다가 고개를 도리도리 내저었다. 무슨 소리야. 당연히 이사벨라가 낫지. 이사벨라는 맛있는 밥을 주잖아. 그리고 남자들만 득실득실한 감방에 가서 여자인 걸 숨기고 살 자신이 없어. 투르가한테 감옥에 있는 동안만 진짜 남자로 바꿔 달라고 할 수도 없고. 지금쯤 카일이 나를 목 빠지게 기다리면서…… 사람을 풀었겠지. 잡히면 가만 안 둘 텐데. 어차피 카일한테 잡혀도 감옥에 갇히지 않을까.

시간이 얼마나 흘렀는지 알 수 없었다. 밧줄을 어찌나 꽁꽁 묶었는지 풀리지도 않았다. 이런저런 고민을 하고 있는 도중 간수가 열쇠로 문을 열고 들어와 나를 일으켜 세웠다.

"나 풀어 주는 거예요?"

그가 잔뜩 인상을 찌푸렸다.

"개소리하지 마. 넌 로타이스로 간다."

"로타이스? 국경 지대 거기요? 왜, ……왜 하필 거긴데요."

"로타이스에 저택을 지어야 돼서 인부가 많이 필요해."

"미친, 싫어. 거기 내가 살 집인데 그걸 내가 왜 해요!"

"로타이스 후작님은 너 같은 범죄자를 하인으로 쓰시지 않아!"

"그게 아니라 내가 로타이스라고!"

간수의 귀에 대고 꽥 소리를 지르자 그가 내 얼굴을 들여다봤다.

"너 로테나 놈이냐?"

"그게 아니라 내가 조라고! 조 로타이스! 내 머리색 봐 봐!"

간수가 내 머리를 세게 후려쳤다.

"거짓말하지 마! 위대한 제국의 충신, 조 로타이스 후작님은 은발이야!"

"야, 이 세상 소식 어두운 새끼야! 검은색 머리로 염색했다가 뿌리 자란 지가 언젠데! 내 머리색 뿌리는 은색이잖아! 자세히 봐 봐!"

"시끄러워! 용맹하고 정의로우신 분이 왜 감옥에 오시겠냐!"

"네가 뭘 모르나 본데, 나 예전에도 감옥 간 적 있어! 카일 전하 궁에서 사고를 하도 많이 쳐서 자주 갇혔어. 두 번이나 갔다 왔는데!"

내 뒷덜미를 잡고 끌고 가던 간수의 얼굴이 분노로 시뻘겋게 변했다.

"영웅을 모욕하지 마라!"

나를 마차 안으로 던지듯 잡아넣은 간수가 마차 문을 잠그고 소리쳤다.

"출발!"

"잠, 잠깐만! 나 진짜 이렇게 로타이스로 가는 거야? 야! 문 열어! 이 새끼들아! 내가 조라고! 내가 조 로타이스라고!"

꽥꽥 소리를 질러 봤지만 마차의 바퀴가 조금씩 앞으로 굴러갔다. 근처에 있던 사람들이 소리치는 나를 보며 수군거렸다.

"요새 조 님을 따라 하려고 머리를 저렇게 염색하는 놈들이 있다더니 진짜였구나."

"후작님께서는 황궁에 계신데 감히 그분을 모욕하다니."

"영웅의 이름을 입에 올리면 자기가 영웅이 될 거라고 생각하는 건가."

경비대 앞을 지나갈 때도 사정은 비슷했다.

"나! 나 조예요! 조라고! 조! 황제 폐하께서 검 하사하시고, 어? 땅도 주고! 작위도 주고! 훈장도 받은! 전쟁 영웅!"

아무리 소리쳐도 마차는 계속해서 달릴 뿐이었다. 망했다. 로타이스 도착한 다음에 도망쳐서 돌아오든가 해야지. 근데 로타이스까지 가는 데 적어도 3주는 걸릴 텐데. 갔다 오면 내 사교계 데뷔 파티 끝나 있겠네. 아. 주인공이 없으니까 파티가 열리지도 않겠네. 카일이 너무 걱정할 거 같은데. 그 커다랗고 푸른 눈을 부릅뜨고 분한 듯 노려보다가 눈망울에 눈물 그렁그렁 맺히지 않을까.

'왜 자꾸 나만 두고 가.'

그러겠지. ……하. 너무 예쁘겠다.

필사적으로 상념을 떨쳐 내고 나는 마차에서 벗어나기 위해 같이 갇혀 있는 범죄자들이 바라봤다. 그중 흰 수염이 지저분하게 난 중늙은이가 내게 짜증을 냈다.

"수선 떨지 말고 앉아, 이 어린놈아. 누군 로타이스까지 가는 게 좋아서 가냐."

"……로타이스가 뭐 어때서. 개새끼야."

로타이스는 나만 욕할 거야. 내 영지란 말이야.

"춥고 건조하잖아! 강물도 더럽게 차갑고!"

"늙은이 당신 로타이스 가 봤어? 거기가, 어? ……어? 노을이 얼마나 예쁜데! 그렇게 불평불만이 많으니까 머리털도 붙어 있기 싫어서 도망가지!"

"뭐 이 자식아!"

그때 힘찬 말발굽 소리가 땅을 울렸다. 선두 쪽에서 앳된 남자가 빠르게 달려왔다.

"마차를 멈춰라!"

내가 꽥꽥 소리 지르면서 멈추라고 할 때는 들은 척도 않던 마차가 그 앳된 남자의 외침에는 마법처럼 길 위에 멈춰 섰다. 마을을 갓 벗어나던 중이었다. 앳된 남자가 마부에게 다가가 무어라 얘기했다. 반갑게도 남자의 뒤에 줄줄이 따라온 기사들은 아는 얼굴이었다.

"톰! 나 이 문 좀 열어 줘!"

"조! ……가 아니라 후작님! 진짜로 거기 계셨어요?"

톰의 말에 마차 안에 같이 갇혀 있던 범죄자들이 기겁을 했다.

"지, 진짜로 전쟁터의 사신 조 님이세요?"

"로, 로타이스 후작님이 왜 노역을 하러 로타이스까지 가십니까!"

나는 의기양양하게 뒤돌아서서 외쳤다.

"땅 시찰하러 갈까 했는데 가오 떨어져서 못 가겠다, 새끼들아!"

마부가 눈 둘 곳을 찾지도 못하고 고개를 푹 숙이며 다가와서 마차 문을 열고, 내 손목을 묶어 뒀던 수갑을 풀어 줬다. 굳어 있던 어깨를 매만지며 마차에서 내린 후 뒤돌아서서 범죄자들을 향해 비릿하게 웃었다.

"내가 살 저택이니까 예쁘게 지어라. 부탁할게?"

범죄자들의 낯이 파리하게 질렸다. 그대로 마차가 출발해 버렸다. 기사들을 데리고 온 젊은 남자가 내 손목을 잡아끌었다.

"조, 내 말 같이 타고 가자."

나는 남자의 팔을 뿌리쳤다.

"댁은 누군데 대뜸 반말이야. 너 나 알아?"

내 시큰둥한 말투에 놀란 듯 남자가 눈을 휘둥그레 뜨고 입술을 살짝 열었다가 실망한 듯 축 늘어졌다. 시선을 아래로 떨군 그의 미간이 살짝 구겨졌다. 톰의 말을 타고 가려고 그에게 다가갔다. 내가 가까이 가자 톰이 홀린 듯 말에서 내렸다.

"저, 저기…… 조. 아니, 후작님."

"왜 그래, 형. 높은 사람 없을 때는 그냥 편하게 말하기로 했잖아."

"……저 말을 타는 게 좋지 않을까. 아니, 않을까요."

"나 모르는 사람이랑 붙어서 가기 싫은데."

인상을 찡그리며 뒤를 돌아보자 남자가 아직도 그 자리에 서서 나를 보며 씨근덕거리고 있었다.

"누군지는 모르겠는데, 나한테 치근덕대지 마쇼. 난 일편단심 카일 황자님뿐이니까."

나를 노려보던 남자가 내게 가까이 다가와 얼굴을 들이밀었다.

"카일 황자가 나보다 더 잘생겼어?"

"이게 돌았나."

말에 올라가려고 한쪽 발을 등자 위에 올린 채였다. 나는 곧장 발을 내리고 놈의 앞으로 다가가 멱살을 그러쥐었다. 주변에서 '헉' 하는 소리가 들려왔지만 감히 카일을, 그것도 카일의 얼굴을 입에 올렸다는 사실에 눈이 돌아가서 주변 반응 따위 거슬리지도 않았다.

"이 새끼가 돌았나. 카일 전하가 얼마나 예쁘게 생겼는지 네가 알아? 봤어? 전쟁터에 2년이나 있다 와서 이제 약간 아슬아슬한 퇴폐미에 섹시함까지 장착

했다고! 위험하게 생겼는데 도발적이고, 압도적으로 군중을 위압하는 카리스마 넘치는 그 눈을 네가 본 적이나 있냐고."

젊은 놈의 멱살을 짤짤 털며 말하자 옆에서 톰이 놈과 내 눈치를 보며 뜯어 말렸다.

"조…… 제발. 제발 그만해……. 그리고 너 지금 황족을 모욕하는 건지 두둔하는 건지 모르겠으니까 그만해……."

"놔 봐! 이놈 자식 어디서 굴러먹던 귀한 집 도련님인지는 모르겠는데 세상 너무 귀하게 사셨네. 야, 너 황족 함부로 입에 올리면 골로 가는 거 몰라?"

목을 틀어쥘 듯 조이고 있는데도 남자의 얼굴은 평화로운 수면 위처럼 잔잔하게 빛났다. ……꽤 곱게 생기긴 했다만 카일한테 비비면 안 되지. 내 눈동자가 흔들리는 걸 놈도 봤는지 입꼬리가 부드럽게 올라갔다.

"나 예뻐? 마음에 들어?"

어라. 이 묘한 기시감은 뭐지.

고개를 갸우뚱 꺾자 놈이 별안간 내 두 손목을 잡더니 그대로 잡아당겨 나를 끌어안았다.

"이, 이 미친, 야!"

나를 꼭 안은 남자가 조용히 속삭였다.

"조. 너무너무 보고 싶었어."

어찌나 힘이 센지 허리를 끌어안은 놈을 뿌리칠 수가 없었다. 놈의 머리끄덩이를 잡아당기자 톰이 기겁을 했다.

"조, 그분 머리 잡지 마! 제발! 조!"

"이 새낀 뭔데 힘이 이렇게 세! 야! 이거 안 놔!"

머리채를 잡고 있다가 놓자 적갈색의 곱슬거리는 남자의 머리카락이 뽑혀 나왔다.

"……어?"

적갈색 머리카락?

머리카락 뽑히는 거야 아무렇지 않다는 듯 남자는 나를 강하게 끌어안고 나지막하게 가만가만 말을 걸어왔다.

"너무해. 예전에는 볼 때마다 나 안아 줬잖아, 조."

"……야, 야. 잠깐만. 놔 봐. 얼굴 좀 보게. 떨어져 봐."

그제야 남자가 제 품에서 나를 떨어뜨렸다. 가까이에서 보니 남자의 눈은 맑은 분홍색이었다.

"……테오도르?"

"빨리도 알아보네."

불퉁한 얼굴로 입술을 삐죽인 남자가 환하게 웃으며 다시 나를 힘껏 안았다. 그는 등을 굽혀 내 어깨에 머리를 기대고 마구 비벼 대며 칭얼거렸다.

"너무너무 보고 싶었어, 조. 왜 말도 없이 형님을 따라간 거야. 난 네가 간 줄도 몰랐단 말이야."

"테오? 진짜 테오야? 테오 전하. 테오. 놔 봐. 얼굴 좀 보자. 어?"

이제 나보다 훨씬 더 커진 테오가 나를 품에서 떨어뜨리며 화려하게 미소 지었다.

"내가 크면 형보다 잘생겨질 거라고 얘기했지. 키도 더 클 거라고 했잖아."

……와. 진짜 너희 집안 유전자에 무슨 축복이 내린 거니.

"세상에! 어떻게 이렇게 컸어? 잭의 콩나무를 훔쳐 먹기라도 한 거야, 뭐야!"

"그게 뭔지 모르겠지만, 내가 말했잖아. 우리 집안은 원래 늦게 큰다고."

"이렇게 클 줄은 몰랐지!"

이제는 고개를 올려야 테오도르와 눈이 마주칠 수 있었다.

"눈동자랑 머리카락 아니었으면 알아보지도 못했겠네!"

내가 펄쩍펄쩍 뛰며 말하자 테오도르가 만족스럽다는 듯 웃다가 내 볼에 쪽, 하고 입 맞췄다. 그 순간 주변이 정적에 휩싸였다.

"잠, 잠깐. 뭐 한 거야?"

내 얼빠진 질문에 테오도르가 그림처럼 웃으며 대답했다.

"인사. 우리 너무 오래 못 봤잖아."

인사? 아. 외국에서 볼 맞대면서 인사를 한다더라. ……라고 하기엔 내가 여기 와서 그런 인사를 받은 적이 없는데? 갑자기?

벌어진 입을 다물지 못하고 멍하니 테오를 올려다봤다.

"야. 구라치지 마."

내 말에 옆에 서 있던 톰이 기겁하며 뒤로 물러났다.

"황자 전하한테 그런 말을 하면 어떡해, 조……."

"뽀뽀를 인마, 물어보지도 않고 하면 어떡해."

내가 위협적으로 쏘아보자 테오가 사르르 표정을 풀며 물었다.

"그럼 뽀뽀해도 돼? 물어보면 해도 돼?"

"안 되지!"

"그럼 뭐 해야 돼? 나 반가워해 줘. 나는 조 너무 그리웠거든."

테오도르가 너무 훌쩍 자란 탓에 낯설기는 했지만 오랜만에 주인 만난 강아지마냥 들뜬 걸 보니 계속 화를 낼 수가 없었다. 그래, 애가 뭘 알겠어.

"앞으론 그러지 마."

"알았어."

"아이고, 몸만 커졌네, 몸만 커졌어!"

손을 뻗어 테오도르의 옆머리를 쓰다듬자 테오가 머리를 한쪽으로 기대며 살며시 눈을 감았다. 내 손길이 기분 좋은 듯 피어오른 입가의 미소가 연못가에 비친 햇살처럼 눈이 부실 정도였다.

세상에나. 이런 말도 안 되는 미남이 이 세상에 둘이나 있단 말이야? 여기 미모 패치가 잘못됐나. 생각할수록 여신님 어이없네. 이런 미남을 둘이나 두고 남자 주인공이 이사크라고? 투르가 댁에 안경 하나 놔 드려야겠어요. 아, 물론 이사크 그놈도 썩 나쁘진 않다만. 그래도 이런 사람이 둘이나 있는데. 게다가 원래 줄거리대로 테오도르가 열다섯 때 독살당했으면 이 얼굴은 세상에 나오지도 못할 뻔했잖아.

나는 홀린 듯 얼굴을 들어 테오도르를 바라봤다.

"너 몇 살이지?"

"열여덟. 조랑 만난 게 1년, 헤어지고 못 본 게 2년. 나 엄청 예쁘게 컸지."

테오도르가 눈을 곱게 접으며 웃었다. 세상에. 조각이 박물관에서 걸어 나왔네. 눈앞이 아찔할 정도였다. 아이고, 두야. 관자놀이에 손을 올리고 고개를 살살 내젓는 나를 바라보던 테오가 장난스럽게 웃으며 내 정수리를 마구 쓰다듬었다.

"위에서 보면 이런 느낌이구나. 조."

"아이고. 테오 전하. 저는…… 그냥 말 안 탈래요. 걸어가겠습니다."

테오를 올려다보다 얌전히 고개를 숙인 뒤 한 걸음 떨어졌다. 해롭다. 이런 과한 얼굴. 테오가 내 옷소매 끄트머리를 살며시 잡고 덩치에 어울리지 않게 눈썹을 아래로 축 늘어뜨렸다.

"나랑 같이 타고 가."

"아뇨, 말은 혼자 타셔야죠. 황자님이 누구랑 같이 타요."

"이제 나 안 귀여워? 왜 전처럼 안 예뻐해 줘?"

귀엽다고 하자니…… 너무 컸지 않나, 자네.

마구 흔들리는 내 동공을 본 테오도르의 커다란 분홍색 눈동자가 굴러떨어질 것처럼 맑게 일렁였다. 애처롭게 빛나는 눈동자에다 대고 도저히 '너 너무 커졌는데.' 라고 말할 수 없었다.

"……귀엽지 않다기보다는…… 약간 어색해서. 원래 이런 이미지가 아니었던 거 같은데……."

느릿느릿 말을 이어 가는 나를 잡아끌며 테오는 장난스럽게 씩 웃었다.

"나 이제 커서 조한테 복수할 수 있어. 이날만 기다렸지."

"뭐?"

"기분 나쁘면 전처럼 나랑 싸워. 난 조랑 싸우는 것도 사실 재밌어서 좋았거든."

뭐라고 대답하기도 전에 테오가 옆구리를 잡아 날 번쩍 들어 올렸다.

"으악!"

얼떨결에 테오의 말에 올라탔다. 갑자기 벌어진 일이라 정신이 하나도 없었다.

"테오!"

부르는 내 목소리를 모른 척하고서 내 뒤에 훌쩍 올라탄 테오도르는 내 양손 옆으로 함께 고삐를 그러쥐었다. 등 뒤로 테오의 단단한 몸이 느껴졌다. 기사들에게 명령하는 테오가 사뭇 낯설게 느껴졌다.

"궁으로 가자."

내 기억과 달라진 낮고 굵직한 목소리로 테오가 내 귓가에 속삭였다.

"조, 네가 너무 보고 싶어서 미치는 줄 알았어."

……음, 너 형 많이 닮았구나.

아무래도 투르가 여신한테 면담 신청 좀 넣어야겠다. 집착캐 못 만드신다면서요. 아니면 프리실라 황비님한테 찾아가야겠어. 대체 태교를 어떻게 하신 거예요. 백 프로 성공률을 자랑하는 집착캐 연성 비법이 뭐냐고요. 이건 필시 숨겨진 비밀이 있을 거야. 이런 미모의 아들을 둘이나 낳은 것도 신기한데, 성격이 이렇게까지 비슷하게 모날 수가 있나.

얼빠진 표정으로 말을 타고 움직이는데 뒤에서 테오가 자꾸 말을 건넸다.

"우리 전에 매일 같이 놀았잖아. 그치. 기억나?"

"조는 전쟁터에서 사신이 됐다며."

"나는 그동안 공부도 열심히 하고, 운동도 열심히 했어. 조보다 크려고."

"얼굴은 어때? 마음에 들어? 나 매일 열심히 가꿨는데. 조가 예쁜 얼굴 좋아하잖아."

"이제 내가 안 귀여워? 왜 안 안아 주지? 전에는 예뻐 죽겠다고 했잖아."

"분홍 삐약이라고 왜 안 불러 줘?"

내 어깨에 턱을 걸치고 후, 하고 한숨을 내쉬던 테오가 날 향해 살짝 고개를 틀고 작게 속삭였다.

"삐약이는 계속 기다렸는데."

나는 주변 기사들에게 들리지 않게끔 조용히 테오에게 대답했다.

"……삐약아. 나 출소한 지 얼마 안 돼서 피곤해."

"……응."

황궁에 도착해 말에서 내리자 테오가 생글생글 웃으며 뒤에서 나를 와락 껴안았다.

"조!"

"아오, 몇 번을 불러! 참자 참자 하니까 진짜 한번 해 보자는 거야!"

오른손으로 내 어깨 위에 올라가 있는 테오의 머리채를 잡고 왼쪽 팔꿈치로 얼굴을 가격했다.

"악!"

테오가 광대를 감싸 쥐고 뒤로 물러났다.

"너 참수시킨다! 황족을 쳐?"

"이제야 옛날 말버릇 나오네! 그래, 인마! 덤벼!"

내게 달려드는 테오의 손에는 그다지 힘이 들어가 있지 않았다. 장난을 치려는지 목소리에도 웃음기가 가득했다.

"조 너 진짜 형 믿고 자꾸 나 막 대하는데 가만 안 둔다."

"그렇게 말하니까 진짜 예전이랑 똑같네. 목소리는 굵어졌지만."

서로 멱살을 쥐고 짤짤 흔들며 할 말들은 아니었지만 나름대로 편안한 조우였다. 테오에게 업어 치기를 하려던 찰나, 갑자기 테오가 돌처럼 온몸에 힘을 주더니 나를 꽉 끌어안았다.

"조 평생 황궁에서 살았으면 좋겠어."

"안 그래도 니네 형도 그 소리 하더라."

"……말고. 나랑."

테오의 마지막 말은 듣지 못했다. 저 멀리서 카일이 뛰어오는 게 보였기 때문에. 나는 팔꿈치로 테오의 옆구리를 있는 힘껏 친 후 그의 품에서 빠져나와 카일에게 달려갔다.

"카일, 나 많이 걱정했어요?"

"넌 대체 뭘 하고 돌아다녔길래 감옥에 갇힌 거야!"

"나쁜 사람들 혼내 주고 돈주머니 뺏었는데 나한테만 뭐라고 하더라고요."

"돈을 왜 뺏어."

"목을 뺏을 순 없잖아요."

혼내려고 입을 벌렸던 카일이 다시 꾹 다물었다.

"……그래. 살인은…… 빼 오기가 힘들지. 잘했어. 잘 참았어. ……사람은 죽이면 안 돼. 알았지?"

"네!"

마지못해 내 어깨를 토닥이던 카일의 눈길이 내 뒤로 돌아갔다. 내가 강하게 친 탓인지 옆구리에 손을 댄 채 신음을 흘리던 테오도르가 카일의 시선을 느끼고는 허리를 곧게 편 후 걸어왔다.

"형."

붙어서 보니 카일보다 테오도르의 키가 약간 더 큰 것 같았다. 카일은 갓 피어난 꽃봉오리처럼 부드럽게 웃으며 테오에게 인사했다. 사람이 어떻게 저렇게 웃지. 몇 년을 봐도 적응이 안 되네. 새삼 반해서는 정신을 놓고 카일 얼굴을 구경했다. 매끄럽게 웃는 카일에게선 딱딱한 목소리가 흘러나왔다.

"……내가 기사들을 보냈으니 네가 직접 데리러 갈 필요는 없었는데."

"내가 마침 형한테 갔는데 형이 조를 잡아 오라고 명령을 내리고 있었잖아."

도운 거지, 내가. 형을.

뚝뚝 끊어 말하며 카일을 지그시 바라보는 테오도르의 눈빛이 전에 없이 형형했다. 묘하게 살얼음을 걷는 것 같은 분위기였다. 나는 둘 사이로 얼른 끼어들었다.

"하하. 분위기 이상하네. 오랜만에 봐서 반가울 텐데. 형제지간에 싸우고 그러는 거 아니야. 펠 아저씨. 술 있으면 한 병만 갖다주세요."

어색할 때는 술이 최고지. 싸구려 맥주 마셨더니 황궁 포도주가 먹고 싶어지더라. 인간이 만족을 몰라.

갑자기 카일이 나를 잡아끌었다.

"다친 곳은 없어?"

"누가 날 다치게 하겠어요. 카일은 항상 내가 다치는 거에 예민하네요."

"내가 죽었다가 돌아오면 너도 이럴걸."

"난 죽게 안 둬."

방긋 웃으며 카일과 눈을 마주하는데 어디선가 뜨거운 눈빛이 느껴졌다. 뒤를 돌아보니 테오도르가 울상을 하고서 나를 노려보고 있었다.

"왜요, 전하."

"……아직도 내가 형보다 안 예뻐? 별로야?"

테오도르의 도른 발언을 들은 건지 펠이 들고 오던 포도주를 와장창 깨뜨리고는 백 스텝을 하며 천천히 물러났다.

"죄, 죄송합니다. 수, 술을 새로 가져오겠습니다."

"예, 예……. 부탁합니다."

머쓱하게 펠에게 대답한 뒤 고개를 돌렸지만 테오의 분홍색 눈에는 아직 투명한 물이 가득 차 있었다. 테오, 울먹이면서 말하는 걸 보니 진심이었구나. 나는 농담인 줄 알았지. 카일의 옆에 서 있던 벤지가 테오도르를 말리려는지 그에게 다가갔다.

"테오도르 전하. 일단 진정하십시오."

"싫어, 왜 조는 맨날 형만 좋아해. 이제 나도 키 많이 컸고, 운동도 해서 몸도 키웠는데. 조가 잘생긴 거 좋아한다고 해서 매일 거울도 보고 가꿨는데. 왜 아직도 형만 좋아해."

세상에나. 정말 몸만 컸나 봐. 귀여워라. 곤란한 와중에 웃음이 자꾸 터질 것 같았다. 주변이 한적하길 천만다행이지. 안 그랬으면 또 수도 서점에 불꽃같은 삼각관계 시리즈물이 연재됐겠는데.

결국 참지 못하고 웃음을 터뜨리자 테오가 투명한 눈물방울을 주르륵 아래로 흘러내렸다. 카일이 울 때는 우는 것 같지도 않게 눈가만 빨개져서 눈물이 아래로 뚝, 떨어지는 데에 반해 테오는 으앙 하고 울어 버리는 타입이었다.

"예전엔 먼저 안아 줬으면서! 기억도 못 하고! 못됐어!"

"아하하하! 아 귀여워, 이리 와! 그게 그렇게 서러웠어? 어유, 그랬어요. 이리 오세요. 전하."

두 팔을 벌려 테오에게 다가갔다.

"아유, 잘생겼지. 우리 테오 전하 너무 잘생겼고, 섹시하죠. 제일 잘생겼네! 어쩜 근육을 이렇게 키우셨대. 운동도 엄청 하셨겠네. 귀여워. 하하하, 우리 삐약이! 하나도 안 변했네. 아유, 이뻐. 너무 귀엽, 윽!"

테오를 끌어안으려는 찰나, 벤지가 급히 나를 막아섰다. 웃음기 서린 눈으로 벤지를 보며 고개를 갸우뚱 꺾었다. 공포에 젖은 벤지가 아주 잘게 머리를 흔들며 눈짓으로 뒤를 가리켰다. 그러곤 아주 작게 속삭였다.

"……큰일 나요."

"음? 무슨 큰일?"

뒤를 돌아보자 카일이 타오를 것 같은 눈으로 나를 노려보며 온몸을 벌벌 떨었다.

……스노우 할아버지가 전쟁에서 가장 중요한 것은 기백이라고 했지. 저거였구나.

"하하하. 카일. 세상에. 눈에 바다를 담고 있으신 분이 지금 거의 온 세상 불태우실 기세네. 아이고, 무서워라."

다시 카일에게 다가가려는 순간 테오가 나를 잡아당겨 어깨에 둘러멨다.

"오늘만 나랑 놀게 해 줘."

"뭐?"

카일의 한쪽 눈썹이 일그러졌다.

"알아. 형 애인인 거. 근데 내 친구이기도 하잖아."

새로 술을 들고 오던 펠이 다시 와장창 깨뜨렸다.

"다, 다, 다시…… 들고 오겠습니다."

벤지도 이건 감당 못 하겠는지 마른세수를 하며 두 손을 들고 물러났다. 망했네. 다음 달 형제 삼각관계 신간 보러 다시 서점 가야겠네.

"지금 그 얼굴이랑 말투로 조를 빌려 달라는 얘기가 나와?"

형형한 낯으로 미간을 구기며 테오를 향해 다가오는 카일에게서 살기마저 느껴질 정도였다. 나는 테오의 어깨에 매달린 채 테오의 집채만 한 등을 퍽퍽 치며 외쳤다.

"타임! 잠깐! 싸우지 마요! 내려! 테오! 전하! 내리라고!"

테오도르가 천천히 내려놓자마자 빠르게 다가온 카일이 나를 낚아채 제 뒤로 숨겼다.

"조는 이미 나랑 딸 둘에 아들 하나까지 낳기로 맹세했어."

"그게 가능해? 조는 남자잖아!"

테오가 모른다는 걸 잠깐 잊었던 모양인지 카일의 푸른 두 눈동자가 마구 널뛰기했다. 몇 번이나 입을 열었다가 닫았다가 망설이던 카일이 강직하게 외쳤다.

"해, 해 보지 않고서야 모를 일이지! 될 때까지 하면 혹시 모르지! 여신이 기도에 응답해 줄지도!"

와장창.

펠이 술병을 세 번째 깨뜨리고 잔디 위로 벌벌 떨며 주저앉았다.

"펠 아저씨. 저 그냥 술 안 마실게요. 오늘은 이만 들어가서 쉬세요."

넋을 놓고 있던 펠이 느릿느릿 날 보더니 고개를 끄덕였다.

"그리고 이거 다 연극이에요. 제가 애정 결핍이라서 사랑받는 스토리로 대본 짜 봤어요. 연극 알죠? 다 거짓말인 거. 아무튼 다 잊으세요. 예? 아셨죠."

"우리가 언제 연그억,"

쏘아붙이며 대답하는 카일의 뒷목을 쳐서 기절시킨 후 나는 쓰러지는 카일을 끌어안았다.

"테오도르. 나중에 놀러 갈 테니까 얌전히 기다려."

프리실라 황비가 임신했을 때 무슨 약을 빨았는지 모르겠는데, 아무튼 그건 안 해야겠다.

❖ ❖ ❖

쓰러진 카일을 안아 들고 궁으로 발걸음을 옮겼다. 지나가는 시녀들의 시선이 느껴져 고개를 돌리자 그들은 빨개진 얼굴로 입을 틀어막고선 꾸벅 인사를 하고 빠르게 사라졌다.

나는 뒤따라오는 벤지를 향해 뒤돌았다.

"……벤지 님이 들어요!"

"아니, 내가 왜? 내가 옮긴 걸 전하가 알게 되면 나 그땐 정말 해고당할 텐데."

"그렇게 따지면 황자의 뒷목을 쳐서 기절시킨 나는 사형이에요."

"……그렇긴 하지. 아니. 그전에도 사형당할 만한 일은 많았잖아."

"지나간 일을 왜 자꾸 꺼내요. 아무튼 우리 카일 반반씩 들까요. 오해 안 생기게. 내가 상체를 들고 벤지가 다리를 들어요."

"미안한데 황자님을 짐짝처럼 얘기하지 말아 줘. 내 충성심에 굉장한 상처가 나."

결국 혼자서 카일을 들어 나를 수밖에 없었다. 그나저나 기절한 사람 너무 무겁잖아!

땀 뻘뻘 흘리며 카일을 침대에 눕히고 난 후 이마에 흐르는 땀을 닦았다. 흐트러진 머리칼을 얌전히 정돈한 뒤 눈을 감고 있는 카일의 얼굴을 탐독하듯 천천히 뜯어봤다.

가지런하고 곧게 뻗어 있는 눈썹, 일자인 것 같으면서도 살짝 올라간 눈썹산이 은근히 강한 이미지가 있네. 눈매가 길어서 눈꼬리에 눈물 맺힐 때 너무 예뻤는데. 한 번 더 안 울어 주려나. 어쩜 콧대는 하나도 죽은 곳 없이 쭉 뻗어 있고, 세상에 티 존 선명한 거 봐. 그 와중에 속눈썹 진짜 길고 풍성하다. 입술도 너무 도톰하고, 어쩜 이렇게 잘 익은 복숭아 같지. 피부나 머리카락 같은 색채는 다 너무 투명한데 이목구비가 뚜렷해서 밸런스가 짱이야. 어떡해. 하루 종일 보고 싶다. 너무 잘생쁘다. 섹시해. 금욕적이야. 청초한 어른미 최고야. 매일마다 자는 얼굴 보고 싶어. 오늘부터 카일 잘 때 들어와서 몰래 보고 갈까. 창문 열고 자라고 할까. 아냐, 잠기지만 않으면 내가 열면 돼. 나 벽 잘 타니까 괜찮아.

"저기, 조."

"……."

"조. 로타이스. 후작. 조."

"……너무 아름다워……."

"조! 정신 차려!"

벤지가 내 어깨를 확 뒤로 잡아당겼다.

"무, 뭐야!"

깜짝 놀란 눈으로 벤지를 바라보자 그 역시 눈을 크고 동그랗게 뜬 채 나를 바라봤다.

"왜요. 사람 집중하고 있는데 왜 건드려요."

"너 방금 콧김 장난 아니었어. 가만두면 정말 잡아먹을 기세였다고. 전하랑 오래 같이 지내면서…… 면역된 거 아니었어?”

진심으로 공포를 느꼈는지 벤지의 동공이 마구 흔들렸다. 아직도 내 어깨를 잡고 있는 벤지의 손이 떨리고 있었다.

“어떻게 면역이 돼요. 이렇게 예쁜데. 난 진짜 이런 얼굴은 태어나서 처음 봐요. 너무…… 너무 최고야. 왜 카일이랑 헤어져서 살 생각을 했지. 전쟁이 사람을 피폐하게 만드나 봐요. 왜 이걸 안 보고 살 생각을 했을까.”

정신을 내려놓은 듯 마구 주절거리는 내 말에 벤지가 내 어깨에서 손을 떼고 한 발짝 뒤로 물러났다.

“전쟁이 사람을 피폐하게 만든다는 게 그런 의미로 쓰일 줄은 몰랐네. 아무튼 나와.”

“왜요. 기절한 카일을 지켜 줘야죠. 이렇게 예쁜데 누가 잡아가면 어떡해.”

“네가 기절시켰잖아. 조, 전하가 좋은 건 알겠지만 맥레나 부인이 내준 숙제가 있어. 네가 도망갔다가 감옥에 갇히고 온갖 난리를 치는 바람에 수업을 못 했잖아. 아, 그리고 플라반 영애도 기다리고 있고.”

“……그냥 죽었다고 해 주세요.”

“안 죽었잖아. 농담으로라도 그런 말 하지 마.”

“난 어릴 때도 구몬 학습지 찢어서 숨기던 애였는데.”

“구몬? 그건 어디야.”

“어유, 중세 시대 촌놈들.”

“뭐라고?”

벤지와 아웅다웅 싸움을 하는 도중 누워 있는 카일의 입에서 신음이 흘러나왔다.

“으윽…….”

“카일? 정신이 들어요?”

카일에게 바짝 다가갔지만 아직 정신을 차린 게 아니었는지 감은 눈꺼풀만 파르르 떨릴 뿐이었다.

“조…….”

“내 이름 부르는 거 봐. 진짜 날 엄청 사랑하나 봐요. 어떡해. 벤지, 잠깐 나가 있어요."

카일의 셔츠 단추에 막 손을 올리려던 찰나 카일의 도톰한 무화과빛 입술이 다시 열렸다.

"……가만 안 둬."

단추 위에 올라갔던 손이 우뚝 멈췄다.

"한눈팔면……."

이불을 거세게 그러쥐는 카일의 악력이 눈으로도 느껴질 정도였다. 날 죽이려는 건가.

나는 천천히 자리에서 일어나 뒤로 물러났다. 최대한 상냥한 얼굴로 벤지에게 미소 지으며 물었다.

"이사벨라 아가씨는 어디 계신가요. 맥레나 부인이 내준 숙제도 해야겠어요."

한쪽 입꼬리만 비스듬히 올려 웃은 벤지가 어깨를 으쓱 올리며 말했다.

"왜요. 황자 전하를 지키시겠다면서요."

나는 눈을 힐긋 돌려 아직도 파르르 떨고 있는 카일의 주먹을 바라봤다. 악몽이라도 꾸는지 미간이 좁아졌다.

지금 눈 뜨면 작살날 거 같은데. 대판 싸우든, 내 허리를 빠개 놓든, 아니면 싸운 뒤에 허리를 빠개 놓든. 아무튼 그냥 넘어갈 거 같진 않았다. 나는 벤지의 칼라 깃을 잡고 문 쪽으로 잡아끌어 속닥거렸다.

"벤지. 지금 카일이 깨면 우린 다 죽어요. 내가 도망갈 때 놓친 벤지는 무사할 거 같아요?"

바로 수긍한 벤지는 묵묵히 나를 이사벨라가 있는 방으로 안내했다. 내가 노크를 한 후 문을 열어 준 사람은 아실이었다. 반가운 마음에 환하게 웃으며 인사를 하자 그녀 역시 고개를 까딱 숙이며 '오랜만입니다.' 라고 답했다. 만나자마자 당장 달려들어 얼굴에 뽀뽀를 퍼부을 줄 알았는데 이사벨라는 침대 위에 옷가지를 펼쳐 놓고 고심하느라 내 쪽을 보지도 않았다.

"뭐가 제일 낫지."

"이사벨라 아가씨. 한 달 뒤에 있을 무도회 옷을 벌써 고르고 계세요?"

그제야 날 돌아본 이사벨라가 환하게 웃으며 내 손을 잡아당겼다.

"아니. 이건 다 네 옷이야."

침대 위 이불이 하나도 보이지 않을 정도로 총천연색으로 펼쳐진 옷들은 아니나 다를까 모두 남성형 의복이었다. 놀라서 입이 떡 벌어진 나를 보며 이사벨라가 내 머리끝을 만지작거렸다.

"……조. 그 예쁜 은발을 이런 검은 머리로 염색하다니. 푸석해졌잖아. 난 너무 슬퍼."

머리를 묶어 놓은 끈을 풀고 어깨 위까지 꽤 자란 내 머리카락을 이리저리 뒤집어 보던 이사벨라가 진중한 목소리로 아실에게 말했다.

"지금 은발이 새끼손가락 길이만큼 길었는데 아예 짧게 자르는 건 어떨까. 목뒤랑 옆머리를 짧게 잘라서 원래 은발을 드러내는 거지. 그리고 위쪽 머리를 좀 길게 해서 그 기장으로 살짝 덮으면 귀여우면서도, 섹시하고, 끄트머리에 약간 남아서 찰랑이는 검은 머리카락도 나름대로 신비로워 보일 것 같은데. 지금은 좀 지저분하잖아. 어느 쪽도 어울리지 않아."

아실은 묵묵히 고개를 끄덕였다.

"저기요, 아가씨. 저 머리 기르는 중이었는데."

"혹시 나랑 커플로 맞추려고 검은색으로 염색한 거야?"

불쑥 다가와 생글거리는 이사벨라에게서 허리를 뒤로 꺾어 멀어지며 고개를 가로저었다.

"그럴 리가요. 다들 화려하니까 제일 무난한 색을 고른 건데!"

그래, 하며 내 머리칼을 손끝으로 만지작대던 이사벨라가 내 머리카락을 쓰다듬으며 말했다.

"그래도 안 돼. 처음 사교계에 데뷔하는 날인데 이런 지저분한 머리로 갈 순 없잖아. 꽁지머리로 묶는 것도 귀엽겠지만, 조는 남자치고는 키가 작은 편이니까 머리가 짧은 게 더 잘 어울릴 거 같은걸."

"남자가 아니니까 그렇죠!"

이사벨라는 생글 웃으며 답했다.

"그럼 무도회에 드레스를 입고 갈까?"

"……아니요."

기억보다 더 큰데 전쟁 중에 키가 자란 거냐며 수선을 떨던 이사벨라는 결국 직접 데려온 재단사까지 불렀다. 세심하게 내 팔다리 길이를 다시 잰 재단사는 혼자 끙끙거리며 모든 옷을 들고 사라졌다.

그러고 나서야 테이블을 사이에 두고 이사벨라와 마주 앉았다. 나는 겨우 옷 치수만 재고도 진이 빠질 지경이었는데 이사벨라는 생글거리는 표정에 변화조차 없었다.

"카일 전하와 얘기해 봤는데, 강하면서도 부드러운 이미지로 가기로 했다며."

"그건 언제 정한 건데요."

"너 서점에서 음란한 책 읽고 맥주 마시다가 감방에 잡혀가 있을 때."

"……미친, 뭐야! 다 알고 있었어요?"

"응, 근데 카일 전하는 너 감옥에 잡혀간 거만 알아. 서점에 간 건 나만 알아."

"어떠, 어떻게 알아요?"

"내 사병들이 좀 유능하지."

어처구니없단 표정으로 이사벨라를 보고 있자 그녀가 어깨를 으쓱 올렸다 내리고는 자신만만한 얼굴로 손에 든 부채로 내 턱을 살짝 건드렸다.

"원하면 그 책 모두 사다 줄게. 나 한 권 읽어 봤는데 재밌던걸."

"아니, 아, 그, 그런 걸 읽으시면 어떡해요."

"싫으면 작가들 모두 찾아내서 다신 글 못 쓰게 만들어 줄까?"

"아뇨, 아뇨. 아뇨. 그분들도 취미 생활이니까 두세요. 제발. 네?"

찻잔을 가볍게 입에 댔다가 뗀 이사벨라가 턱을 괴고 나를 뚫어지게 바라봤다.

"……왜요."

"어쩜, 조는 오랜만에 봐도 이렇게 한결같을까. 귀족이 되어서도 꾸준하게 존댓말을 하는 것도 너무 귀여워."

"아."

"이사벨라라고 불러도 돼. 우린 친구잖아."

살짝 올라간 눈꼬리를 곱게 접으며 이사벨라가 환하게 웃었다.

"나중에 할게요. 아가씨한테는 반말이 힘들어요."

"그럼 안 돼. 남들도 너를 원래 평민이었다고 무시할지도 모르는데 더더욱 당당하게 굴어야지. 남들 앞에서 예의 차릴 때만 존댓말 하면 돼."

"근데 이, 이사벨라 아가씨는 춤만 가르쳐 주는 거 아니었어요?"

"맥레나 부인이 상식 전반, 나는 모든 애티튜드를 가르치기로 했지."

"그런 게 어디 있어요, 나한테 상의도 안 하고!"

내가 불퉁한 얼굴로 소리치자 이사벨라가 허리를 꼿꼿이 편 채 머리를 뒤로 넘겼다. 그녀의 풍성한 검은 머리칼이 뒤로 넘어가자 하얗고 긴 목선이 드러났다.

분명 화를 내고 있었는데 말입니다. 나도 모르게 이사벨라의 화려한 얼굴에 넋을 잃고 말았다. 여신님. 역시 여기 외모 밸런스 패치 잘못됐다니까요. 나 같은 얼빠에게 여긴 에덴이라고요. 뱀 같은 날카로운 이사벨라의 매혹적인 두 눈이 나를 향했다.

"거봐, 예쁜 사람한테서 눈을 못 떼면서. 그런 버릇을 들키면 안 된다고."

"……이건…… 개인의 가치관 문제가 아닐까요."

닫혀 있던 문 너머로 똑똑 노크 소리가 들려와 대화가 끊겼다. 아실이 문을 열자 건너편에는 벤지와 아담한 미용사가 가위와 면도칼이 줄줄이 꽂힌 가죽 밴드를 허리에 차고 기다리고 있었다.

"들어와."

"오늘 바로 자르는 거예요? 근데 명령은 언제 했어요? 나랑 쭉 같이 있었으면서?"

대답도 없이 나를 방 가운데 의자에 앉힌 아실이 뒤로 물러났다.

"벤지! 나 머리 자른대요!"

"알아. 듣고 왔어. 안 그래도 머리가 지저분해서 어떻게 해야 하나 생각 중이었는데 플라반 영애께서 이쪽 방면으로 뛰어나셔서 다행이야."

이놈들 다 한통속이구나.

미용사가 금세 서걱서걱 가위 소리를 내며 내 머리를 잘랐다. 그래, 매번 전쟁터에서 면도칼로 대충 자르고 염색하고 했는데 전문 미용사가 봐 주는 거니까 얼마나 다행이야. 기쁜 마음으로 가만히 있자.

"귀가 보이도록."

서늘한 음성의 이사벨라가 명령하자 미용사가 '예.' 하는 짧은 대답과 함께 내 머리카락을 잘라 냈다.

"조금 더 목뒤 선을 드러내는 게 어때."

벤지가 그 어느 때보다 진지하게 미용사에게 의견을 피력했다. 아실까지 합세했다.

"얼굴이 갸름하니 구레나룻은 남기지 않아도 될 것 같습니다. 그편이 더 깔끔하겠군요."

이후로도 각종 명령이 이어졌다.

"앞머리가 더 길게."

"가발은 필요 없어. 조는 그런 백발 영감탱이 가발 안 어울리니까."

"강한 이미지를 위해 앞머리를 넘기는 건 어떻습니까."

"은발이면 몰라, 지금 같은 두 가지 색이 섞인 상황에선 부드럽게 내려오는 게 더 나을 것 같은데."

"윗머리 기장을 길게 내려라."

"뒤통수가 예쁘니까 머리카락에 가위 자국이 남지 않도록 커팅해."

내 머린데 내 의견은 하나도 없잖아, 새끼들아. 점점 미용사의 이마에 식은땀이 흘러내렸다.

"다 됐습니다."

내가 걸치고 있던 가운을 뺀 미용사가 뿌듯하단 얼굴로 나를 바라봤다. 거울을 향해 걸어가자 깔끔하고 선명한 인상의 미남이 서 있었다. 머리가 이렇게 중요하구나.

내 뒤에서 벤지와 이사벨라가 만족해선 악수를 나누며 서로를 칭찬했다.

"정말 뛰어난 안목이십니다, 플라반 영애."

"별말씀을요. 피셔 경께서 원래 조의 머리를 자르셨다니, 두상의 특징을 알고 계셔서 다행입니다."

두둑한 돈주머니를 받은 미용사가 극찬을 받고 돌아간 뒤 나는 이사벨라에게 귀족에 대한 온갖 교육을 몇 시간 동안 받은 후에야 겨우 그녀의 방에서 나올 수 있었다. 지친 발걸음으로 털레털레 걷다가 나는 지나가는 시녀를 잡고 물었다.

"……신전이 어딘지 알아?"

여신이랑 대화를 해야겠어. 신전으로 가야 돼. 이 돌아 버린 집착의 소용돌이 속에서 말라 죽기 전에. 기가 빨려 죽겠어. 제정신인 놈이 아무도 없어. 이 미친 세상. 혹시 내가 제정신으로 살지 않았던 벌을 받는 걸까.

내 간절한 눈빛을 본 시녀가 볼을 발그레 물들이며 되물었다.

"신전이요?"

"황궁에 신전이 있다던데."

"아! 기도를 하시려고요? 제가 안내하겠습니다!"

시녀의 뒤를 따라 걸으며 한숨을 퍽퍽 내쉬었다. 아까 축 늘어져서 눈물을 글썽이던 테오도르한테도 가 봐야 하는데, 가면 또 카일이 나를 몇 날 며칠 끌어안고 놔주질 않을 거 같고, 그러면 이사벨라가 너무 보고 싶었다고 나를 붙잡고 귀여워 죽겠다 달달 볶으며 이것저것 가르칠 거고, 그 모든 순간에 내 뒤에 서 있을 벤지가 유심히 날 관찰하겠지.

살려 줘. 이건…… 이건 아냐. 차라리 용병이 될래. 그 어느 때보다 이렇게 간절히 전쟁터를 원했던 적이 없다.

앞서 걷던 시녀가 문득 뒤를 돌아보며 눈도 마주치지 못하고 수줍게 말을 걸었다.

"후, 후작님."

"예. 아니, 어?"

"머리…… 자르신 거, 너무 잘 어울리세요."

"감사, 아니. 고마워. 잘 어울린다니 기쁘네."

길게 답변할 기력이 없어서 대충 대답하며 웃자 시녀의 얼굴이 새빨갛게 변했다.

"여, 여기예요! 전 이만 가 보겠습니다. 후작님!"

"나 돌아가는 길 모르는데."

어깨를 축 늘어뜨리며 말하자 시녀가 입을 살짝 틀어막으며 바람에 흔들리는 나뭇잎마냥 잘게 고개를 끄덕였다.

"네. ……기다릴게요. ……언제까지라도."

잠깐만. 나 또 뭐 이상한 거 한 거 같은데. 불안했지만 시녀에게 더 말을 거는 건 역효과 같아서 조용히 신전의 문을 열었다. 밖에서 봤던 것보다 훨씬 웅장하고 장엄한 분위기였다. 터덜터덜 앞으로 걸어가 털썩 주저앉았다.

"언니, 아니 여신님. 위대한 투르가 님……. 제가 죄송해요. 미안합니다. 집착 캐릭터…… 이제 더는 그만. 여긴 다…… 미친 사람들뿐이에요."

두 손을 가지런히 모으고 간절히 빌었다.

"전지전능하신 우리 작가님. 글에 밸런스가 너무 무너집니다. 이러지 마세요."

싹싹 빌어도 여신은 나타나지 않았다. 삐쳤나. 그래도 혼자 쉬니 좀 기력이 회복되는 기분이었다. 전쟁터에서 현상 수배에 쫓기며 나다닐 때도 이렇게 힘들진 않았는데. 차라리 칼 들고 싸우는 게 낫지.

밖에서 기다리는 사람도 있고 시간이 늦었으니까 그만 돌아가서 잠이나 자야겠다, 싶어서 다시 신전의 문을 열었다. 무언가 소란스러워 보니 어느새 시종과 시녀들이 열 명은 넘게 모여 있었다.

"뭐예요? 아니, 무슨, 왜 여기 다들 모여 있어?"

"후작님이 머리도 자르고, 옷도 멋있게 입으셨다고 비올라가 말해서……. 아니, 저희는 그냥 궁까지 모셔다드리려고……."

여신님. 기도를 너무 무시하는 거 아닌가요. 한숨을 폭 내쉬며 눈을 감자 아까 제일 처음 날 데려다준 시녀가 다른 사람들을 꾸짖었다.

"거봐! 후작님 피곤하다고 했잖아! 왜 다들 몰려와서 이래!"

"네가 아까 지나가는 우리한테 자랑하듯 떠벌렸잖아!"

"그, 그냥 얘기한 거지! 내가 언제 자랑을 했어!"

나는 손을 대충 휘저으며 신전 계단을 걸어 내려갔다.

"괜찮아요. 괜찮으니까 저 그냥 가서 잘게, 악!"

발을 헛디디는 바람에 남은 계단을 데굴데굴 구르며 내려왔다. 다친 곳은 없었지만 짜증이 확 돋았다. 이 언니가 진짜, 불만이 있으면 말로 하라고.

"후작님, 괜찮으세요?"

시종들이 뒤에서 우르르 달려오는 순간 벌떡 일어서서 커다란 신전을 향해 소리쳤다.

"치사하게 자꾸 이럴래요? 어? 나이도 먹을 만큼 먹으신 분이 쪼잔하게 진짜!"

"……후작님이 진짜로 여신과 소통하시네."

뒤에서 중얼거리는 말소리가 들리는 걸 애써 모른 척하고 뒤돌아 걸었다. 시종들의 에스코트와 함께 씩씩대며 카일의 궁으로 들어가자 시종 펠이 내게 꾸벅 인사를 했다. 아까 낮에 술병을 세 개나 깨트릴 정도로 놀라게 한 게 민망하고 죄송해, 어떤 말을 건네야 할지 감도 오지 않았다.

"저, 아저씨……."

"이제 펠이라 부르십시오. 후작님."

"아. 예."

펠은 아무 일도 없었다는 듯 태연한 낯빛이었다. 역시 프로구나.

"그런 연극 연습까지 하실 정도로 전하들과 친하신 줄 몰랐습니다."

껄껄 웃으며 펠은 나를 안내했다. 그냥 되게 순수하고 좋은 아저씨구나. 하하하.

"근데 지금 어디로 가는 건가요?"

"황자 전하께서 찾으십니다."

등골이 오싹했다. 아까 낮에 기절시키고 이사벨라랑 한바탕 난리를 부리느라 새카맣게 잊고 있었다. 펠의 옷소매를 살짝 잡으며 조심스레 물었다.

"카일…… 전하가 많이 화나 보였나요?"

내 질문에 펠은 말없이 웃으며 앞의 문에 똑똑 노크한 후 뒤로 물러났다.

"들어와."

안쪽에서 카일의 묵직한 음성이 흘러나왔다. 손을 덜덜 떨며 들어가자 카일이 굳은 얼굴로 붉은색 벨벳 긴 소파의 가운데에 앉아 있었다.

"머리를 잘랐군, 후작."

"……예. 알아봐 주셔서 너무 기쁘고, 영광이고, 음……. 전하. 밤도 늦었으니 저는 이만."

"들어오자마자 어딜 가시게."

"제, 제가…… 오늘 숙제가 많아서요. 전하, 항상 좋은 꿈만 꾸시고요. 늘 행복하세요. 그럼 가 보겠습니다."

"시간 괜찮으시면 내 고민 상담 좀 해 주지."

턱짓으로 맞은편 의자를 가리키는 카일을 거절하지 못하고 쭈뼛대며 앉았다. 검지로 탁자를 탁탁 두드리던 카일이 한숨을 푹 내쉬며 의자에 등을 기대 앉았다. 다리를 꼬고 깍지 낀 두 손을 무릎 위로 올려놓은 채 파란 눈으로 나를 바라봤다.

"후작. 내가 애인이 있는데 말입니다."

"네……. 애인, 예."

"그이가 예쁜 얼굴을 좋아하거든요."

"그렇군요……."

"내가 고민이 많아요. 예쁘고 귀여운 것만 보면 애인이 자꾸 쫓아가. 재밌는 걸 보면 죽어도 못 참아. 사람이 어찌 그리 탐미적일까."

"그, 그래도, 전하를 엄청 사랑할걸요. 그분……."

"내가 벌써 이 얼굴과 몸을 다 줬거든. 이제 더 줄 게 없어."

엄마야. 누가 들으면 어쩌려고 그래요, 진짜.

카일이 등불에 그림자 진 얼굴을 살짝 기울였다. 얼굴에 드리워진 그림자가 마치 영화 포스터 효과 같았다. 등불에 비친 얼굴은 빛나는 데다 성스러워 보이기까지 하는 데 반해 왼쪽 얼굴은 칠흑처럼 어둡기만 했다. 빛 아래의 얼굴에 매혹되어 그대로 따라갔다가는 어둠에 그대로 집어삼켜질 것만 같은 위험한 기분이었다. 카일 당신 혼혈이라며. 빌테온이랑 천국.

그의 푸른 동공이 빛에 반짝이며 느리게 움직였다. 꽃을 머금은 듯한 붉은 입술이 호선을 그리며 올라가자 나도 모르게 온몸에 힘이 들어갔다. 내 꽃사슴이 언제 이런 위험한 남자가 된 거지. 카일의 얼굴을 넋을 놓고 바라보자 그가 조곤조곤 말을 이었다.

"날 볼 때는 내가 제일이라는데, 남이랑 있으면 또 거기가 최고인 것처럼 구니까. 내가 너무 초조해요, 후작. 이러다가 그이가 다른 사람을 좋아하는 게 아닐까."

"아니! 그럴 리 없을걸요! 그 애인분은 진짜, 진짜로 전하만 엄~청 사랑할걸요! 목숨 걸고 사랑할걸요!"

"나도 그렇게 생각하는데……."

말을 흐린 카일이 눈을 내리깔았다가 천천히 뜨며 몸을 앞으로 기울였다.

"오늘, 그가 내 동생에게 '제일 잘생겼네' 라고 하더라고. 꼭 붙어서 말도 타고 왔다던데. 내 앞에서 끌어안으려고 하고 말이에요."

뒷목 때려서 기절시킨 거 때문에 화내는 게 아니라, 고작 지 동생한테 제일 잘생겼다고 한 거 때문에 화내는 거야? 황당해진 나는 인상을 찌푸리며 열심히 대들었다.

"아니, 그, 동생분이 엄청 잘생겼나 보죠! 그리고 어차피 애인분은 전하만 엄청 사랑한다는데 누구한테 잘생겼다고 한들 그게 무슨 상관이에요."

카일이 굳은 얼굴로 미간을 찌푸리곤 단단한 음성으로 외쳤다.

"내 애인은 잘생긴 사람을 좋아하니까! 그럼 당연히 제일 잘생긴 사람을 제일 좋아하겠지!"

신경질적으로 마른세수를 한 카일이 짜증 섞인 말투로 중얼거렸다.

"그리 클 줄 알았으면 전쟁터에 있을 때 빨리 장가나 보낼 걸 그랬어. 열여덟이 되도록 국혼도 안 하고 걘 뭘 한 거야."

"……그러는 전하는 스물네 살인데 결혼 안 하셨잖아요."

고개를 숙이고 있던 카일이 손가락 사이로 얼굴을 천천히 들었다.

"그건 내가 약속한 사람이 있으니 그런 거고."

입을 일자로 꾹 다문 카일이 작게 속삭이듯 물었다.

"……후작이 보기엔 어때요."

"뭐가요."

"……내 애인 눈에 아직 내가 제일 예뻐 보일까요."

카일이 조심스럽게 손을 들어 셔츠 단추를 하나 풀었다.

"전쟁터에서 지낸 후로 몸에 자잘한 흉터가 많아져서 안 예쁘다고 할까 봐 걱정이네요."

"아……."

길고 곧은 그의 손가락이 두 번째 단추로 향했다. 단추가 하나 더 풀렸다.

"요즘엔 잘생겼다는 말도 자주 안 해 주고…… 혹시라도 애정이 식었으면 어쩌나 하는 마음이 큽니다. 저는 껍데기를 이미 다 줘서, 이제 더 줄 수 있는 게 없, ……죠? 왜 그래!"

"으, 에? 예? 왜요. 네?"

카일이 테이블을 걷어차듯 치우고 내 얼굴을 붙잡았다.

"왜 코피가 나는 거야!"

카일이 허둥지둥 소매로 내 코피를 닦으며 주변에서 닦을 것을 찾느라 두리번거렸다. 그가 고개를 돌릴 때마다 내 시야에 셔츠 안이 일렁이듯 보였다. 나는 넋을 놓고는 두 손을 올려 그의 셔츠 깃을 부여잡았다. 카일이 큰 소리로 시종을 불렀다.

"밖에 누구 있으면 따듯한 물과 천을,"

그의 말이 끝나기도 전에 나는 멍한 눈으로 그의 셔츠를 양옆으로 잡아 뜯어 버렸다. 단추가 후드득 사방으로 튕겨 나가 떨어졌다. 눈앞에 펼쳐진 단단하고 넓은 가슴에 나도 모르게 입술이 벌어졌다. 정말 절경이네요, 정말 장관이고요. 정말 신이 주신 선물이네요.

당황한 카일이 이성을 잃은 내 눈동자를 보다 황급히 밖을 향해 다시 외쳤다.

"아냐! 아무도 들어오지 마! 아무도! 문에서 떨어져라! 백 보는 떨어져!"

나는 코피를 거칠게 닦아 낸 후, 하얗게 두드러진 그의 쇄골로 시선을 옮겼다. 쇄골 아래의 다부진 근육들에 동공이 마구 흔들렸다. 덜덜 떨리는 손으로 카일에게 말했다.

"애인분한테서 방금 연락이 왔는데요. 자꾸 이렇게 예쁜 짓만 골라 하면 가만 안 두겠다고 하네요."

"그렇습니까. 두고 봐야겠군요."

벨벳 의자에 카일을 깔아 눕히며 윗옷을 벗어 던졌다.

"그 애인분이 세상에서 카일 전하가 제일 잘생겼고 예쁘고 섹시하다고, 최고라고 꼭 전해 달래요."

"정말?"

"네. 다른 건 다 참아도 그건 못 참겠다네요."

귀를 빨갛게 물들인 카일이 만족스러운 얼굴로 웃으며 나를 제 품으로 당겨 끌어안았다. 차가운 그의 손이 맨살에 닿자 신음이 흘러나왔지만 이어진 키스 때문에 내 목소리는 밖으로 나오지 못하고 그에게로 삼켜졌다.

어느새 나를 소파에 눕힌 카일은 내 다리 사이에 앉은 채 허리를 세우고 나를 내려다보며 다정한 목소리로, 전혀 다정하지 않은 말을 꺼냈다.

"네 눈에 날 박아 넣고 싶은 심정이야. 나만 보도록."

"원하는 바예요. 대신 눈 말고 다른 건 어때요?"

"……못 말리겠군."

다음 날 아침, 카일은 사람을 불러 부서진 벨벳 소파를 치우라 명해야 했다.

"이게…… 이게 왜 부러졌습니까."

울상이 되어 묻는 펠에게 카일은 대충 변명했다.

"오래돼서 그런가."

"그럴 리가 없는데……."

다른 시종을 시켜 다리가 부서진 벨벳 소파를 치워 버린 펠은 카일에게 물었다.

"로타이스 후작님은 언제 방으로 돌아갔습니까. 나오는 걸 보지 못했는데."

오늘따라 컨디션이 좋아 보이는 카일이 순하게 웃으며 홍차를 한 모금 마신 후 대답했다.

"기절했다가 새벽에 깨자마자 다른 시종들 깨우기 싫다고 창문으로 뛰어내려서 자기 방으로 갔어. 어쩜 그리 재빠를까. 다음엔 묶어 둬야겠어."

"기절이요? 어제 갑자기 방에 들어오지 말라 하시더니 도대체 그게 무슨 소리십니까."

순진한 얼굴로 묻는 펠에게 카일은 환하게 웃었다.

"싸웠어. 격하게."

"예? 아무리 후작님이 전하와 막역해도 그렇게 싸우시면 안 되죠! 그럼 소파도 싸우다가 부수셨습니까?"

"음…… 응."

"아이고, 그 좋은 카우치를……! 전하! 그리고 방 안에서 싸우시면 안 되지요! 하다못해 연무장이라도 나가셨어야죠."

"그건 좀."

"다음엔 싸움이 붙으면 무조건 밖으로 나가십시오. 워낙 혈기 왕성하신 분들이니 제가 싸움을 말릴 순 없습니다만."

"……밖은 좀 그렇지 않나. 조가 싫어할 텐데. 그리고 남한테 보이기 싫어."

펠의 잔소리가 길어지려던 찰나, 누군가 문을 두드렸다. 들어온 사람은 맥레나 부인이었다. 조의 교육을 맡고 있는 맥레나 부인은 침통한 표정으로 카일에게 고충을 토로했다.

"전하, 로타이스 후작님이 연 이틀 핑계를 대고 교육을 미루시더니 오늘은 또 몸살이 났다고 하십니다. 자꾸 이렇게 꾀병을 부리시니."

"아. 그거 꾀병 아니니 오늘은 맥레나 부인이 봐줘."

"예?"

눈을 동그랗게 뜬 맥레나를 향해 카일은 생글거리며 말했다.

"오늘은 후작이 아프니 교육은 내일로 미루지. 성실한 사람이니 괜찮을 거야. 펠, 플라반 영애께도 말해 줘. 오늘은 가지 말아 달라고. 그리고 나도 오늘은 좀 피곤하니까 일정 취소해 줘."

펠과 맥레나 부인은 카일의 방에서 함께 걸어 나왔다.

그 건강하신 후작님이 왜 몸살이 나셨을까요.

우리 전하는 한 번 아프신 적도 없는데 왜 피곤하다 하실까요.

역시 그간 전쟁터에서의 피로가 남아 있는 걸까요.

카일은 모두가 나가고 난 뒤 소파 없는 방에서 홀로 작은 의자에 앉아 환한 얼굴로 아침 햇살을 맞았다. 어느 때와도 비교할 수 없을 만큼 만족스러운 미소가 그의 입가에 그려졌다.

역시 내가 제일 예쁜 거지.

17. 사교계 데뷔

이사벨라의 시녀인 아실이 허리를 곧게 펴고 내 주위를 맴돌았다.

"턱을 좀 더 드십시오."

"이, 이렇게요?"

"너무 쳐들진 말고 턱끝을 뒤로 당긴다는 느낌으로. 정수리를 위로 끌어 올리십시오."

"이렇게요?"

"공작새처럼 가슴을 내밀지 말고, 말린 어깨를 펴는 겁니다."

자세 교정만 받는데도 몸에서 땀이 줄줄 났다. 겨우 바른 자세로 섰다고 판단이 됐을 때, 아실은 고개를 한 번 끄덕인 후 바닥에 놓인 선을 따라 걸으라고 말했다.

"이제 걷는 걸 배우시죠."

"그냥 원래대로 걸으면 안 돼요?"

"귀족답게 걸으십시오."

"도망가면 안 되나요?"

"두 번은 없습니다."

아실은 조용히 창문을 열었다. 창문 아래에는 기사들이 도처에서 순찰을 도는 중이었다.

"……왜 저기들 몰려 있어요?"

"카일 황자 전하의 명령이셨습니다. 이제 정말로 무도회가 얼마 남지 않았으니 신경 써 달라 하셨습니다."

제기랄.

날 괴롭히는 건 아실의 자세 교정뿐만이 아니었다. 이사벨라의 하얗고 고운 손이 내 어깨 위로 올라왔다. 지금은 왈츠를 배우는 중이었다.

"여자 허리를 잡으면 안 돼. 조. 날개뼈 조금 아래에 손을 얹는다는 느낌으로."

"이렇게요?"

몇 번이나 이사벨라의 발을 밟을 뻔하며 겨우 한 턴을 마쳤다. 댄스 스포츠가 이렇게 빡셀 줄은 몰랐다고. 이마 위로 땀이 줄줄 흘렀다.

"근데 원래 이렇게 얼굴을 가까이 두고 추나요."

아실을 보며 묻자 그녀가 묵묵히 고개를 가로저었다. 이사벨라는 어깨를 으쓱 올렸다 내리며 미소 지었다.

"잘생긴 신생 귀족의 등장에 마음을 뺏기는 사람도 분명 있을 테니까. 긴장하지 말라고 연습시켜 준 거지. 이제 내 얼굴을 보고 긴장하진 않잖아, 그렇지?"

자신만만한 얼굴로 말하는 이사벨라의 얼굴을 보니 욕도 나오지 않았다.

오전에 신나게 춤을 배우느라 땀을 빼고 나면 풀때기만 그득한 밥상을 받았다.

"왜…… 풀밖에 없어요?"

벤지는 인자한 얼굴로 샐러드를 내 앞쪽으로 조금 더 밀었다.

"플라반 영애가 조금 감량하시는 편이 얼굴이 살 거라 하더라고."

"나는, 나는……! 난, 근육이 있어서 이렇게 풀만 먹으면 근 손실 생겨요. 고기 줘요! 고기!"

"내일 지방이 없는 부위로 준비해 줄게."

"……무도회고 나발이고 빨리 다 끝났으면 좋겠어."

울먹이며 풀을 으적으적 씹어 먹었다. 그 와중에 황궁에서 직접 키운 건지 싱싱해서 맛있었다. 나는 너무 막입이야, 입에 넣기만 하면 다 맛있어, 다.

그 뒤에 낮잠이라도 잘라치면 맥레나 부인이 들이닥쳤다.

"후작님, 안녕하세요! 오랜만에 뵙네요!"

"……그러네요."

"몸살이 나셨다 해서 걱정을 했어요."

"아. 그때는,"

내 말을 끝까지 듣지 않고 맥레나 부인이 책상 위로 책을 턱 얹었다.

"숙제는 다 하셨죠?"

누가 웃는 얼굴에 침 못 뱉는다고 했지. 맥레나 부인의 몰아치는 역사 수업과 지리 경제 수업, 신학까지 다 듣고 난 이후에는 완전히 기진맥진해서 책상 위로 엎어져 버렸다.

"영지별 특산품이나 잘나가는 예술가 이름을 왜 알아야 돼요?"

내 옆에 서서 일정을 체크하던 벤지가 대답했다.

"다들 그런 말을 인사말처럼 건네니까. 일어나, 조. 연무장 가서 검술만 하면 오늘 일정 끝이야."

"오늘 다 뒈졌다."

대상 없는 공격성으로 똘똘 뭉친 채 나는 검을 들고 연무장으로 향했다. 허공을 수십 번을 찌르고 허수아비의 목을 내려치고 마구 날뛰다가 휙 뒤돌아섰다. 근처에 서 있던 기사들이 갑자기 내 눈을 피하며 슬금슬금 멀어졌다.

"대련해 줘요! 톰! 대련!"

"……로타이스 후작님과는 대련하기 싫습니다."

"그럼 단장님! 에반스 단장님!"

"……집에 애가 아파서 오늘은 이만 훈련을 접고 가 봐야겠습니다."

이 망할 스파르타 스케줄에 지친 정신을 달랠 유일한 화풀이 시간인데 왜 아무도 나랑 대련을 안 하는 거야.

"나랑 대련해 줘요!"

검을 들고 우다닥 달려가자 바다가 갈라지듯 검사들이 도망을 치며 멀어졌다.

"안 돼! 조! 사람을 죽이면 안 돼!"

벤지가 쫓아오며 나를 뜯어말렸다.

"누가 죽인대? 대련만 하자는데 왜 다들 도망을 가요, 진짜!"

톰이 멀리서 소리를 질렀다.

"후작님이랑 대련하고 나면 몸이 만신창이가 된다고요!"

왠지 울분 섞인 말이었다.

"봐주지도 않고 밀어붙이니까! 무섭다고요!"

"진짜 너무들 하네! 스노우 영감은 어디 갔어! 나랑 대련해 주는 사람 그 늙은이밖에 없어! 전쟁 끝나니까 보이지도 않네. 말만 수제자지. 아주 그냥 꿔다 놓은 보릿자루야!"

씩씩거리며 마구간으로 달려갔다. 속 시끄러울 땐 말이라도 타야 개운했다. 크로우와 신나게 마구간 부지 내의 평원을 돌다가 땀에 흠뻑 젖은 머리를 털며 다시 돌아왔다.

매일이 이런 루틴이었다. 일어나자마자 자세 교정을 받고, 수업을 받는 내내 아실이 옆에서 자세를 보며 참견하고, 이사벨라가 춤과 식사 예법을 가르쳤다. 술을 마실 때 원샷을 하지 말라는 소소한 것까지.

"원샷 왜 안 돼요?"

"뭐가 그리 급해서."

입을 삐쭉이며 술 대신 마시게 된 물로 입을 축였다. 술을 워낙 좋아하니 교육 중엔 절대 안 된다는 카일의 명령이었다. 늦은 오후까지 맥레나 부인의 수업을 들으며 머리를 쥐어뜯다가 답답해서 돌아 버릴 즈음, 연무장으로 가서 검술을 하며 땀을 흘렸다.

가끔 분을 참지 못하고 검을 들고 카일의 방으로 쳐들어갈 때도 있었다.

"너무 힘들어요!"

펠이 덜덜 떨며 경비병을 부르려고 하면 카일이 그를 말렸다.

"괜찮아. 조는 날 해치지 않으니까 나가 봐."

가까이 다가온 카일은 내 손에 들린 검을 조심스레 빼내고 물었다.

뭐가 힘들었어.

나는 씩씩거리며 맨정신이라면 입 밖으로 뱉지 못했을 말을 주절거렸다.

나는 그냥 카일 가슴이나 맨날 만지고 싶고, 얼굴 뜯어보고 싶고, 허벅지 근육 갈라지는 부분 만지고 싶고, 복근 베고 자고 싶고, 가끔 잘 때 문 따고 들어와서 자는 거 구경하는 삶이면 충분한데. 내가 뭐, 자는 사람 옷을 벗길 것도 아니고, 그래. 동의 없으면 옷 벗기면 안 되지. 아냐! 싫어! 그래도 나는 카일 벗길래. 진짜, 셔츠 입었을 때 근육 때문에 쇄골 밑에 살짝 붕 뜨는 거 너무 좋지 않아요? 엉덩이 진짜 예뻐.

분에 차서 맥락 없이 줄줄 쏟아 내는 내 말을 가만히 듣고 있던 카일의 얼굴이 소리 없이 새빨갛게 변했다.

"나가."

"왜요."

"방금 프러포즈했던 거 후회할 뻔했으니까."

"아니, 왜! 다 나 가지라면서! 내 건데! 왜!"

"……자기 거를 소중하게 여길 줄 알아야지."

"내가 얼마나 애지중지 금이야 옥이야 아끼는데요. 지금 이 모든 스케줄을 시킨 사람이 카일인 걸 알면서도 살려 두고 있잖아요."

깜짝 놀란 듯 입을 벌린 카일은 고민하더니 내 이마에 짧게 입을 맞췄다.

"그럼 가까운 곳에 사냥이라도 다녀올래? 짧게."

"사냥?"

"응. 너 좋아하는 크로우 타고 달릴 수 있게. 당일로 준비하라고 해 볼게. 대신 다치면 안 돼."

나는 눈을 반짝거리며 카일을 끌어안았다.

"나한테 흠집 낼 수 있는 건 이 세상에 아무것도 없어요, 알죠?"

도톰한 카일의 아랫입술에 아기 새처럼 쪽쪽 뽀뽀를 하며 사냥 나갈 기대에 배시시 웃었다. 그런 나를 보는 카일의 뺨도 잘 익은 복숭아처럼 말갛게 물이 들었다.

무도회를 2주 남긴 시점에 사냥을 다녀오다니, 체력이 부족하지는 않을까 맥레나 부인이 걱정하며 발을 동동거렸지만 이미 빠지게 될 이틀 치 수업량을 미리 공부하고 숙제까지 해치운 시점에서 더 이상 거리낄 것은 없었다.

아직 사병도, 시종도 없어서 카일이 빌려준 장미 기사단 사람들과 벤지와 함께 사냥터로 향했다. 제일 앞에 서 있던 나는 검을 뽑아 들며 호기롭게 외쳤다.

"제일 센 놈 잡는 사람한테 10테랑씩 주기!"

앞으로 달려 나가는 나를 향해 벤지가 애처롭게 팔을 뻗었다.

"……조! 사람은 안 돼! 사람은 사냥하면 안 되는 거야! 죽이지 마!"

결과적으론 내 승리였다. 얼굴에 피 칠갑을 해서 나타난 나는 사슴 한 마리와 커다란 회색 늑대를 끌고 저녁 즈음 산을 내려왔다.

"이렇게 큰 늑대를 어떻게 잡으셨어요!"

맑은 물에 세수를 한 후 나는 호기롭게 외쳤다.

"사슴을 늑대가 쫓고 있길래 내가 쫓아가서 둘 다 잡았어!"

부리나케 황궁으로 돌아간 나는 카일의 집무실 앞에서 얌전히 기다렸다가 노크한 후 수줍게 들어갔다. 빽빽한 종이를 보고 있던 카일이 피와 먼지를 뒤집어쓴 내 차림을 보고 당황한 낯으로 물었다.

"……다친 건 아니지?"

"이거 내 피 아니에요. 카일한테 줄 거 있어서 다른 사람들보다 빨리 왔어요."

"무슨……, 아니 다음부턴 웬만하면 뒷사람들이랑 맞춰서 와. 그것도 매너니까."

잔소리하는 카일의 입을 막으려고 나는 옆구리에 매고 있던 자루에서 하얀 담비 가죽을 꺼냈다. 사냥을 모두 끝내고 내려오는 길에 발견하고 미친 듯이 쫓아가 잡은 담비였다.

"이거 카일 줄게요."

"……내 생각 하면서 잡은 거야?"

"하얀색 너무 잘 어울릴 거 같아. 전에 카일이 하얀 의복 입었을 때 한 오백 번째로 반했거든요. 흰색이 그렇게 잘 어울리는 사람은 쌀알이랑 카일밖에 없을 거야."

"아무리 들어도 면역 안 되는 그 고백을 낭만적이라고 생각하게 되는 날이 올 줄은 몰랐군. 이리 와, 조."

나를 당긴 카일은 품에서 손수건을 꺼내 내 머리카락에 묻은 먼지를 털어 냈다.

근데 너무 더러운데, 이거.

"황자라서 돈도 많으시면서 왜 이런 걸레를 들고 다녀요."

"……걸레?"

손수건도 아니고, 실이 삐죽삐죽 다 풀어져서 넝마가 된 걸레짝을 왜 들고 다니는 거지. 인상을 찌푸렸지만 카일은 피식 웃기만 했다.

"소중한 사람이 준 거라서."

"소중한 사람? 어떤 새끼야."

카일의 멱살을 틀어쥐고 짤짤 흔들었지만 카일은 계속 기분 좋다는 듯 하하 웃으며 나를 끌어안기만 했다.

"누구냐고! 누구랑 정분이 났어! 갖다 버려! 이 걸레짝!"

"못 버려. 내가 제일 아끼는 거야. 힘들 때마다 의지했던 거라고."

걸레를 들고 손을 번쩍 쳐올린 카일이 환하게 웃었다. 키가 닿지 않아서 폴짝폴짝 뛰다가 나는 입고 있던 털 조끼를 벗어서 내려놓고 단도를 꺼내 카일 뒤에 있던 책상을 짚고 도약했다. 화들짝 놀란 카일이 뒤로 물러났다.

"……너 지금 내 손목을 자르려고 한 거야?"

"그 걸레만 썰어 버리려고 했는데요."

으르렁거리듯 짓씹으며 말하자 카일이 울상을 지으며 걸레를 펼쳤다. 실타래가 풀려 너풀거리는 걸레 같은 손수건에 흐릿해진 글씨로 무어라 적혀 있었다. 저게 뭐야. 눈을 찌푸리며 카일의 앞으로 다가서서 겨우 읽었다.

"카? 카……일? 뒤에 이건 무슨 글자예요. 이 찌그러진 건 또 뭐야."

"하트. 네가 내게 줬잖아. 마음이라며."

아. 그제야 기억이 났다. 예전에 카일이 사냥을 갈 때 그에게 내가 줬던 거였다.

"……그걸 아직도 안 버렸어요?"

"네 마음을 어떻게 버려. 그리고 네가 처음으로 나한테 준 거잖아."

"……뭐야, 손수건 지금은 백 개도 사 줄 수 있어."

카일의 목을 감싸고 잡아당겨 그의 입술에 키스했다. 누구 보기 좋으라고 자꾸 이렇게 예쁜 짓만 해. 아주 예뻐 죽겠어.

후문에 따르면, 겨우 내 뒤를 쫓아온 벤지가 카일의 집무실 앞에서 노크를 하려다 우뚝 멈춰 선 채 들어가지도 돌아가지도 못하고는 한참을 밖에서 대기했다고 한다.

한 달간의 지옥 같은 귀족으로의 갱생 훈련이 끝난 후, 드디어 사교계 데뷔의 날이 밝았다. 파티복은 전날 미리 정했던 검붉은색의 의복을 입었다. 코트에 달린 커프스 색은 카일의 눈처럼 푸른 바다색이었다. 나는 단추를 만지작거리며 시큰둥하게 물었다.

"이사벨라. 그냥 대충 하면 안 돼?"

"안 돼. 내 사전에 대충은 없어."

기어코 2주 만에 내 깍듯한 존댓말을 뜯어고친 이사벨라는 단호하게 대답했다.

"실수로라도 나랑 얘기할 때 아가씨라고 하면 안 돼. 남들이 비웃을 테니까."

"알았어, 이사벨라."

벤지가 옆에서 거들었다.

"실수로라도 카일 전하께 반말하며 달려들면 안 돼. 테오 전하께도 안 돼. 이사크 전하께 형이라고 부르는 것도 안 돼."

"알았어요, 벤지."

"존댓말을 할 때는 작위를 붙여서 말해야 합니다, 로타이스 후작."

"알았다고, 벤지 이 새,"

아실이 얼른 내 입을 틀어막았다.

"욕은 안 됩니다."

벤지가 내 손을 잡고 빌듯이 말했다. 제발 오늘 얌전히 넘어가자고. 알겠다고 고개를 끄덕이는 순간, 카일이 방 안으로 들어왔다.

"조는 나와 가지."

이사벨라가 내 앞을 가로막았다.

"후작님의 사교계 첫 등장인데 영애를 에스코트하는 게 좋지 않을까요?"

생글거리는 목소리 가득 행복에 겨웠다. 이사벨라는 이 상황이 즐거워 보였다. 카일의 눈썹이 보이지 않을 정도로 미미하게 구겨졌다.

"……내 전우이자 생명의 은인이니 나와 함께 가는 게 더 좋을 듯한데. 그가 누구의 사람인지 확인시켜 줄 겸."

"이미 모든 사람들이 다 아는 관계를 얘기하는 것보다 새로운 인맥을 보여주는 게 더 좋지 않을까요?"

이사벨라의 대답에 카일이 한쪽 눈썹을 올리며 생긋 웃었다.

"후작의 첫 춤 상대를 영애가 가져간다는 조건으로 춤 선생이 되셨는데 바라는 게 많군."

나는 얌전히 앉아 있다가 벌떡 일어났다.

"그런 조건으로 이사벨라가 춤 선생님이 됐다고요? 어차피 난 이사벨라랑 춤출 생각이었는데! 다른 사람이랑 춤 맞춰 보지도 않았으니까 당연히 이사벨라랑 춤출 거였죠!"

듣고 있던 이사벨라의 상아빛 두 뺨이 점점 장밋빛으로 물들었다.

"어머. 정말 나랑 제일 먼저 출 거였어? 감동이야, 조."

"남장을 하고 있는데 카일한테 한 곡 추자고 할 순 없잖아."

이사벨라와 아옹다옹하고 있는 도중 카일이 다가왔다.

"명망 있는 가문의 귀족 영애를 에스코트해서 조의 이미지를 견고히 하는 것도 좋겠지. 하지만 지금 저 회장에 있는 사람들에게 필요한 건 로타이스 후작이 내 사람이라는 확증이야."

결국 카일의 고집을 꺾지 못한 이사벨라가 벤지와 함께 먼저 연회장으로 향했다.

"내가 주인공인데 이렇게 늦게 가도 돼요?"

회중시계를 꺼내 시간을 확인한 카일이 짧게 고개를 가로저었다.

"안 늦었어."

내 앞으로 바짝 다가온 카일이 내 이마에 조용히 입을 맞췄다.

"오늘 멋있어."

부드럽게 호선을 그리며 살짝 미소 짓는 카일의 그림 같은 얼굴에 하마터면 또 정신을 잃어버릴 뻔했다.

방 안에 아무도 없는 김에 그냥 자빠뜨릴까. 진지하게 생각했지만 밖에서 시종들이 대기하고 있을 텐데 얌전히 일을 끝낼 것 같지 않았다. 시간이 많이 남은 것도 아니고.

내 속도 모르고 카일은 시계를 한 번 더 확인한 후 내게 다가와 손을 잡으려다 말고 살짝 몸을 비틀었다.

"밖에서 손을 잡을 순 없으니 바로 뒤에서 따라와. 조."

"네, 전하!"

말 잘 듣는 강아지마냥 카일의 뒤를 따랐다. 문이 열렸다. 밖에 서 있던 시종들이 줄줄이 카일과 내 뒤를 따라왔다. 긴 복도에서 여러 명의 발자국 소리만 저벅저벅 이어졌다. 카일을 따라 걷는 동안 그의 곧게 뻗은 등을 바라봤다.

몸에 딱 맞게 핏 되는 코트 덕에 떡 벌어진 어깨나 팔을 앞뒤로 움직일 때 흔들리는 근육들이 언뜻언뜻 눈에 들어왔다. 카일 너는 마구간 다신 오지 마. 널 보면 놀라서 말이 안 나오니까. 카일 너 이름 조지 부시 아냐? 내 마음을 조지고 부시잖아. 우리 예쁜 천사가 왜 날개가 없지. 무슨 죄를 짓고 땅으로 쫓겨난 거야. 그게 그렇게 중한 죄였니?

"……그러니까 일단 들어가면, ……조? 듣고 있어?"

"날개?"

'예?'

아. 제기랄. 마음의 소리가 튀어 나가 버렸다. 뒤에서 따라오던 시녀가 풉 하

고 웃는 소리가 들렸다.

나도 뒤돌아 덩달아 실실 웃다가 급격히 굳은 사람들 표정을 보고 황급히 다시 앞을 바라봤다. 카일이 인자하게 웃고 있었다.

"후작."

낮게 가라앉은 목소리로 나를 부른 카일이 허리를 숙여 조용히 속삭였다.

"오늘 잘 하시면, 나중에 날개 확인하게 해 드리지."

눈이 번쩍 뜨였다. 매번 이런 방법이 통한다는 게 자존심이 상할 법도 했지만 늘 백 프로의 성공률을 자랑하는 미인계였다. 카일 얼굴에 안 넘어가는 게 사람이냐고. 물론 저는 짐승이라 여러 번 넘어갔습니다.

복도 끝, 연회장의 커다란 문이 열렸다.

"카일 드 빌테온 황자님과 조 로타이스 후작님이십니다!"

문이 활짝 열리자 화려하게 옷을 차려입은 사람들의 시선이 우르르 이쪽으로 쏠렸다. 저절로 움츠러들 정도의 관심이었다. 이렇게 많은 관심을 받은 건 전쟁터 이후로 처음이었다. 나는 카일에게만 들릴 정도의 작은 목소리로 그에게 물었다.

"……칼 들고 오면 안 돼요?"

앞으로 걸어가려던 카일이 흠칫 놀라더니 살짝 고개를 틀었다.

"사람 죽이지 않기로 나랑 약속했잖아."

"시선이 쏠리니까 긴장돼서 그래요. 뭐라도 잡고 있고 싶어요."

도통 연회장 안으로 들어서지 못하는 내 얼굴 위로 사람들의 눈길이 쏟아졌다. 눈동자를 살짝만 굴려도 사람들과 눈이 마주쳤다. 이런 건 처음인데. 바짝 얼어붙은 나를 보던 카일이 주변에 들리지 않을 정도로 말한 뒤 앞으로 걸어갔다.

'겁먹지 마. 여긴 사냥터야.'

사냥터라니. 연회장이 왜 사냥터예요. 따지고 싶었지만 앞서가는 카일을 따라갈 수밖에 없었다. 휘황찬란하게 차려입은 사람들과 눈이 마주쳤을 때 서비스직 아르바이트생처럼 무의식적으로 씩 웃어 주다 문득 깨달았다.

카일은 얼마 전, 전쟁을 승리로 이끌고 돌아온 황자다. 이곳에 모인 사람들도 그걸 알고 있을 테지. 모두들 여기에 새로운 인맥이든, 정보든 캐기 위해 온 거다. 차갑게 식어 있던 손끝에 열이 돌기 시작했다. 진짜 사냥터구나. 입가에 미소가 피어올랐다. 내가 사냥 그거 기똥차게 잘하지.

자신감 있는 얼굴로 웃으며 카일의 옆으로 걷자 주변의 공기가 살짝 달라지는 것이 느껴졌다. 카일이 그제야 안심한 듯 나를 돌아보더니 발걸음을 옮겼다.

처음은 콜린 후작이었다. 벨로이스트 가문과 원래 우호적이긴 했지만 묘하게 카일을 무시하던 양반이 어찌나 독실하신지, 내가 여신의 사제라는 걸 알고는 바로 온순해졌었지. 카일과 콜린이 짧게 안부를 묻고 답한 뒤, 콜린의 주름진 눈꺼풀이 몇 번 깜빡이더니 내 쪽을 향했다. 콜린 후작이 생글거리며 내게 인사했다.

"로타이스 후작!"

"전쟁 이후엔 처음 뵙네요. 파티에 와 주셔서 감사합니다, 콜린 후작님."

"불렀으니 당연히 와야죠. 투르가 여신님의 손길이 닿으신 분과 이렇게 동시대에 살 수 있다는 것만으로도 기적과 다름없는데, 게다가 전쟁을 승리로 이끈 영웅이잖습니까."

애초에 지가 카일을 무시하느라 애써 짰던 작전을 엿 먹였던 건 까먹었는지 콜린은 그저 신나 보였다. 알고 싶지 않던 투르가 여신에 대한 신화 몇 가지를 열심히 들어 주고 난 후, 나는 다른 귀족들과도 인사했다. 성도 없는 평민 나부랭이가 귀족이 됐으니 당연히 무시당할 줄 알았는데 생각보다는 신기한 것을 바라보는 눈빛에 가까웠다. 맥레나 부인과의 수업에서 겨우 이름을 외웠던 늙은 귀족들과 줄줄이 인사를 하던 중 카일이 잠깐 내 어깨를 짚었다.

"저쪽에 인사 잠깐 하고 올게."

"네, 전하."

나를 혼자 두는 게 영 불안했는지 카일은 내 어깨 위에 올린 손을 떼지 못하고 이리저리 눈을 돌렸다. 연회장 반대편에 있던 벤지가 카일의 시선을 눈치채고 내가 있는 쪽으로 걸어왔다. 그가 오는 것을 보고서야 안심한 카일이 다른 사람에게 인사하기 위해 멀어졌다.

혼자 서 있던 건 아주 잠깐, 정말 잠깐이었다. 하지만 사고를 치기엔 충분했다. 무심코 시선을 돌리던 도중, 나는 커튼에 가려 아까까진 보이지 않던 익숙한 얼굴을 발견했다. 환하게 웃으며 손을 흔들었다. 반가운 마음에 목소리가 튀어나왔다.

"영감!"

뛰지 말라고 배워서 넓은 보폭으로 성큼성큼 스노우에게 걸어갔다.

"전쟁 끝나고 얼굴도 못 봤네. 영감 나이가 있어서 죽은 줄 알았잖아요."

스노우는 대답도 않고 입을 틀어막고 키득거렸다. 그가 나를 비웃는 거야 늘 있던 일이니 크게 신경 쓰이진 않았다. 반갑고 그간 편지 한 통 없던 게 야속해서 나는 쉬지 않고 입을 털었다.

"나 안 보고 싶었어요? 할배 말고는 나 대련해 주는 사람 아무도 없다고. 아니 근데 대체 집이 어디길래 아무도 물어봐도 대답을 안 해 줘? 여기서 많이 멀어? 영감 걸음으로 얼마나 걸려요. 스노우는 늙었으니까 내가 놀러 갈게요."

속사포처럼 말을 뱉어 내던 나는 박수를 짝 하고 치며 황제에게 받은 무공훈장을 자랑하려 품에서 꺼내려는 순간, 무언가 이상하단 걸 깨달았다.

주변이 조용했다. 처음 등장했을 때 시선이 쏠리던 것과는 확연히 다른 느낌이었다. 그땐 수군거리기라도 했지. 지금은 정말로 적막이었다. 주변을 둘러보자 그들 모두 귀신이라도 본 것처럼 놀란 눈으로 나를 보고 있었다. 부채로 입을 가린 이사벨라까지 놀란 눈치였다. 저 능구렁이까지 놀랄 정도의 일이 뭐가 있지. 나는 스노우의 옆으로 가서 그의 옆구리를 쿡 찔렀다.

"할배. 사람들이 우리 보는 거 같아."

"멍청아, 너만 보는 거야."

"……뭐요, 왜."

"그야 네가 카일 황자 전하의 외조부한테 반말을 하면서 맞먹으니까 그렇지."

그때라도 눈치를 챘어야 했는데. 나는 눈살을 찌푸리며 스노우의 어깨를 퍽 밀쳤다.

"전하의 외할아버지가 여길 왜 와요, 영감 진짜 노망이 나셨나."

"그 노망난 영감이 수제자가 무공 훈장을 받고 귀족이 됐다기에 축하하러 온 건데 왜 지랄이야."

웃음기를 머금은 스노우가 내 뒤통수를 퍽 하고 후려쳤다. 애써 차분하게 빗어 놓은 머리를 얻어맞은 나는 무심코 평소처럼 스노우를 향해 주먹을 내지르려다 우뚝 멈춰 섰다.

"……뭐라고요?"

허공에 뜬 내 주먹을 보던 스노우가 실실 웃으며 물었다.

"수제자를 축하하러 카일 전하의 외조부가 왔다고 했잖아."

여간 기분이 좋은 게 아닌지 함박웃음을 짓던 스노우가 공중에서 갈피를 잡지 못하고 떨리던 내 주먹을 잡고서 악수를 하듯 위아래로 흔들었다.

"조 로타이스 후작. 반갑네. 나는 스완넬우드 벨로이스트, 카일 황자 전하의 외조부 되는 사람이야. 편히 스노우라 부르게. 평소대로 영감이나 할배도 좋고."

"……이 영ㄱ,"

순간 온 얼굴이 벌겋게 타올랐다. 속았다는 쪽팔림과 그동안 막 대했던 과거가 떠올라 다시 입 밖으로 반말이 튀어나오려 했다. 급하게 걸어온 벤지가 황급히 내 입을 틀어막았다.

"벤지도 잘 있었나."

"……예, 스노우 님."

"벤지도 님이라 붙이지 말고 이 멍청이처럼 영감, 할배, 늙은이, 곧 죽을 인간, 노인네라고 막 불러도 돼."

얼굴이 벌게지도록 껄껄 웃은 스노우가 내 머리를 마구 헝클어뜨렸다.

"너 같은 놈이 딱 열 명만 더 있어도 내가 100년은 더 살 텐데. 이렇게 재밌을 수가 없어!"

벤지에게 입이 막혀 말을 할 수 없었지만 나는 팔다리를 마구 버둥거렸다.

날 속였어, 이 영감탱이! ……그동안 할배 앞에서 카일 얼굴 얘기했던 건 어떻게 해. 영감이 카일이랑 자기랑 닮지 않았냐고 할 때마다 정색하다가 삼도천 보일 때까지 뒤지게 싸운 건 또 어떡하냐고!

내가 읍읍거리며 파닥대는 걸 보던 스노우가 생전 없을 따스한 얼굴로 웃으며 다시 내 손을 마주 잡았다.

"나도 보고 싶었다. 이 망할 놈."

속았다는 사실에 씩씩대는 나를 보며 껄껄 웃은 스노우는 벨로이스트 공저에서 황제에게 상소문을 올렸다고 얘기했다. 나는 모르지만 현 황제와 벨로이스트는 직접적으로 교류를 할 만한 이유도 없고, 이유를 만들지도 않을 정도의 거리감이 있는 듯했다. 그런데도 스노우는 사형 명령이 내려왔던 나를 위해 황제에게 직접 상소를 올렸다고 했다. 황궁에 오기도 싫었지만 내가 귀족이 되어 첫 무도회를 치른다고 하니 귀한 발걸음을 해 준 거라고.

나는 뚱한 얼굴로 나를 달래는 스노우의 말을 모두 듣고만 있었다.

"아, 그니까 영감, 아니, 스노우, 아니 공작님이 지금 2년 내내 저를 속이셨다는 거잖아요."

"야. 상식적으로 지금은 네가 나한테 2년 동안 몰상식하게 군 걸 사과해야 할 타이밍이지."

"싫어요. 영감님, 아, 입에 붙어서 안 떨어지네. 공작님도 저 속였잖아요."

아이처럼 킬킬거리면서 웃는 스노우에게 귓속말로 물었다.

"그럼 그때 그 남장한 여자 사귄다는 변태 페티시 손자는 카일이었어요?"

손에 든 술을 마시려던 스노우가 푸하! 웃음을 터뜨리며 고개를 마구 끄덕거렸다. 하도 기가 막혀 나는 스노우와 배를 잡고 깔깔 웃었다. 우리 근처에 마치 보이지 않는 자기장이라도 펼쳐진 것처럼 아무도 다가오지 않았다. 나는 옆에서 있는 벤지에게 조용히 물었다.

"왜 아무도 가까이 안 오죠?"

벤지는 상냥한 얼굴로 험악한 대답을 했다.

"황자님의 외조부께 반말하는 전쟁의 사신이라니. 누구라도 대화에 끼고 싶지 않을걸요."

아. 벤지의 말을 듣지 못한 스노우가 내 어깨를 툭툭 쳤다.

"왜 그런대."

나는 실실 웃으며 늙은이를 놀렸다.

"공작님 머리가 하얗게 센 게 촌스러워서 아무도 안 온다는데요."

결국 스노우가 주먹을 쥐었다.

"넌 하여튼 우리 공저로 오기만 해 봐. 죽을 줄 알아."

"쥬굴 쥴 앨어. 하나도 안 무섭거든요. 할배 이제 나 너무 좋아해서 전처럼 세게 치지도 않잖아요."

졌다는 듯 픽 웃은 스노우가 내 등판을 아프지 않게 툭 쳤다.

"내가 옆에 있어 봐야 네 친구 사귀는 데 방해될 거 같네. 간다."

"벌써요? 더 있다 가요. 내가 친구가 어디 있어요. 백발 영감이랑 친구 해야 하는 내 심정을 헤아려서 좀 더 놀아 줘요."

어째 말을 한마디씩 꺼낼 때마다 벤지의 얼굴이 하얗게 식어 갔다. 연회장 건너편에 있는 카일이 벤지에게 무어라 수신호를 보내는 것 같기도 했지만 벤지는 무념무상한 부처의 얼굴로 차분히 고개를 가로저을 뿐이었다. 벤지는 아마 나를 포기했나 보다.

스노우는 정말로 갈 생각인지 붙잡는 나를 떼어 냈다.

"검도 활도 잘 쓰는 놈이 창은 제대로 못 쓴다며. 그게 무슨 사신이냐. 가르쳐 줄 테니까 다음에 내 공저로 와."

"그때까지 살아 계셔야 돼요. 공작 각하."

"이 자식은 한 마디를 곱게 넘어가는 법이 없네."

스노우와 아웅다웅하는 찰나, 연회장 입구에 서 있던 시종이 큰 소리로 외쳤다.

"테오도르 드 빌테온 황자님께서 입장하십니다!"

"와, 테오다. 얜 대체 뭘 했길래 주인공인 나보다 늦었대."

지나가던 하녀가 들고 있는 트레이 위에서 와인을 한 잔 가져와서 쭉 들이켰다. 어느새 옆으로 다가온 아실이 귓가에 작게 속삭였다.

"……와인은 한 번에 들이켜면 안 됩니다."

아니나 다를까 놓치지 않고 스노우가 킬킬 웃으며 나를 놀려 댔다.

"이놈은 술에 원수를 졌나. 술만 보면 남기는 꼴을 못 보네."

여기 중세 시대니까 유교 그런 거 없지? 스노우 흰머리 뽑아 줘야겠어. 머리가 다 흰색이니까 뽑는 건 간단하겠네요. 스노우의 머리채를 잡으려던 내 손을 낚아챈 건 테오도르였다.

"조!"

"왁, 깜짝이야!"

이젠 분홍 삐약이가 아니라 늠름한 분홍 수탉이 된 테오가 환한 얼굴로 내 앞에 서 있었다.

"와……. 우리 테오 얼굴 무슨 일이야. LED 조명이 타임머신 타고 날아온 거야? 테오 근처에만 반사판 댔어? 걸어 다니는 스포트라이트네. 왜 이렇게 밝고 환해? 나 진짜 너무 깜짝 놀랐네."

벤지가 옆구리를 쿡 찔렀다. 눈썹을 잔뜩 씰룩거리며 입술을 웅얼거렸다.

'존댓말, 존댓말!'

"아. 아……. 테오도르 황자님. 오늘 얼굴이 아주 그냥 작살나게 화려하십니다."

존댓말을 썼는데도 벤지는 뭐가 불만인지 이마를 짚으며 고개를 절레절레 흔들었다. 하지만 미인을 보니 마음의 소리를 조절할 수 없었다. 적갈색 머리카락을 깔끔하게 포마드로 넘긴 테오가 눈부시게 웃었다. 눈썹을 정리한 건지 순해 보이던 눈매가 조금 더 단단해 보였다. 그런 와중에도 분홍색의 눈동자 때문에 청아하게 빛났고, 투명할 정도의 흰 피부 덕에 온 얼굴이 찬란했다. 거기다 남색에 가까운 짙은 푸른빛의 코트가 소름 돋게도 잘 어울렸다.

"어우, 와우. 네. 이야. 너무 잘 크셨습니다. 전하."

아실이 다시 내 귀에 대고 속살거렸다.

"존댓말만 한다고 다 되는 것은 아닙니다."

높낮이 없는 사이보그 같은 목소리에 겨우 정신을 차리고 헛기침을 했다. 눈을 몇 번 깜빡인 후 다시 테오를 바라봤다. 테오도르는 고개를 비스듬히 꺾으며 호선을 그리고 웃었다.

"오늘 나 맘에 들어?"

"제 마음에 드는 게 중요한가요. 근데 일단 너무 아름다우세요."

갑자기 스노우가 내 어깨에 팔을 두르더니 구석으로 끌고 갔다. 영감답지 않은 당황한 얼굴이었다.

"……테오도 너 여자인 거 아냐?"

"아뇨?"

"근데 쟨 왜 저래."

"어릴 때 친하게 지내서 저한테 향수 그런 게 있나 본데요. 그러게 할배가 자주 황궁에 와서 애랑 좀 놀아 주시지 그랬어요. 명색이 외할아버지면서. 뭔 형제가 쌍으로 외로움을 저렇게 타."

벽을 보며 스노우와 작게 치고받다가 뒤돌았다. 순간 간이 떨어지다 못해 산산조각 나는 줄 알았다. 카일과 이사벨라, 테오도르가 내 뒤에 우두커니 선 채 나를 보고 있었다. 희대의 천재 예술가 미켈란젤로를 소환하는 방법은 없나. 이거 작품으로 남겨야 되는데.

보라색의 눈을 깜빡이던 이사벨라가 묘하게 웃으며 내 옆으로 다가왔다.

"로타이스 후작님, 이제 춤추셔야죠. 음악이 준비되어 있답니다."

"아, 그렇, 그렇죠."

얼떨결에 교육받은 대로 이사벨라에게 손을 내밀었다.

"플라반 영애. 저와 한 곡 춰 주시겠습니까."

"기꺼이."

즐거워 보이는 이사벨라가 카일의 옆을 지나쳐 내 손을 잡고 플로어의 한가운데로 걸어갔다. 등 뒤에서 느껴지는 카일의 시선이 따가웠다. 아무리 카일이 질투가 심해도 이걸로 삐치진 않겠지. 내가 남장을 하고 있는데 자기랑 춤을 출 순 없잖아.

나는 커지는 음악 소리에 맞춰 배운 대로 스텝을 밟으며 이사벨라와 빙글빙글 돌았다. 아까 집에 간다던 스노우가 입을 틀어막고 웃으며 제 외손주 두 명에게 뭐라 떠드는 모습이 보였다. 거리가 있어서 내용은 하나도 들리질 않았다.

후.

갑자기 이사벨라의 숨이 내 볼에 닿았다. 깜짝 놀라 그녀를 돌아봤다. 붉게 칠한 이사벨라의 입술이 호선을 그리며 올라갔다.

"무심하셔라. 후작님. 저와 손을 잡고 춤을 추시면서 왜 다른 남자를 보세요."

"이사벨라. 카일 화난 거 같지?"

"당연하죠."

"……질투가 너무 많아."

"그럴 만도 하죠. 지금 모두가 당신을 보고 있으니까."

날 보고 있다고? 이사벨라의 말을 듣고 그제야 눈을 돌렸다. 처음에는 긴장해서, 이후로는 스노우를 만나고 테오도르와 인사하는 등 반가운 얼굴들을 보느라 주변을 살필 겨를이 없었다. 겨우 정신을 차리고 연회장을 둘러봤다. 곱게 차려입은 귀족들이 다들 내게서 시선을 떼지 못하고 뚫어지도록 바라보고 있었다.

"날 왜 보지?"

가까이 붙었다가 발끝으로 매끄럽게 돌며 내게서 멀어진 이사벨라가 내 손을 잡고 다시 돌아 내 품에 안겼다.

"멋지니까."

고혹적인 목소리로 대답한 후, 하늘에서 떨어져 내리는 눈송이처럼 부드러이 움직이는 이사벨라의 가벼운 몸놀림에 저절로 넋이 나갔다. 흘러내린 그녀의 검은 머리카락 몇 가닥이 드러난 어깨의 흰 살갗 위에서 살랑거렸다. 사람들이 나를 보는 게 아닌 거 같은데.

"이런 널 두고 날 볼 리가 없잖아."

끝이 올라간 눈매를 잠깐 크게 뜬 이사벨라가 눈꼬리가 곱게 휘도록 웃더니 살짝 내 발끝을 밟았다.

"아야. 왜 밟아."

"눈치 없고 죄 많은 멍청이."

이사벨라는 춤이 끝난 후 나를 다른 영애들에게 소개시켜 줬다. 인맥이 중요하다는 이유였던 거 같은데 글쎄, 내가 보기엔 멀리서 보고 있는 카일을 열받게 하려는 게 목적인 것 같았다. 그 증거로 이사벨라가 너무 즐거워 보였으니까.

"이사벨라, 혹시 카일 안 좋아해?"

"그야 당신을 가졌잖아."

남들에게 들리지 않을 정도로 작게 대답한 이사벨라는 다른 영애들을 향해 다가갔다. 일단 나는 내 할 일을 해야 했다. 귀족처럼 보이기. 인맥을 사냥해야지.

"처음 뵙겠습니다. 마르셀디안 영애, 잉젤거 영애, 브리엔느 영애."

"어머, 로타이스 후작님. 저희 이름을 어떻게 다 아세요."

"열심히 공부했죠. 보람이 있네요. 이렇게 귀한 영애분들과 인사도 나누고. 잉젤거 영애께서는 얼마 전에 로트린 아카데미를 수석으로 졸업하셨다면서요, 축하드립니다."

"소식이 빠르시네요."

"저는 후천적 노력형 귀족이니까 부지런해야죠. 마르셀디안 영애께서는 5개 국어를 하신다면서요. 대단하세요, 정말."

"저도 노력형이죠. 로타이스 후작님도 제 저택에 놀러 오시면 동대륙어를 가르쳐 드릴게요."

"영광이네요. 하지만 공부는 1주일만 쉬면 안 될까요. 머리에 쥐가 나서요. 대신 나중에 로타이스로 오시면 말을 태워 드릴게요."

"그게 더 좋겠네요. 후작저는 새로 지으시는 건가요."

"네, 그전에 있던 요새는 다 불타서요."

내가 불태워서요.

머쓱하게 웃은 뒤 말을 이었다.

"아, 참. 브리엔느 영애의 독서 모임에 대해서도 익히 들었어요. 오죽하면 저를 가르쳐 주던 선생님이 브리엔느 영애의 독서 모임 도서 목록을 한 번씩 읽는 것만으로도 별다른 교육이 필요 없을 정도다 하셨을까요."

"과찬이시네요. 후작님도 저희 모임에 오신다면 재밌을 텐데요. 다음 주에 한 번 오셔요."

"초대해 주신다면 기꺼이."

가볍게 웃으며 다른 영애들과 친목을 다졌다. 남자인데도 독서 살롱에 초대까지 되다니. 생각보다 우호적인 반응이었다. 아니, 아니. 나 남자 아니야. 정신 차리자.

다행인지 불행인지 다른 남자 귀족들 역시 호의적인 태도였다. 약간 연예인을 보는 것 같은 반짝이는 눈을 하고서 우르르 내 주변을 둘러쌌다.

"로타이스 요새에 혼자 쳐들어가서 인질을 구출하셨다는 게 진짜가요?"

"진짜로 로타이스에서 사령관의 목을 잘라서 강물에 띄워 보냈나요?"

"여신님과 소통하시는 것도 진짜예요? 죽었다가 살아난 건요?"

"막힌 댐을 뚫어서 강물에 휩쓸려 갔을 땐 어떻게 살아나신 거예요?"

"죽었을 때 정말로 사신이랑 싸워 이겨서 돌아온 건가요?"

기자도 아니고 얘들아, 뭐 하는 거니. 골머리가 아파 올 지경이었지만 애써 열심히 웃었다. 얼굴 근육에 쥐가 내릴 것 같았지만 아직도 파티가 한창이었다.

"하나씩 답해 드려도 될까요?"

"네, 네!"

근처에 사람들이 몰려들었다.

"비켜, 퍼킨슨. 머리 커서 안 보이잖아."

뒤에 서 있던 앳된 영윤이 앞자리에 있는 다른 사람을 밀치며 앞으로 다가왔다. 퍼킨슨이라고 불린 어린 소년이 내 쪽으로 넘어졌다. 그냥 두면 가슴에 박치기라도 할 기세라 소년의 어깨를 잡아 일으켰다.

"밀지 마세요. 다치니까요."

내게 잡힌 퍼킨슨이라는 영윤이 갑자기 내 손을 잡고 감격한 얼굴로 중얼거렸다.

"전쟁 영웅이 나를 잡아 줬어."

……거참 부담스럽네. 갑자기 악수회처럼 다른 영윤들이 내 손을 부여잡았다. 흡사 시험 직전 전교 1등의 기를 받아 가는 학생들 같았다.

"나도 잡을래요."

"후작님, 저도 손잡아 주세요!"

"로타이스 후작, 저는 아미트리 백작입니다. 손, 저도 잡아도 될까요."

자기소개와 동시에 악수를 하면 어떡해요.

"우와, 진짜로 손에 굳은살이 엄청 많으십니다!"

"제 호위 기사보다 손이 거칠어요!"

왜 이렇게 난리들인지. 난 문어가 아니라서 손이 두 개밖에 없는데. 난처했지만 예상과 다른 환영에 손이 오가는 대로 가만둘 수밖에 없었다. 와중에 열심히 대답도 했다.

"네, 로타이스로 들어가서 피셔 공자를 구하고, 꼭대기 층에서 술 마시던 노엘 장군의 목을 직접 땄습니다."

근처에 있던 벤지가 가까이 다가와 속삭였다.

'……목을 땄다가 아니라 수급을 전하께 바쳤다.'

놈의 모가지를 댕강 썰었다가 아니라 목을 땄다라고 한 것만 해도 어디야. 벤지 너도 손가락마다 다른 사람한테 잡혀서 밀가루 반죽마냥 주물럭 당하고 있으면 머리 안 돌아갈걸.

다행히 내 방자한 말실수는 어린 귀족들에게 중요하지 않은 것 같았다. 들뜬 청소년들이 방방 뛰었다.

"용병으로 있을 때, 수배당해서 쫓기면서도 우리 제국을 위해 싸우신 얘기도 해 주세요!"

"예, 제가 군대에서 탈영을 해 가지고……."

"탈영을 왜 하셨어요!"

말 끊지 마. 이럴 거면 파티 끝나고 다 마구간으로 모이든가. 확성기 들고 토크 콘서트나 하고 싶네.

"마구간지기였는데 스노우 님께 직접 검술 훈련을 받고 하니까, 아무래도 전쟁터에서 환영받지 못했죠. 제 존재가 군에 도움이 안 돼서요."

"멋있다! 그럼 군대의 기강을 위해 탈영은 했지만 제국의 안녕과 무사를 빌어서 계속 전쟁터에 남아서 적들과 맞서 싸운 거네요!"

그게 그렇게도 정리가 되네요. 이렇게 들으니까 엄청 멋있게 들린다. 왜 이렇게 아이돌 보는 반응인지도 알겠다. 이제야 납득이 가네. 이들에게 나는 영웅이었다. 잡혀 있던 손이 겨우 풀려나는 순간 뒤쪽에 서 있던 어린 영애가 손을 번쩍 들고 물었다.

"소속 없는 용병들이 후작님을 모시기 위해 수도로 모이고 있다는 것도 사실이에요?"

"예?"

깜짝 놀라 뒤로 돌아 벤치를 바라봤다가 다시 앞을 봤다. 저 멀리 서 있는 카일이 무심한 눈으로 팔짱을 끼고 나를 보며 입술을 삐죽였다.

미친 질투킹아. 지금 남자들한테 둘러싸여서 만져진 내 손이 문제가 아니고, 무소속 용병들이 수도로 모이고 있다잖아, 이 사람아. 황제 눈치 안 보냐고. 물론 나도 안 보고 싶긴 한데 일단 지금 적안 빠돌이 황제잖아. 나랑 해피타임 보낼 때가 아니라니까요. 아냐. 해피타임은 보내. 중요해. 이거 직장 복지야.

카일의 질투는 둘째 치고 용병들이 수도로 모이고 있다는 소식에 당황한 나머지 눈을 이리저리 돌렸지만 내 시끄러운 속을 알 리 없는 귀족들은 반짝이는 눈망울로 답을 기다리는 중이었다. 나는 난처하게 웃으며 대충 대답했다.

"금시초문이네요. 제가 요 한 달간은 공부만 열심히 해서."

"수도에 용병들이 엄청 늘었어요! 다들 후작님을 보러 온 거라고 했어요!"

"나, 나를 왜……."

내 얼빠진 질문에도 앳된 영윤들은 각자 하고 싶은 말만 해 댔다.

"기사들도 늘었어요! 제 동생은 후작님처럼 되는 게 꿈이라고 했습니다! 저도 그래요!"

너희 나처럼 마구간에서 청소하고 싶은 거니. 머쓱하게 웃으며 나는 두 손을 앞으로 내밀어 흔들었다.

"하하하. 제가 뭐라고 저를 닮으십니까, 귀한 댁 자제분들이. 저는 그냥 전쟁터에서 구르다 운이 좋아 황제 폐하의 은혜를 받은 건데요."

"엄청 겸손하시다!"

"겸손한 천재라는 게 진짜군요!"

"아뇨, 저는 그게 아니고……."

"멋져!"

"닮고 싶어요!"

천천히 뒷걸음질 쳤지만 감격한 미어캣 같은 영윤들은 고개를 쭉 빼고 눈을 반짝거리면서 흥분을 통 감추지 못했다. 어린 귀족뿐 아니라 약간 떨어진 곳에 있던 나이 많은 늙은이들도 박수를 치며 다가왔다.

"훌륭하십니다!"

"모두 로타이스 후작님을 위해 건배하는 건 어떻습니까!"

"좋아요!"

"모두 잔을 들죠!"

이렇게요? 갑자기? 원래 이렇게 다들 텐션이 업된 흥분 상태인가.

당황한 탓에 정신없이 주변을 두리번거리다 보니 저 멀리 큰 키의 검은 머리카락이 나를 향해 반갑게 손을 흔드는 게 보였다.

이사크도 왔었구나. 내 근처에 사람이 많아서 인사를 못 한 게 분명했다. 구김살 없이 환하게 웃은 이사크가 손을 흔들었다. 그와 인사를 하려 오른손을 들어 높이 흔들었다. 그 순간 누군가 내 손에 포도주를 쥐여 줬다. 틈을 안 주네. 이 파티에 미쳐 버린 중세 시대 놈들.

"건배하죠!"

잔뜩 격앙된 분위기 속에서 건배사조차 내 것이 아니었다.

"조 로타이스 후작님을 위하여!"

"위하여!"

"아, 예……. 네, 위하여."

내 파티인데 왜 너희가 더 신나셨어요. 여기 회식 3차쯤 된 거 같은데. 어색하게 웃으며 술잔을 입술에 대고 한 모금 넘기려는 순간, 코끝에 익숙한 향이 느껴졌다. 아까 원샷하지 말라고 짤짤 털렸으니 이번에는 입 안에 조금 머금었다가 천천히 넘길 심산이었다.

근데 이 향을 어디서 맡았더라.

웃고 있는 주변 사람들과 눈을 마주치며 마주 웃어 주는 동안에 머릿속에선 익숙한 향기의 근원을 뒤졌다. 겨우 한 모금을 넘기는 찰나, 이 향을 어디서 맡았는지 기억났다. 로타이스 요새 무기 창고 속에 켜켜이 쌓여 있던 독이었다.

페인트 같기도 하고, 그보다는 피비린내를 조금 더 닮은 쓰고 비린 독 향. 나는 곧장 술잔을 바닥에 내던지고 입 안에 든 걸 모조리 뱉어 냈다.

"이런, 썅!"

"썅?"

"썅이요?"

"썅?"

아기 새들마냥 내 말을 졸졸 따라 하는 영윤들의 얼굴이 순식간에 흐려졌다. 독이 식도를 타고 내려가는 중인지 목구멍이 불에 탄 듯 화끈거렸다. 헛구역질을 하며 뒤돌아 벽을 짚고 휘청거렸다. 몇 초나 남았지. 20초 정도인가.

"조! 무슨 일이야!"

카일이 걱정스레 외쳤고 집에 간 줄 알았던 스노우도 가까이 다가왔다. 나는 늦기 전에 스노우의 소맷단을 잡았다. 지금 가장 확실하게 도와줄 수 있는 건 이 영감뿐이다.

"할배! 내 배 때려요. 힘껏, 토할…… 콜록! 토할 정도로. 빨리!"

왜 그러냐는 질문도 하지 않고 스노우는 있는 힘껏 팔을 뒤로 당겼다가 총이라도 쏘듯 빠르게 내 복부를 가격했다.

……배만 때리랬지, 죽여 달라곤 안 했는데요. 입 안에 손가락을 넣는 것보다 빠르고 확실했다. 나는 바닥으로 쓰러지며 목구멍 안으로 넘어간 술을 토했다. 목이 쓰라린 게 독을 먹어서인지, 위액이 올라와서인지 분간이 가지 않았다.

16, 17, 18, 19, 20.

차가운 대리석 바닥 위에서 몸을 비틀며 속으로 숫자를 셌다. 이 빌어먹을 영감, 그동안 나 엄청 봐준 거였구나. 지금 죽으면 이건 독살인지, 구타사인지.

목구멍 안을 칼로 도려내는 것처럼 쓰라렸지만 30초가 지나도 나는 죽지 않았다. 하지만 바로 일어설 순 없었다. 머리가 핑핑 돌았고 손끝 발끝이 차갑게 식어 내 것이 아닌 것처럼 느껴졌다. 극소량의 독을 입 안에 머금은 것만으로도 이 정도라니.

"조! 괜찮아?"
"독이야? 독을 마신 거야?"
"정신 차려!"
카일과 벤지, 테오도르의 목소리가 번잡스럽게 귓가에서 울렸다. 독이라는 말에 근처에 있던 귀족들이 소란스러워졌다.
"꺄아악!"
"으, 으아악!"
만약 이대로 범인이 나가면? 나는 바들바들 떨리는 다리에 겨우 힘을 주고 일어섰다.
"조?"
내 이름을 부르는 사람들을 뒤로하고 입구에 서 있는 호위 기사의 검을 빼 들었다. 주변이 적막에 휩싸였다. 비틀거리며 걸어가 입구를 등지고 섰다. 앞이 점차 흐려지는 와중에 무언가 내 입에서 줄줄 흘러내리는 것이 느껴졌다.
"퉤!"
시커먼 피였다. 바닥에 피를 뱉어 낸 후 검을 힘주어 잡고 낮게 뇌까렸다.
"……방금 나한테 포도주 준 놈 이리 나오십시오."
눈에 뵈는 게 없었다. 전쟁터에서 온갖 고생을 하면서 살아 돌아왔는데, 내 사교계 데뷔 날에 감히 나한테 독을 먹여? 어디의 누군지는 몰라도 네놈이 오늘 처먹은 술이 제례주가 될 거다. 검날을 세워 앞으로 겨눴다.
"눈알이 두 갠데 아무도 못 봤어? 하나씩 빼 주면 기억날 거 같아요?"
아무도 말 안 하면 근처에 있는 놈 하나씩 잡고 손톱이라도 썰어 버릴 기세였는데 더 이상 버티고 있을 힘이 없었다. 해일이 밀려오듯 바닥이 일렁거리며 올라와 내 시야를 덮쳤고 나는 그대로 옆으로 천천히 고꾸라졌다.

내가 완전히 정신을 차린 건 1주일 하고도 이틀이 지난 후였다. 울었는지 엉망이 된 얼굴로 나를 내려다보던 이사벨라가 벌떡 일어서더니 밖을 향해 무어라 소리쳤지만 무성 영화처럼 그녀의 목소리는 명확히 들리지 않았다.
얼마 지나지 않아 한 남자가 뛰어 들어왔다. 유채꽃을 닮은 밝은 금발이 잔뜩 헝클어진 채였다. 청명한 가을 하늘을 그대로 옮긴 것만 같은 그의 푸른 눈동자 가득 내 얼굴이 비쳤다.

"……조."

무겁게 가라앉은 그의 음성이 내게 전해졌다.

또 걱정을 끼쳤네. 엑스트라 주제에 죽을 위기를 너무 많이 겪죠, 내가. 미안해요. 근데 이번엔 내 잘못 아니야.

카일에게 대답을 하려고 입을 열었지만 아무런 말도 나오지 않았다. 목에서 쇠 냄새만 나고, 구멍이 뚫린 듯 바람이 통하는 쉭쉭 소리만 났다. 놀란 나머지 나는 눈을 동그랗게 뜨고 카일의 손을 잡았다.

'왜 내 목소리가 안 나오지.'

카일은 내 손을 힘 있게 잡으며 또박또박 말했다.

"의사가 독 때문에 목소리를 내기 힘들 수 있을 거라고 했어. 그래도 빨리 뱉었고, 금방 토했기 때문에 큰 지장은 없을 거라더군."

내 손을 부여잡은 카일은 까칠해진 입술로 몇 번이나 내 손가락에 입 맞췄다.

"고마워, 고마워. 깨어나 줘서 고마워."

겨우 손을 움직여 손가락으로 그의 마른 입술을 천천히 쓸었다. 그제야 안심했는지 카일이 두 눈을 질끈 감고 긴 한숨을 토해 냈다. 고개 숙인 카일의 정수리를 물끄러미 바라보며 나는 이를 악물었다.

염병할 세계관이 나를 죽이려고 한다면 몇 번이고 되살아나 주지. 이번에도 기필코 범인을 찾아내서 도륙을 내 주마.

하지만 내가 목소리를 낼 수 있을 때쯤엔 이미 모든 사건이 끝난 후였다. 심지어 황제의 손에.

"……시……에나 황녀의…… 짓이라고요?"

아직도 목소리가 뚝뚝 끊기긴 했지만 말은 할 수 있었다. 벤지는 걱정스러운 얼굴로 고개를 끄덕였다.

"너 그렇게 쓰러지고 나서 회장에 있는 사람들 모두를 조사했어. 네게 직접 술을 건넨 건 술을 나른 하녀들이 아니라 콘라드 자작이었어. 대체 그 지방 귀족이 거길 어떻게 들어왔는지조차 의문이지만 황제 폐하께서 친히 심문하셔서 시에나 황녀 짓인 걸 밝혀냈어. 너 때문에 서쪽 탑에 갇힌 게 분했나 보지."

"……화, 으윽……. 황, 제가, 직접……?"

황제와는 그 날 재판장에서 이후 얼굴도 본 적 없는데. 그 미친 노친네가 직접 심문을 했다고? 재판장 이후로 맛이 가서 계속 헛소리를 한다던데. 갑자기 무슨 정신이 들어서?

인상을 찌푸린 내 얼굴을 다른 식으로 해석한 건지 벤지가 빠르게 다음 말을 이었다.

"심문 끝에 황제가 시에나 황녀를 사형시키겠다고 발표했어. 이틀 뒤가 처형일이야."

저절로 입이 벌어졌다. 눈을 동그랗게 뜨고 입술을 벙긋거렸다. 아무런 말도 나오지 않았다.

'그 적안에 미친' 황제가 시에나 황녀를 죽인다고? 말도 안 돼. 이상하잖아. 뭔가 잘못된 것 같은데.

황제가 귀신이라도 씐 게 아니고서야 그럴 리가 없잖아. 혹시 정말로 미친 건가. 빠르게 움직이는 내 눈동자를 본 벤지가 명확하게 말했다.

"빠져나갈 수 없을 정도로 명확히 시에나 황녀가 사주한 거라고 밝혀졌대."

그러니까 이상하잖아요. 물론 시에나가 나를 죽일 이유는 충분했다. 내게 죄를 덮어씌우려다 실패하고 서쪽 탑에 갇혔으니까. 평생을 호의호식하며 황녀로 살아왔던 그녀로서는 하루아침에 죄인이 된 게 버거웠겠지. 하지만 나는 그게 그녀가 겪게 될 최악이라 생각했다. 황제는 자신의 핏줄로 더럽혀진 황가의 명예를 되돌려 놓기 위해 평생을 적안에 집착하며 살았다. 그가 적안을 제 손으로 죽이는 일은 없을 거라 여겼는데. 어쩌면 그녀는 지금 누명을 쓴 게 아닐까. 본인의 죄를 은닉하기 위해 황제가 제 딸을 죽이는 거라면?

천천히 눈을 감자 검게 물든 시야 너머로 나를 내려다보던 황제의 붉은 눈이 떠올랐다.

왠지 저번에 나를 죽이겠다고 찾아왔던 첩자처럼 이번에도 황제가 꾸민 짓이 아닐까 하는 의심이 들었지만 지친 몸은 오래 깨어 있지 못하고 까무룩 잠들어 버렸다.

내가 잠든 사이에 누군가 내게 약을 먹였는지 입 안에 쓴맛이 감돌았다. 파티장에서 손발이 차갑게 식어 가는 감각에 휩싸이며 쓰러지던 기억이 아직 생생했는데 이제는 몸 곳곳에 온기가 느껴졌고 다행히 방 안을 걸어 다니는 것에는 큰 무리가 없는 것 같았다. 천천히 침대에서 내려와 방문을 열고 복도에 발을 디뎠다. 독을 먹은 후에 누워 있던 곳은 카일의 침실 바로 옆방이었다.

아마 하루에도 몇 번이나 나를 보러 오기 위해 일반 객실에 있던 나를 이리로 옮긴 모양이지. 나는 원래 내가 지내던 방 쪽으로 천천히 걸었다. 오랜만에 땅을 디디고 걷자 걸음마다 움직이는 다리 근육이 어색했다.

어떻게 키운 근육인데……. 근 손실 왔어. 미안해요. 영감. 아니, 시외조부님.

약간 어지러운 탓에 벽을 짚고 걸으며 천천히 몸의 감각을 다시 새겼다. 코너를 돌기 직전 하녀들의 수다가 들려왔다.

"엘린느 황후마마가 1주일째 식음을 전폐하고 폐하한테 알현을 요청한대. 들었어?"

"어. 폐하께서 한 번도 안 만나 주셨다는 것까지 들었지."

"그래도 이번엔 정말 시에나 황녀가 확실하다며. 여신님의 사자를 두 번이나 건드렸으니까 용서는 없지."

"응, 폐하도 많이 화나셨는지 황후마마 얼굴도 안 보신다더라."

"마마는 시에나 황녀가 쭉 탑에 갇혀 있었다고, 억울하다고 하시던데. 솔직히, 뭐가 억울해. 딸이니까 뭐든 좋게만 보이시나 봐. 마음만 먹으면 남을 시킬 수도 있는 거잖아."

더 이상 할 얘기가 없는지 하녀들은 다시 복도를 청소하며 천천히 멀어졌다. 벽에 기대 생각을 정리했다.

만약 내 예상처럼, 이번 일의 진범이 황제인데 그걸 묻으려고 시에나를 희생하는 거라고 해도 나로서는 손해가 아니었다. 시에나가 범인이든 아니든 중요한 것은 그녀 역시 전에 나를 죽이려 했던 사람들 중 하나라는 것이다. 앞으로도 안 그러리란 보장은 없고. 시에나가 다른 황자를 죽이려고 했던 것만 해도 여러 번이고, 실제로 이전에 죽었던 황자, 황녀들 중 시에나의 손에 죽은 아이들도 있을 것이다. 남들을 죽일 때는 자기가 죽을 수도 있다는 걸 몰랐겠지. 심지어 그 아버지의 손에. 물론 그리 아끼던 적안을 스스로 죽인 황제 역시 차후 조금씩 자멸할 것이다. 지금도 이미 제정신을 못 차리고 저리 뻔히 보이는 수를 쓰는데.

나는 다소 무거운 발걸음으로 다시 내 방으로 향했다.

하루 뒤, 시에나의 처형은 순식간에 진행되었다고 한다. 내내 억울하다며 소리를 지르던 시에나는 종국에는 살려 달라 빌었다. 하지만 황제는 일말의 온기도 없는 눈으로 그녀를 물끄러미 보다 턱짓으로 검을 든 기사에게 형을 집행하라 명령했다. 기사가 검을 높이 들었다. 서늘해지는 살기를 느낀 시에나는 붉은 눈을 질끈 감았다. 이내 그녀의 목이 바닥을 뒹굴었다.

처형을 당한 황녀의 장례식은 당연히 치러지지 않았고, 엘린느 황후는 며칠 뒤 딸이 갇혀 있던 서쪽 탑 꼭대기로 천천히 걸어 올라가 스스로 목을 맸다.

18. 다사다난

황후와 황녀가 죽은 후 궁의 분위기가 며칠 내내 무거웠다. 살얼음판을 걷는 듯 모두들 조심스럽게 행동하며 서로의 눈치를 살폈다. 일각에서는 고작 귀족 하나의 독살 소동에 적안의 황녀가 죽는 게 말이 되냐는 말이 나왔지만 대부분은 태양의 사자를 감히 죽이려 했다며 시에나에게 분노를 감추지 못했다.

며칠 새에 동생과 어머니를 잃은 헤론 황자는 얼마간 궁 밖으로 나오지 않았다. 그의 궁에는 짙은 어둠이 감돌았다. 시에나 황녀는 죄인의 이름으로 죽었기에 그녀의 시신은 가족들에게 돌아가지 못했다. 그나마 붙잡고 있던 마지막 정신으로 황제는 시에나의 유골을 투르가 신전 지하에 밀봉하여 보관하라 명했다. 죽어서도 투르가의 이름 아래에서 죗값을 갚으라는 뜻이었다.

그 명령을 마지막으로 황제는 황궁 깊숙한 내실로 들어가 밖으로 나오지 않았다. 스스로 목을 맨 엘린느 황후는 결국 죽어서도 딸과 함께하지 못했다. 딸의 악행을 보면서도 외면했던 눈 가린 애정이 쓰라리게도 돌아온 최후였다.

헤론 황자는 몇 번이나 황제에게 찾아가 죽은 시에나 황녀의 유골이라도 돌려 달라 빌었다. 어머니의 곁에 안치하게 해 달라고. 하지만 그는 황제에게 답을 듣기는커녕 만나지조차 못했다.

언제나 자신만만하던 적안의 황자는 이제 어둠으로 깊이 침잠하였다. 그의 걸음걸이가 바닥에 붙은 듯 질질 끌렸다. 늘 곧게 앞을 바라보던 붉은 눈은 끈 떨어진 꼭두각시처럼 아래로 축 늘어졌다. 시에나는 역사서에 이름 한 줄 적히지 않거나, 혹은 태양의 사자를 죽이려 한 희대의 악녀로 남게 될 것이다. 헤론 역시 이제는, 적어도 이대로는 황태자가 될 수 없었다.

그렇게 황후와 황녀가 죽은 지 한 달이 지났고, 황제는 여전히 모습을 드러내지 않았다. 내각 업무가 줄줄이 밀리고 있는데도 내실 밖으로 나오지 않는 황제가 미친 게 아니냐는 소문이 돌자 규정에 따라 1황자인 카일이 황제의 업무를 대신 하기 시작했다.

나 역시 전처럼 편하게 마구간에서 말을 돌보거나 사냥을 나다니며 놀고먹을 시간은 없었다. 귀족들의 관심이 내게로 쏠렸다. 나는 투르가의 말을 전하는 태양의 사자, 죽음에서 돌아온 사신 등의 반갑지 않은 별칭으로 불리기도 했지만, 젊은 귀족들은 대부분 내가 전쟁터를 휩쓸고 다닌 맹장이라는 것에 관심을 보내왔다.

……그러니까, 어른이들의 아이돌이 됐다 이거예요.

벤지가 책상 위에 초대장을 가득히 올려놓곤 내게 따스하게 미소 지었다.

"이게 다 뭐예요."

"초대장이잖아."

"그러니까 카일한테 가야 하는 게 왜 나한테 와요."

"전하한테 온 게 아니야. 너한테 온 거지. 로타이스 후작, 너한테."

"……초대장을 가져다주는 이런 자잘한 일까지 벤지가 할 필요가 있을까요."

"전하께서 시키신 일이야."

"아니, 이 귀한 인재를 왜 이렇게 굴리신대. 재능 낭비잖아. 벤지 여기서 이러지 말고 어디 가서 훈련을 하든지, 공부를 더 해요. 자기 계발을 하시라고."

책상에서 일어서며 벤지의 등을 떠밀었지만 그는 부드럽게 웃으며 내 손을 잡아 초대장 앞으로 이끌었다.

"이거 다 읽고 확인한 후 답장해야지. 도망갈 생각은 하지 마. 조."

"……카일이 이런 것도 시켰어요?"

"정확히 이런 걸 시키셨지."

투덜대며 자리에 털썩 주저앉았다. 은색의 트레이 위 가득 쌓인 초대장을 보고 있자 저절로 한숨이 펵펵 나왔다.

내가 뭐 그리 신기하다고 자꾸 오라 그래. 독 먹고도 살아남은 사람이 신기하면 자기네들이 오면 될 거 아냐.

턱을 괴고 웅얼거렸지만 몇몇 단어들은 바람 빠진 듯 쉭쉭 소리가 났다.

"나 목 이거 안 낫는 거죠?"

"……의사 말로는."

"독을 쌰, 얼마나 센 걸 썼길래 목구멍에 기스를 내. 이제 남몰래 카일 귀에 다 대고 속삭이면서 놀리지도 못하겠어."

"……너는, 좀……."

얼굴이 빨갛게 달아오른 벤지가 미간을 찌푸렸다. 오렌지색 눈동자에 머리카락, 진한 살굿빛이던 피부까지 온통 오렌지색으로 물들자 말 그대로 인간 오렌지 같았다. 벤지는 고개를 절레절레 흔들며 말했다.

"너는 귀족으로서의 자질이 부족해. 심히 부족해."

"어쩔 수 있나요. 원래 귀족이 아닌걸."

"말 나온 김에 너, 무도회 날에 했던 말 기억은 나?"

벤지가 봉투칼로 초대장을 한 장 뜯어서 내게 내밀며 말을 걸어왔다. 나는 그의 가지런한 손에서 건너온 봉투 위에 쓰인 이름을 읽으며 대충 대답했다.

"몰라요. 처음엔 목이 아팠고 나중엔 스노우한테 얻어맞은 배가 아파서 기억도 잘 안 나요."

"플라반 영애와 맥레나 부인이 한 달여간 가르친 수고를 네가 깔끔하게 털었지."

"내가?"

"그래, 네가."

건성으로 들으며 힐긋 본 초대장 위엔 '벨로이스트'라고 적혀 있었다. 스노우 영감이 보낸 초대장인 것 같았다. 목이 뻑뻑해 물 한 잔을 마시며 이어지는 벤지의 말을 기다렸다.

"너 그날, 귀족들 앞에서 쌍이라 욕하고 눈알을 하나씩 뽑겠다고 했어."

"푸으업!"

일리나가 아침에 꽂아 주고 간 라벤더 꽃병 위로 분무기처럼 물을 흩뿌렸다.

이런 미친, 내가 그런 말을 했다고? 튀어 오르는 팝콘마냥 눈알을 마구 흔들며 벤지에게 물었다.

"누, 눈알을 뽑겠다고 했다고요?"

"범인을 본 사람이 없냐고 물었지. 눈알이 두 갠데 왜 못 봤냐고, 하나씩 빼주면 기억을 하겠냐고 아주 큰 소리로 일갈했지."

"세상에나. 하나도 기억 안 나요. 예의범절을 독이랑 같이 토한 건가. 아니 그런데 나한테 그딴 말을 들어 놓고도 초대장을 이렇게 많이 보내왔다고요? 귀족들 다 마조히스트인가. 욕먹는 거 되게 좋아하네."

초대장을 하나씩 정리하여 책상 위로 줄을 세워 주르륵 늘어놓던 벤지가 무심하게 덧붙였다.

"난 이제 모르겠다. 네 맘대로 해 봐."

"진짜 내 마음대로 해요?"

"……."

잠깐 동안 말이 없던 벤지는 눈은 전혀 웃지 않은 채로 입꼬리만 당겨 올렸다. 굉장히 사무적인 미소였다.

"아니야. 실언했어. 마음대로 하진 마."

벤지는 내가 물을 뿜느라 내팽개쳤던 초대장 봉투를 다시 보여 줬다.

'벨로이스트'.

"나도 글자 읽을 줄 알거든요. 이거 벨로이스트에서 온 거잖아요. 할배가 날 초대했나 보지."

고개를 짧게 가로저은 벤지가 설명을 덧붙였다.

"여기 초대장은 다른 것과 달리 봉투에 붉은 테두리가 그려져 있잖아. 그리고 여기 가운데 압인 모양이 뭐지?"

"……매."

"황궁 안에 너한테 초대장을 보낼 벨로이스트가 누가 있지."

"……벨로이스트……."

프리실라 드 벨로이스트. 빌테온 제국의 1황비이자 카일의 생모.

초대장에 적힌 유려한 글씨들이 둥둥 떠다니는 듯 끊겨 보였다.

'티파티. 조 로타이스 후작. 감사. 만나서. 부담 갖지 말고. 오후.'

손을 호달달 떨며 벤지를 천천히 올려다봤다.

"나, 나 지금, 남장하고, 시어머니를……."

"진정해. 황비님은 널 그저 카일 전하의 조력자라고만 보고 계시니까. 가서 편하게 얘기하고 오면 돼. 그 전에 호칭부터 조심하고. 결혼도 안 했잖아. 시어머니라고 부르다가 황비님 앞에서 실수하면 어쩌려고 그래."

머리가 제대로 돌아가지 않았다. 책 속으로 들어온 지 꽤 오랜 시간이 지났지만 그동안 프리실라 황비를 제대로 본 적은 없었다. 이사크에게 미약을 먹이려던 헤론의 계획을 막을 때 옆에서 술을 따른 적은 있었지만 그게 대체 언제 적이야.

책 속의 프리실라 황비는 분명히 카일에게 황자답게 굴라며 강요 아닌 강요를 하다가 카일이 자살한 후에야 후회하던 역할이었는데. 결국 황제를 시해하려 하다가 황제의 경비병들에게 죽고 말았지. 하지만 원작의 줄거리와는 틀어진 지 오래였고, 지금 나를 부르는 프리실라의 의중을 알아채기엔 무리였다. 벤지 말대로 단순히 내가 카일의 조력자고, 그의 궁에서 머물고 있으니 인사나 할 겸 부르는 거면 좋을 텐데.

나는 황급히 자리에서 일어나 거울 앞으로 가 섰다.

"벤지. 나 어때요?"

"뭐가."

"잘생겼어요?"

"……황비님한테 중매라도 서 달라고 부탁할 거야?"

"그건 아니지만 기본적으로 호감형으로 보이면 좋잖아요!"

"걱정하지 마. 저번 무도회처럼 욕만 안 하면 되지."

"아! 난 지금 엄청 진지한데! 맥레나 부인 다시 불러 줘요! 황비님 앞에서 말 실수하면 어떡해요."

"안 돼."

"왜요."

"거기 적힌 황비님의 다과회가 오늘 오후거든."

"아악!"

다과회까지 겨우 2, 3시간 정도 남아 있었다. 악몽에서 깨어난 것처럼 머리를 싸매고 소리를 질렀다. 끔찍했다. 아무것도 준비 못해. 그냥 죽을래!

동아줄이라도 잡는 심정으로 벤지의 팔을 붙잡았다.

"프리실라 황비님은 아들이 둘 다 그런 미친 꽃미남이니까 당연히 보는 눈도 높겠죠?"

"……그러시겠지? 왜. 설마 꽃단장하고 가게?"

"꽃단장뿐이겠어요. 맘 같아서는 다시 태어나서 가고 싶어요."

"너무 곱게 보이는 것도 별로일 것 같은데."

"왜요."

고개를 갸웃 꺾은 벤지가 나름 타당한 말을 뱉었다.

"너는 태양의 사자라고도 알려져 있지만, 황비님 입장에서는 전쟁터 이미지가 더 가까울걸. 카일 황자 전하를 지키며 함께 싸우다 돌아온 충성스러운 신하니까."

"그럼 어쩌지. 얼굴에 칼빵 만들어 갈까요. 되게 전쟁 호되게 치르고 온 사람처럼 보이게."

"넌 너무 극단적이야. 일단 진정해."

진정하게 생겼냐고. 너 같으면 차분하게 받아들일 수 있겠어? 솔직히 그동안 카일 빼고 다른 황자들이야 책 속의 주인공들을 보는 느낌이라 '허허허 그렇군요. 실제로는 이렇게 생겼네요, 여러분.' 하면서 넘기기도 했다. 다른 시종이나 시녀들은 그냥 동네 이웃 느낌이었고, 장미 기사단은 친한 동네 친구들 같았다. 그런데 황비는 다르잖아. 묘하게 긴장된다고. 게다가 당장 오늘이라며!

패닉에 빠져서 어쩔 줄 모르는 나를 달랜다는 목적으로 벤지는 초대장 뒤에 놓인 하얀 종이를 내밀었다.

"이건 또 뭔데요."

"발가락을 찧었을 땐 머리를 박으면 발가락이 하나도 안 아프지."

"……이게 대체 무슨 내용인데 그런 헛소리를 해요."

불안한 마음으로 종이를 펼쳤다. 정갈한 글씨체는 카일의 것이었다. 반가운 마음에 제일 앞부터 열심히 읽어 갔다.

하. 좌하, 진짜 못 말려. 황궁에서 일 다 하면 어차피 퇴근은 자기 궁으로 하면서. 매일 저녁 얼굴 보고 가면서 뭘 또 러브레터까지 썼대.

콧김을 뿜어내며 천천히 글을 소리 내어 읽었다.

"수도에 모인 용병들의 숫자가 감당하기 어려운 지경에 이르렀으니 로타이스 후작은 이들을 한데 모아 조속히 처리하시오. ……1황자 카일 드 빌테온."

러브레터가 아니네.

멍청한 얼굴로 벤지를 올려다봤다. 그는 어쩔 수 없다는 듯 어깨를 슥 올렸다가 내렸다.

"너도 파티에서 들었잖아. 소속 없는 용병들이 모이고 있다고. 네가 독을 먹고, 치료하고, 회복하며 시간을 보내는 동안에도 꾸준히 모여들었나 보더라."

"그, 그래도 이건 말이 안 되잖아요. 여기 보면 '감당하기 어려운 지경' 까지 사람들이 모였다라고 돼 있는데 내가 그때 직접 돌본 검은 용병들은 고작 열 명이었어요!"

"네가 참전했던 수많은 전투에서 네 전투 방식을 보고 감명받은 무소속 용병들의 수가 그 제곱은 될걸."

그럼 그 제곱이나 되는 놈들이 나한테 거둬 달라고 빌테온 제국의 수도까지 찾아왔단 말이야? 한 번 무소속은 영원한 무소속이어야지. 왜 이렇게 집단에 못 들어서 환장을 했냐고.

벤지는 차분히 내 어깨를 도닥였다.

"어차피 후작저에도 사병이 필요했으니까 네 개인 기사 소속으로 넣으면 될 거야. 그러면 훈련을 진행해야 하는데, 지금으로선 마땅한 장소와 선생이 없잖아. 그것만 잘 처리하면 돼."

"……벤지는 참……. 사람이 언제나 머리가 핑핑 돌아가고, 이지적이다. 멋지네요."

나는 지금 알지도 못하는 사람들을 부려야 한다는 생각에 머리가 터질 거 같은데.

넋을 잃고 터덜터덜 걸어가 소파에 털썩 주저앉자 벤지가 시계를 확인하며 피식 웃었다.

"주저앉을 시간이 있어? 몇 시간 뒤면 프리실라 황비님을 만나야 하는데."

"악!"

총이라도 맞은 것처럼 벌떡 일어서서 머리를 쥐어뜯었다가 휙 고개를 돌렸다.

"미용사! 불러 줘요!"

"왜."

"검은 머리 다 잘라 내게! 이제 은색 머리 길어서 잘라도 돼요! 황비님이 검은 머리카락을 좋아할 리 없어요!"

벤지의 등을 떠밀어 내보냈다. 그가 미용사를 불러올 동안 빠르게 목욕을 하고 나오면 되겠지. 최고로 깔끔한 상태에서 미래의 시어머니를 뵈러 가자.

옷을 훌렁훌렁 벗어 던지고 가슴을 단단히 옥죄고 있던 붕대도 풀었다. 방과 연결된 욕실 쪽으로 가서 최대한 빠르게, 하지만 구석구석 꼼꼼히 씻고 나왔다. 마른 천으로 머리를 마저 닦은 후, 옷을 입으려던 순간 문이 벌컥 열렸다.

"조! 어마마마 보러 간다며!"

"……어?"

노크를 하라고, 2차 전직 잘못한 분홍 수탉아.

지독한 적막이 흘렀다. 침묵 속에서 나를 보던 테오도르가 황급히 고개를 돌렸다.

"죄, 죄송합니다……."

나는 한 마디도 하지 못하고 멍하니 바라만 봐야 했다. 끼이익 기괴한 소리를 내며 문이 닫혔다.

"……아. 망했네."

일단 빠르게 가슴을 싸매고 옷을 입었다. 아직 물기가 남아 있는 머리카락에선 향유 냄새가 은은하게 풍기고 있었지만 식은땀이 흐르기 시작한 탓에 다시 샤워를 해야 하나 생각이 들기 시작했다. 조심스레 문을 열자 문 앞에 서 있던 테오도르가 전기 충격이라도 받은 것처럼 파드득 떨었다.

"죄, 죄송해!"

미안해면 미안해고, 죄송해요면 죄송해요지. 죄송해는 뭐야.

"……테오 전하."

"……있잖아. 조, 조 맞지?"

차마 내 쪽으로는 돌아서지도 못한 채 버벅거리는 테오도르의 목이 빨갛게 달아올라 있었다.

"미안해! 진짜 미안해, 조! 앞으로는 노크할게."

봤겠지, 다 봤으니까 이렇게 병 걸린 닭처럼 벌벌 떠는 거겠지. 아래 속옷은 입고 있었지만 가슴을 천으로 감싸 묶기 전이었으니 봤을 게 분명했다.

"테오 전하께서 말씀하셨다시피, 저 곧 프리실라 황비님한테 가 봐야 하거든요."

테오도르가 고개를 푹 숙인 상태로 천천히 돌아섰다.

"……혹시 네가 엄청 아파서 몸이 부었거나,"

"에라이."

"그게 아니면 네가 사실은 여, 여, 여……."

일렁이는 분홍색 눈동자 사이로 혼란이 가득 피어올랐다. 테오가 여자, 라고 말을 꺼내기 직전 벤지가 복도 끝에서 미용사와 함께 걸어왔다. 테오의 입에서 여자라는 단어가 나올까 봐 나는 다급히 테오의 입을 틀어막았다. 원래도 큰 눈을 더 휘둥그레 뜬 테오의 동공이 마구 흔들렸다.

"일단 나중에 얘기하죠."

다 같이 내 방으로 들어온 뒤 테오도르는 넋을 잃고 카우치에 털썩 앉아 고개를 푹 숙이고 한 마디도 하지 않았다. 묘하게 경직된 분위기 속에서 미용사가 눈치를 보며 내 머리카락을 잘라 냈다. 이제 검은 부분은 하나도 남아 있지 않았다. 깔끔하게 잘린 은발 머리를 털어 낸 후, 나는 미용사에게 나가라 눈짓했다. 전에 머리를 잘랐을 때는 보너스도 톡톡히 받았고, 칭찬도 흠뻑 받고 돌아갔던지라 미용사는 계속해서 눈치를 살폈다.

"혹시, 후작님……. 머리가 마음에 안 드시면 다시 손을 볼까요?"

"괜찮아요. 오늘도 근사하게 잘라 주셔서 감사해요."

"예, 예……, 그럼 이만. 가 보겠습니다."

주변을 살피던 미용사가 가위와 장비를 챙긴 후 밖으로 나갔다. 나는 그가 나간 걸 확인하고서 낮은 목소리로 벤지에게 말했다.

"나 들켰어요."

"뭘."

내가 아무런 대답 없이 벤지를 바라보자 그의 낯이 천천히 파리하게 질렸다.

"……설마!"

"설마는 항상 사람을 잡죠."

창가 앞 카우치에 앉아 있던 테오도르가 고개를 들고 입을 열었다.

"뭐야. 벤지도 알고 있었어? 그럼 형님도 알고 있었겠네! 나, 나만 바보같이……."

테오도르의 한숨 뒤로 벤지의 다급한 질문이 이어졌다.

"어쩌다 들킨 거야! 겉으로 보면 절대 모를 텐데! 갑자기 들킬 리가 없잖아!"

……기분 나쁠 정도로 단언하네.

"예. 절대로 들킬 리 없죠, 겉으로는. 그래서 황자님이 속을 보셨죠."

오렌지를 닮은 밝은 주황빛인 벤지의 눈동자가 탱탱볼처럼 튀어 올랐다. 벤지가 휙 뒤로 돌아 테오도르를 향해 몇 번이나 입을 달싹이다가 겨우 말했다.

"테, 테오 전하. 그래도 장성하신 분이, 정념에 휩싸여서, 궈, 권력을 이용해, 남을 찍어 누르려고 하셨다니요. 정말 실망스럽습니다."

아무래도 단단히 오해를 한 모양이다. 정정을 해야 하는데 들켰다는 것 때문에 멘탈이 나가서인지 제정신이 돌아오지 않았다. 지친다, 지쳐. 팔을 휘저으며 아니라고 어필했지만 아무도 내게 신경 쓰지 않았다. 오해를 받은 테오도르가 자리에서 벌떡 일어나 외쳤다.

"그런 거 아니야! 애초에 조가 문, 문을 잠갔으면, 그런 일 없었을 거 아냐!"

"문이 열려 있으면 아무렇게나 들어가서 옷을 벗기시는 분이십니까, 황자님은!"

"대체 무슨 소리를 하는 거야! 내가 어떻게 한다고 해서 조가 당할 사람이 아니잖아!"

"얼굴에 넘어간 틈을 노리신 거 아닙니까!"

"그건 또 무슨 소리야! 조가 아무리 잘생긴 얼굴을 좋아해도 그 정도일 리가 없잖아!"

"조는 그 정돕니다!"

큰 소리로 단언하는 벤지의 얼굴에는 어떤 것에도 흔들리지 않는 확신이 서려 있었다. 저기요. 저 앞에 있거든요? 나 안 보이니.

"문을 열었는데 조가 옷을 벗고 있었어! 정말이야!"

"둘 다 조용히 해요!"

결국 참지 못하고 소리를 질렀다. 두 사람이 놀라서 나를 쳐다봤지만 지금 정신머리가 줄줄 새 나가는 건 난데 왜 둘이 난리야. 나는 입고 있던 겉옷을 벗어 던지고 옷장 안에서 여러 코트를 꺼내 하나씩 대 보며 그들에게 말했다. 황비님께 가는데 평소처럼 만만한 복장으론 갈 수 없어.

"됐어요, 이미 들킨 거 돌이킬 수도 없잖아요. 이게 제일 낫죠?"

감색 코트를 입은 채 뒤돌자 벤지가 고개를 끄덕인 후 다가와 소매 단추를 채워 주며 말했다.

"너무 긴장하지 마. 넌 잘할 거야."

"고마워요, 벤지. 아무튼 나 지금 가 봐야 돼요. 황비님과의 약속에 늦을 수는 없으니까. 두 사람 싸우지 말아요."

테오도르가 조심스럽게 내 앞으로 다가왔다.

"저기, 언제부터였어?"

"뭐가요."

"혹시 죽었다가 살아나면서 여자의 몸으로 변한 거야?"

"무슨 그런 구린 설정을."

"죽었다가 살아날 때 여신이 몸에 머물다 갔다던데. 그 부작용 아니야?"

나는 거울 앞에서 옷매무새를 매만지다 말고 미간을 찌푸렸다. 거울을 통해 내 뒤에 서 있는 테오도르와 눈을 마주쳤다.

"여신이 몸에 머물다 갔다니. 그런 말은 대체 누가 떠들고 다니는 거예요. 잠깐 쌍방향 소통을 했을 뿐이에요."

테오도르의 얼굴이 붉게 물들어 갔다.

"그, 그럼, 진짜 여자였어?"

얼굴 빨개지는 게 형이랑 똑 닮았네. 피식 웃음이 터져서 나도 모르게 입가에 둥그렇게 호선을 그리며 테오의 팔을 툭 쳤다.

"놀라는 거 귀엽긴 한데 누나는 바빠서 이만 간다."

"지, 지금 너 또 황족인 나한테……. 참, 참수."

"꼭 비밀 지켜야 된다. 우리 분홍 삐약이."

테오를 지나쳐 문을 열어젖히자 뒤에서 벤지가 소리쳤다.

"황자님께 그런 말투 쓰면 안 된다고 몇 번이나…… 하. 이제 귀족이니 점잖아지라고 했잖습니까! 로타이스 경!"

"예, 예. 알겠습니다. 피셔 경. 다음 생에 차차 고치겠습니다."

빠른 걸음으로 앞으로 걸어갔다. 더 늦으면 프리실라 황비가 무슨 변덕을 부릴지 몰라. 물론 지금 테오도르가 비밀을 알게 된 것도 골때리긴 하지만, 당장 해결할 수 없는 문제에 골머리 썩일 순 없었다. 테오도르 기억을 지울 수 있는 것도 아니고. 쓸데없는 고민은 시간 낭비야.

프리실라 황비의 궁은 다른 곳보다 훨씬 화려했다. 넓은 정원을 지나 궁 입구로 걸어가자 두 명의 기사가 나를 가로막았다.

"아, 나는 오늘,"

내가 말을 다 잇기도 전에 기사 하나가 '아!' 하고 탄성을 내지르더니 옆에 있던 기사를 툭 쳤다.

"로타이스 후작님이잖아. 전쟁터의 사신!"

"뭐? ……아? 으악! 와! 사신, 아니 그게 아니고. 후작님! 안녕하세요! 말씀 많이 들었습니다!"

갑자기 태도가 싹 바뀐 기사들은 함박웃음을 지으며 내게 말을 걸어왔다.

"감사합니다."

"말씀 편하게 하세요, 후작님!"

"하하, 제가 황비님과 약속이 돼 있어서, 이만 가도 될까요."

"그럼요, 그럼요!"

흔쾌히 자리를 비켜 준 그들은 내 등 뒤에 대고 큰 소리로 외쳤다.

"후작님! 응원합니다!"

"다음에 대련 한 번만 부탁드립니다!"

입구에서 검문 안 받고 통과하는 건 처음이었다. 항상 어디 갈 때마다 어디서 왔냐고, 마구간지기인 네 주제에 무슨 황족을 만나러 왔냐며 무시당하기 일쑤였는데. 역시 사람은 잘되고 봐야 돼.

나는 어깨를 부드럽게 풀며 프리실라의 궁으로 들어갔다. 궁의 내부 벽면에 화려하게 장식된 문양들에 저절로 눈이 돌아갔다. 시녀의 안내를 받아 넓은 테라스로 향했다. 커다란 문을 열자 테라스의 하얀 의자에 앉아 있던 프리실라 황비가 나를 보고 살짝 보일 듯 말 듯 미소 지었다.

"로타이스 후."

"처음 뵙겠습니다, 1황비마마. 조 로타이스라고 합니다."

"이리 앉아요."

프리실라 황비의 긴 손이 맞은편 의자를 가리켰다. 뱉어 내는 음절 하나하나마다 품위가 느껴졌다. 책에선 화려하게 꾸미는 것을 좋아하고, 카일을 황제로 만들기 위해 닦달하는 정도로 쓰여 있었기 때문에 나는 무심코 그녀가 점잖은 것과는 거리가 멀 거라 생각했다. 하지만 그녀는 원체 이목구비가 뚜렷한 탓에 조금만 꾸며도 화려해지는 인상이었다. 물론 본인 스스로도 그걸 굳이 누를 생각을 안 하시는 것 같지만.

카일과 똑 닮은 빛나는 금발을 올려 묶은 프리실라의 도톰하고 큰 입술은 화려한 인상을 더욱 눈에 띄게 만들었다. 살짝 눈을 내리깔고 잔을 들어 올려 차를 마시는 짧은 순간, 프리실라의 풍성한 속눈썹이 작은 바람을 일으킬 듯 팔락거렸다.

어머님. 너무 아름다우세요.

목젖이 본능대로 나불거리지 못하도록 이를 악물고 참았다.

"그래요, 후가 카일을 도와 전쟁터에서 꽤나 고생하셨다고."

"과찬이십니다, 황비마마. 저는 그저 카일 전하께 폐가 되지 않기 위해 제 자리에서 최선을 다했을 뿐입니다. 카일 전하의 뛰어난 통솔력에 제가 덕을 본 일이 과하게 포장이 되었습니다."

"마구간을 지키던 몸으로 검술을 배워 카일에게 날아들던 창을 대신 맞았다는 것도 포장된 건가요."

"이 나라의 백성으로서 모시는 주군을 대신해 몸을 날린 것은 당연한 일입니다. 그것이 업적인 양 포장된 것이 과하다는 말씀입니다."

프리실라가 나를 보며 흡족하다는 듯 입꼬리를 올려 웃었다. 목뒤로 식은땀이 줄줄 흘렀다. 나 지금 잘 말하고 있나. 제대로 음절을 뱉고는 있는 건가. 머리가 빙빙 도는 와중에도 프리실라의 말은 이어졌다.

"모시는 주군이라. 로타이스 후도 이제 추밀원의 귀족이 되셨으니 대놓고 편을 드는 말씀은 가려 하는 요령을 배우셔야죠."

"……항간에 떠도는 이야기로는 카일 전하가 이번 전쟁으로 사냥개와 여신을 동시에 얻었다라고 하더라고요. 이미 온 백성이 아는데 제가 황비마마 앞에서 모른 척할 이유가 없죠."

부채로 입을 가린 프리실라가 소리 내어 웃었다.

"사냥개라. 본인의 별칭을 그렇게 꺼내는 것도 재밌네요."

나는 턱을 당기고, 허리를 꼿꼿이 폈다.

"사냥개든 사신이든 악마든 여신의 사자든 어떻게 불리든 상관없습니다. 카일 전하를 위해 살겠다는 뜻입니다. 이미 한 번 버린 목숨, 두 번이라고 어렵지 않습니다."

왜 자꾸 사람을 떠봐. 내가 카일의 사람인 거 모르는 사람이 이 세상천지에 어디 있다고.

프리실라의 한쪽 입꼬리가 비스듬히 올라갔다가 곧이어 다른 쪽의 입술도 따라 올라갔다. 완벽한 균형을 이루는 양쪽의 얼굴이 부드럽게 부스러지며 웃음이 피어났다. 그래도 여전히 단단해 보이는 분위기라 프리실라에게 쉽게 농을

지껄일 수가 없었다. 왜 테오도르가 어마마마는 무섭다고 했는지 알 것 같았다.

프리실라의 붉은 입술이 다시 열렸다.

"……카일이 전쟁터에서 2년이라는 시간을 버리는 동안."

시간을 버려? 어찌 되었건 카일은 전쟁 영웅이 되어 돌아왔다. 생각이 고스란히 드러나는 내 표정을 본 프리실라가 말을 덧붙였다.

"그 아이가 전쟁터에 있는 동안, 이사크 황자가 착실히 입지를 다지며 황제의 신임을 얻었죠. 2년이 지난 이후에 돌아온 카일에게 남은 것이 뭐죠."

전에 벤지와 카일 앞에서 했던 이야기였다. 이사크 황자가 황제의 신임을 얻고 귀족들과 친분을 쌓는 동안 카일이 전쟁을 통해 얻은 거라곤 고작 나 하나였다.

아무런 힘도 없는 신흥 귀족, 조 로타이스.

"당신이 쓸 만한 패였으면 합니다. '믿음직한' 것 정도로는 부족하니까요."

프리실라는 소리 없이 찻잔을 들어 입술을 살짝 축이고 다시 내려놓았다. 나는 프리실라의 차분한 얼굴을 잠깐 보다가 싱긋 웃으며 대답했다.

"물론입니다."

높이 뜬 태양이 강하게 내리쬐어 아주 잠깐 앞이 보이지 않았다. 그럼에도 나는 눈을 똑바로 뜨고 프리실라 황비를 바라봤다. 그녀의 푸른 눈동자 안에는 그녀의 아버지인 스노우가 보이기도 했고, 자식인 카일이 보이기도 했다.

"역사에 카일 전하와 제가 어찌 기록되는지 지켜보십시오, 마마."

"역사라……."

마주하고 있자니 숨 막힐 정도로 압박감이 드는데 대체 책에는 왜 그렇게 권력에 목숨을 건 가벼운 황비로 묘사됐던 거야. 책이 믿을 게 못 된다.

프리실라 황비의 매서운 두 눈이 나를 향했다. 가벼운 눈짓인데도 숨이 턱 막혀 올 정도였다.

"교만은 필요 없습니다. 확답을 가져오세요."

나는 목에 힘을 주어 말했다.

"제겐 꽤 겸손한 어필이었는데, 교만으로 느껴지셨다니 분발해야겠습니다. 황비마마께서 더 큰 꿈을 꾸실 수 있도록."

싱긋 웃으며 대답하자 프리실라가 놀란 얼굴로 잠깐 날 보다가 흡족하단 듯 마주 웃었다.

프리실라의 궁에서 걸어 나오는 도중에 다리 힘이 풀려 넘어질 뻔한 걸 겨우겨우 옆 벽을 잡고 똑바로 섰다. 숨을 크게 들이마셨다가 천천히 내쉰 후 다시 발을 떼고 걸었다.

뭔 사람이 저렇게 무서워. 카리스마로 사람 하나 잡아먹겠어. 조용히 읊조리는데 발음 하나하나가 귀에 내리꽂히는 것처럼 분명하고 날카로웠다. 게다가 은근히 초조하게 만들어 목줄을 당기는 것까지. 황비는 다 저런 걸까.

내 목숨을 노렸던 시에나 황녀가 사형당했고, 엘린느 황후까지 따라 죽었다. 마지막 남은 헤론 황자는 이제 끈 떨어진 연 신세였다. 그가 가진 건 그 빌어먹을 빨간 눈 색깔밖에 없었으니까. 지금 빌테온 제국의 가장 뜨거운 관심사는 나였다. 고작 마구간지기에 불과했던 내가 이번 전쟁으로 후작 작위까지 받았고, 이제는 콧대 높던 귀족들까지 나를 여신의 사자라 부르며 종교에 가까울 정도의 믿음을 보내고 있다.

하지만 황비는 그것만으로는 부족했나 보지. 오랜 역사 속에 남은 적안에 대한 믿음을 잠깐의 이슈 따위로 깨부술 수는 없으니. 현 황제를 포함하여 6대 가까이 붉은 눈이 쭉 황가를 이었다고 들었다. 그 이전의 황제들 중에서도 붉은 눈인 사람의 수가 더 많았다.

지금 프리실라 황비에겐 정말로 확답이 필요한 거다. 내일 당장 황제가 죽었을 때, 카일이 그 뒤를 이을 수 있다는 확신이. 카일은 아직 황태자로 책봉되지 않았으니까. 1황자일 뿐인 카일에겐 더 많은 업적이 필요했다. 그걸 위해 오늘 프리실라가 날 부른 거겠지. 내가 쓸 만한 패인지 알아보려고.

하지만 내가 아무리 날고 기어 봐야 한계가 있었다. 저 정신 나간 황제가 전쟁에서 큰 공을 세우고 돌아온 카일에게 아무런 상도 내리지 않은 걸 보면, 더 이상의 업적이 아무 의미 없을 수도 있었다. 이대로 쭉 황제의 마음을 얻지 못하면 어쩌지.

생각에 잠겨 황비의 궁에서 나오는 길에 아까 봤던 기사들이 손을 흔들며 아는 체를 해 왔다.

"후작님! 다음에 꼭 대련해 주십시오! 저희는 황비님 궁에 항상 있거든요!"

"기다리고 있겠습니다. 후작님!"

"네, 그럼요!"

……황제의 마음을 못 얻으면 그를 제외한 모두의 마음을 얻으면 되지. 결론을 내린 나는 빠르게 카일의 궁으로 돌아가 복도를 걸으며 하녀에게 명령했다.

"벤지 피셔 경을 불러 주세요."

내 방으로 황급히 들어가 코트 단추를 푸는데 소파에 앉아 있던 인영이 자리에서 벌떡 일어섰다. 아직 돌아가지 않은 테오도르가 방에서 나를 기다리고 있었다.

"조, 너한테 할 말이 있어."

"테오 전하. 아직 안 가셨네요."

"그렇게 딱딱하게 부르지 말고. 둘만 있을 때는 편하게 대해 주기로 했잖아."

나는 테오를 똑바로 쳐다봤다. 아무런 말 없이 테오도르를 응시하자 그는 계속해서 말을 이었다.

"정말로 계속 여자였던 거 맞지?"

"아까 제가 했던 말 뭐로 들으신 거예요?"

답답하네. 아니, 그 전에 처음부터 여자였다는 게 그렇게 믿기 힘들 정보였나. 갑자기 여신의 기적으로 중간에 몸이 바뀌었다는 게 더 타당성 있을 정도로?

구겨지는 내 얼굴을 본 테오도르가 망설이다가 고개를 푹 숙였다.

"어릴 때 투르가 여신에게 네가 여자였으면 좋겠다고 몇 번 빌었단 말이야. 혹시 그것 때문에 네가 바뀐 거면…… 사과를 해야 하잖아."

앤 나이가 몇인데 아직도 동화 속에 사냐. 대체 누가 이렇게 순진하게 키운 거야. 투르가 여신이 무슨 성전환 전문의도 아니고 어떻게 사람 성별을 바꿔요.

▽▼▽▼▽▼▽▼▽▼▽▼▽▼▽▼▽▼▽▼

[광고] 빌테온 제국 ⚦♀성전환♀⚦ 전문의, "투르가"

~빠르고 안전한 ☆수술~

☆순식간$에^남*자를&여*자로!*&

문의☎ 010-1234-5678

▲△▲△▲△▲△▲△▲△▲△▲△▲△▲△

그게 말이 되냐고요.

이마를 짚고 말을 하지 않자, 테오도르가 당황했는지 앞에서 어쩔 줄 몰라 했다.

"물론! 그럴 리 없다는 거 알아! 말도 안 되지! 내가 애도 아니고, 그게 아닐 거라는 거 아는데! 그래도 만약의, 만약에. 진짜로 내 잘못이면 어떡해."

프리실라를 만나고 오느라 진이 다 빠진 상황이었는데도 헛웃음이 터졌다.

"그럴 리 없잖아요. 나는 원래 여자였다니까."

"……다행이다."

배시시 웃는 테오도르의 얼굴은 어릴 때와 비슷해 보였다. 다시 만났을 당시에는 커다란 분홍색 눈 색깔만 그대로인 줄 알았더니. 놀려 먹기 좋은 순진한 성격은 그대로구나. 게다가 투르가한테 빌면 내가 여자로 바뀔 줄 알았다니.

……여자? 내가 여자로 바뀌면 어떡하려고.

"잠깐만요."

"응?"

테오도르가 고개를 들어 갸우뚱 꺾었다.

"왜 내가 여자가 됐으면 좋겠다고 빌었던 거예요?"

"그, 그냥……."

조금은 가라앉았던 테오도르의 얼굴이 다시 붉어졌다. 무언가 분한 듯 입을 앙다물었다가 다시 연 그에게서 설움이 느껴졌다.

"나를 먼저 봤으면, 네가 내 궁으로 왔으면……. 아니, 3년만 지난 뒤에 지금 처음 만났으면 달랐을지도 모르잖아."

"뭐라고요?"

"……형은 처음부터 네가 여자인 걸 알고 있었고…… 불공평해."

"정확하게 말해요."

팔짱을 끼고 테오도르의 앞으로 한 걸음 다가서자 그가 입꼬리를 축 늘어뜨리며 울상을 지었다. 예뻐하던 분홍색 눈꼬리 끝에 물방울이 맺혔다.

"어릴 때는 너랑 하루 종일 같이 있고 싶었으니까."

테오도르가 도톰한 입술을 웅얼거리며 계속해서 말을 이었다. 모음과 자음들이 동그랗게 날아다니는 것만 같았다.

"형님 말고, 나랑 있을 때는 내가 제일 귀엽다고 했잖아. 내가 죽을 뻔했을 때 조가 나 살렸다면서. 그러고 다시 만나서 울었잖아. 나는 조랑 계속 같이 있고 싶은데. 조는 자꾸, 자꾸 일하러 가고. 형만 좋다고 하고."

그가 눈을 깜박일 때마다 눈 끝에 맺힌 물방울이 아래로 뚝뚝 떨어졌다.

"나랑, 흐윽, 결혼하면…… 같이 있을 수 있으니까. 차라리 조가 여자였, 킁, 여자였으면 나랑, 나랑 결혼하자고……. 난 어차피 아무도 신경 안 쓰는 5황자니까 나 하나쯤 평민이랑 결혼해도 될 거라 생각했고……."

훌쩍이던 테오도르가 턱끝으로 흐르는 눈물을 손등으로 훔쳐 냈지만 그가 닦아 내는 속도보다 흐르는 눈물의 양이 더 많았다.

"너 없는 동안 내가 키도 더 크고 잘생겨져도 네가 계속 카일 형님만 좋아하면, 그러면 끝이니까 포기하려고 했단 말이야."

결국 테오도르가 두 손으로 얼굴을 가려 버렸다. 가려진 입새로 작은 웅얼거림이 흘러나왔다.

"바보같이 들켰어……."

설마 하던 테오의 감정을 직접 들으니 어안이 벙벙했다. 솔직히 말하면 나한테 테오는 귀여운 남동생이었으니까. 아무리 몸이 커지고, 온 제국을 씹어 먹을 정도의 미남이 되었어도 테오도르는 잘생긴 '동생'이었다. 나는 울고 있는 테오도르에게 손수건을 내밀며 말했다.

"저…… 일단 마음은 감사한데 저는."

"됐어. 알고 있으니까 대답하지 마. 굳이 듣고 싶지 않아."

붉게 달아오른 눈가를 꾹 눌러 눈물을 닦은 테오도르가 올라오려는 울음을 참느라 넓은 어깨를 들썩거렸다. 그의 목젖이 위아래로 울렁거렸다.

……잘 크긴 정말 잘 컸네.

숨을 길게 들이쉬고 다시 내쉰 테오도르가 까라진 목소리로 차분히 읊조렸다.

"그래도 우리 친구는 할 수 있지?"

"전하만 좋다면."

"……형님께는 비밀로 해 줘. 불편해하실 거야."

"안 그래도 그럴 참이었습니다. 어찌나 질투가 심한지 내가 다른 남자랑 대련을 한다고 목에 검을 들이대고 있어도 눈에 불을 켜고 째려본다니까요."

투덜대는 목소리에 피식 웃은 테오도르의 표정이 그제야 풀어졌다. 분위기도 풀 겸 오랜만에 테오나 놀려 볼까.

"테오."

"왜."

"울다가 웃으면 엉덩이에 뿔 난대. 너 어떡하려고 그래."

"……뭐?"

이런 한국식 전통 괴담을 네가 알 리가 없지.

내 진지한 말투에 테오도르가 놀란 얼굴로 나를 바라봤다. 어쩐지 그의 목소리가 덜덜 떨렸다.

"지, 진짜야?"

"그럼. 내가 있던 곳에선 모두 알고 있는 얘기라고."

초조한 듯 손에 쥐고 있는 손수건을 만지작대던 테오도르가 조심스럽게 오른손을 뒤로 가져갔다.

"아, 아직 안 났는데?"

"내가 한번 봐 볼까?"

"싫어!"

목까지 빨개질 정도로 부끄러워한 테오도르가 잔뜩 울상을 하고선 내 양쪽 어깨를 붙잡았다.

"여신의 사자인 네가 거짓말을 할 리는 없잖아! 내 엉덩이에 진짜로 뿔이 나면 어떡해!"

"뭘 어떡해. 앞으로 바지 수선할 때 엉덩이에 구멍 내 달라고 해야지."

"싫어! 그런 거 싫다고!"

다시 울먹거리기 시작한 테오도르가 나를 짤짤 흔들다가 소파에 털썩 주저앉았다.

"……앞으로 의자에는 어떻게 앉지? 가운데가 뚫린 방석을 준비하라고 해야 되나. 공식 석상엔 영원히 다니지 못할 거야."

우울하게 축 처진 테오를 보다 못하고 결국 나는 배를 잡고 깔깔 웃으며 농담이라고 말했다.

저 커다란 애가 사색이 돼선 엉덩이를 만지며 울상이라니. 너무 웃기잖아. 숨이 넘어갈 정도로 웃고 있다가 문득 고개를 들었더니 노을을 등지고 테오도르가 음산하게 나를 내려다보고 있었다.

"못된 망나니."

"……뭐?"

"개망나니."

"황자고 뭐고 계급장 떼고 한 판 뜨고 싶은 거면 말로 하세요."

"지금 말로 하잖아. 이 못된 양아치야."

기다렸다는 듯 곧장 테오도르에게 달려들어 머리채를 잡자 그 역시 내 멱살을 잡고 바닥에 내리꽂을 듯 짤짤 흔들었다. 힘이 아예 안 실린 것은 아니었지만 진심으로 온 힘을 다해 싸우지도 않았다. 둘 다 약간의 웃음기를 머금은 채 방을 뒹굴며 예전처럼 쌈박질을 해 댔다.

그래, 인마. 원래 친구끼린 싸우면서 크는 거란다. 여기서 코를 스윽 문지르기만 하면 완벽한 청춘 드라마의 한 장면이 될 수도 있었는데. 노크를 듣지 못한 탓에 벤지가 들어오는 줄도 몰랐다.

"지금 뭐 하는 겁니까!"

테오도르의 멱살을 잡고 얼굴에 죽빵을 내지르려던 찰나, 벤지가 나를 잡고 떼 냈다.

"넌 갑자기 왜 5황자님이랑 싸움을 해! 차라리 나가서 대련을 해!"

"테오가 먼저 나보고 망나니라고 했어."

"이 미친 망나니가 먼저 내 엉덩이에 저주를 퍼부었다고."

벤지에게 달랑 들린 상태로 나는 테오에게 발 차기를 해 댔고, 내 발목을 잡은 테오가 그대로 내 신발을 벗기고 간지럽히기 시작했다.

"야! 아, 발! 아, 반칙! 탭 세 번 쳤잖아! 타임!"

활어처럼 펄떡대다가 결국 벤지에게서 풀려나 바닥에 쿵 하고 떨어졌다. 그래도 얼굴에 웃음기를 머금은 테오도르는 내 발을 놔주질 않았다. 잡히지 않은 왼발로 테오도르의 가슴팍을 걷어차자 그가 윽 소리를 내며 뒤로 넘어갔다. 황자가 맞는 걸 눈앞에서 목격한 벤지가 발을 동동 구르며 안절부절 어쩔 줄 몰라 했다.

"조! 그만해!"

약간은 진심이 돼 버린 싸움 탓에 테오도르가 옆에 있던 의자를 집어 들었다.

"와. 너 치사하게 도구발 세우냐."

질 수 없어서 나도 탁자 위에 놓인 촛대를 쥐어 들었다.

"내가 친구처럼 지내자고 했지, 누가 놀려 먹으래."

"귀여운 동생 놀리는 게 내 나라의 유구한 역사와 전통이다."

우리 둘 사이에 선 벤지가 두 팔을 벌리며 필사적으로 막아 세웠다.

"조! 황자한테 너라고 하면 안 된다고! 아니 그 전에 누가 황족한테 촛대를 들고 덤벼! 테오 전하께서도 이러시면 안 됩니다! 조야 원래 미친 사람이지만 테오 전하는 안 이러셨잖습니까!"

"내가 원래 미친 사람이라니!"

벤지를 향해 허공에 발길질을 해 대자 테오도르가 맞소리를 질렀다.

"미친 거 맞지! 어느 귀족이 황족 엉덩이에 저주를 거냐고!"

"아, 진짜 저주도 아니고 농담 좀 한 거 가지고 되게 비싸게 구네! 얼마나 비싼 엉덩이길래!"

"엉덩이! 엉덩이! 엉덩이 얘기 좀 그만해!"

벤지가 귀를 막고서 나를 노려봤다. 황족에게 불충한 언사를 할 때마다 못 견뎌 했던 그였으니 지금 혀를 깨물고 죽고 싶겠지. 하지만 테오도르가 자꾸 저주를 걸었다잖아. 농담 좀 한 거 가지고.

그때, 씩씩거리며 같이 화내던 테오도르가 갑자기 웃음을 터뜨렸다. 들고 있던 의자를 내려놓은 테오는 그 위에 털썩 주저앉았다.

"조는 정말 난잡하고 방탕해. 내 엉덩이를 그런 농담으로 탐하려고 하다니."

"와, 누가 들으면 오해하겠네요, 황자님. 제가 언제 엉덩이를 탐했다고,"

"조."

타이밍 절묘하게 내 방의 문이 끼이익 소리를 내며 열렸다. 인상을 찌푸린 카일이 천천히 방으로 들어왔다.

"내가 몇 번을 말해. 엉덩이가 예쁘다고 해서 함부로 벗기면 안 된다고 했잖아."

그렇게 말하면 내가 뭐가 돼요. 하지만 카일의 얼굴은 진지했다.

아, 맞다. 여기 카일의 옆방이었지. 그가 업무를 끝내고 돌아올 시간이라는 걸 깜빡했다. 갑작스러운 형의 등장에 테오도르가 자리에서 벌떡 일어섰다. 하지만 카일은 테오도르에게 시선 한 번 주지 않고 오직 나만 바라보며 한숨을 푹 내쉬었다.

"내 한 번은 네가 사고를 칠 줄 알았어."

"……나 사고 안 쳤어요."

진짜 결백한데.

카일이 고개를 짧게 흔들더니 눈을 느리게 감았다가 떴다. 그의 무표정한 얼굴이 테오도르를 향했다.

"테오도르. 내 조가 네 엉덩이를 탐했나?"

"아, 아니. 형. 그게 아니고……."

당황한 테오가 두 손을 들어 올려 짤짤 흔들었지만 카일의 눈은 흔들리지 않았다.

"왜 확신을 갖고 말해요! 카일! 나 아니야! 안 그랬어!"

방방 뛰며 말했지만 카일은 차분히 테오도르에게 말을 이어 갔다.

"테오 네가 조에게 호감을 가지고 있다고 해서 조가 하자는 대로 따라가면 안 돼. 워낙 달변가라서 언뜻 들으면 타당하게 들리겠지만, 그건 너를 어떻게 해 보겠다는 수작일 가능성이 커. 넌 잘생겼으니까 항상 조심해야 돼."

옆으로 물러난 벤지가 이를 악물고 웃음을 참았다. 처음엔 당황하던 테오도르도 이젠 카일의 진지한 말이 웃겼는지 눈을 질끈 감고 터지려는 웃음을 꾸역꾸역 참는 게 눈에 보였다. 답답한 건 나뿐이었다.

"나는 카일밖에 없는데 내가 왜 테오 바지를 벗겨요! 나 진짜 안 그랬다니까!"

카일 옆에 가서 억울한 듯 말해도 그는 침통한 표정으로 내 어깨를 다독일 뿐이었다.

"네가 동그랗고 예쁜 엉덩이를 좋아하는 건 알아. 하지만 예쁘다고 무조건 쫓아가거나 뚫어지게 보면 안 된다고 말했잖아."

"뭔 말을 그렇게 하세요? 모르는 사람이 사탕 준다고 따라가지 말라는 말투로 엉덩이 따라가지 말라고 해 봤자 하나도 안 진지하거든요? 지금 벤지랑 테오도르도 고개 돌리고 웃고 있잖아요!"

결국 카일의 목을 틀어쥐고 짤짤 흔들었다.

"차라리 평소처럼 질투를 하든가!"

차분하게 내 손을 떼어 낸 카일은 사뭇 진지한 낯이었다.

"이건 질투가 아니야. 훨씬 심각한 문제지. 네가 평민일 때는 감옥에서 빼 올 수 있었지만, 귀족인 지금 성희롱으로 감옥에 갇히면 어떻게 빼 오겠어, 내가."

"날 뭘로 보는 거예요."

씩씩거리며 벤지를 쳐다봤다. 구원 투수가 필요했다. 입술을 깨물며 웃음을 참던 벤지가 몇 번의 헛기침 후 겨우 대화에 끼어들었다.

"흠, 확실히 조는…… 카일 전하의 엉, 엉…… 몸이 아니면 썩 관심이 없어 하니 괜찮지 않을까요."

카일이 고개를 절레절레 흔들었다.

"그건 벤지 네가 조를 몰라서 그래. 엉덩이만 좋아하면 차라리 다행인 수준이지."

"저 지금 조금 치욕스러우니까 그만하세요. 앞으로는 방자하게 굴지 않겠습니다. 수치스럽게 만드시려는 작전이면 성공하셨다고요."

테오가 살짝 손을 들며 말했다.

"형, 조가 변태인 건 나도 알아. 그건 이 방에 있는 모두가 알고 있는 사실이잖아."

저건 돕는 거야, 아니면 이때다 싶어서 욕을 하는 거야. 쏘아보는 내 눈빛에도 테오도르는 또박또박 말을 이었다.

"하지만 조는 한 번도 다른 사람의 가슴이나 엉덩이를 만진 적이 없잖아. 조는 형만 밝히는 거야."

"그래! 난 카일만 좋아하는 거야!"

하지만 카일의 태도는 강건했다.

"조는 내 몸을 좋아하지. 그래서 조가 가끔 뚫어지게 보고 있는 놈들의 몸을 보면 묘하게 나랑 닮았단 말이야."

아. 이제야 카일이 예민하게 군 이유를 알 것 같았다. 전쟁터에서 가끔, 본의 아니게, 정말 의도치는 않았지만, 남장을 한 채 생활하다 보니 기사들의 몸을 볼 때가 있었다. 그중 카일의 팔뚝을 닮았거나, 카일의 가슴 근육과 모양이 비슷하거나, 걸을 때 뒤태의 근육 움직임이 유사하면 나도 모르게 눈길이 갔다. 그걸 알고 있었단 말이야?

……대체 날 얼마나 지켜보고 있었던 거지.

내 놀란 표정을 본 카일이 어깨를 으쓱했다.

"내 몸이 기준일 뿐. 조는 항상 탐미적인 변태야. 그러니 조심해야 돼, 테오도르. 넌 내 형제니까 아무래도 많이 닮았단 말이지."

테오의 표정 역시 덩달아 심각해졌다.

"그, 그 정도일 줄은 몰랐어."

아니, 왜 사람을 짐승마냥 취급하시냐고요. 다급하게 카일의 앞을 막아서서 최선을 다해 변론했다.

"오해가 있는 거 같은데요, 카일. 내가, 어? 전쟁을 하다 보니까 간혹 기사들의 몸을 보다가 카일이랑 닮으면 잠깐 눈이 간 거지, 그걸 뭐 어쩌겠다는 의도는 없었어요."

나를 물끄러미 내려다보던 카일이 별안간 내 얼굴을 붙잡았다.

"그 눈이 문제야."

"네?"

하도 황당해서 저절로 입이 벌어졌지만 카일은 아랑곳하지 않았다.

"잡아먹고 말겠다는 기백으로 똘똘 뭉친 이 두 눈. ……연인이 변태일 때 어떻게 해야 하지? 그런 건 어떤 곳에서도 배운 적이 없어."

당연하죠. 그걸 누가 가르쳐요.

테오도르가 손을 들었다.

"그러면 음란한 눈을 가진 조를 영창에 보내지 그랬어, 형."

"감옥 따위로 조를 가둘 수 없다."

단언한 카일은 침통하게 고개를 가로저었다.

"아니, 이보세요. 저 그렇게 안 음란하다니까요? 그냥 지나가다가 비슷한 부분이 있으면 '카일이랑 어깨 근육 닮았다.' 이런 생각만 했다니까요!"

"내가 아닌 사람에게서 나를 보았다는 게 문제야. 넌 나만 봐야지."

이 와중에 질투를 해? 답답한 나머지 눈을 동그랗게 뜨고 벤지를 쳐다봤다. 내 나름대로 도움을 요청하는 눈빛이었지만 그의 입에서 나온 말은 전혀 도움이 되지 않았다.

"……만약 전하의 말씀대로 조가 정말로 다른 사람에게서 카일 전하를 상상한다면…… 그건 질투로 끝날 일이 아닌 것 같습니다. 위험하지 않을까요. 사회적으로 말입니다."

"그건 괜찮아. 조는 얼굴을 보니까."

……저기요. 이게 대체 무슨 대화야.

"오해를 하고 계신 거 같은데 저한테는 준법정신이라는 게 있어요. 그리고 다른 사람 바지 벗긴 적도 없고!"

"알아. 하지만 다른 사람 보면서 걷다가 길을 잃은 적은 있었잖아!"

"……그, 그건 그때 피곤해서 그랬어요! 전투 한 번 끝마치고 나면 정신이 하나도 없다고요!"

"그게 말이 돼? 피곤해서 누군지도 모르는 사람 엉덩이를 따라가다 길을 잃는다는 게?"

"……엉덩이를 따라간 게 아니라 그냥 그 사람 등 근육 움직이는 게 카일이랑 닮았길래 멍때리고 걷다가 그렇게 된 거라니까요!"

"그런 시커먼 복장으로 뒤를 쫓으니까 기사들이 널 잡아다가 막사에 넣은 거잖아! 검은 사신이 쫓아오면 죽는다는 괴담이 돌았어!"

"어쩐지! 언젠가부터 장미 기사단들이 나만 보면 자꾸 막사로 들어가서 쉬라더라!"

좀 걸을라치면 자꾸 막사나 숙소로 가서 쉬라고 하기에 피곤해 보여서 그런 건가 했는데. 그게 아니었다니. 내가 무서워서 막사에 넣었다는 거잖아.

"그래서 돌아오는 길에 마차 밖으로 나가지도 못하게 한 거예요? 계속 무릎 위에 앉혀 놓고?!"

"그래! 다른 사람 엉덩이 쫓아갈까 봐!"

"엉덩이, 엉덩이, 엉덩이! 엉덩이 얘기 좀 그만하십시오!"

이젠 울 지경인 벤지가 귀를 틀어막았다. 그 와중에 테오도르가 목소리를 높이며 달려들었다.

"뭐? 형 무릎 위에 조가 앉아서 왔다고? 조! 나 형이랑 많이 닮았다며! 나는, 나는!"

"테오도르! 끼어들지 마라. 조는 내 사람이다!"

"카일이야말로 웃기지 마요! 날 변태로 보고 있으면서!"

"엥? 조. 그건 틀린 말은 아니지 않아?"

"테오도르! 조는 네 생각처럼 만만한 변태가 아니야! 이건 형으로서 하는 조언."

"이 인간이 뭐라는 거야!"

나는 결국 참지 못하고 카일의 정강이를 걷어차서 내쫓았다. 형과 닮지 않았냐고 거듭 묻는 테오도르는 등짝을 때려 문밖으로 보내고, 마지막으로 모든 걸 포기한 듯 보살처럼 웃고 있는 벤지까지 내보냈다. 닫히는 문 사이로 낮게 읊조렸다.

"내가 찾아가기 전까지 아무도 나 찾아오지 마요. 노크도 하지 마요. 나 진짜 화낼 거예요."

문을 쿵 닫고서 한참을 씩씩거렸다.

정신없어 죽겠네. 머릿속에 엉덩이밖에 없어. 대체 결론이 뭐야. 내가 변태라는 거? 검은 사신이 쫓아오면 죽는다는 괴담이 돌았다는 거? ……에라이. 진짜 다 죽일까 보다.

나는 머리를 마구 헝클어뜨렸다. 에이씨, 오늘 다 망했어. 원래 계획대로면 벤지와 함께 그가 골라 놓은 초대장 중에서 우선순위로 가 볼 모임을 차근차근 고르려고 했는데. 다른 귀족들과 친분을 쌓아 보려던 내 계획이 초장부터 어그러졌다.

혼자 남은 방에서 책상에 앉아 초대장들을 하나씩 읽어 갔다. 벤지 말고 나를 도와줄 만한 사람 없나. 다른 귀족들에 대해 잘 알고, 나를 선뜻 도와줄. 이사벨라라면 재밌어하면서 날 돕겠지만 플라반 후작령은 너무 멀었다. 게다가 난 사회적으로 남자니까 우리가 자주 만나면 염문설이 퍼질 게 분명했다. 결국 남은 길은 하나뿐이었다.

언제 가도 날 반겨 줄, 날 좋아하는 사람.

나는 초대장들을 우르르 가방에 챙겨 넣고 마구간으로 가 크로우 위에 올라탔다. 궁을 빠져나가려 하자 입구에 서 있던 기사들이 의아한 빛으로 물었다.

"후작님, 어디 가세요?"

"벨로이스트 공저. 당분간은 스승님과 지낼 거야."

그 영감 말만 험악하지, 날 좋아하니까.

해가 어스름히 진 저녁, 나는 말을 몰아 빠르게 달려 벨로이스트 공저로 향했다. 저녁을 먹은 뒤 쉬고 있던 스노우는 내게 버럭 짜증을 냈지만 입은 벙싯벙싯 웃고 있었다. 내가 찾아온 게 즐거운 모양이었다.

"이 자식아. 미리 말이나 하고 오지. 하여튼 간에 예의라곤 없어."

"방 하나만 줘요. 영감 외손자랑 대판 싸우고 왔으니까."

"치우지도 않은 방엘 어떻게 들어가! 이리 와서 술이나 한잔하면서 왜 싸웠는지 얘기해 봐. 보나 마나 그 쪼잔한 놈이 또 질투나 했겠지."

"내가 엉덩이만 보는 변태래요!"

"크하하핫!"

웃음을 터뜨린 스노우가 내 등을 떠밀며 커다란 벽난로 앞에 날 앉혔다.

타오르는 불빛 앞에서 스노우에게 카일과 싸운 얘기를 주절주절 떠들고 있으니 문득 그리운 기분이 들었다. 지금은 멀게만 느껴지는 언젠가, 학교에서 친구랑 싸웠거나 개같은 조별 과제를 맡았을 때 아빠나 엄마에게 떠들곤 했었다. 그러고 보면 여기 와선 한 번도 그런 적 없었지.

이쪽 세상에선 모두들 일찍 결혼을 해서 그런지 스노우의 나이는 그리 많지 않았다. 기껏해야 내 큰아버지뻘 정도.

"……딱히 잘못한 건 없는 거 같은데 자꾸 나를 변태 취급하니까."

"변태가 맞긴 하지만 그걸로 사람을 몰아가면 서럽지. 잘 싸웠어. 아주 그냥 목을 꺾어 버리지 그랬냐."

"죽으면 결혼을 못 하잖아요."

"그 와중에 결혼 생각까지 했어?"

편안하게 웃는 스노우의 얼굴 위로 불현듯 아빠의 모습이 겹쳐 보였다. 나도 모르게 눈물이 핑 돌았다. 왜 이러지, 이 세상으로 온 게 하루 이틀도 아니고 몇 년짼데 이제 와서 슬퍼지면 어쩌려고.

떠들다가 입을 다물어 버린 나를 보던 스노우가 말없이 고개를 벽난로로 돌렸다.

"카일 이 염병할 놈. 내 제자가 비록 몹쓸 망나니지만 실력 하나는 끝내주는데."

"……할배 뭔 위로를 그따위로 해요."

물기 섞인 내 목소리에도 스노우는 왜 우냐는 질문 하나 하지 않았다.

"카일이 속 썩이면 목을 꺾어 버리고 동대륙으로 도망치는 것도 나쁘지 않지."

"누가 보면 내가 자기 손자인 줄 알겠네."

"너 같은 손주 있었으면."

"있었으면?"

"……손주 키우는 맛에 전쟁터도 안 갔겠지."

"할배가 날 곱게 키웠겠어요? 분명 전쟁터에서처럼 다짜고짜 집어 던지고, 메다꽂았겠죠."

"그러니까. 그 재미에 전쟁에 안 나갔을 거라니까."

"이 영감이 진짜."

바람 빠지는 것 같은 실없는 웃음이 입 밖으로 푸스스 퍼졌다. 잠깐 아무런 말 없이 흔들리는 불꽃을 물끄러미 바라보고 있었다. 내게 더 이상 농담을 건네지 않던 스노우가 잠시 뒤 묵직한 목소리로 말을 건넸다.

"밥은 먹었냐."

중세 시대 색목인이 왜 안부 인사로 밥 먹었냐고 물어봐. 자꾸 집 생각 나잖아. 결국 참지 못하고 눈물을 줄줄 흘리며 울어 버렸다. 하루아침에 온 가족을 잃은 슬픔은 이렇게 예상치도 못한 타이밍에 고름처럼 터지곤 했다.

당황한 스노우가 자리에서 일어나 덮고 있던 담요를 둘러 주고 손수건을 꺼내 내밀었다. 그것도 모자라 밖에 서 있던 하녀를 불렀다.

"물을 한 컵, 아니, 술을 한 병 가져와. ……배가 고파서 그런 건가. 안주도 넉넉하게 가져와."

아닌 밤중에 난리였다. 밖에 있던 하녀들의 발놀림이 빠르게 움직이는 게 들렸지만 한 번 터진 눈물은 쉽사리 그치질 않았다. 재밌어요. 다 너무 재밌고 좋은데…….

내 어깨에 조심스레 손을 올린 스노우가 나와 눈을 맞췄다.

"조. 다른 일이라도 있는 게냐. 카일이 험한 말이라도 한 거야? 내가 내일 황궁에 쳐들어가서 카일이랑 테오도르 싹 다 불러 주랴? 응?"

다정하게 묻는 스노우의 말에 더 크게 울었다. 내가 우는 모습은 카일처럼 곱지 못했다. 꺼이꺼이 눈물 콧물이 줄줄 흘러내렸다. 무언가 말을 하고 싶어도 울음에 먹혀 버렸다. 게다가 독을 삼켰던 탓에 입을 열어 말을 뱉어도 바람이 통하듯 쉭쉭 빈 소리만 났다.

미간을 찌푸린 스노우가 아무런 말 없이 나를 끌어당겨 품 안으로 안았다. 잔뜩 뭉개지는 발음으로 바람 소리에 섞여 제대로 내보내지도 못하는 소리로 한참을 엄마, 아빠를 부르며 울었다.

스노우는 조용히 내 등을 토닥이다가 내가 울음이 그칠 때쯤 나를 일으켜 어느 방으로 안내했다. 넓은 침대에 고이 누워 이불을 덮고도 한 번 터진 울음은 그치질 않았다.

"칼 맞았을 때도 눈물 한 방울 안 흘리던 놈이 뭐가 그리 서러워서."

시큰둥한 말투로 말하던 스노우는 하녀가 찬 수건을 들고 오자 그걸 곱게 접어 내 눈 위에 조심스럽게 올려놓았다. 하여간 말투랑 다르다니까. 시뻘겋게 퉁퉁 부은 내 눈 위로 물에 적신 수건의 차가운 냉기가 퍼졌다. 부드러운 이불을 끌어 올려 내 목 아래까지 덮어 준 스노우는 침대 옆 의자에 앉아 조곤조곤 이야기를 꺼냈다.

정신이 멍할 정도로 울어서인지 수건에 가려진 시야가 검어서인지 그의 말소리가 아주 먼 꿈처럼 느껴졌다.

"나도 가끔 아버지가 생각나거든. 우리 아버지는 아주 엄한 사람이었어. 나만 보면 정신도 못 차리고 놀러 다닌다고 큰 소리로 나무랐지. 그땐 어찌나 열이 받았는지."

옛날이야기를 꺼내는 스노우의 목소리가 차분해서 줄줄 흐르던 눈물이 점점 멎어 들었다.

"넌 아버지가 어지간히도 예뻐해 주셨나 보지. 나는 어머니가 더 보고 싶은데. 뭐, 아무튼, 나는 이 나이 먹고도 내 이름을 외치던 아버지 목소리가 생생하게 떠오른단 말이지. 약간 걸걸한 편이었는데 이상하게 내 이름을 부를 때만큼은 목청이 탁 트인 양 아주 깔끔했어. 무지막지하게 큰 소리로 이 저택의 복도를 쩌렁쩌렁 울렸지. '스완넬우드!' 그러면 정말 온몸에 털이 삐쭉 서는 느낌이었어. 처음엔 착실히 부르는 대로 가서 혼내시는 대로 쭉 혼나다가, 나이 들고 나선 몇 번 도망을 갔지. 못 들은 척 밖으로 내빼기도 하고. 더 늙어선 아예 전쟁터로 내빼 버렸어. 거기까진 안 쫓아오더라고."

킬킬 웃던 스노우가 갑자기 조용히 숨을 골랐다.

"……그러다 돌아오니 아버지가 없더구나. 그 늙은이가 나 없는 새에 몰래 죽었다니까. 나한테 말 한마디 없이 그냥 가 버렸어. 평생 죽을 거 같지도 않더니."

스노우의 목소리가 점차 잦아들었다. 내 이마를 천천히 쓸어 넘긴 스노우가 묵직한 목소리로 낮게 말했다.

"준비되지 않은 이별은 언제나 후회가 많은 법이지."

입술이 파르르 떨렸다. 울지 않으려 입을 앙다물었는데도 목울대가 울렁거려 참기가 힘들었다. 목 아래에 커다란 알사탕이 박힌 것처럼 갑갑했다. 옆에서 물을 짜내는 듯 찰랑이는 소리가 들리더니 내 눈두덩에 올라가 있던 수건이 다시 차가운 것으로 바뀌었다. 스노우는 미지근해진 물수건을 다시 찬물이 든 대야에 담근 후, 흉터 많은 주름진 손으로 내 손을 토닥였다.

"이렇게 울면 다음 날 좀 덜 꼴사납지."

우리 아빠도 손에 주름이 참 많았더랬다. 두껍고, 흉도 많고.

내 손 위에 제 손을 올려놓은 스노우는 계속해서 옛날얘기를 이어 갔다. 아버지와 싸웠던 이야기, 정원 가꾸기를 좋아했다던 어머니 얘기, 부인을 처음 봤을 때 첫눈에 반했는데 말을 못 걸어서 빙빙 돌았던. 아이가 태어날 때 옆에 있어 주지 못한 게 미안해서 그 이후 5년간은 전쟁터에 나가지도 않고 애만 돌봤다는 이야기까지.

계속 듣고 있다 보니 점점 슬펐던 감정이 가라앉았다.

"카일 그놈은 뭐든지 다 잘하니까 인간적인 매력이 없잖아."

"……잘생겼잖아요. 그리고 영감이 몰라서 그렇지 엄청 매력적이거든요."

카일 얘기는 도저히 그냥 넘어갈 수가 없어서 갈라지는 목소리로 되받아치자 스노우가 그럴 줄 알았다는 듯 껄껄 웃었다. 그러면서도 잡고 있는 내 손을 놓진 않았다. 이후로도 한참 혼자서 떠들던 스노우의 마지막 말이 어느 순간 아득히 멀어졌다.

"……이제야 자는 거냐. 잘 자라, 조."

덕분에 그 날은 더 이상 울지 않았다.

몸을 동그랗게 말고 자고 있던 중 무언가가 내 옆구리 위로 툭 떨어졌다.

"윽, 뭐야!"

"눈탱이가 아주 붕어마냥 두껍구만!"

"이씨, 왜 놀려요!"

"나와! 오랜만에 대련이나 하게!"

스노우가 내 침대 위에 던진 건 검이었다.

이 염병할 영감탱이가 어째 다정하다 했어. 하루를 안 가네.

씩씩거리며 침대 위에서 일어났다. 문밖에서 다른 사람의 목소리가 들려왔다.

"공작님! 왜 세숫물을 직접 들고 가셨습니까! 손님을 준비시키는 건 아랫사람한테 시키셔야죠!"

"카일이랑 싸우고 도망 나온 저 망할 놈한테 시중까지 들어 줄 필요가 뭐 있어! 나이가 몇인데 옷을 혼자 못 입겠어! 그놈 혼자 알아서 하라 그래!"

세숫물에다가 얼굴 닦을 깨끗한 천까지 직접 가져다준 사람이 하는 말치고는 다소 앞뒤가 맞지 않았다. 내가 여자인 걸 들킬까 봐 혼자 씻으라고 배려한 거겠지.

"하여간 말만 더럽게 한다니까."

피식 웃으며 나는 스노우가 가져다준 깨끗한 물에 얼굴을 씻은 후, 옷을 갈아입었다. 아침도 먹기 전이라 기운도 없는데 스노우는 아주 펄펄 날아다녔다.

"너 이 새끼, 잘도 나를 기절시키고 군대를 빠져나갔겠다!"

"그게 언제 적 얘긴데 지금 와서 난리예요! 악!"

마치 검이 손에 붙은 것마냥 자유자재로 휘두르는 스노우 탓에 또 졌다. 이번엔 꽤나 비등비등하게 싸웠다고 생각했는데 또 지고 나니 허탈할 지경이었다. 풀밭에 털썩 주저앉아 숨을 고르자 스노우가 내 뒷덜미를 잡아 일으켰다.

"이 자식은 왜 이리 비실비실해! 황궁에선 밥도 안 주냐! 일어나! 밥 먹게!"

이 할배 사실 한국인 아냐? 뭐 이렇게 밥을 못 챙겨서 안달이야. 손가락 하나 까딱할 힘도 없이 몰아붙일 땐 언제고.

하지만 벨로이스트 공저의 요리사 솜씨는 보통이 아니었다. 수프를 마시다시피 들이붓고, 가져다주는 요리를 게 눈 감추듯 해치웠다.

"천천히 먹어."

나는 입에 든 걸 겨우 꿀꺽 삼키고 넓은 식탁 위를 둘러봤다.

"할배. 근데 벨로이스트 부인은 어디 계세요? 어제부터 한 번도 못 뵀네."

"예쁜 사람만 보면 정신을 못 차리는 네놈이 내 아내한테도 침 흘릴까 봐 숨겨 뒀다."

"사람을 뭘로 보고. 설마 내가 스승님 부인께도 그럴까."

"마저 먹어. 먹고 소개시켜 줄 테니까."

식사를 마치고 난 후, 스노우는 넓은 복도를 천천히 걷고 계단을 올라가더니 가장 안쪽 방문 앞에 도착했다. 두 손으로 두 개의 문을 밀어젖히자 화려한 금발에 다갈색 눈동자를 지닌 고풍스러운 미인이 한눈에 들어왔다.

정확히는 미인을 담은 커다란 그림이었지만.

"……어……."

"내 이럴 줄 알았지. 네가 내 부인 보면 넋 놓을 거 같더라니. 소개시켜 주기 싫었는데."

에이 쯧쯧. 혀를 차며 스노우는 그림 앞에 놓인 의자에 앉았다. 테이블조차 없는 넓은 방에는 오직 그 초상화와 의자뿐이었다. 스노우는 의자에 앉더니 즐거운 듯 말을 시작했다.

"타샤. 얜 처음 보지. 내 제자인데 아주 건방져. 재능이 있긴 한데 그게 검술에 재능이 있다기보다는…… 뭐랄까. 승리에 눈이 돌아간 느낌이라고 해야 되나. 아, 그래. 당신이 나 대련하는 거 보고 무섭고 징그럽다고 도망쳤잖아. 그런 느낌일 거야 아마. 웃기지. 피 하나 안 섞인 놈이 나랑 비슷하다니."

카일도, 그의 어머니인 프리실라도 날카로운 인상인 데 반해 타샤라 불린 초상화 속 여인은 굉장히 온화한 느낌이었다. 아래로 살짝 처진 눈과 평소에 잘 웃었는지 눈꼬리에 생긴 연한 주름은 가만히 있어도 웃는 것처럼 보였다. 미소를 머금어 살짝 올라간 입꼬리까지 완벽할 정도의 부드러운 인상이었다.

"뭘 정신 빠져 있는 거냐."

스노우가 장난스러운 목소리로 내 팔을 툭 치자 나는 진지한 목소리로 곧장 말을 뱉었다.

"안녕하세요, 부인. 저는 얼마 전에 귀족이 된 조 로타이스 후작입니다. 스노우 공작님은 저를 주로 망할 놈, 야, 변태, 꼬맹이 등으로 부르지만 사실 저 아주 진국이에요. 심성은 고와요. 그리고 들으셨다시피 검술에 아주 재능이 넘치고, 사지 멀쩡합니다. 부인, 아니, 시외조모님. 부디 카일을 제게 주세요."

고개를 꾸벅 숙이자 스노우가 자리에서 벌떡 일어나 내 뒷덜미를 잡아 일으켰다.

"미친놈이 초면에 외손자를 달라고 하네."

"아, 놔 봐요! 왠지 내가 무릎 꿇으면 카일 데려가라고 할 것 같은 관상이시구만."

"타샤가 사람 좋아 보이긴 해도 화나면 얼마나 무서운데!"

"와, 들으셨죠, 부인? 이 영감이 허옇게 머리 백발 되고서도 자기 부인 험담을 하네요. 그렇게 성질이 더러우니까 머리가 일찍 새지."

"타샤. 이놈 이거 여자야. 믿기 힘들겠지만."

"예, 부인. 저 여자예요. 제 취향 때문에 손자분 눈에 눈물 안 나게 한다는 말은 못 하겠지만, 손에 피 한 방울 안 묻히게 하겠습니다."

"너 지금 그딴 걸 각오라고 말하는 거냐."

"아, 댁이 가르쳤잖아요. 내가 누구 때문에 전쟁터의 사신이 됐는데."

"네 드러운 성질 때문이지, 지금 누굴 탓해."

벨로이스트 부인의 초상화 앞에서 스노우와 한참 실랑이를 하다가 아웅다웅 치고받으며 방에서 걸어 나왔다. 노란 튤립이 가득 핀 정원을 걸으며 스노우가 조용히 물었다.

"놀랐지."

"……안 놀랐다고 하면 거짓말이겠죠. 전에 부인한테 잘할 거라고 말한 적도 있었잖아요."

"매일 보러 가고, 좋아했던 꽃도 손수 돌보고 있지."

묵묵히 걷던 스노우는 튤립들을 보며 씩 웃었다.

"궁으로 돌아갈 때 튤립이나 가져가라."

"왜요."

"예쁘잖아."

부드럽게 웃은 스노우의 옆에 함께 선 타샤 벨로이스트 부인의 모습을 상상했다. 퍽 잘 어울리는 모습이었다. 나는 입술을 삐죽이며 스노우의 옆구리를 툭 쳤다.

"궁으로 갈 때 튤립 가져갈게요. 근데 당장은 안 가요."

"왜. 싸우고 나온 거 아니었냐."

"그건 맞는데, 자존심 상해서 못 가겠어요. 귀족들이랑 친해져서 카일한테 힘이 되려고 했는데, 그러자니 또 카일의 손을 빌려서 다른 귀족들이랑 친해져야 하고."

"뭘 그런 걸 고민해. 네 스승이 벨로이스트인데."

"……예?"

멍청한 얼굴로 스노우를 쳐다봤지만 그는 내 쪽을 바라보지 않고 정면만을 응시했다.

"이미 가진 쪽은 더 이상 작업할 필요가 없을 테고, 중립이거나, 남의 것을 뺏어야겠지."

"……어떻게 그래요."

"넌 젊고 잘생겼으니 어떻게든 되겠지."

내 머리를 헝클어뜨린 스노우가 멀리 서 있던 집사를 불렀다.

"내 제자를 정식으로 소개한다고 하고, 내일모레 점심 식사나 다들 하자고 해. 그리고 젊은 애들 모이는 살롱 목록도 뽑아 오고. 우리 멍청이가 갈 만한. 무슨 말인지 알아들었지?"

집사가 고개를 꾸벅 숙인 후 빠른 걸음으로 시야에서 사라졌다. 고개를 갸웃거리던 스노우가, 아니, 벨로이스트 공작님께서 말씀하셨다.

"수도에 있는 귀족들은 대부분 모이겠지. 콜린 후작은 좋다고 뛰어올 테고, 아마 피셔 공작도 오겠군. 넌 벤지만 알지, 그 아버지는 한 번도 본 적 없지? 이번 참에 인사하는 것도 좋겠군. 너를 좋아할 만한 털털한 인사들도 많으니 잘됐어. 네 또래인 자식들도 데려올 테니 우리가 빠지고 나면 그들과 친해지는 건 네 몫이다. 멍청아, 듣고는 있는 게야?"

발로 뛰면서 온갖 파티에 참석해야 하나 고민 중이었는데 이 할아버지 뭐지, 정말. 나는 턱을 매만지던 스노우의 오른손을 덥석 잡았다.

"……아빠라고 불러도 돼요?"

"미쳤냐."

벌레라도 본 듯 뿌리친 스노우가 내 얼굴을 밀어 냈다.

"손자뻘한테 아빠 소리 들을 만큼 노망나지 않았어."

내 얼굴을 짓누를 듯 밀어 내는 스노우의 손을 잡고 나는 스노우를 와락 끌어안았다.

"우리 아빠랑 나이 차이도 얼마 안 나는 거 같은데 왜 그래요."

"됐어, 인마! 징그럽게 굴지 마!"

"나 죽었다가 돌아왔을 때는 백배는 더 징그러운 눈빛으로 나 봐 놓고서!"

"떨어지라니까!"

"아잉, 스승님! 나 정식으로 소개시켜 준다는데 그 자리에서도 나보고 멍청이라고 할 거예요? 어서 사랑 가득 담아서 나를 조라고 불러 봐요."

"이 자식 거머리 고기를 삶아 처먹었나. 왜 안 떨어져."

스노우가 옆구리를 끌어안은 나를 떨어뜨리려고 머리와 어깨를 잡고서 밀었지만 나는 두 발에 힘을 주고 떨어지지 않았다.

"영감이 양자로 들어오라고 했을 때 그냥 잽싸게 들어갈 걸 그랬어. 아빠, 사랑해요. 조 벨로이스트 어때요."

"야, 이놈아! 아빠라고 하지 말라니까! 내 딸도 나한테 안 이랬어!"

"황비님이 아버지한테 낯을 가리셨나 보다. 난 그런 거 없어. 자, 얼른 저를 늦둥이라 생각하시고 조라고 해 보세요, 아빠."

"미친놈아. 차라리 할아버지라고 해. 나도 양심이 있지."

"예, 할아버지. 사랑해요."

나는 생글거리며 스노우를 향해 환하게 미소 지었다. 뭐 이런 새끼가 다 있지, 하며 나를 보던 스노우는 결국 못 말리겠다는 듯 웃음을 터뜨리고 말았다.

❈ ❈ ❈

갑자기 파티를 열겠다며 사람들을 불러 모은 스노우 덕에 갑자기 음식과 술을 준비해야 하는 시종들만 죽어나게 생겼다. 발에서 땀이 나도록 이리저리 뛰어다니며 술을 조달하는 사람들을 보니 괜스레 미안한 마음이 들었다. 게다가 어마어마한 양의 음식 재료들을 실은 마차까지 저택에 드나들었다.

"세상에. 저 많은 재료를 사람들이 다 먹어요?"

"못 먹지. 하지만 너를 소개하는 자리니 넘칠 수 있을 만큼 넘쳐야지. 귀족들 눈에는 그렇게 보이는 편이 나을 테니."

테라스에서 다리를 꼬고 앉아 여유롭게 차를 마시는 스노우는 전쟁터에서와 달리 누가 봐도 귀족처럼 보였다.

어떻게 저럴 수 있지. 흙바닥 위에 앉아 있을 때도 그 나름대로 잘 어울렸는데 잘빠진 양반이 이렇게 멋 부리고 있으니까 너무 귀족 같네.

나름대로 스노우의 고급스러움을 따라 하려고 팔걸이에 두 팔을 살짝 걸치고 그처럼 다리를 꼬았다. 나를 힐긋 본 스노우가 픽 웃더니 고개를 짧게 내저었다.

"너는 그러면 안 돼."

"왜요."

"누가 봐도 귀족다워야 하니까. 바른 자세인 게 좋지."

"나 같은 귀족도 하나쯤 있어야 하지 않을까요."

"그건 명성을 쌓고 난 이후에. 지금은 기존 질서에 맞춰 가는 게 더 낫지."

"에이."

꼬았던 다리를 풀고 정자세로 앉았다. 무언가 탐탁잖은 듯 인상을 찌푸리던 스노우가 턱을 매만지며 말했다.

"키를 좀 더 키울 순 없냐."

"저 여자치고 큰 키예요."

"남자치곤 평균인데 사신이라기엔 초라하잖아."

"저 여자예요."

"로타이스 후작은 남자야."

"그 로타이스 후작 원래 여자거든요."

"그럼 오찬에 입을 옷은 드레스로 골라 주랴?"

"……깔창이라도 밑에 좀 깔까요?"

"그리고 이쯤 되니 그냥 이렇게 사는 것도 나쁘지 않은 것 같은데."

"카일이랑 결혼하기로 했는데."

"지금 네가 여자인 거 밝혀져 봐라. 온 나라가 뒤집히지."

제기랄. 그럼 카일이랑 결혼은 어느 세월에 하냔 말이야. 속으로 궁시렁대며 고개를 돌리자 음식 재료를 들이는 마차 뒤로 보라색 머리카락을 휘날리며 들어오는 인영이 보였다. 톰이었다.

"……톰? 쟤가 여긴 왜 왔지."

"톰? 기사단의 톰 말이냐?"

스노우가 고개를 빼고 저택의 정문을 바라봤다. 말을 타고 들어온 톰이 말에서 내린 후 시종에게 무어라 얘기하더니 빠른 걸음으로 저택으로 들어왔다. 테라스로 들어온 톰은 스노우에게 인사를 건넨 후 날 보며 한숨을 푹 내쉬었다.

"……싸우고 말도 없이 집 나가고 그러지 말래."

"누가."

"누구겠어. 카일 전하지."

"집이라니. 궁이 어떻게 내 집이야. 난 어차피 로타이스에 저택 완공되기 전까지 '잠깐' 머무는 거잖아."

스노우의 눈치를 보던 톰이 잔뜩 울상이 되어 말했다.

"……그냥 돌아와 주라, 조. 아니, 후작님. 제발이요."

"내가 왜."

"카일 전하가 어제 잠도 못 주무시고 계속 저기압이신데 너무 무섭단 말이야. 전쟁 때도 너 없어지고 나서 전하가 얼마나 무서웠는데."

"그땐 내 행방을 몰랐을 때고. 지금은 내가 어디 있는지 알면서 왜 그런대."

"내가 그걸 어떻게 알겠어. 근데 꼭 너 데리고 돌아오라고 하셨어. 제발 그냥 가자……."

옆에서 흥미롭게 바라보던 스노우가 찻잔을 탁, 소리 나게 내려놓았다.

"젊은 사람들끼리 모이는 파티에 기사 하나 정도 더 있어도 문제 될 건 없지. 어차피 방도 많으니까 너도 여기 머물러."

얼굴이 사색이 된 톰이 손을 휘휘 내저었다. 카일이 어지간히 겁을 줬는지 톰은 나와 함께 돌아가던지, 아니면 끌고라도 갈 기세였다.

"나 때문에 모인 사람들이라서 내가 빠지면 안 돼."

어깨를 으쓱하며 일어나지 않고 버티자 결국 톰은 울상이 되어 다시 황궁으로 돌아갔다.

스노우는 조용히 낮게 읊조렸다.

"아쉬우면 지가 올 것이지, 어딜 감히 기사를 보내. 귀한 남의 제자한테."

살짝 찡그린 눈썹을 보니 진심으로 짜증이 난 모양이었다. 누가 보면 카일이 아니라 내가 손자인 줄 알겠어요, 할아버지. 나는 테이블에 두 팔을 올리고 턱을 괸 채 스노우를 보며 두 눈을 말똥말똥 깜빡거렸다. 내 부담스러운 눈빛을 알아챈 스노우가 본능적으로 몸을 뒤로 빼며 얼굴을 구겼다.

"왜."

"하다버디."

"혀는 어디로 팔아먹었어."

"조는 인제 하다버지 업스면 엇저지. 넘무넘무 슬플 거 가터."

"따라 나와. 대련하러 가게. 이 새끼가 정신이 빠져 가지고."

"죄송해요. 잘못했어요, 스승님."

스노우의 집에서 지내는 이틀 동안 걸핏하면 대련하고, 지쳐서 퍼질러졌다가 다시 깨워서 대련하고, 그가 옆에서 주절주절 떠드는 병법에 고개를 끄덕거리길 반복했다. 전쟁 때와 다를 바 없는 이틀이었지만 다른 점이 있다면 여긴 소문이 난다는 거였다. 그것도 후작인 지금에 걸맞은 소문이.

'더우면 옷을 벗어 던지는 기사들과는 다르게 후작님은 항상 손수건으로 땀만 닦으시더라.'

'하인들에게 항상 예의가 바르셔.'

'목욕물만 준비하면 후작님이 알아서 다 해결하시니까 시중드는 게 힘들지

가 않아.'

'항상 깔끔하셔. 다른 귀족들보다 더.'

오찬 날은 다행히 해가 쨍쨍했다. 몇 대나 되는 마차가 저택으로 들어서고 수많은 사람들이 마차에서 내렸다. 창문을 통해 내려다보니 다들 비싼 옷으로 몸을 두른 것이 만만한 귀족들은 아닌 것 같았다.

나는 스노우가 보내 준 옷을 입으며 뒤에 서 있던 시종에게 말을 걸었다.

"저기, 바몬."

"예, 후작님."

"나 겉보기에 후작처럼 보여요?"

시종은 부드럽게 웃으며 대답했다.

"전쟁터에서 수많은 적을 휩쓴 사신처럼 보이지도, 여신과 소통하는 대단한 사자처럼 보이지도 않습니다만 그 누구보다 다정하고 인간적인 분이십니다, 후작님은. 저기 있는 다른 귀족분들도 후작님의 매력을 곧 알게 되겠죠. 고작 이틀 같이 지낸 저도 알 정도인데요."

……난 정말로 끈끈이 풀인가 봐.

오찬 장소인 식당으로 들어서자 기다란 테이블과 반짝이는 은색 수저들이 눈에 들어왔다. 내가 등장하자 자리에 앉아 있던 귀족들이 모두 고개를 돌려 나를 바라봤다. 어색하게 웃지 않으려 최대한 자연스럽게 눈을 접으며 그들에게 눈인사를 건넸다. 테이블 가운데에 앉아 있던 스노우가 자리에서 일어서 나에게 걸어왔다.

"이 친구와 구면인 분도 있겠지만 다시 정식으로 인사시키겠습니다. 조 로타이스 후작이자 제 하나뿐인 제자입니다."

이보세요. 할아버지. 카일도 할배한테 배웠다면서요. 그의 발언으로 나는 스노우가 인정한 단 한 명의 제자가 되었다.

그날따라 스노우는 작정을 했는지 식사 중간중간에 계속해서 내 칭찬을 퍼부었다.

제 밑에 들어와서 배운 놈들 중 끝까지 따라온 놈은 하나도 없었다느니, 아직 부족한 점이 있긴 하지만 어쨌든 제국에서 끈기와 근성으로 조 로타이스를 이길 사람은 없을 거라느니.

그러면 듣고 있던 귀족들이 스노우 영감의 비위라도 맞추려는 듯 아낌없이 고개를 끄덕였다. 그중엔 당연히 투르가 여신 처돌이 콜린 후작도 있었다.

"어찌나 대단하셨는지! 적을 두려워하지 않는 강인한 정신과 박력!"

로테나와의 전쟁에 참전했던 사람 중 벨로이스트 쪽은 아니었지만 황제의 명령으로 군대를 보냈던 다른 귀족들도 호기심에 오찬에 참석한 모양이었다. 나와 말 한 번 섞은 적 없던 사람도 웃으며 목소리를 높였다.

"처음엔 어디의 누군지도 몰랐는데 어느 날부터 스노우 공작님에게 검술을 배우고, 정신 차려 보니 로타이스 요새를 혼자 뚫어 버리더군요!"

"죽었다가 깨어났을 때는 또 어땠습니까! 붉은 매를 실제로 본 건 처음이었죠!"

도저히 낯 뜨거워서 가만 듣고 있기 민망한 수준이었다. 하지만 쪽팔리다고 도망가기엔 과하게 귀한 인맥들이었다.

"제 딸과 인사하셨다지요."

구석에 앉아 있던 후덕한 중늙은이가 인심 좋게 웃으며 말을 건네 왔다. 옆을 보니 낯익은 영애가 앉아 있었다.

"브리엔느 백작님이십니까. 처음 뵙겠습니다. 영애와는 저번 무도회에서 뵙고 인사를 나눴었죠. 다정하게도 제게 독서 모임에 초대까지 해 주셨죠. 비록 참석하진 못했지만요."

"독을 삼키고도 이리 무사하신 것만 해도 어딥니까. 과연 여신이 돌보는 사자네요. 저야말로 전쟁 영웅을 이렇게 오찬에서 뵈니 반갑네요. 노아. 후작님에게 제대로 인사하렴."

브리엔느 영애가 나와 눈을 맞추고 수줍게 싱긋 웃었다. 나도 마주 보며 입꼬리를 올려 응했는데 어쩐지 브리엔느 영애의 두 볼이 발그레 물들었다.

그때 다급하게 콜린 후작이 끼어들었다.

"제게도 딸이 있죠!"

"예? 아, 예. 콜린 후작님의 영애분과는 초면이네요."

재빠르게 말을 받아치며 대답하자 콜린이 흡족하게 웃으며 옆에 앉아 있던 영애와 눈을 맞췄다.

"인사해라, 수. 내가 몇 번이나 얘기한 로타이스를 맨몸으로 격퇴한 영웅이시다."

콜린 후작이 또 선을 넘는 PR을 해 댔다. 덩치가 큰 콜린 후작과는 달리 수는 작은 체구에다가 심약해 보였다. 아버지의 부름에 화들짝 놀랐다가 얼굴을 빨갛게 물들인 수가 나를 힐긋 보곤 눈을 아래로 내리깔았다.

"……안녕하세요, 후작님."

과하게 긴장한 것 같아 나는 나름대로 분위기를 풀기 위해 농담을 건넸다.

"나도 이름이 한 글자인데, 좋은 친구가 될 수 있지 않을까요. 나는 조, 영애는 수. 꼭 무슨 콤비 같잖아요."

수가 화들짝 놀라더니 덧붙였다.

"아, 아버지가 수라고 애칭으로 부르시는 거라……. 원래 이름은 수잔입니다, 후작님. 수잔 콜린이에요."

"아, 제가 초면에 애칭으로 불러 버렸네요. 실례를 범했습니다, 영애."

어지간히 부끄러운지 수가 말없이 고개를 도리도리 젓기만 하자 스노우가 껄껄 화통하게 웃으며 말을 덧붙였다.

"애칭으로 부를 수도 있지! 사람 일은 모르는 거니까!"

콜린도 아니고 스노우 영감 네가 그러면 어떡합니까. 내가 뭐, 수잔이랑 결혼이라도 하면 어쩌려고요. 여자인 거 안 들키려고 결혼까지 해야겠냐고.

인상을 구기지 않으려고 최대한 억지로 미소를 지었는데 그게 오해를 불러일으켰는지 다른 영애가 불쑥 끼어들었다.

"후작님! 제 동생을 구하셨다 들었습니다!"

"예? 제가요?"

스노우가 내게 작게 소곤거렸다.

'피셔 가문의 영애야.'

아. 벤지의 누나구나.

눈을 동그랗게 뜨고 아는 척을 하려던 순간, 또 다른 백작이 끼어들었다.

"제 아들도 후작님을 우상이라 하더군요! 다음에 시간 괜찮으시면 저희 집에 와 주시겠습니까?"

"물론이죠."

대답이 끝나기 무섭게 다른 귀족이 말을 걸어왔다.

"사냥과 말 타는 걸 좋아하신다고 들었습니다! 얼마 전에 태어난 새끼 망아지를 후작님께 선물해도 되겠습니까."

"정말요? 너무 영광입니다!"

그 전까진 최대한 이성적으로 대답하고 있었는데, 말을 선물한다는 소리에 나도 모르게 펄쩍 뛰며 너무 신난 티를 내 버렸다. 굳어 있던 모습보다는 그게 더 자연스러웠는지 다른 영애와 영윤들은 그제야 긴장을 풀었다.

오찬 내내 정신없이 퍼붓는 질문 공세에 밥이 코로 들어가는지 입으로 들어가는지 알 수 없었다. 겨우 식사가 끝난 뒤에는 젊은 사람들끼리 얘기해 보라며 스노우가 넓은 정원에 테이블을 깔아 버린 탓에 도망갈 수조차 없었다.

여기서 인맥 못 만들고 가면 등신 중의 등신이구나. 이미 식사하면서 수많은 약속을 잡긴 했지만, 내 또래의 사람들과 친해지는 건 또 다른 의미였으니까.

나보다 한두 살 정도 어려 보이는 남자애가 성큼성큼 다가왔다. 사뭇 비장한 표정이었다.

"저, 저는! 제프 그린스턴입니다! 꼭 후작님처럼 되고 싶습니다!"

"반가워요. 제프 그린스턴. 그린스턴 백작가에서 만드는 와인이 그렇게 깔끔하다면서요. 나 술 좋아한다는 얘긴 알죠?"

가볍게 웃으며 대답하자 제프의 표정이 한껏 밝아졌다. 다음에 만나러 올 때는 와인을 들고 오겠다며 요란을 떠는 제프의 뒤로 다른 영윤들이 점점 가까이 다가왔다. 에워싸는가 싶더니 또 정신없는 자기소개 타임이 시작됐다.

"저는 이레네오 필덤이고요, 저희 지방에선 가죽을,"

"후작님! 말씀 많이 들었습니다. 저는 빅토르,"

"위즐턴 백작의 장남 델가입니다! 제 여동생도 오늘 같이 왔,"

"제 이름은 쿤 베르도,"

"후작님! 제가 바로,"

"저는."

"제가요, 후작님!"

하나씩, 한 명씩 말하세요. 얘들아. 귀는 두 개지만 뇌는 하나입니다.

3권에서 계속

어차피 조연인데
나랑 사랑이나 해

1판 3쇄 찍음 2022년 4월 8일
1판 3쇄 펴냄 2022년 4월 15일

지은이 | 단 디
펴낸이 | 정 필
펴낸곳 | (주)뿔미디어

기획 · 편집 | 박경희 권지영 김신혜
표지 디자인 | 우 물

출판등록 | 2002년 9월 11일 (제1081-1-132호)
주소 | 경기도 부천시 소향로 17, 303(두성프라자)
전화 | 032)651-6513 팩스 | 032)651-6094
E-mail | scarlets2012@hanmail.net
블로그 | http://blog.naver.com/dahyangs
비북스 | http://b-books.co.kr

값 13,000원

ISBN 979-11-6565-915-8 04810
ISBN 979-11-6565-913-4 04810(세트)

※파본은 구입하신 서점에서 교환하여 드립니다.